PASCALE LEFRANÇOIS

avec la collaboration de Lucie Plante-Lefrançois

MTR.

L'OrTHOgraPHe

déjouée

COLLECTION
es secrets d'une championne

Éditions
du Phare

media
Éditeurs

Éditions
Beauchemin

L'Orthographe déjouée

Auteur

Pascale Lefrançois
avec la collaboration de Lucie Plante-Lefrançois

Éditeur principal

1977, boulevard Industriel
Laval (Québec)
H7S 1P6

**Conception graphique
et édition électronique**

© 1995 Mondia Éditeurs inc., Éditions du Phare, Éditions Beauchemin et Pascale Lefrançois.

ISBN 2-89114-548-8

Dépôt légal : 2e trimestre 1995
Bibliothèque nationale du Québec
Bibliothèque nationale du Canada

1 2 3 4 98 97 96 95

Remerciements

Un ouvrage aussi complexe que celui-ci ne peut évidemment pas être conçu en solitaire… de A à Z. L'auteur tient donc à adresser ses remerciements les plus sincères à sa fidèle et inestimable collaboratrice, Lucie Plante-Lefrançois, à son soutien moral des heures difficiles, René Lefrançois, ainsi qu'aux concepteurs, conseillers et graphistes de chez Mondia Éditeurs et des Productions Goyette, et en particulier Pierre Fournier, coordonnateur du projet, qui par leur persévérance et leurs efforts louables ont su mener à terme cette grande aventure. Merci également aux membres de notre famille et à tous nos amis pour la compréhension et l'encouragement qu'ils nous ont témoignés au cours des deux dernières années.

Table des matières

Introduction

Si la langue française sait se faire tendre, câline et charmeuse lorsque, sous la plume des poètes, elle nous susurre son riche vocabulaire, gracieusement enserré, tel un joyau dans son écrin, dans des propositions souples et mélodieuses, elle peut également nous surprendre, nous intriguer, nous piéger, nous faire endêver, même, avec ses incongruités et ses règles alambiquées.

Qui d'entre nous ne s'est jamais emporté devant l'obscure subtilité d'un accord de participe passé, ou rebiffé devant une orthographe inopportune ? Qui n'a jamais eu maille à partir avec un trait d'union récalcitrant, un accent rébarbatif, ou un genre inopiné ? Et combien de fois n'avons-nous pas eu envie de répliquer par une cordiale grimace au sourire gouailleur de notre dictionnaire ou à l'insolence de notre grammaire ?

Mais à maligne, malin et demi. Puisque notre langue semble prendre un vif plaisir à nous déconcerter, nous entraînant tantôt dans une essoufflante partie de cache-cache avec les mots, tantôt dans un rallye enlevant entre une règle et une autre, pourquoi ne pas la prendre avec humour, entrer dans sa sarabande, et tenter de la déjouer à notre tour ?

Pourquoi *L'Orthographe déjouée* ?

L'Orthographe déjouée se veut justement un clin d'œil amical à la langue française, une manière de s'amuser avec elle, de l'apprivoiser et de la posséder plus sûrement. Son concept est le fruit d'une évolution longue de plus de six ans, dans les coulisses puis sur la scène des feus Championnats du monde d'orthographe organisés par Bernard Pivot jusqu'en 1992. Pour faire face aux manigances machiavéliques des « dictateurs professionnels » de la francophonie, nous cherchions la potion magique qui nous permettrait de maîtriser notre orthographe de A à Z, et de nous présenter avec assurance au passionnant exercice de la dictée.

Après deux participations qui nous ont menées, ma mère et moi-même, jusqu'en demi-finale, nous avons décidé de viser la finale de l'année suivante. Pour ce faire, il s'agissait de nous attaquer à nos dictionnaires au grand complet, et de préparer patiemment, grâce à eux, une documentation adaptée à notre soif insatiable… et aux délicieux pièges de M. Pivot. Cette méthode que nous avons alors développée, et qui s'est révélée efficace dans notre humble cas, nous l'avons par la suite complétée, peaufinée, enrichie, jusqu'à sa forme actuelle. Nous n'affirmons pas avoir trouvé la panacée qui mettra fin à toutes les hésitations, et qui fera de nos lecteurs d'invincibles experts en orthographe ; mais ce qui nous a aidées pourra peut-être en éclairer quelques-uns, ou du moins leur donner envie de bâtir à leur tour une synthèse personnalisée de cette langue riche et complexe qui s'offre à eux.

L'Orthographe déjouée se veut une systématisation inédite du français à partir de ses difficultés. Elle ne se prétend ni un dictionnaire, ni une grammaire, ces deux outils demeurant la source de connaissances la plus complète et la plus élémentaire : ne serait-ce que lorsqu'on s'en tient uniquement à l'orthographe, jamais on ne pourra trouver répertoire plus exhaustif que sous la couverture de notre dictionnaire favori. Cependant, ce que l'on gagne en complétude, on le perd en synthèse ; car si l'ordre alphabétique facilite la recherche d'une entrée parmi 60 000, il ne crée aucun de ces liens logiques ou de ces parallèles éloquents qui constituent la base de la connaissance orthographique.

Un mot isolé peut certes être mémorisé ; mais dès qu'on le place à côté d'autres partageant une caractéristique donnée, il dépasse son premier statut « unique », devient élément d'un ensemble, et se grave alors en mémoire de façon beaucoup plus sûre. La démarche qui nous a permis de retenir un mot nous en offre cinq, dix, cent, mille autres en prime, sans efforts supplémentaires. Chaque mot peut être comparé à un maillon dans la chaîne de la langue : il ne devient éloquent qu'une fois uni à ses semblables ; et chacune de nos connaissances est comme un bateau qui tangue au gré des vagues : elle a besoin d'être ancrée à bon port au moyen de liens solides, pour ne pas se laisser engloutir sous le flot d'informations qui déferle autour d'elle.

Parmi les « traits d'union » mnémotechniques, le plus efficace demeure sans conteste la compréhension, et tout deviendrait beaucoup plus simple s'il était possible de raisonner devant chaque difficulté et de lui appliquer une règle appropriée, sans avoir à fouiller dans les brumes parfois embrouillées de sa mémoire. Hélas ! comprendre n'est pas toujours aisé lorsqu'on s'attaque à la langue française, et les dictionnaires ne contribuent pas nécessairement à établir entre leurs éléments les liens logiques qui s'imposent. Tel est donc le rôle qu'a voulu se donner *L'Orthographe déjouée* : dégager pour différents types de difficultés une tendance générale qui, en apportant la solution à *une* question portant sur *un* mot, répondra du même coup à ce *même* problème pour une *majorité* d'autres mots semblables. Il suffira alors de mémoriser d'une part la « règle » générale, d'autre part la liste *complète* des exceptions trouvées dans les livres de référence.

L'Orthographe déjouée, c'est en quelque sorte les « *Pages jaunes* » de la langue : on y retrouve les mots sous la rubrique qui les réunit plutôt qu'en ordre alphabétique. Par exemple, dans un répertoire comme les « *Pages jaunes* », au lieu de trouver le restaurant italien « Capriccio » à la lettre C, on le rencontrera plutôt dans la section « Restaurants italiens » ; de même, dans le présent livre, on devra chercher *bouleau* ou *radio* dans les mots se terminant par le son [o], *arc-en-ciel* ou *court-circuit* dans les mots composés, et ainsi de suite. Celui qui ne s'intéressera qu'à la présence ou à l'absence de trait d'union dans *entremêler*, ou qui ne cherchera que la forme plurielle de *hobby*, obtiendra sa réponse beaucoup plus rapidement en consultant le dictionnaire de son choix. Si par contre il veut cesser d'hésiter systématiquement devant les composés de *entre* ou le pluriel des mots anglais se terminant par *y*, le livre qu'il s'apprête maintenant à parcourir pourra lui être d'un précieux secours. *L'Orthographe déjouée* complétera parfaitement le dictionnaire, mais sans jamais le remplacer, d'autant plus que le sens des mots, autre élément essentiel à leur connaissance, a dû être ignoré dans la plupart des cas. L'ouvrage incite par ailleurs le lecteur à se replonger dans le dictionnaire aussi souvent qu'il le souhaitera, afin d'y découvrir le fin détail des nuances qui jusque-là lui étaient demeurées inconnues, tout en lui offrant des moyens de contrer seul certaines hésitations, et lui éviter de devoir chaque fois vérifier dans les outils habituels.

Qu'est-ce que *L'Orthographe déjouée* ?

L'Orthographe déjouée a pour matière première *tous* les mots, ainsi que des expressions et locutions présentant un intérêt particulier, entrés dans trois ouvrages de référence : le *Petit Larousse 1995*, le *Petit Robert 1*, dans son édition de 1993, et le *Dictionnaire des difficultés de la langue française* d'Adolphe Thomas (1971). Si nous nous sommes limitées à trois sources, c'est que sur certains sujets (tels que les mots composés ou le pluriel de certains mots simples, par exemple), les divergences entre les linguistes et les grammairiens sont si nombreuses que presque toutes les formes sont permises et il devient impossible de procéder à quelque classification que ce soit. Nous avons donc choisi les deux dictionnaires les plus susceptibles de se retrouver dans la bibliothèque de nos lecteurs, ainsi que l'œuvre de M. Thomas, qui a été couronnée par l'Académie française, afin de présenter également le point de vue d'un grammairien influent.

Malgré tout, il arrive fréquemment que nos ouvrages entrent en désaccord sur un genre, une orthographe ou une forme plurielle, permettent deux possibilités, ou alors se contredisent d'une entrée à l'autre. Dans de tels cas, plutôt que de trancher en faveur de l'une ou l'autre solution, nous avons combiné les possibilités en une seule expression, sans en indiquer la source. Par exemple, la lettre grecque *alpha*, désignée par Larousse comme « nom masculin invariable » et par Robert comme « nom masculin », sera présentée dans le présent volume comme « nom masculin variable *ou* invariable » ; le mot *casse-pieds*, forme unique fournie par Larousse, est accompagné de la variante *casse-pied* dans Robert, et sera par conséquent inscrit ici comme *casse-pied(s)*. Voilà pourquoi il est possible qu'en vérifiant dans votre dictionnaire favori, vous ne trouviez pas exactement la même information que celle que nous vous proposons.

Nous avons tenu à rapporter fidèlement tout ce que nous avons rencontré dans nos dictionnaires, tant les variantes que les recommandations et les formes tolérées, que nous ayons été d'accord ou non avec ce que nous lisions, qu'il nous ait ou non semblé y avoir erreur. Nous souhaitions en effet « rapporter » plutôt que « prescrire », ne pas aller à l'encontre d'autorités que non seulement nous respectons, mais qui sont aussi généralement reconnues à travers la francophonie. Toutefois, quand *aucune* de nos sources ne se prononçait – c'est-à-dire n'allait pas jusqu'à spécifier la forme plurielle –, nous nous sommes alors permis d'avancer notre propre interprétation, signalée par un triangle (▲), en nous basant sur des cas similaires ou sur ce qui nous a paru le plus logique. Lorsque seul un dictionnaire avançait une réponse – surtout en ce qui a trait au pluriel –, nous n'avons inscrit que cette dite réponse, accompagnée de l'initiale de notre source entre parenthèses.

Les quelque 70 000 mots et expressions de notre corpus ont été analysés dans huit chapitres constituant une progression en trois étapes : l'orthographe pure, les notions grammaticales, puis les aspects culturels et le sens.

D'abord, nous nous sommes attardées à l'orthographe des mots, hors de tout contexte grammatical ou sémantique :

— dans «Terminaisons», les mots ont été classés selon les derniers sons qu'on entend en les prononçant ; on apprendra à distinguer, notamment, des mots comme *moribond*, *aplomb*, *ajonc*, *barlong* et *rodomont*, ou encore comme *misaine*, *lichen*, *chaîne*, *verveine*, *frêne*, *empenne* et *cantilène* ;

— dans «Confusions orthographiques», nous avons établi des parallèles entre des graphies semblables où la difficulté porte surtout sur les consonnes simples ou doubles, et listé des mots contenant des lettres inusitées ; on comparera, par exemple, *cassonade* à *citronnade*, *paramécie* à *péripétie*, *giravion* à *gyroscope*, et on énumérera les mots s'écrivant avec -cqu- tels que *acquitter* ou *jacquard*, ou dont les lettres -en- se prononcent « in » (*benjamin*, *pentagone*, etc.) ;

— dans «Accents», nous avons présenté des mots dont l'accent peut poser problème, ou sur lesquels on a tendance à inscrire un accent superflu : *réviser*, *pérégrination*, *pèlerin*, *havre* ; souvent ils apparaissent sous forme de parallèles : *dèche* et *déchéance*, *crêperie* et *crépir*, *râteler* et *ratisser*, par exemple.

Ensuite, nous avons ajouté des considérations d'ordre grammatical pour dépasser la simple épellation :

— dans «Genre et nombre», nous avons analysé le genre de certains noms où des erreurs surviennent fréquemment, en les classant selon leurs lettres finales (on comparera *une débâcle* et *un embâcle*, *un paraphe* et *une épitaphe*, *le cinnamome* et *la cardamome*, etc.) ; puis nous avons traité de la formation du pluriel dans certains types de mots, entre autres ceux qui se terminent par -al, -ail, -eu, les noms propres devenus noms communs, les marques déposées, les noms employés comme adjectifs, les noms invariables ou toujours pluriels ;

— dans «Mots composés», nous avons répertorié tous les mots avec un trait d'union, ainsi que des locutions et des mots soudés auxquels on serait tenté d'en ajouter indûment, et nous les avons subdivisés selon la forme plurielle qu'ils revêtent : on rencontrera par exemple *maître-autel* et *maître chanteur*, *contre-fer* et *contresens*, *des extrêmes-onctions* et *des Extrême-Orientaux*, *des lauriers- cerises* et *des lauriers-sauce* ;

— dans «Locutions et expressions», nous avons classé des groupes de mots qu'on ne retrouve pas en entrée principale dans le dictionnaire, mais dont l'orthographe ou le nombre peuvent nous faire hésiter : on distinguera *homme de science* et *homme de lettres*, *lettre de recommandation* et *lettre de félicitations*, *en tout cas* et *en tous sens*, etc.

En dernier lieu, nous avons abordé des facettes culturelles et sémantiques de la langue :

— dans «Mots étrangers», nous avons relevé les termes empruntés à d'autres origines et ne semblant pas tout à fait français (*blitz*, *dandy*, *kumquat*, *macho*, etc.); ils ont été isolés et traités ici de façon particulière en ce qui concerne le *pluriel*, l'emploi du *trait d'union*, et l'usage des *accents*, parce que ces trois caractéristiques permettent de distinguer les mots totalement francisés de ceux qui ne l'ont été que partiellement ou pas du tout; pour les autres questions touchées dans ce volume (terminaisons, genre, homonymes, etc.), ils ont été analysés dans les chapitres appropriés comme n'importe quels autres mots;

— dans «Homonymes», nous avons regroupé des mots dont il faut connaître la signification pour pouvoir les orthographier ou les prononcer correctement, ou encore pour en déterminer le genre ou le nombre (par exemple, *filtre* et *philtre*, un *poster* et le verbe *poster*, *la faune* et *un faune*, *un ciseau* et *des ciseaux*); tous les mots qui, à travers le volume, ont été marqués d'un astérisque parce que le sens en conditionne la graphie sont donc définis dans cette partie finale.

Chaque chapitre a été traité différemment, comme autant de livres distincts, et débute par une exposition détaillée de la méthodologie qui lui a été appliquée, suivie d'une description complète de son contenu. Ces pages d'introduction se révèlent capitales à la compréhension de ce qui suit, et il sera utile de les relire régulièrement pour mieux saisir les nuances propres à chaque approche. Nos lecteurs nous pardonneront de n'avoir pu retenir que les difficultés les plus intéressantes dans chacun des huit champs d'analyse, sans quoi c'est une encyclopédie en plusieurs tomes qu'il eût fallu colliger. En traitant par exemple le problème du l simple par rapport au l double, nous nous sommes limitées à douze parallèles, alors que des centaines auraient pu être élaborés; de même, dans les terminaisons, nous avons négligé les finales qui ne présentaient aucun intérêt (entre autres, les sons [yb], parce que tous les mots se terminent par la graphie *-ube*).

Il ne faudra pas s'étonner de ne pas retrouver la totalité des 70 000 éléments analysés dans au moins une des listes : les mots suivant la tendance majoritaire n'apparaîtront tout simplement pas, ou alors uniquement à titre d'exemples, puisque seules les exceptions ont besoin d'être mémorisées – celles-ci, à moins d'avis contraire, seront *toutes* répertoriées.

Nous présentons ici nos humbles excuses aux linguistes et aux grammairiens s'apprêtant à consulter *L'Orthographe déjouée*. Car si nous respectons votre science, nous ne prétendons nullement la posséder, et il nous arrivera fréquemment de commettre des entorses à l'art qui est le vôtre. Nous avons en effet voulu aborder la langue avec l'œil d'un non-linguiste, d'une manière spontanée et intuitive, en utilisant des concepts et des termes avec lesquels les profanes se sentiront à l'aise. Et nous devrons parfois sacrifier la précision linguistique afin d'être mieux comprises par nos lecteurs. Ce sera notamment le cas pour des termes comme *terminaison, dérivé, syllabe muette*, que nous avons choisis délibérément au détriment de leur équivalent scientifique, parce qu'ils nous ont semblé plus clairs et plus accessibles. De même, nous avons décrit aussi souvent que possible la prononciation des mots au moyen de syllabes du langage ordinaire plutôt qu'en alphabet phonétique international; ce dernier n'a été employé que lorsque la nuance ou le concept que nous devions exprimer ne pouvait l'être que de cette façon – et alors, c'est auprès de tous nos autres lecteurs que nous nous excusons.

Comment utiliser *L'Orthographe déjouée*?

L'Orthographe déjouée peut à la fois se destiner à une consultation ponctuelle, dans le simple but de satisfaire la curiosité du moment, servir d'outil didactique pour approfondir sa connaissance du français, d'ouvrage de référence dans la rédaction et la correction de textes, ou de mine de renseignements pour les jeux linguistiques (mots croisés, Scrabble et autres). C'est en feuilletant attentivement chacun des chapitres qu'on en saisira l'esprit, et qu'on apprendra à trouver rapidement l'information recherchée; car toutes ces listes, qui semblent peut-être rébarbatives au premier abord, gagnent à être apprivoisées petit à petit. On peut les lire en dilettante, y revenir régulièrement pour qu'elles se gravent tout en douceur dans la mémoire visuelle, s'efforcer de les étudier exhaustivement ou encore se concentrer exclusivement sur les mots qui nous intéressent.

Celui qui voudra trouver un mot en particulier, non pas dans le but unique d'en connaître l'orthographe, mais plutôt pour le lier à d'autres cas similaires ou comprendre les raisons de ses hésitations, devra d'abord cerner le type de problème à résoudre. Il se dirigera ensuite vers le chapitre qui traitera ce problème, et consultera le plan du chapitre pour savoir sous quelle rubrique il a été classé. Par exemple, le mot *accès* peut nous intriguer pour ses deux c se prononçant [ks]: on trouvera dans les « Confusions orthographiques » les difficultés de prononciation et de lettres inusitées ; *accès* peut également nous faire chuter sur sa finale *-ès*: il s'agira alors de consulter les « Terminaisons » au tableau portant sur le son [ɛ] ; on peut aussi se demander si d'autres noms comme *accès* changent leur accent grave en accent aigu dans des mots de la même famille (comme *accéder*): les « Accents » présenteront un parallèle entre les mots en *-ès* et d'autres mots ayant un accent aigu. Si c'est le mot *orthographe* qui nous intéresse, on pourra souhaiter le comparer avec d'autres mots se terminant par le son [af], tels que *girafe* ou *paf* (chapitre « Terminaisons »); ou encore vérifier son genre, pour découvrir dans le chapitre « Genre et nombre » qu'il est le seul nom en *-aphe* avec *épigraphe* et *épitaphe* à être féminin. Si, enfin, on hésite avant d'écrire un trait d'union à « *un sans-faute* », on lira dans les « Mots composés » la liste des composés de *sans* avec et sans trait d'union (*un sans-abri* mais *un sans domicile fixe*, notamment); dans les « Locutions et expressions », on rencontrera les locutions avec *sans* au singulier et au pluriel (*sans regret* mais *sans limites*); et l'astérisque à *sans(-)faute* nous renverra au chapitre « Homonymes » pour apprendre à distinguer les locutions *sans faute* (à coup sûr) et *sans fautes* (sans erreurs), du nom masculin *sans(-)faute* (prestation parfaite). Il est possible qu'on ne trouve pas un mot en particulier, soit parce que la difficulté qu'il présente n'a pas été analysée, ou parce qu'elle a été traitée pour un mot de la même famille; l'accent circonflexe de *bâillement*, par exemple, sera considéré pour le verbe *bâiller*, plutôt que pour le nom qui lui correspond. Il ne faudra donc pas se décourager devant une recherche infructueuse... et essayer à nouveau !

Comme les liens entre les mots eux-mêmes, les liens entre les difficultés traitées s'avèrent eux aussi extrêmement importants. C'est pourquoi, à la suite d'une liste, d'un tableau ou d'une section, on rencontrera souvent un *corrélat* (inscrit en italique), c'est-à-dire un renvoi logique vers une autre rubrique venant compléter ou enrichir la première. Le lecteur expérimenté s'amusera à tomber sur une page au hasard, lira jusqu'au premier corrélat, se rendra au tableau indiqué qu'il parcourra jusqu'au renvoi suivant, et ainsi de suite : il constatera comment, à partir d'un mot, d'une question ou d'une difficulté, on peut de fil en aiguille faire des découvertes surprenantes sur une foule d'autres sujets. Le repérage à l'intérieur du livre s'effectue par le biais des numéros de tableaux, qui débutent par une lettre propre à chaque chapitre. Ces numéros n'ont été distribués que pour faciliter la recherche, et on n'en trouvera pas nécessairement un pour chaque liste : les séries de mots n'ayant pas été définies par un code spécifique partageront tout simplement avec la ou les listes précédentes le dernier numéro à avoir été attribué.

Aux lecteurs qui manifesteraient l'intention de mémoriser une sélection ou la totalité des listes présentées, nous nous permettrons d'adresser quelques modestes conseils. Créez-vous des comptines, des chansons, des histoires pour prêter vie aux mots, inventez vos trucs mnémotechniques à partir de ceux que nous vous présentons : rien n'est plus efficace qu'un moyen d'apprentissage issu de son imagination. Et surtout, rappelez-vous que, si Paris ne s'est pas fait en un jour, la langue qui y a élu domicile s'assimile un peu de même – lentement mais sûrement.

On retrouve plusieurs similitudes entre la langue française et le sport : dans les deux cas, on peut d'une part viser la compétition olympique, ou d'autre part s'efforcer tout simplement d'entretenir sa santé intellectuelle ou physique. Et ces deux intentions demeurent aussi louables l'une que l'autre. Dans l'un et l'autre projet, discipline et assiduité se veulent les clés du succès ; mais ce qui importe, par-dessus tout, c'est le plaisir qu'on y éprouve et la passion qu'on y introduit.

Amusez-vous, faites-vous plaisir, jonglez avec les mots : vous aussi en êtes capables. Et déjouez à votre tour cette orthographe si espiègle, qui n'attend que cela pour rire non plus *de* vous, mais bien *avec* vous.

Liste des abréviations utilisées dans cet ouvrage

(A)	anglicisme	n. d.	nom déposé
abrév.	abréviation	n. pr.	nom propre
adj.	adjectif, ive	num.	numéral
adv.	adverbe, adverbial, e	ord.	ordinal
app.	apposition	pers.	personne, personnel
art.	article	pl.	pluriel
conj.	conjonction, conjonctive	poss.	possessif
dém.	démonstratif	p. p.	participe passé
dér.	dérivés	p. prés.	participe présent
ex.	exemple	préf.	préfixe
f. ou fém.	féminin	prép.	préposition, prépositif, ive
i. e.	c'est-à-dire	pron.	pronom
interj:	interjection		ou se prononce
interr.	interrogatif	qqn	quelqu'un
inus.	inusité	(R)	Robert
inv.	invariable	rel.	relatif
inv. g.	invariable en genre	s. ou sing.	singulier
(L)	Larousse	(T)	Thomas
loc.	locution	v.	verbe
m.	masculin	var.	variable
n.	nom		

Interprétation des symboles et des lettres dans les numéros de tableaux

A	Accents	▲	pluriel recommandé par l'auteur
C	Confusions orthographiques	■	confusion possible avec un mot composé
É	Mots étrangers	*	renvoi au chapitre «Homonymes»
G	Genre		
H	Homonymes		
L	Locutions et expressions		
M	Mots composés		
N	Nombre		
T	Terminaisons		

Alphabet phonétique

Voyelles

[a]	*a*	dans **a**vec, pa**t**ron, place		[ɔ]	*o*	dans b**o**l, f**o**rme, m**o**rt
[ɑ]	*a*	dans c**a**s, h**â**te, gr**â**ce		[o]	*o*	dans brav**o**, dr**ô**le, p**au**vre
[ɑ̃]	*an, en*	dans arg**en**t, fr**an**c		[ɔ̃]	*on*	dans b**om**be, r**on**d, s**on**
[ə]	*e*	dans l**e**çon, s**e**		[u]	*ou*	dans c**ou**per, l**ou**rd
[e]	*é*	dans cl**é**, plant**er**		[ø]	*eu*	dans cr**eu**x, n**œu**d, q**ueu**e
[ɛ]	*è*	dans coqu**e**t, m**ai**s, pr**è**s		[œ]	*eu*	dans bonh**eu**r, m**eu**le, s**œu**r
[ɛ̃]	*in*	dans cr**in**, m**ain**, r**ein**		[œ̃]	*un*	dans embr**un**, l**un**di
[i]	*i*	dans pl**i**, r**i**re		[y]	*u*	dans b**u**t, m**u**

Consonnes

[b]	*b*	dans **b**al, dé**b**ouler		[ɲ]	*gn*	dans ga**gn**er, pei**gn**e
[ʃ]	*ch*	dans **ch**ant, ro**ch**e		[p]	*p*	dans ja**pp**er, **p**alais
[d]	*d*	dans bon**d**ir, **d**anse		[r]	*r*	dans na**rr**er, **r**oute
[f]	*f*	dans **f**amille, **ph**are		[s]	*s*	dans pla**c**e, **s**alut
[ʒ]	*g, j*	dans **j**eu, villa**g**e		[t]	*t*	dans ba**tt**re, **t**our
[g]	*g*	dans **g**âter, va**gu**e		[v]	*v*	dans tra**v**ail, **v**oler
[k]	*c, k, qu*	dans anora**k**, **c**ahier, lo**qu**e		[z]	*s, z*	dans plai**s**ir, **z**èbre
[l]	*l*	dans **l**oupe, rebe**ll**e		[x]	*j*	espagnol, arabe dans **j**ota, **kh**amsin
[m]	*m*	dans fe**mm**e, **m**al		[ŋ]	*ng*	anglais dans park**ing**
[n]	*n*	dans **n**uage, pa**nn**e				

Semi-voyelles ou semi-consonnes

[j]	*y*	dans m**i**eux, ra**il**, **y**ogourt
[ɥ]	*u*	dans s**u**ie, t**u**ile
[w]	*ou*	dans enf**ou**ir, **ou**i

Notes techniques

Astérisque

L'astérisque qui suit un mot invite à consulter le chapitre «Homonymes» pour en connaître la définition, et cela dans un but spécifique expliqué au début de chaque chapitre. Par exemple, si dans les «Terminaisons» on s'intéresse à la paire *flamand* et *flamant* dont les lettres finales dépendent du sens, on s'attardera plutôt dans le chapitre «Genre et nombre» sur la paire *un pendule, une pendule*, dont la signification est conditionnée par le genre. L'astérisque n'accompagnera donc *flamand* et *flamant* que dans les «Terminaisons»; et *pendule* que dans le chapitre «Genre et nombre».

Corrélats

Lorsqu'on renvoie vers un ou plusieurs mots sans inscrire de numéro de tableau, c'est que ce ou ces mots appartiennent au tableau courant. Ils seront séparés par un point-virgule de toute référence à un autre tableau. Par exemple, au mot *haut* dans le tableau M32 de la section des « Mots composés » où le premier élément est un adjectif, l'inscription « *Voir bas ; haut, tableau M61* » recommandera de se référer à l'entrée *bas* dans ce même tableau M32, ainsi qu'à d'autres composés de *haut* dans le tableau M61.

Dérivés

Pour écourter certaines listes et les rendre moins fastidieuses à la lecture, nous avons utilisé la mention « + dér. », c'est-à-dire « et ses dérivés » : par exemple, lorsque sont énumérés les mots contenant les lettres *œ*, on comprendra aisément que si *œuvre* en fait partie, il en sera de même pour *œuvrer, main-d'œuvre, chef-d'œuvre, hors-d'œuvre*, etc., et l'expression « *œuvre + dér.* » suffira ; de même, lorsqu'on rencontre « *pêche + dér.* » dans la liste des mots portant un accent circonflexe, on déduira que *pêcheur, pêcher, pêcherie* et *pêchette* prendront le même accent. Bien que techniquement l'appellation *dérivé* ne soit pas toujours parfaitement appropriée, le terme a été choisi pour représenter les mots de même famille ayant un radical commun, mais aussi dans certains cas des mots composés formés à partir de cet élément simple.

Forme féminine

La forme féminine des noms et des adjectifs est généralement présentée de la façon suivante : « collégien, enne » ou « rigolo, ote » pour signifier « collégien, collégienne », « rigolo, rigolote » ; on déroge à cette règle lorsque le féminin est très différent du masculin : « frais, fraîche », par exemple. Notez que dans tout l'ouvrage, l'usage exclusif du masculin pour désigner des individus n'a été adopté qu'afin d'alléger le texte.

Habitants de villes, de régions, de pays

Les noms qui désignent les habitants d'une ville, d'une région, d'une province, d'un pays, s'écrivent avec une majuscule *(un Londonien, une Alsacienne, un Mexicain,* etc.) alors que les adjectifs qui se rapportent à ces réalités géographiques prennent une minuscule *(la vie parisienne, la culture québécoise, l'économie japonaise,* etc.). Tous ces mots ont été indiqués dans l'ouvrage sous la seconde forme, mais chaque fois, la règle de l'emploi de la majuscule y est implicite.

Nature

Lorsqu'un mot a plusieurs natures, la virgule qui sépare celles-ci les rend indépendantes les unes des autres ; si on lit, par exemple, « n. m., adj. inv. », on comprendra que seul l'adjectif est invariable, et que le nom masculin, lui, variera.

Trait d'union

Lorsque plusieurs formes sont possibles quant à l'emploi du trait d'union dans les mots composés, nous les avons présentées sous une forme condensée, où l'usage des parenthèses et des espaces s'avère extrêmement précis. Si aucune espace ne sépare la seconde parenthèse du reste du mot, c'est qu'on peut écrire celui-ci avec trait d'union ou soudé ; si une espace suit la parenthèse, les deux éléments peuvent être unis par un trait d'union ou séparés. Par exemple, *contre(-)vérité* s'écrira *contre-vérité* ou *contrevérité* ; par contre, les graphies permises pour *sainte(-)nitouche* seront *sainte nitouche* et *sainte-nitouche*.

Les terminaisons

C'est souvent grâce à leur finale qu'on crée des liens entre les mots ; mais si l'oreille est frappée, amusée ou séduite par la musique des rimes, le crayon, lui, hésite parfois avant de choisir parmi les multiples visages que pourraient revêtir ces dernières syllabes. Il faut alors faire preuve d'une bonne connaissance des familles de mots pour distinguer deux terminaisons presque identiques — faute de quoi on peut encore avoir recours à sa mémoire photographique, voire en dernier ressort à son imagination !

Ce chapitre présente les mots classés selon le son qui caractérise leur finale : d'abord, ceux où le dernier son entendu est une voyelle (les mots qui riment avec -*a*, -*é*, -*i*, -*on*, -*ou*, etc.) ; ensuite, ceux dont le son final est une consonne (les mots qui riment avec -*èbe*, -*al*, -*otte*, par exemple, puisque dans chaque cas le dernier phonème entendu est un [b], un [l] ou un [t]). Pour les groupes phonétiques comptant le plus d'occurrences (le son « é », entre autres), on retrouve des subdivisions fondées sur les phonèmes précédant le -*é* final (les mots rimant avec -*aillé*, -*eillé*, -*illé*, etc.). N'ont été retenus que les groupes de sons présentant une difficulté orthographique quelconque : les mots en -*able*, notamment, n'ont pas été traités parce que tous s'écrivent exactement comme ils se prononcent.

Chaque groupe de sons se verra illustré par toutes les graphies qu'il peut revêtir et par la liste des mots qui empruntent chacune de ces graphies. Par exemple, pour le groupe sonore

Connaissez-vous l'histoire du gars, qui, pour ne pas tomber dans un lacs orthographique lors d'un championnat, s'était infligé des brûlements d'estomac et un solide coryza à force d'étudier dans un almanach inexact ? Point n'est besoin de s'inventer des tracas, de déclencher un raz-de-marée, ou de faire du dégât çà et là pour crier « hurrah » et maîtriser les terminaisons des mots avec un aplomb profond : il suffit d'un peu de patience et de persévérance pour exercer de manière intense son sens de l'observation, et enfin asseoir toutes ces finales dans les trous noirs de sa mémoire.

[ap], on verra les mots se terminant par -*ap*, -*ape*, -*apes* et -*appe*. Les mots dont la terminaison apparaît le plus fréquemment en français ne seront pas relevés, puisque par déduction on saura que s'ils ne se retrouvent pas dans les autres terminaisons citées, c'est qu'ils appartiennent nécessairement à la graphie majoritaire : comme -*ape* est la terminaison apparaissant le plus souvent, *pape* ne figurera donc pas dans le tableau, mais on pourra y lire *nappe* et *rap*, puisque leurs terminaisons sont relativement plus rares. Il ne faudra pas s'étonner de retrouver une même graphie dans deux tableaux différents, lorsque la ou les lettres en question peuvent se prononcer d'une autre manière : en effet, si le *p* final se prononce dans *rap*, il reste muet dans *drap* ; la terminaison -*ap* appartiendra donc à la fois aux sons [ap] et au son [a].

Lorsqu'un mot peut être prononcé de plus d'une façon, les autres possibilités seront mentionnées entre parenthèses ; les formes équivalentes des mots ne leur seront jointes que si leur son final est le même (par exemple, « coprah ou copra », mais non « agérate ou ageratum »). Les mots composés n'ont été analysés que si leur dernier élément n'existait pas déjà en tant que tel : on retiendra *orang-outang* mais non *ouvre-bouteille*, puisque si *bouteille* est un nom en lui-même, tel n'est pas le cas pour *outang*. Quand un mot peut être à la fois nom et adjectif, c'est cette dernière forme qu'on indiquera : *fait, e*, l'adjectif, inclura donc *fait*, le nom masculin. Les mots qu'un seul des ouvrages de référence désigne comme toujours pluriels se retrouveront à deux endroits : dans leur terminaison du singulier et dans celle du pluriel, avec chaque fois la marque de ce pluriel entre parenthèses (on lira, par exemple, *quadrijumeau(x)* parmi les mots en *-eau* et en *-eaux*). Enfin, les mots dont la prononciation se révèle incertaine parce que les dictionnaires n'en ont pas fait mention ne seront attachés à aucun groupe phonétique.

L'astérisque accompagnant un terme peut avoir deux significations ; soit que le mot possède un homonyme ne se terminant pas par les mêmes lettres : par exemple, *baccara* (le jeu) et *baccarat* (le verre), mais non *condo* (le condominium) et *kondo* (le sanctuaire japonais) ; soit encore que le mot se prononce différemment selon son sens : *reporter* (remettre à plus tard)

et *reporter* (le journaliste). On pourra consulter le chapitre « Homonymes » pour plus de détails. Notez que tous les homonymes des verbes n'ont pas nécessairement été identifiés (*une rangée* et *ranger*), pas plus que les mots prenant un sens différent lorsqu'ils sont pluriels (*une lunette* et *des lunettes*), ou les paronymes, ces mots dont la prononciation est très semblable (*poison* et *poisson*). Après chaque liste, on verra la référence aux autres tableaux où la même graphie est rencontrée, mais prononcée différemment (*-at* rimant tantôt avec *-a*, tantôt avec *-atte*). Les corrélats renverront enfin aux « Confusions orthographiques » pour d'autres mots présentant le même problème de doublement de consonne, ainsi qu'au chapitre « Genre et nombre » pour une étude plus poussée de certaines finales.

Plan du chapitre

[a] **[ɑ]**

-a	-at	-á	-à	-aa	-ac	-ach
-acs	-act	-ah	-ap	-ars	-as	-ass
-ât	-ats	-az				

-a

La majorité des mots se termine simplement par *-a* : *acacia, barracuda, dahlia*, etc.
Souvent, ces mots sont d'origine étrangère.
Voir T2

-at

On trouve également de nombreux mots en *-at*, qui souvent ont trait aux sciences,
à l'administration, à la politique ou au droit : *substrat, actionnariat, intestat, califat*, etc.
Lorsque le féminin existe, il est en *-ate*, sauf pour *chat*, qui devient *chatte*.

abat
ablégat
accommodat
achat
achromat
acolytat
actionnariat
actuariat
adéquat, e
adjuvat
adstrat
aérostat
agglomérat
agnat, e
agrégat
aiguillat
alcoolat
almicantarat
alternat
anonymat
aoûtat
aplanat
aplat ou à-plat
apostat, e
apostolat
apparat
archiépiscopat
archontat

artisanat
assassinat
assignat
assistanat
attentat
auditorat
autolysat
auvergnat, e
auxiliariat
avocat, e
baccalauréat
baccarat*
banat
bâtonnat
béat, e
bénévolat
beylicat
bioclimat
bougnat
broyat
burlat
cadrat
calfat
califat
cancrelat
candidat, e*
canonicat
capitanat

carat
cardinalat
castrat
catéchuménat
cédrat
célibat
censorat
cérat
certificat
championnat
chat*, chatte
chocolat
climat
clinicat
close-combat
coacervat
cœlostat
cognat
colonat
combat
combinat
commissariat
commodat
comtat
concordat
conglomérat
constat
consulat

contrat
corbillat
corrélat
crachat
crouillat
cryostat
débat
décanat
décemvirat
délicat, e
despotat
diaconat
directorat
distillat
doctorat
ducat
duumvirat
échevinat
éclat
économat
électorat
éméritat
émirat
entrechat
éphorat
épiscopat
état
exarchat

Les terminaisons

exorcistat
exsudat
externat
fat, e* (pron. aussi [at])
filtrat
flat* (pron. aussi [at])
fonctionnariat
forçat
format
galapiat
galuchat
généralat
goujat
grabat
graduat
granulat
grenat
gyrostat
habitat
heimatlosat
héliostat
homéostat
honorariat
hydrolat
hygrostat
imamat
immédiat, e
inadéquat, e
incarnat, e
indélicat, e
indigénat
infiltrat
ingrat, e
inspectorat
internat
interprétariat
intestat
isolat
jurat
juvénat
kanat ou khanat*
khalifat
khédivat ou khédiviat
laïcat
landgraviat
lauréat, e

lectorat
légat
lévirat
lombostat
loufiat
lumpenprolétariat
lyophilisat
lysat
magistrat
magnat
maïorat
majorat
malfrat
mandarinat
mandat
manostat
maréchalat
margouillat
margraviat
marquisat
matriarcat
mayorat
méat
mécénat
médiat, e*
méplat, e
microclimat
miellat
monitorat
muscat, e
nacarat
notariat
nougat
noviciat
oblat, e
odorat
oléolat
opiat
orangeat
ordinariat
orgeat
orphelinat
oxycrat
oyat
palatinat
paléoclimat

pan-bagnat
partenariat
pastorat
patriarcat
patriciat
patronat
paysannat
péculat
pensionnat
photostat
pissat
plagiat
plat, e
podestat
polycondensat
pontificat
postulat
potentat
préceptorat
prédicat
prélat
pressostat
primat
principat
priorat
proconsulat
professorat
prolétariat
protectorat
provincialat
provisorat
pugilat
quinquennat
quirat
rabat
rabbinat
rachat
raffinat
rapiat, e
rat*
rectorat
régendat
regrat
reliquat
renégat, e
répétitorat

replat
résidanat
résultat
rhéostat
rosat
rouergat, e
sabbat
salariat
scélérat, e
scolasticat
secrétariat
sénat
septennat
seringat ou seringa
sidérostat
sociétariat
soldat
sororat
sponsorat
stathoudérat
stellionat
substrat
sultanat
superstrat
syndicat
télé(-)achat
tétrarchat
thermostat
transsudat
tribunat
triumvirat
tutorat
vedettariat
verrat
vicariat
violat
vivat
vizirat
voïévodat ou voïvodat
volontariat
wombat

Voir T125, 126, 130, 132

Attention !

-á

soleá

-à

à
çà*
de-ci, de-là
deçà
déjà
delà
être-là
halte-là
holà*
jusque-là
là*
pietà
revoilà
v'là
voilà
y-a-qu'à ou yaka

-aa

djamaa ou djemaa
markkaa
    (pl. de markka)

-ac

antitabac
estomac
tabac

Voir T65

-ach

almanach
rorschach

Voir T30, 65

-acs

entrelacs
lacs*

-act

exact, e
    (pron. aussi [akt])
inexact, e
    (pron. aussi [akt])

-ah

ah*
ayatollah
bah*
casbah
chah, schah ou shah*
coprah ou copra
fellah
hurrah ou hourra
maharadjah, maharajah
    ou mahara(d)ja
massorah ou massore
mellah
mollah, mullah ou mulla
padichah, padischah
    ou padicha
Pessah
poussah
radjah, rajah ou radja
rupiah

schah, chah ou shah*
smalah ou smala
surah
syrah
torah ou thora
tussah

Voir T2

-ap

drap
sparadrap

Voir T97, 100, 102

-ars

gars

Voir T105, 152

-as

amas
ananas (pron. aussi [as])
appas*
apsaras ou apsara
bas, basse
boutefas
bras
cabas
cadenas
canevas
cas
cervelas
chas
chasselas
choucas
compas
contrebas (en)
coutelas
damas (pron. aussi [as])

débarras
dégras
échalas
embarras
en(-)cas
fatras
fracas
frimas
galetas
galimatias
glas
gras, grasse
gyrocompas
haras*
jaconas
jas
judas
lampas (pron. aussi [as])
las*, lasse
lilas
mas*
matelas
matras
pas
pataras
patatras
plâtras
radiocompas
ramas
ras, e*
rebras
repas
sas* (pron. aussi [as])
sassafras
superamas
taffetas
tas
terre-neuvas
tétras* (pron. aussi [as])
thomas
tracas
trépas
upas (pron. aussi [as])
verglas
vindas (pron. aussi [as])

Voir T114

Les terminaisons

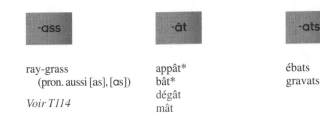

-ass

ray-grass
(pron. aussi [as], [ɑs])

Voir T114

-ât

appât*
bât*
dégât
mât

-ats

ébats
gravats

-az

lapiaz
(pron. aussi [ɑz])
raz*

Voir T137

Genre des noms en -a et -at : voir le tableau G1

[wa]

-ois	-oi	-oid	-oids	-oie	-oigt
-oit	-oït	-oix	-oua	-ouah	-oy
-oye	-ua	-wa			

T2

-ois

Le son final [wa] est généralement orthographié *-ois* : *bois, mois, trois*, etc. ; les mots de ce groupe forment leur féminin en *-oise* : *berlinois, berlinoise* ; *québécois, québécoise*.

-oi

On rencontre souvent la terminaison *-oi* :

aboi
aloi
antiroi
arroi
beffroi
charroi
coi, coite
convoi
corroi
désarroi

effroi
émoi
emploi
envoi
époi
foi*
inemploi
interroi
loi
moi*

octroi
orfroi
palefroi
paroi
pourquoi
pourvoi
quoi
réemploi ou remploi
renvoi
roi

soi*
suremploi
sur(-)moi
toi*
tournoi*

Voir T62

Attention !

-oid

froid, e

-oids

avoirdupois
ou avoirdupois
contrepoids

poids*
surpoids

-oie

baudroie
broie
courroie

⯈

entre(-)voie
foie*
groie
joie
lamproie
moie ou moye*
multivoie
oie*
ormoie
proie
soie*
voie*

exploit
maladroit, e
piédroit ou pied-droit
soit*
toit*

Voir T126

-oigt

doigt*

-oit

adroit, e
droit, e
détroit
doit*
endroit
étroit, e

-oït

croît*
décroît
noroît ou norois*
surcroît
suroît

-oix

choix
croix*
mirepoix
noix
poix*
surchoix
voix*

-oua

caoua ou kawa
kouan-houa

-ouah

ouah*
pouah*

-oy

permalloy
    (pron. aussi [ɔj])
supermalloy
    (pron. aussi [ɔj])

Voir T62

-oye

moye ou moie*

-ua

chihuahua
quechua ou
quichua

-wa

biwa
kawa ou caoua

*Genre des noms en -oie :
voir le tableau G1*

[ã]

-ant	-ent	-an	-am	-amp
-anc	-and	-ang	-ans	-ants
-anz	-ão	-aon	-emps	-empt
-en	-end	-ends	-eng	-ens

T3

-ant

Lorsqu'on exclut les mots en *-ment* (parmi lesquels on trouve surtout des adverbes), la grande majorité des mots se termine par ***-ant*** : *dégoûtant, souffrant, tournant*, etc. Parmi les mots ayant pour finale les sons [mã], voici ceux qui **ne se terminent pas** par *-ment* :

-man

roman, e*
talisman
téléroman
toman

aman* (pron. aussi [an])
antiroman
ataman ou hetman
atman
birman, e
caïman
cinéroman
daman
desman
dolman
drogman
firman
hetman (pron. aussi [an])
liman
maman
man*
musulman, e
ottoman, e
préroman, e

-mand

allemand, e
command*
confirmand, e*
flamand, e*
gourmand, e
normand, e
romand, e*

-mang

siamang*

-mant

aimant, e
alarmant, e
amant, e*
assommant, e
calmant, e
charmant, e
confirmant*
crémant
déformant, e
déprimant, e
désarmant, e
diamant
diffamant, e
dirimant, e
dormant, e
écumant, e
électro(-)aimant
endormant, e
enthousiasmant, e

fermant, e
flamant*
formant
fumant, e
imprimant, e
infamant, e
nécromant
opprimant, e
performant, e
réclamant, e
transhumant, e

-ments

agissements
appointements
errements
ossements

Par ailleurs, ces noms en **-ment** se prononcent [mɛnt] : ***impeachment***, ***management*** (pron. aussi [mᾶ]), ***self-government*** .

-ent

Outre les adverbes en *-ment*, on trouve plusieurs mots avec la finale *-ent*, notamment certains noms et adjectifs dérivés de verbes, qu'il est dangereux de confondre avec les participes présents correspondants ; par exemple, *négligent* (adjectif et nom) et *excédent* (nom), qu'on peut comparer aux participes présents *négligeant* et *excédant*.

abrivent
absent, e
abstinent, e
accent
accident
accrescent, e
acescent, e
adent
adhérent, e
adjacent, e
adolescent, e
afférent, e
affluent, e
agent
alcalescent, e

ambivalent, e
antécédent, e
apparent, e
arborescent, e
ardent, e
argent
arpent
astringent, e
auvent
avent*
bident
biréfringent, e
bivalent, e
caulescent, e
cent*

chiendent
clément, e
client, e
coalescent, e
coefficient
cohérent, e
coïncident, e
compétent, e
concrescent, e
concupiscent, e
concurrent, e
confident, e
confluent
congruent, e
connivent, e

conscient, e
conséquent, e
constringent, e
content, e*
continent, e
contingent, e
contrevent
convalescent, e
convent
convergent, e
cooccurrent, e
coprésident, e
corpulent, e
couvent
covalent, e

décadent, e
décent, e
décurrent, e
déférent, e
déficient, e
défluent
déhiscent, e
déliquescent, e
délitescent, e
dément, e
dent*
déponent, e
détergent, e
différent, e*
diffluent, e
diligent, e
dissident, e
divalent, e
divergent, e
dolent, e
efférent, e
effervescent, e
efficient, e
efflorescent, e
effluent, e
électroluminescent, e
éloquent, e
émergent, e
éminent, e
émollient, e
engoulevent
entregent
équipollent, e
équipotent
équivalent, e
érubescent, e
escient
évanescent, e
évent
évident, e
excédent*
excellent, e
excipient
expédient, e
féculent, e
fervent, e
flatulent, e
flavescent, e
fluent, e

fluorescent, e
fréquent, e
frutescent, e
gent*
gradient
grandiloquent, e
idempotent, e
immanent, e
imminent, e
immunocompétent, e
impatient, e
impénitent, e
impertinent, e
impotent, e
imprudent, e
impudent, e
inapparent, e
incandescent, e
incident, e
inclément, e
incohérent, e
incompétent, e
inconscient, e
inconséquent, e
incontinent, e
inconvénient
indécent, e
indéhiscent, e
indifférent, e
indigent, e
indolent, e
indulgent, e
influent, e
ingrédient
inhérent, e
inintelligent, e
innocent, e
insolent, e
intelligent, e
intercurrent, e
interférent, e
intermittent, e
intumescent, e
iridescent, e
jacent, e
lactescent, e
latent, e
lent, e
luminescent, e

marcescent, e
mécontent, e
monovalent, e
munificent, e
négligent, e
obsolescent, e
occident*
occurrent, e
omnipotent, e
omniprésent, e
omniscient, e
onguent
opalescent, e
opulent, e
orient
paravent
parent, e
patent, e
patient, e
pénitent, e
pentavalent, e
permanent, e
pertinent, e
phosphorescent, e
plurivalent, e
polyvalent, e
précédent, e
préconscient, e
prééminent, e
prescient, e
présent, e
président
proéminent, e
prudent, e
pubescent, e
pulvérulent, e
purulent, e
putrescent, e
quadrivalent, e
quérulent, e
quiescent, e
quotient
rarescent, e
récent, e
récipient
recrudescent, e
récurrent, e
redent ou redan
référent

réfringent, e
régent, e
relent
rémanent, e
rémittent, e
rénitent, e
résident, e*
résilient, e
résurgent, e
réticent, e
reviviscent, e
rubescent, e
sanguinolent, e
sempervirent, e
sénescent, e
sergent
serpent
somnolent, e
souvent
spumescent, e
strident, e
subconscient, e
subjacent, e
subséquent, e
succulent, e
surdent
suréminent, e
talent
tangent, e
tétravalent, e
torrent
totipotent, e
transparent, e
triboluminescent, e
trident
trivalent, e
truculent, e
tumescent, e
turbulent, e
turgescent, e
univalent, e
urgent, e
véhément, e
vent*
ventripotent, e
violent, e
virulent, e

Voir T15, 127, 129

-an

La finale *-an* est assez fréquente, notamment pour les mots d'origine étrangère. La forme féminine, si elle existe, est en *-ane*, sauf pour ***paysanne***, ***rouanne*** et ***valaisan(n)e***.

achigan
afghan, e
ahan
alcoran
alezan, e
an*
andorran, e
anglican, e
antan (d')
argentan
artisan, e
astrakan
autan*
balan*
balzan, e
ban*
banian
bantoustan
bataclan
bigourdan, e
bilan
biplan
boucan
bougran
bran ou bren
brelan
bressan, e
caban
cabestan
cadogan
cadran*
cafetan ou caftan
cancan
capelan
capitan
carcan
cardan
cardigan
castillan, e
catalan, e
catamaran
catogan
cerdan, e
chambellan
charlatan
chenapan
chouan
cisjuran, e

clan
constantan
coran
cordouan, e
cormoran
courtisan, e
cran
cumulovolcan
cyan*
décan
divan
don Juan
durian (pron. aussi [an])
écran
élan*
empan
encan
éperlan
estran
faisan
fenian, e
flan*
flétan
forban
formosan, e
fortran
frontignan
galhauban
gallican, e
gamelan
gardian
gitan, e
gnangnan
gosplan
halbran
han*
harmattan
hauban
hooligan ou houligan (pron. aussi [an])
houdan
hyperplan
icoglan
indican
jan*
jaseran
joran

kan ou khan*
kenyan, e
khoisan
korrigan, e
loran
magnan
mahométan, e
mangoustan
mantouan, e
matriclan
mazagran
médian, e
mercaptan
merlan
milan
mitan*
monoplan
mosan, e
mosellan, e
myrobalan ou myrobolan*
nanan
nauruan, e
nigérian, e
occitan, e
océan
orang-outan ou orang-outang
origan
ortolan
orviétan
ouragan
padan, e
pæan ou péan
palan
pan*
parian
parmesan, e
partisan, e
patriclan
paysan, anne
péan ou pæan
pecan ou pécan*
pékan*
pélican
pemmican
persan, e*
peucédan

pian
picardan ou picardant
pisan, e
plan, e*
pléban
pluvian
portulan
prolan
raban
radian*
raglan
ramadan
ramboutan
rantanplan
rataplan
redan ou redent
rhénan, e
Rilsan
risban
rouan, anne*
ruban
rubican
ruffian ou rufian
safran
samoan, e
sampan ou sampang
scriban
sedan
serran
sévillan, e
slogan
soudan*
stéradian
sultan
tan*
tarpan
tartan
tarzan
télécran
texan, e
tian
titan
toboggan ou Toboggan
toscan, e
toucan
trantran
trépan*
trimaran

⫸

triplan
turban
tympan
tyran*

uhlan
valaisan, an(n)e
van*
varan*

verlan
vétéran
v'lan ou vlan

volcan
yatagan

Voir -man, T88, 92

Attention !

-am

dam* (pron. aussi [am])
pomme d'Adam

Voir T82, 84

-amp

camp*
champ*
contrechamp*

Voir T98

-anc

banc*
blanc
eurofranc
flanc*
franc
kilofranc

-and

brigand
chaland, e
chateaubriand
   ou châteaubriant
éland*
friand, e
gland
goéland
grand, e
ligand
marchand, e*

maryland
   (pron. aussi [ɑ̃d])
ordinand*
quand*
supergrand
tisserand, e
truand, e

Voir -mand, T35

-ang

écang
étang*
harfang
ilang-ilang
   ou ylang-ylang
kaoliang
   (pron. aussi [ɑ̃g])
orang-outang
   ou orang-outan
rang*
sampang ou sampan
sang*
trépang* ou
tripang*
ylang-ylang
   ou ilang-ilang

Voir -mang, T52

-ans

céans*
dans*
dedans
endéans
sans*

Voir T116

-ants

comourants

-anz

ranz* (pron. aussi [ɑ̃z],
   [ɑ̃ts])

-ào

sertão
   (pron. aussi [ao])

-aon

faon
paon*
taon*

-emps

contretemps
longtemps
printemps
temps*

-empt

exempt, e

-en

bren (pron. aussi [ɛ̃])
   ou bran
en*

Voir T14, 90, 92

-end

différend*
refend
révérend, e*

Voir T37

-ends

défends ou défens*

-eng

hareng

-ens

défens ou défends*
dépens*
encens
gens*
guet-apens
suspens*

Voir T14, 15, 116, 118

*Genre des noms en -an :
voir le tableau G1*

Les terminaisons

[e]

-é	-ée	-e	-er	-œ	-ai
-ay	-ë	-è	-ê	-ee	-ées
-ef	-eh	-ers	-es	-és	-ès
-et	-ez	-y			

-é

-ée

Lorsqu'on exclut les mots en [je] (en -*ié*, -*iller* ou -*yer*, par exemple), qui seront analysés plus loin, ainsi que tous les infinitifs en -*er*, on s'aperçoit que **la majorité** des mots en [e] est presque également répartie entre les finales **-é** et **-ée**. En tenant compte de la consonne ou parfois de la syllabe précédant le son [e] (-*bé* ou -*bée*, -*acé* ou -*acée*, etc.), on peut souvent découvrir qu'une majorité de mots revêt une terminaison plutôt qu'une autre. Pour chacun des sons finaux qui suivent («bé», «cé», «dé», etc.), on retrouvera la graphie comptant le moins grand nombre de mots; par exemple, comme les mots en -*bée* sont plus nombreux que les mots en -*bé*, on ne retiendra que ces derniers. Parmi les noms et adjectifs en **-é** faisant -*ée* au féminin (*intéressé*, *roulé*, etc.), on gardera seulement ceux qui prennent une de ces deux finales lorsque employés substantivement (par exemple, *passé*, nom masculin, est classé dans la terminaison **-é** même s'il peut prendre un e lorsqu'il est un adjectif féminin). Les autres graphies du son [e] figureront à la suite.

Voir T5 à 7, 9, 10, 12

-bé

abbé*
bébé
burkinabé
jubé
niébé
retombé*
talibé
tombé*
turbé, türbe ou turbeh
   (pron. aussi [ɛ])

Les autres mots se terminent par **-bée**: *abée*, *cobée*, etc.

-acé

cétacé
crustacé
entomostracé
euphausiacé
gallinacé
malacostracé
mysidacé
tracé

Les autres mots se terminent par **-acée**: *aracée*, *jacée*, etc.

-cé

défoncé
émincé
énoncé
tracé

Les autres mots se terminent par **-cée**: *caducée*, *théodicée*, etc.

-chée

accouchée
archée*
bâchée
bouchée*
chevauchée
fourchée
jonchée*
juchée*
nichée
perchée*
ruchée*
sachée
torchée*
trachée
tranchée*
trochée

Les autres mots se terminent par **-ché**: *débuché*, *marché*, etc.

-idée

floridée
idée
orchidée
ridée*

Les autres mots se terminent par **-idé**: *anatidé*, *félidé*, etc.

-dée

archichlamydée
aroïdée(s)
bordée*
cordée*
coudée
dundée ou dundee

élodée ou hélodée
embardée
glandée
métachlamydée
ondée*
spondée

Les autres mots se
terminent par **-dé** :
chordé*, procédé, etc.

-fée

aulofée ou auloffée
bouffée
étouffée
fée

Les autres mots se
terminent par **-fé** :
autodafé, nifé, etc.

-gée

apogée
augée
dragée
gorgée
grangée
hypogée
périgée
plongée
pongée ou pongé
rangée*

Les autres mots se
terminent par **-gé** :
*clergé, maskinongé,
négligé*, etc.

-guée

conjuguée*

Les autres mots se
terminent par **-gué** : *gué*
et *morgué*.

-lé

alcoolé
appelé
articulé
assemblé*
awalé ou walé
blé
brûlé
candomblé
chiclé ou chicle
clé ou clef
couplé
déboulé
démêlé
dénivelé ou dénivelée
écartelé
enrôlé
épaulé*
équipolé ou équipollé
fac-similé
filé*
glycérolé
intitulé
jubilé
kalé
lé*
libellé
modelé
mollé
narghilé, narguilé
   ou narghileh
olé ou ollé
phytoflagellé
profilé
roulé-boulé
saccharolé
salé*
scellé*
taboulé
tabulé
télé
tollé
triplé
ukulélé
walé ou awalé
zooflagellé

Les autres mots se
terminent par **-lée** :
cochlée, dégelée, etc.

-mé

acmé
armé*
baumé
épistémé, épistémè
   ou épistémê
épitomé
géromé
imprimé
informé
macramé
mémé
mousmé
okoumé
protomé
résumé
sublimé
transformé
   ou transformée
vidamé

Les autres mots se
terminent par **-mée** :
diatomée, fumée,
pygmée*, etc.

-iné

boviné
capriné
ciné
combiné
kiné
laminé
oviné
praliné
raisiné
résiné
vahiné

Les autres mots se
terminent par **-inée** :
dulcinée, graminée, etc.

-né

acné*
archidiaconé
ballonné
bouillonné
crayonné
daphné
donné
doyenné
échidné
enchaîné
façonné
galonné
henné
maharané ou maharani
néné
peigné
péroné
plané
pulmoné
retourné*
saponé
séné
succédané

Les autres mots se
terminent par **-née** :
*aunée, fournée,
haquenée**, etc.

-pé

canapé
carpé
développé*
échappé*
enveloppé*
pépé*
propé
râpé
sténopé

Les autres mots se
terminent par **-pée** :
conopée, mélopée, etc.

Les terminaisons

-qué

chiqué
communiqué
contreplaqué
embusqué
plaqué
pulqué ou pulque

Les autres mots se terminent par **-quée** : *maquée*, *mosquée*, etc.

-ré

accéléré
aggloméré
arriéré
avodiré
beaupré
beurré*
cœlentéré
coré, corê ou korê*
cré
curé*
degré
détiré
détouré
différé
doré*
encadré
étiré
faré
géré
gré
liseré ou liséré
louré*
malgré
métré
miséréré ou miserere
néré
nizeré
perré
poiré*
pré
prieuré
ré*
récré
référé
réméré

rentré*
sacré
saint-honoré
séré*
tamouré
taré
tiaré
tonsuré
vairé*

Les autres mots se terminent par **-rée** : *bourrée, marée**, etc.

-sé

anisé
brisé
chassé
chaussé*
composé*
condensé
croisé*
crossé
dévissé
égrisé ou égrisée
fossé
franchisé
frisé*
grisé
imposé*
lissé*
madérisé
massé*
passé*
phrasé
pisé
pouilly-fuissé
présupposé
pulsé
récépissé
repoussé*
toisé*
tsé-tsé
visé*

Les autres mots se terminent par **-sée** : *chaussée, fricassée, odyssée*, etc.

-tée

abatée ou abattée
actée
assiettée
autodictée
batée
battée
bractée
brouettée
butée*
cactée
charretée
déculottée
dentée*
dictée
frottée*
futée*
hottée
jattée
jetée*
lépidostée ou lépisostée
litée*
marmitée
montée
nuitée
pâtée*
pelletée*
platée
pochetée
pontée*
portée*
potée
protée
remontée
suitée
tétée
tripotée

Les autres mots (ils sont très nombreux) se terminent par **-té** : *alacrité, qualité*, etc.

-vé

agavé ou agave
avé*
avivé
dérivé*
levé*
névé
pavé*
relevé*
salvé ou salve
sénevé ou sènevé
soulevé
vé

Les autres mots se terminent par **-vée** : *étuvée, levée**, etc.

-zée

zée

Les autres mots se terminent par **-zé** : *alizé* et *chimpanzé*.

[aje]

-ailler   -oyer   -ahier   -aïer   -aillé   -âiller
-aillier   -ayer

-ailler

-aillé

La plupart des mots (surtout des verbes) se terminent par **-ailler** : *écailler*, *tailler*, *travailler*, etc. Dérivés de ces verbes, on peut aussi trouver de nombreux adjectifs en **-aillé**, qui font leur féminin en **-aillée** (*débraillé*, *détaillé,* etc.); ces dérivés n'ont pas été relevés.

-oyer

Tous ces mots, surtout des verbes, prennent la finale **-oyer**, que l'on prononce **wa-yé** :

aboyer	déployer	jointoyer	renvoyer
apitoyer	destroyer	larmoyer	reployer
atermoyer	(pron. aussi [ɔjœr])	louvoyer	rougeoyer
avoyer	dévoyer	loyer	rudoyer
bajoyer	employer	merdoyer	soudoyer
bornoyer	ennoyer	nettoyer	soyer
broyer	envoyer	noyer	surloyer
carroyer	éployer	octroyer	tournoyer
charroyer	festoyer	ondoyer	tutoyer
chatoyer	flamboyer	paumoyer	verdoyer
choyer	fossoyer	plaidoyer	vousoyer, voussoyer ou
convoyer	foudroyer	ployer	vouvoyer
corroyer	fourvoyer	poudroyer	voyer
côtoyer	· foyer	proyer	
coudoyer	grossoyer	redéployer	*Voir T8*
dégravoyer	guerroyer	réemployer ou remployer	
dénoyer	hongroyer	rejointoyer	

Attention !

-ahier

cahier

-aïer

copaïer ou copayer

-aillé

caillé

-âiller

bâiller
entrebâiller

-aillier

joaillier, ère
médaillier*
quincaillier, ère

-ayer

bayer*
copayer ou copaïer
papayer

Voir T6

-ayer

La majorité des mots se termine par **-ayer** : *étayer, payer,* etc. La finale se prononce généralement **é-yé**, sauf pour **brayer** et **layer**, qui se disent plutôt **è-yé**.

Voir T5

-eiller

-eillé

On peut ajouter à cette liste de mots en **-eiller** les adjectifs en **-eillé** qui dérivent de verbes et qui font leur féminin en **-eillée** (*ensoleillé, ensommeillé,* etc.).

appareiller	désembouteiller	éveiller	sommeiller
bouteiller ou boutillier	embouteiller	oreiller	surveiller
conseiller	émerveiller	rappareiller	teiller
déconseiller	ensoleiller	réveiller	veiller
déparailler			

ailler

égailler (s')*
(pron. aussi [aje])

Voir T5

-ayé, e

délayé, e
effrayé, e
frayée
impayé, e
rayé, e
retrayé, e

-éier

caféier
planchéier
théier, ère

-eillée

veillée

-eillier

groseillier

-eyer

brasseyer
capeyer ou capéer
faseyer
grasseyer
langueyer
(pron. aussi [ɛje])
volleyer

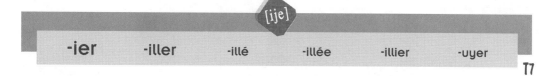

-ier

La plupart des mots se terminent par **-ier** : *chevrier, destrier, genévrier*, etc.

Voir T5, 6, 12, 108

-iller

-illé

Les mots en **-iller** sont aussi assez nombreux ; de certains verbes dérivent également des adjectifs en **-illé**, faisant leur féminin en **-illée** : *quadrillé, vrillé*, etc.; ces dérivés n'ont pas été relevés. Notez que quelques verbes en **-iller** se prononcent pour leur part **i-lé** : c'est le cas de ***distiller, instiller, osciller***.

accastiller
aiguiller*
apostiller
babiller
béquiller
biller
boitiller
bousiller
brasiller
brésiller
briller
cheviller*
ciller
coquiller*
croustiller
décaniller
déciller ou dessiller
dégobiller
dégoupiller
déguiller

démaquiller
désentortiller
déshabiller
dessiller ou déciller
détortiller
driller
écarquiller
écheniller
embastiller
émoustiller
entortiller
éparpiller
épontiller
essoriller
estampiller
étoupiller
étriller*
fendiller
fourmiller
frétiller

fusiller
gambiller
gaspiller
godiller
goupiller
grappiller
grésiller
griller
habiller
houspiller
maquiller
mordiller
nasiller
outiller
pendiller
pétiller
piller
pointiller
quadriller
remaquiller

renquiller
resquiller
rhabiller
roupiller
sautiller
scintiller
sourciller
tiller
titiller
torpiller
tortiller
toupiller
triller
vaciller
    (pron. aussi [ile])
vermiller
vétiller
vriller*

Voir T108

Attention !

-illé, e

arillé, e
bastillé, e
chenillé, e
déguenillé, e
fibrillé

persillé, e
recroquevillé, e
vanillé, e

Voir T5, 6, 9, 10

-illée

aiguillée*
vrillée*

Voir T6, 9, 10

-illier

-uyer

aiguillier*
boutillier ou bouteiller
chevillier*
coquillier, ère*
mancenillier

marguillier
quillier
sapotillier ou sapotier
vanillier

Voir T5, 6

appuyer
désennuyer
écuyer, ère
ennuyer

essuyer
ressuyer

Voir T10, 11

[ɔje]

-oyer

T8

-oyer On trouve les sons **o-yé** dans les mots suivants :

cacaoyer
caloyer, ère

Voir T5

[œje]

-euiller   -euillée

T9

-euiller

-euillé

Les sons **eu-yé** se trouvent dans les verbes suivants,
dans les adjectifs en **-euillé** qui en dérivent, et dans le
nom *feuillée* :

défeuiller
effeuiller
endeuiller
feuiller
hélitreuiller
treuiller

[uje]

-ouiller   -ouillé   -ouillée   -ouyer

T10

-ouiller

-ouillé

La majorité des mots se termine par **-ouiller** : *brouiller, rouiller, souiller,* etc.,
desquels on peut dériver des adjectifs en **-ouillé** ; toutefois ces dérivés n'ont pas
été relevés.

Attention !

-ouillé	-ouillée	-ouyer
genouillé, e pouillé	dérouillée	rocouyer

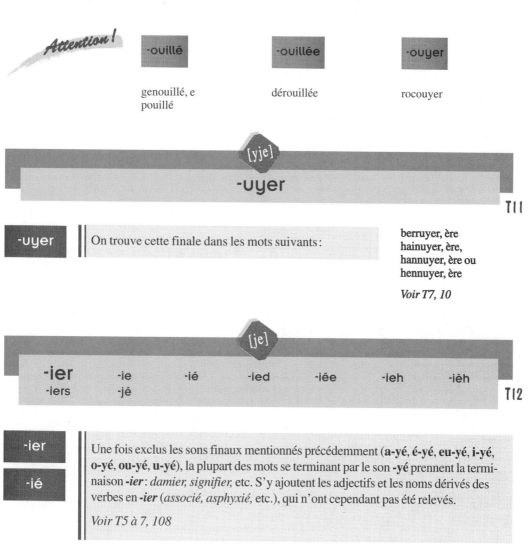

[yje]

-uyer

-uyer | On trouve cette finale dans les mots suivants :

berruyer, ère
hainuyer, ère,
hannuyer, ère ou
hennuyer, ère

Voir T7, 10

[je]

-ier
-iers
-ie
-jé
-ié
-ied
-iée
-ieh
-ièh

-ier

-ié

Une fois exclus les sons finaux mentionnés précédemment (**a-yé, é-yé, eu-yé, i-yé, o-yé, ou-yé, u-yé**), la plupart des mots se terminant par le son **-yé** prennent la terminaison **-ier** : *damier, signifier*, etc. S'y ajoutent les adjectifs et les noms dérivés des verbes en **-ier** (*associé, asphyxié*, etc.), qui n'ont cependant pas été relevés.

Voir T5 à 7, 108

Attention !

-ie

Kyrie
sine die

Voir T16

-ié

amitié
cilié, e
ectasié
inimitié
kéfié ou keffieh
   (pron. aussi [jɛ])
lamifié, e
lapié
moitié

moucharabié
   ou moucharabieh
pitié
pourridié
régnié*
sacrédié
succenturié, e
turbellarié

-ied

bipied
marchepied
pied
trépied

Voir T38

Les terminaisons

-iée

chiée
criée
jussiée
labiée
radiée*
surmultipliée

-ieh

dahabieh
keffieh ou kéfié
   (pron. aussi [jɛ])
moucharabieh
   ou moucharabié
sakieh ou sakièh
   (pron. aussi [jɛ])

-ièh

sakièh ou sakieh
   (pron. aussi [jɛ])

-iers

coulommiers
pithiviers
volontiers

Voir T108

-jé

poljé

[ɛ]

-et	-ais	-aie	-ai	-aid	-aies
-ait	-aix	-ay	-aye	-è	-ê
-ect	-egs	-eh	-èh	-ei	-es
-ès	-êt	-ets	-ey	-ez	

-et

La plupart des mots se terminent par **-et** ; on compte des noms (*ballet, gobelet, poulet*) et des adjectifs faisant leur féminin en **-ette** (*coquet, coquette* ; *simplet, simplette*) ou en **-ète** (*concret, concrète* ; *secret, secrète*).

Voir T128, 130

-ais

Les mots en **-ais** sont également assez nombreux ; lorsqu'il est possible de les mettre au féminin, ils prennent alors la finale **-aise**, à l'exception de *frais* qui devient *fraîche*, et d'*épais* qui fait *épaisse*. On remarquera notamment les adjectifs qui désignent les habitants d'une ville, d'une région ou d'un pays : *montréalais, antillais, finlandais*, etc. ; employés comme noms, ceux-ci s'écrivent avec une majuscule : *un Montréalais, un Antillais*, etc.

ais*
albanais, e
anglais, e*
angolais, e
antenais, e
antillais, e
aragonais, e
ardennais, e
assamais
aveyronnais, e

azerbaïdjanais, e
bâbordais
balais*
bangladais, e
barcelonais, e
basquais, e
bastiais, e
béarnais, e
beaujolais
bhoutanais, e

biais, e
bolonais, e
bordelais, e
botswanais, e
boulonnais, e
bourbonnais, e
burkinais, e
caennais, e
calabrais, e
camarguais, e

camerounais, e
cantonais, e
ceylanais, e
charentais, e
charolais, e
cinghalais, e
congolais, e
dadais
dais*
désormais

dijonnais, e
écossais, e
engrais
épais, aisse
finlandais, e
frais*, fraîche
français, e
franglais, e
gabonais, e
garonnais, e
groenlandais, e
guais ou guai*
guyanais, e
harnais
havanais, e
havrais, e
héraultais, e
hollandais, e
hongkongais, e
icaunais, e
irlandais, e
islandais, e
jais*
jamais

japonais, e
javanais, e
jersiais, e
lais*
landais, e
laquais
liais
libanais, e
lisbonnais, e
lyonnais, e
mâconnais, e
madourais
mais*
malais, e
maltais, e
marais
marnais, e
marseillais, e
martiniquais, e
mauvais, e
mayennais, e
milanais, e
montalbanais, e
montréalais, e

morbihannais, e
nantais, e
navarrais, e
néerlandais, e
néo-hébridais, e
néo-zélandais, e
népalais, e
new-yorkais, e
niais, e
nigéro-congolais, e
nivernais, e
omanais, e
oranais, e
orléanais, e
ornais, e*
ouais
ougandais, e
pakistanais, e
palais*
panais
perpignanais, e
piémontais, e
polonais, e
ponantais, e

portugais, e
rabais
relais
rennais, e
réunionnais, e
rouennais, e
roussillonnais, e
rwandais, e
saintongeais, e
ségrais
sénégalais, e
sénonais, e
soudanais, e
soundanais
sri lankais, e
taïwanais, e
tarnais, e
thaïlandais, e
togolais, e
toulonnais, e
tribordais
versaillais, e
villeurbannais, e

Parmi les mots en *-aie*, on dénombre surtout des noms de plantations : *bananeraie*, *hêtraie*, etc.

amandaie
aulnaie ou aunaie
baie*
bambouseraie
bananeraie
boulaie*
cannaie
cédraie
cerisaie
châtaigneraie
chênaie
claie
cocoteraie
coudraie
craie*

effraie
épinaie
euromonnaie
figueraie
fougeraie
fraiseraie
frênaie
futaie
haie*
hêtraie
houssaie
ivraie
jonchaie*
joncheraie
laie*

maie*
monnaie
noiseraie
oliviaie*
oliveraie
orangeraie
orfraie
ormaie*
oseraie
pagaie
paie ou paye
palmeraie
peupleraie
pineraie
plaie*

pommeraie
prunelaie
raie*
ronceraie
rôneraie
roseraie
rouvraie
sagaie
saie*
saulaie
saussaie
taie*
tremblaie

Attention !

-ai

bai, e*
balai*
brai*

cabiai
chai
déblai

délai
essai
étai

⫸

Les terminaisons

étambrai
frai*
gai, e*
geai*
guai ou guais*
lai, e*
mai*
minerai
papegai
rai*
remblai
virelai
vrai, e

Voir T4, 59

-aid

laid, e*
plaid*

Voir T36

-aies

braies*
mille(-)raies

-ait

abstrait, e
attrait
autoportrait
bienfait
contrefait, e
défait, e*
distrait, e
entrait
extrait
fait, e*
forfait
fortrait, e
imparfait, e
insatisfait, e
lait*
méfait
parfait, e
portrait
retrait, e

satisfait, e
souhait
stupéfait, e
surfait, e*
trait, e*
vautrait

-aix

faix*
paix*
porte(-)faix
surfaix*

-ay

chambray
chardonay ou
chardonnay
fair-play
fairway
gamay
gay ou gai, e*
gray*
inlay
margay
match-play
medal play
onlay
ray*
scenic railway
spray
taxiway
tokay*
tramway
valençay
volnay
vouvray

Voir T4, 59

-aye

laye ou laie*
maye*
rimaye (pron. aussi [aj])

Voir T59, 60

-è

épistémè, épistémê
ou épistémé
(pron. aussi [e])
koinè (pron. aussi [e])

-ê

boulê*
corê, korê ou coré
(pron. aussi [e])
épistémê, épistémè
ou épistémé
(pron. aussi [e])

-ect

aspect
circonspect, e
(pron. aussi [ɛkt])
irrespect
prospect
respect
suspect, e
(pron. aussi [ɛkt])

Voir T149

-egs

legs* (pron. aussi [ɛg])
prélegs (pron. aussi [ɛg])

-eh

keffieh ou kéfié
(pron. aussi [je])
sakieh ou sakièh
(pron. aussi [je])
turbeh ou turbé
(pron. aussi [e])

Voir T4, 12

-èh

sakièh ou sakieh
(pron. aussi [je])

-ei

boghei ou boguet*
lei* (pron. aussi [ɛj])

-es

les, lès ou lez
(pron. aussi [e])

Voir T4, 117

-ès

abcès
accès
agrès
après*
auprès
congrès
cyprès
décès
dès*
excès
exprès
grès*
insuccès
lès, les ou lez
(pron. aussi [e])
près*
procès
profès, esse
progrès
recès ou recez
succès
très*

Voir T117

-èt

acquêt*
apprêt*
arrêt*
benêt
conquêt
crêt*
désintérêt
forêt*
genêt*
inintérêt
intérêt
prêt, e*
protêt
têt* (pron. aussi [ɛt])

Voir T128

-ets

aguets
entremets
honchets
mets*
rets*
tricotets

-ey

attorney
bey*
chutney
cockney
colley*
dey*
hockey*
jersey
jockey
mercurey
poney
trolley
volley*

Voir T26

-ez

lez, les ou lès
  (pron. aussi [e])
recez (pron. aussi [e])
  ou recès

Voir T4, 117, 139

*Genre des noms en -è, -ê
et -ès : voir le tableau G1*

[ɛ̃]

-in	-ain	-en	-aim	-aing	-aint
-ein	-eing	-eint	-ens	-im	-inct
-ing	-ingt	-ins	-int	-ints	-ym

-in

Lorsqu'on exclut les mots en [jɛ̃], qui sont analysés un peu plus loin, on constate que la plupart des mots se terminent par **-in** : *lutin, patin, sarrancolin*, etc. Leur féminin, s'il existe, est en **-ine** (*cousin, cousine ; taquin, taquine*, etc.), à l'exception de **bénin** et **malin**, qui font **bénigne** et **maligne**.

Voir T92

-ain

Les mots en **-ain** sont également assez nombreux ; on peut remarquer notamment parmi eux les adjectifs désignant les habitants d'une ville, d'une région ou d'un pays (*napolitain, aquitain, mexicain*, etc.), qui, employés comme noms, s'écrivent avec une majuscule. Leur forme féminine est en **-aine**, à l'exception de **copain**, qui fait **copine**.

aérotrain ou Aérotrain
africain, e
airain
américain, e
andain*
antirépublicain, e

aquitain, e
archidiocésain, e
armoricain, e
aubain*
auscitain, e
bain*

baisemain
bellifontain, e
borain, e ou borin, e
bouchain
centrafricain, e
centraméricain, e

certain, e
chapelain
chartrain, e
châtain, e
châtelain, e
chevrotain*

25

clarain
contemporain, e
copain
couvain
cubain, e
cucurbitain
    ou cucurbitin
dédain
demain
diocésain, e
dizain
dominicain, e
douçain ou doucin
douvain
douzain
drain
duodécimain, e
durain
écrivain
élisabéthain, e
entrain
étain*
eurafricain, e
forain, e
franciscain, e
fusain
gain
génovéfain
germain, e
grain
hautain, e*
horsain ou horsin
huitain

humain, e
incertain, e
inhumain, e
interafricain, e
interaméricain, e
interurbain, e
jamaïcain, e ou
jamaïquain, e
lendemain
levain
lointain, e
lorrain, e
lusitain, e
main*
malsain, e
marocain, e*
massepain
merrain
métropolitain, e
mexicain, e
mondain, e
montpelliérain, e
mozambicain, e
mussipontain, e
nain, e
naissain
napolitain, e
neuvain
nourrain
olivétain, e
onzain
pain*
panafricain, e

panaméricain, e
parcotrain
parrain
périurbain, e
piétrain
plain, e*
plantain
plébain
portoricain, e
poulain
prochain, e
publicain
puritain, e
putain
quatrain
refrain
regain
républicain, e
ricain, e
rifain, e
riverain, e
romain, e
roumain, e
rouverain ou rouverin
rurbain, e
sacristain
sain, e*
samaritain, e
seizain
septain
sixain ou sizain
soudain, e
soumaintrain

souterrain, e
souverain, e
spiritain
suburbain, e
surhumain, e
surlendemain
suzerain, e
sylvain
tain*
terrain
thébain, e
tibétain, e
toulousain, e
tournemain (en un)
train*
train(-)train
transafricain, e
transylvain, e
trentain
turbotrain
ultramontain, e
urbain, e
vain, e*
valdôtain, e
vilain, e
vitrain
voûtain
vulcain
zain

Voir T90

-en La terminaison **-en** est aussi assez fréquente, surtout lorsqu'il s'agit de termes d'histoire ou de mots désignant des habitants de villes, de régions, de pays : *acheuléen*, *caribéen*, etc. Le féminin, s'il y a lieu, est en **-enne**, à l'exception de **bigouden**, qui donne **bigoudène** ou reste tel quel.

achéen, enne
acheuléen, enne
alizéen, enne
antipaludéen, enne
arachnéen, enne
araméen, enne
archéen, enne
azuréen, enne
ben*
bigouden, ène
booléen, enne
bren (pron. aussi [ã])
cananéen, enne

caribéen, enne
céruléen, enne
chaldéen, enne
chasséen, enne
chelléen, enne
chondrostéen
confucéen, enne
coréen, enne
cornéen, enne
cyclopéen, enne
dahoméen, enne
dédaléen, enne
éburnéen, enne

échiquéen, enne
égéen, enne
élyséen, enne
érythréen, enne
européen, enne
examen
galiléen, enne
ghanéen, enne
gomorrhéen, enne
gouren
guadeloupéen, enne
guinéen, enne
herculéen, enne

holostéen
hyperboréen, enne
linnéen, enne
lycéen, enne
macanéen, enne
mandéen, enne
manichéen, enne
marmoréen, enne
mazdéen, enne
méditerranéen, enne
minoen, enne
nabatéen, enne
nazaréen, enne

nietzschéen, enne
paludéen, enne
panaméen, enne
paneuropéen, enne
peléen, enne ou
péléen, enne
phocéen, enne

prométhéen, enne
pyrénéen, enne
réexamen
sabéen, enne
sadducéen, enne ou
saducéen, enne

sidéen, enne
solutréen, enne
téléostéen
trachéen, enne
transpyrénéen, enne
trochléen, enne

vendéen, enne
zimbabwéen, enne

Voir T3, 15, 90, 92

-aim

daim
essaim
faim*
matefaim

Voir T83

-aing

bastaing ou basting
parpaing

-aint

contraint, e
maint, e*
précontraint, e
saint, e*
Toussaint

-ein

aérofrein
chanfrein
dessein*
flein
frein
hein
plein, e*
rein*
sein*
serein, e*
servofrein

-eing

contreseing
seing*

-eint

atteint, e
éteint, e*
feint, e*
peint, e*
repeint
restreint, e
rétreint
teint, e*

-ens

néméens

Voir T3, 15, 116, 118

-im

denim

Voir T84

-inct

distinct, e
indistinct, e
    (pron. aussi [ɛ̃kt])
instinct
succinct, e*

-ing

basting ou bastaing
coing *
oing ou oint*
poing*
sanderling
    (pron. aussi [iŋ])
shampoing ou
shampooing

-ingt

vingt*

-ins

confins
moins
néanmoins

-int

adjoint, e
appoint
bipoint
conjoint, e
contrepoint
disjoint, e
embonpoint
joint, e
multipoint(s)
oint, e*
point*
pourpoint
suint

Voir T129

-ints

multipoint(s)

-ym

thym*

Voir T84

*Mots où les lettres -en-
se prononcent [ɛ̃] :
voir le tableau C168*

*Genre des noms en -ain,
-ein, -in et -oin :
voir le tableau G1*

-ien

Les mots prennent le plus fréquemment la terminaison **-ien**, et forment leur féminin en **-ienne** : *canadien*, *chien*, *martien*, etc.

-yen

On trouve plusieurs mots en **-yen**, **-ayen** ou **-oyen** (ces derniers se prononçant **wa-yen**, comme dans *moyen*) :

aryen, enne*	citoyen, enne	libyen, enne	nicaraguayen, enne
biscayen, enne	concitoyen, enne	mayen	paraguayen, enne
ou biscaïen, enne	doyen, enne	mitoyen, enne	troyen, enne
chondrichtyen	himalayen, enne	moyen, enne	uruguayen, enne

Attention !

-ien

biscaïen, enne
  ou biscayen, enne
féroïen, enne
hawaïen, enne
  ou hawaiien, enne
kafkaïen, enne
païen, enne

-iens

aphidien(s)
lacertiens
thériens*

-ient

revient
va-et-vient

-yens

choanichtyens
ostéichtyens

[i]

-ie	-i	-is	-ee	-ey	-ï	-ic
-ict	-id	-ïe	-ies	-il	-it	-ît
-its	-ix	-iz	-y	-ye	-ys	

-ie

La majorité des mots revêt la terminaison **-ie** : *démocratie*, *périphérie*, *tragédie*, etc.

Voir T12

-i

On retrouve également de nombreux mots en **-i**, dont plusieurs proviennent de langues étrangères. Leur féminin est en **-ie**, sauf pour *favori* (*favorite*), *champi* et *rechampi* (*champisse*, *rechampisse*).

a fortiori	aspi	cadi*	croupi, e
à l'envi*	assorti, e	cagibi	cui-cui
a pari	assoupi, e	canari	cuti
a posteriori	assujetti, e	candi	daiquiri ou daïquiri
a priori	asti	cannelloni	dari
abasourdi, e	atemi ou atémi	canzoni (pl. de canzone)	décadi
abouti, e	aujourd'hui	carbonari	décati, e
abri	aussi	(pl. de carbonaro)	déci
abruti, e	autrui	cari, carry, cary	décrépi, e*
accompli, e	avachi, e	ou curry*	décri
ad usum delphini	averti, e	carvi	défi
affaibli, e	avili, e	casus belli	défini, e
affranchi, e	azéri, e	cati	défraîchi, e
afghani	Babinski (signe de)	catimini (en)	défranchi, e
agami*	bahreïni, e	cauri ou cauris	dégourdi, e
Agnus Dei ou agnus-Dei*	bailli	ceci	démenti
agouti	baloutchi	cédi	demi, e*
agui	bangladeshi	céleri ou cèleri*	déni
ahuri, e	banni, e	celui	dénutri, e
aigri, e	bâti, e	celui-ci	dépoli, e
ailloli ou aïoli	bengali	ceux-ci	désassorti, e
ainsi	beni (pl. de ben)	champi, isse	désuni, e
alangui, e	béni*	ou champis, isse	devanagari
alcali	béni-oui-oui	chanci	duodi
alibi	benji	charivari	ébaubi, e
alizari	béribéri	chergui	efendi, éfendi ou effendi
amaigri, e	bersaglieri	chéri, e*	embrouillamini
ami, e*	(pl. de bersaglier)	chianti	émeri
ammi*	bibi	chichi	émirati, e
amorti*	bigoudi	chili	endolori, e
amphi	bikini ou Bikini	choisi, e	endormi, e
amphigouri	biparti, e	chti, ch'timi ou chtimi	endurci, e
ampli	biribi	ci*	engourdi, e
anobli, e	bistouri	coati	ennemi, e
antinazi, e	blini	cocci (pl. de coccus)	ennui
antiparti	boni	colibri	enrichi, e
api	bouffi, e	concetti	épanoui, e
aplati, e	boui(-)boui	condottieri	épi
apprenti, e	bouilli, e*	(pl. de condottiere)	établi, e
approfondi, e	bouzouki ou buzuki	confetti	étourdi, e
appui	brahmi	converti, e	étui
arbi	bravi (pl. de bravo)	Corti (organe de)	évanoui, e
archi	brocoli	couvi	exhibi
arditi	brouillamini	cramoisi, e	extraverti, e ou
armailli	bruni	crépi	extroverti, e
arrondi, e*	cabri	cri*	failli, e
ashkenazi	cacaoui	cri(-)cri	farci, e

farsi
favori, ite
fermi
fi
fini, e
flapi, e
fléchi
flétri, e
fleuri, e
fontanili
fourbi
fourmi
fourni, e
frichti
fromegi ou fromgi
garanti*
gari
garni, e
genépi ou génépi
glui
gnocchi
Golgi (appareil de)
gourami
gourbi
gouzi-gouzi
graffiti
gri(-)gri ou gris-gris
grisbi
grizzli ou grizzly
gruppetti
    (pl. de gruppetto)
guarani
guéri, e
gui
guili-guili
gujarati
hadji
halbi
hallali
hara-kiri
hardi, e
harki, e
hi*
hi-fi
hindi
hindoustani
houari*
houri
hourvari
hui*
ici
impoli, e
impresarii
    (pl. de impresario)

impuni, e
inabouti, e
inaccompli, e
inassouvi, e
indéfini, e
indri
infarci, e
infini, e
infléchi, e
inri ou I.N.R.I.
insti
inti
introverti, e
inverti, e
irréfléchi, e
jaborandi
jacuzzi ou Jacuzzi
jeudi
jingxi
joli, e
joruri
judogi
kabuki
kaki
kali
kami
kamichi
kanji
Kaposi (sarcome,
    syndrome de)
kathakali
képi
khi
kiki
kiwi
kolinski
ksi
labri ou labrit
lacrima-christi ou
lacryma-christi
lambi
lapilli ou lapillis
lapis-lazuli
lapsi
lazzaroni
    (pl. de lazzarone)
lazzi
letchi, litchi ou lychee
li*
libretti (pl. de libretto)
loci (pl. de locus)
lori*
loti, e
lui*

lundi
macaroni
macchiaioli
maffiosi ou mafiosi
    (pl. de maf(f)ioso)
maharani
mahdi
maki*
malbâti, e
mali
malpoli, e
manu militari
maori, e
marathi
marconi
mardi
mari
mariachi
marli
marri, e
martini ou Martini
mati, e
maxi
méchoui
méhari
meiji
mercanti
merci
mercredi
mi*
mi-parti, e
midi
millefiori
mimi
mini
missi dominici
mistigri
modus vivendi
moisi, e
monogatari
monokini
monoski
monsignori
    (pl. de monsignore)
motoski
muesli ou musli
mufti ou muphti
muni, e
muscari
nabi
nævi (pl. de nævus)
nagari
nanti, e
nazi, e

nenni
néonazi, e
népali
néroli
nervi
ni*
niaouli
nonidi
nourri, e
nuraghi (pl. de nuraghe)
obi*
octidi
okapi
organdi
origami
osmanli, e
otomi
ouadi (pl. de oued)
oubli*
oui*
ouistiti
ourdi, e*
ourébi
ovni
pagi (pl. de pagus)
pahlavi
pali, e
pâli, e
palmiparti, e
panjabi
paparazzi
papi ou papy
par-ci
pardi
pari*
parmi
paroli
parsi, e
parti, e*
patchouli
pécari
pehlvi
pelotari
péri, e*
phi
pi*
pianissimi
    (pl. de pianissimo)
pili-pili
pilori
pipi
pirojki
pizzicati
    (pl. de pizzicato)

⟩⟩⟶

pli*
poli, e*
pourri, e
préétabli, e
primidi
psi*
puni, e
pupazzi (pl. de pupazzo)
putti (pl. de putto)
qatari, e
quadri
quadriparti, e
quartidi
quasi
qui
quintidi
rabbi
rabougri, e
raccourci
rachi
racorni, e
rafraîchi, e
raki
ralenti
rami*
ramolli, e
ranci, e
rani
rastafari
ravi, e
ravioli
rebondi, e
rechampi ou réchampi
recueilli, e
réfléchi, e
réjoui, e
rempli, e
renchéri, e
repenti, e
repli
ressui
rétabli, e
rétréci, e
rétrofléchi, e

réuni, e
réussi, e
reversi ou reversis
revoici
ricercari
   (pl. de ricercare)
rififi
rikiki ou riquiqui
rœsti ou rösti
romani
rôti, e*
rouchi
rougi, e
roumi, e
roussi
sacristi*
safari
sahraoui, e
saïmiri
saisi, e
saki
salami
samedi
sampi
sapristi
sari
sashimi
sati
satori
scaferlati
scampi
sefardi
senti, e
septidi
serrati (pl. de serratus)
serti
sextidi
si*
sidi
simili
sirli
sirtaki
ski
sloughi

soli (pl. de solo)
somali, e
soprani (pl. de soprano)
souahéli, e
souci
soufi, e
souvlaki
spaghetti
spahi
spermaceti
spi
stimuli (pl. de stimulus)
suivi, e
sumotori
suri, e
surimi
sushi
swahili, e
Tabaski
taï chi ou tai-chi
taiji ou t'ai-ki
tandoori ou tandouri
tapi, e*
targui, e
tari, e
tassili
tatami
tati ou tatie
taxi*
téléski
tempi (pl. de tempo)
teocali, teocalli ou
téocalli
terri ou terril
thlaspi
tifosi
tipi
titi
torii
tortellini
touladi
transfini, e
transi, e
travesti, e

tri
Tricouni
tridi
triparti, e
tripoli
trulli (pl. de trullo)
tsunami
tumuli (pl. de tumulus)
tupi
tutti
tutti(-) frutti
tutti quanti
uni, e
urbi et orbi
uva-ursi
vélani
véloski
vendredi
venturi
verni, e
vieilli, e
voceri (pl. de vocero)
voici
vomi
vox populi
vreneli
wali
wapiti
wienerli
xi
yakitori
yeti ou yéti
yogi
youpi* ou youppie
zakouski
zani ou zanni
zanzi
zingari (pl. de zingaro)
zizi
zombi ou zombie

Voir T59, 60, 62

-is La terminaison *-is* se révèle également assez importante. Lorsque le féminin de ces mots existe, il est en *-ise* (*comprise*, *soumise*, etc.), à l'exception de ***champis***, qui donne ***champisse***.

Les terminaisons

abatis ou abattis
acquis, e*
admis
anis (pron. aussi [is])
antiroulis
appentis
arrachis
assis, e
avis*
barbouillis
bardis
bis, e
brebis
bredouillis
bris*
brisis
brûlis
buis
cafouillis
caillebotis ou
caillebottis
cailloutis
cambouis
cassis*
    (pron. aussi [is])
cauris ou cauri
    (pron. aussi [is])
chablis
champis, isse
    ou champi, isse
châssis
chatouillis
chènevis
chervis
chuchotis
circoncis, e
clafoutis
clapotis
cliquetis
cochevis
colis
coloris
commis
compris, e
compromis
concis, e

conquis, e
contravis
contrechâssis
couchis
coulis*
courlis
croquis
débris
dégueulis
démis, e
depuis
devis
divis, e
doublis
éboulis
épris, e
exquis, e
feuilletis
fidéicommis
fondis ou fontis
fouillis
friselis
frisottis
froncis
frottis
gâchis
gargouillis
gaulis
gazouillis
glacis
grènetis
gribouillis
grignotis
gris, e*
gris-gris ou gri(-)gri
guillochis
hachis
hormis
hourdis*
huis*
imprécis, e
incompris, e
indécis, e
indivis, e
insoumis, e
lacis

laguis
    (pron. aussi [is])
lambris
lapillis ou lapilli
lassis
lattis
lavis
logis
loris*
    (pron. aussi [is])
louis
mâchicoulis
macis
malappris, e
maquis*
maravédis
margis
margouillis
marquis
mauvis
mégis
mépris
mille(-)pertuis
mis, e*
mouchetis
nolis
omis, e
paillis
palis*
panaris
paradis
parisis
parvis
pâtis
perchis
permis
pertuis
pilotis
pis*
plumetis
pont-levis
préavis
précis, e
pris, e*
promis, e
puis*

radis
ramassis
rapointis ou
rappointis
rassis, e
réchampis
renformis
repris
requis, e
retroussis
reversis ou reversi
ribouis
ris*
rossolis
roulis
rubis*
salmigondis
salmis
salsifis
sauris
semis*
sis, e*
soumis, e
souris
surplis
sursis
taillis
tamis
tandis que
    (pron. aussi [is])
tapis*
taudis
torchis
torticolis
tortis
tournis
Tout-Paris
treillis
ventis
vernis*
vis-à-vis
volis

Voir T119

Voir T119

Attention !

-ee

dundee
frisbee ou Frisbee

irish(-) coffee
jamboree
lychee, letchi ou litchi
pedigree
    (pron. aussi [e])
tee

toffee (pron. aussi [e])
trustee
yankee

-ey

whiskey*

-ï

aï*
haï, e*
inouï, e
saï (pron. aussi [aj])

Voir T59, 62

-ic

cric* (pron. aussi [ik])

Voir T68

-ict

amict*

Voir T68

-id

muid
nid*

Voir T36, 38

-ïe

ouïe*

Voir T59, 64

-ies

armoiries
branchie(s)
complies

courreries
dionysies
eubactéries
féralies
floralies
gémonies
latomies
lochies
nénies
parentalies
pierreries
royalties
scénopégies
thesmophories
vestalies

Voir T140

-il

baril (pron. aussi [il])
chenil (pron. aussi [il])
coutil
fenil (pron. aussi [il])
fournil*
fraisil (pron. aussi [il])
frasil (pron. aussi [il])
fusil
gentil, ille
goupil (pron. aussi [il])
grésil (pron. aussi [il])
gril* (pron. aussi [il])
groisil (pron. aussi [il])
nombril (pron. aussi [il])
outil
persil
sourcil
terril ou terri
   (pron. aussi [il])

Voir T59, 60, 63, 64, 76

-it

acabit
acquit*
antibruit
appétit
audit, à ladite
bandit
barrit*

bénit, e*
biscuit
bruit
châlit
chienlit
circuit
conduit
confit, e
conflit
conscrit
contredit (sans)
contrit, e
crédit
cuit, e
débit
déconfit, e
décrépit, e*
dédit
déduit
délit
dépit
discrédit
dit, e *
dudit
duit
écoproduit
écrit, e
édit
enduit
érudit, e
esprit
eurocrédit
exinscrit, e
fortuit, e
frit, e
fruit
gabarit
gambit
gratuit, e
habit
havrit
huit* (pron. aussi [it])
incuit
induit, e
inédit, e
inscrit, e
instruit, e
interdit, e
labrit ou labri
ledit
lendit
lieu(-)dit
lit*
manuscrit, e

maudit, e
microcircuit
minuit
nuit*
pandit (pron. aussi [it])
petit, e
pissenlit
prakrit ou prâkrit
précuit, e
prescrit, e
produit
profit
proscrit, e
récit
recuit
réduit, e
répit
rescrit
samit*
sanscrit, e ou sanskrit, e
subit, e*
superprofit
surcuit
susdit, e
tapuscrit
usufruit
vit*

Voir T130, 134

-ît

gît (du verbe gésir)

-its

lesdits
puits*

-ix

crucifix
dix* (pron. aussi [is], [iz])
perdrix
prix*
six* (pron. aussi [is], [iz])

Voir T147

-iz

riz*

Voir T140

-y

aisy
ay*
AZERTY
baby
bloody Mary
body
brandy
brouilly
buggy (pron. aussi [e])
caddy ou caddie*
carry, cary, curry
    ou cari*
cash and carry
chantilly ou Chantilly
cherry*
cosy
country
dandy
danse de Saint-Guy
derby

derny
dinghy
dolby ou Dolby
ecstasy
époxy
ferry* (pron. aussi [e])
fifty-fifty
funky
garden-party
gentry
gin-rummy
granny
grizzly ou grizzli
groggy
guppy
henry
hickory
hippy ou hippie
hobby*
husky
jazzy
jenny
jet-society
junky ou junkie
jury
lady
lavatory
liberty ou Liberty
lobby
lorry*
mammy, mamy
    ou mamie*

moly
Monopoly
montmorency
mule-jenny
nursery
paddy
papy ou papi
penalty ou pénalty
penny
penty
poly*
pouilly
psy*
puy*
QWERTY
Regency
revenez-y
rotary
rugby*
sammy*
sexy
sherry*
shimmy*
speakeasy
sulky
surprise-party
    ou surprise-partie
tchervontsy
    (pl. de tchervonets)
teddy
tilbury
toile de Jouy

tommy
tory
vichy
wallaby
whisky*
y* (adv., pron.)
yeomanry
zloty

Voir T13, 59, 62

-ye

abbaye
barye*
mye*
rallye*

Voir T59, 60

-ys

pays, e

Voir T119

Genre des noms en -i, -ie, -is et -it: voir le tableau G1

[o]

-o -eau -ot -ao -au -aud
-ault -aulx -aut -aux -aw -eaud
-eaux -ô -oc -ods -oh -oo
-op -os -ôt -oth -ots -ough
-ow

-o

Les mots en [o] se terminent majoritairement par *-o*: *bravo, piano, trio*. On remarquera qu'ils proviennent souvent de langues étrangères. Le son [o] se retrouve également dans la forme plurielle de la plupart des noms et adjectifs en *-al*, et de quelques mots en *-ail*; il s'orthographie alors *-aux*: *animaux, hôpitaux, coraux, travaux*, etc.

Voir T3, 22

-eau

On rencontre assez fréquemment des mots en **-eau.** Leur féminin, lorsqu'il existe, est en **-elle** : *beau, belle* ; *tourangeau, tourangelle.*

agneau
aisseau
anneau*
appeau
arbrisseau
arceau
asseau*
baleineau
baliveau
bandeau
barbeau
bardeau ou bardot
barreau*
batardeau
bateau
beau, belle*
bécasseau
bedeau
berceau
bigarreau
bigorneau
bihoreau
biscoteau
biseau
biveau
blaireau
bobineau ou bobinot
boisseau
bonneteau
boqueteau
bordereau
bouleau*
bourreau
bureau
câbleau ou câblot
cadeau
cailleteau
canardeau
caniveau
carneau ou carnau
carpeau
carreau
casseau
caveau
cerceau
cerneau
cerveau
céteau

chalumeau
chameau
chanteau
chapeau
chapiteau
château
chaudeau
chemineau*
chéneau
chêneau
chevreau
chrémeau
cigogneau
ciseau
claveau
closeau
colineau ou colinot
conneau
copeau
corbeau
cordeau
coteau*
couleuvreau
coulisseau
couteau
créneau
cuisseau*
cuveau
daleau ou dalot
damoiseau
dindonneau
doleau
doubleau
drapeau
eau*
écheveau
écriteau
éfourceau
éléphanteau
enfaîteau
enveloppe Soleau
erseau
escabeau
étourneau
faisandeau ou
faisanneau
faisceau
faîteau

fardeau
fauconneau
flambeau
flûteau
fontainebleau
fourneau
fourreau
fricandeau
fronteau*
fuseau
gâteau
gémeau, elle*
gerseau
gerzeau
girafeau
godelureau
godiveau
gouttereau
grimpereau
grumeau
guideau
guindeau
hachereau
hameau
hâtereau
hâtiveau
haveneau
héronneau
hirondeau
hobereau
hosteau, hosto ou osto
hottereau
houseau*
jambonneau
javeau
jottereau
jouvenceau, elle
jumeau, elle
lambeau
landerneau ou landernau
lanterneau
lapereau
levreau ou levraut
linteau
lionceau
listeau
liteau*
loqueteau

louveteau
manceau, elle
mangonneau
manteau
maquereau
marmenteau
marseau ou marsault
marteau
mâtereau
meneau
moineau
monceau
morceau
moreau, elle
morvandeau, elle
   ou morvandiau
museau
nanoréseau ou
Nanoréseau
naseau*
niveau*
nouveau, elle
oiseau
organeau
oripeau
ormeau
outardeau
ouvreau
paisseau*
panneau
panonceau
passereau
pastoureau, elle
peau*
perdreau
pessereau
pigeonneau
pinceau
pineau*
pintadeau
pipeau*
placeau
plateau
plumeau
poétereau
pointeau
poireau
pommeau

Les terminaisons

ponceau
pontuseau
porreau
poteau*
pourceau
pruneau
puceau
pureau*
quadrijumeau(x)
radeau
rameau
ramereau ou ramerot
rampeau
ramponeau ou
    ramponneau
râteau
renardeau
renouveau

réseau
rideau
rinceau
rondeau*
roseau
rouleau
rousseau
ruisseau
saumoneau
sautereau
sceau*
seau*
serdeau
serpenteau
simbleau
soliveau
souriceau
sureau*

tableau
tasseau
taureau
terreau
têteau
tombeau*
tombereau
tonneau
toucheau, touchau
    ou touchaud
tourangeau, elle
tourteau
tourtereau
traîneau
tréteau
trijumeau
troubleau
troupeau

trousseau
trumeau
tufeau ou tuffeau
tuileau
tyranneau
vaisseau
vanneau
vassiveau
veau*
venteau*
vermisseau
verseau*
vigneau*
vipereau, vipéreau
    ou vipériau
vousseau

-ot

La finale **-ot** est presque aussi fréquente que la terminaison **-eau**. Le féminin de ces mots, lorsqu'il existe, est en **-ote** ou en **-otte**.

---

abot
abricot
accot
aiguillot
aligot
amerlot ou amerlo
angelot
argot
asticot
bachot
ballot
bardot ou bardeau
barjot ou barjo
barrot*
bécot
bellot, otte
berlingot
biarrot, e
bibelot
bicot
bigot, e
billot
bistrot ou bistro
bobinot ou bobineau
bot, e*
bouchot
boucot ou boucaud
boulot, otte*

bourricot
brûlot
bulot
cabillot *
câblot ou câbleau
cabot
caboulot
cachalot
cachot
cageot
cagot, e
cahot*
caillot
calicot
calot*
camelot
canot
capot*
chabot
chabrot
chariot
charlot
chassepot
cheminot, e*
chérot
chicot
chiot
ciboulot
clabot

clapot
colinot ou colineau
complot
coquelicot
corniot ou corniaud
crabot
cradot ou crado
crapouillot
croquenot
cubilot
cuissot*
cuistot
culot
dalot ou daleau
délot
dergeot
dévot, e
écot*
elbot
ergot
escarbot
escargot
escot
estradiot ou stradiot, e
étambot
fafiot
fagot
falot, e
fayot

fémelot
fiérot, e
fistot
flingot
flipot
flot
foliot*
frérot
fricot
galibot
galipot
gallot ou gallo*
garrot
gavot, e
gigot
glaviot
godillot
goulot
grelot
griot, otte
grouillot
guillemot
guyot
haricot
hochepot
hottentot, e
hublot
huguenot, e
idiot, e

⫸

îlot
jabot
jacot, jaco ou jacquot
javelot
jeunot, otte
laptot
larigot
lérot
ligot
lingot
livarot
loriot
lot*
loupiot, ot(t)e
magot
maigriot, otte
maillot
manchot, e
marigot
marmot
massicot
matelot
mazot*
mégot
mélilot
mendigot, e
merlot
minot

moblot
mot*
mulot
nabot, e
ocelot*
ondes Martenot
ostrogot, e ou ostrogoth, e
pageot
pagnot
paillot
pajot
paletot
palot
pâlot, otte
paquebot
parigot, e
parpaillot, e
pavot
pecnot, pé(è)quenot
   ou pé(è)quenaud
péridot
perlot
pérot
persicot
petiot, e
picot
pierrot
pilot

pinot*
pivot
plot
poivrot, e
pot
potamot
pouillot
poulbot
pouliot
poulot, otte
purot*
queusot
rabiot
rabot
rafiot ou rafiau
ragot, e
ramerot ou ramereau
rebot
Rigollot*
robot
rollot
rot*
rotoplot(s)
sabot
salopiot, salopiau
   ou salopiaud

sampot
sanglot
solognot, e
sot, sotte*
soûlot, e ou soûlaud, e
stot
stradiot, e ou estradiot
surcot
surmulot
tacot*
tallipot
tarabiscot
tarot(s)*
trainglot ou tringlot
traminot
tricot
tripot
trot*
turbot*
velot
vendangerot
vieillot, otte
vignot ou vigneau*

Voir T131, 134

Attention !

-ao

curaçao

Voir T3

-au

aloyau
atriau
au, aux*
bau*
bestiau
biomatériau
bitoniau
boucau*
boyau
burgau

carnau ou carneau
coyau
Esquimau*
esquimau, aude
   ou eskimo*
étau*
fabliau
fléau
flûtiau
gluau
grau*
gruau
hoyau
joyau
karbau ou kérabau
landau
landernau ou landerneau
matériau
micronoyau
morvandiau
   ou morvandeau, elle

nobliau
noyau
préau
rafiau ou rafiot
restau ou resto
salopiau, salopiaud
   ou salopiot
sarrau
senau
surbau
tau*
touchau, touchaud
   ou toucheau
tussau
tuyau
unau
vau
vipériau, vipereau
   ou vipéreau
ypréau

-aud

badaud, e
baud*
bliaud ou bliaut
boucaud ou boucot
Bouillaud
   (maladie de)
cabillaud*
chaud, e*
clabaud
corniaud ou corniot
costaud, e*
courtaud, e
crapaud
échafaud
faraud, e*
finaud, e
grimaud
lourdaud, e

Les terminaisons

maraud, e
miraud, e ou miro
moricaud, e
nigaud, e
noiraud, e
pataud, e
penaud, e
pé(è)quenaud, e,
    pecnot ou pé(è)quenot
quinaud, e
Raynaud (syndrome de)
réchaud
ribaud, e
rustaud, e
salaud
saligaud, e
salopiaud, salopiau
    ou salopiot
soûlaud, e ou soûlot, e
tacaud*
taraud*
taud*
touchaud, touchau
    ou toucheau

-ault

marsault ou marseau
meursault

-aulx

aulx* (pl. de ail)

-aut

artichaut
assaut*
bliaut ou bliaud
défaut
gerfaut
haut, e
héraut*
levraut ou levreau
nilgaut
panicaut
quartaut

rehaut
ressaut
saut*
soubresaut
sursaut
taïaut ou tayaut

-aux

affûtiaux
apparaux
chaux*
déchaux
faux, fausse
margaux
préjudiciaux
surtaux
taux*
universaux

-aw

outlaw
rickshaw
squaw

-eaud

limougeaud, e
rougeaud, e

-eaux

bordeaux
gémeaux ou Gémeaux*
quadrijumeau(x)

-ô

allô
nô*
ô*
rhô ou rho*

-oc

accroc*
broc
croc
escroc
raccroc

Voir T69

-ods

lods*

-oh

oh*

-oo

zoo

Voir T22

-op

galop*
salop
sirop
trop*

Voir T101, 103

-os

ados*
antihéros
campos*
chaos*
clos, e
dispos, e
dos*

enclos
endos
extrados
forclos, e
gros, grosse*
héros*
intrados
nos*
os (au pluriel)*
parados
propos
regros
repos
surdos
suros*
tournedos
vos*

Voir T120, 121

-ôt

aussitôt
bientôt
dépôt
entrepôt
impôt
plutôt
prévôt
rôt*
sitôt
suppôt*
tantôt
tôt*

-oth

ostrogoth, e ou ostrogot, e
wisigoth, e

-ots

goguenots
rotoplot(s)
tarot(s)*

-ough

borough

-ow

bay-window ou
bow-window
bungalow
cash-flow

chow-chow
marshmallow
sandow ou Sandow
   (pron. aussi [ɔv])
show*
slow
tennis-elbow

*Mots en **-ail** faisant leur
pluriel en **-aux** :
voir le tableau N3*

*Genre des noms en **-o**,
-os et **-ot** : voir le tableau
G1*

*Pluriel des mots en
-au : voir le tableau N4*

[ɔ̃]

-on	**-ond**	**-om**	**-omb**	**-ompt**	**-onc**
-onds	-ong	-ons	-ont	-onts	-ung

-on

Mis à part les mots en [jɔ̃], qui sont analysés plus loin, la plupart des mots en [ɔ̃]
s'écrivent avec la finale **-on** : *ballon, hanneton, poupon*, etc. Leur forme féminine,
si elle existe, est en **-onne** (à quelques exceptions près) : *breton, bretonne ;
mignon, mignonne*, etc.

Voir T3, 19, 20, 21, 93, 94, 95

-ond

On rencontre assez fréquemment des mots en **-ond** :

blond, e
bond*
fécond, e
fond*
furibond, e

girond, e*
gond*
infécond, e
interfécond, e
moribond, e

nauséabond, e
plafond
profond, e
pudibond, e
rebond

rond, e *
rubicond, e
second, e
vagabond, e

Attention !

-om

crénom
dom ou don*
nom*
prénom

pronom
renom*
surnom

Voir T85, 87

-omb

aplomb
coulomb
cuproplomb
plomb
surplomb

-ompt

prompt, e

Les terminaisons

-onc

ajonc
donc* (pron. aussi [ɔ̃k])
jonc
tronc

Voir T70, 122

-onds

à-fonds*
bien-fonds
fonds*
tréfonds

-ong

barlong, ongue
dugong
    (pron. aussi [ɔ̃g])
gong* (pron. aussi [ɔ̃g])
long, longue
ma-jong ou mah-jong
    (pron. aussi [ɔ̃g])
oblong, ongue
sarong
    (pron. aussi [ɔ̃g])
souchong
    (pron. aussi [ɔ̃g])

Voir T57

-ons

abscons, e
cheval-arçons ou
cheval(-) d'arçons

croupetons (à)
friton(s)
grattons
greubons
Grisons (viande des)
reculons (à)
répons
retirons
roustons
tâtons (à)

Voir T19, 21, 122

-ont

affront
amont
dont*
entrepont
front
giraumont ou giraumon
mont*

piedmont ou piémont
pont*
rodomont

-onts

fonts*

-ung

pacfung ou packfung

*Genre des noms en **-on**:
voir le tableau G1*

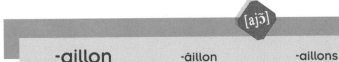

[ajɔ̃]

-aillon   **-âillon**   **-aillons**   **-ayon**

-aillon ‖ On retrouve principalement la terminaison ***-aillon***: *cavaillon, curaillon*, etc.

Attention!

-âillon

bâillon

-aillons

picaillons

-ayon

hayon*
    (pron. aussi [ɛjɔ̃])
sabayon

Voir T21

[εjɔ̃]

-eillon   -ayon   -eyon

-eillon

Les mots prennent surtout la terminaison *-eillon* : *oreillon, seillon,* etc.

-ayon

-eyon

clayon	layon	sayon*	pleyon ou playon
crayon	playon ou pleyon	trayon	
hayon (pron. aussi [ajɔ̃])	rayon	*Voir T19*	

[jɔ̃]

-ion   -illon   -illons   -ions   -ñon   -yon

-ion

Lorsqu'on exclut les mots en [ajɔ̃] ou [εjɔ̃], on constate que la grande majorité des mots (et ils sont nombreux) se termine par *-ion* : *action, émotion, mission, succion,* etc.

-illon

La finale *-illon* est également assez fréquente, et elle se prononce **i -yon** : comparez par exemple *botillon* (**bo-ti-yon**) et *avion* (**a-vyon**). Notez que certains mots en *-ion* se prononcent aussi **i-yon** : *histrion, oscabrion, septembrion, ténébrion, trublion, vibrion.*
Par ailleurs, *brouillon, couillon* et *souillon* se distinguent des autres noms en *-illon*, et se disent plutôt **ou-yon**.

aiguillon	bottillon	carillon	cornillon
ardillon	bourbillon	carpillon	cotillon
barbillon	bouvillon	cendrillon	couillon, onne
billon	brouillon, onne	corbillon	crampillon

Les terminaisons

croisillon	lamprillon	pendillon	tavillon
durillon	lentillon	pharillon	tortillon
échantillon	manillon	portillon	toupillon
écouvillon	microsillon	postillon	tourbillon
émerillon	mirmillon	quillon	tourillon
étrésillon	modillon	raidillon	trapillon ou trappillon
faucillon	moinillon	roupillon	trompillon
fransquillon	morillon	sémillon	vanillon
goupillon	négrillon, onne	sillon	vermillon
grappillon	oisillon	souillon	
gravillon	orillon	tardillon, onne	*Voir T19, 20*
grillon	papillon	tatillon, onne	
guillon	pavillon	taurillon	

Attention !

-illons	-ions	-yon	embryon
			otocyon
			tachyon
rillons*	congratulation(s)	alcyon	*Voir T19, 20*
Voir T19	félicitation(s)	amphictyon	
	rogations	amphitryon, onne	
	tribulation(s)	baryon	*Genre des noms en*
		canyon ou cañon	***-illon** et **-ion** :*
		(pron. aussi [jɔn])	*voir le tableau G1*
	-ñon	cyon	
		dicaryon	
	cañon ou canyon		
	(pron. aussi [jɔn])		

[u]

-OU	-U	-aoul	-ew	-oo	-où
-oub	-ouc	-oue	-oug	-oûl	-ouls
-oup	-ous	-out	-oût	-oux	-ue

-ou | On retrouve surtout des mots en **-ou** : *canezou, clou, flou, trou,* etc.

-u | Certains mots étrangers en **-u** se prononcent comme s'ils se terminaient par **-ou** :

➡

bakufu
brocciu
bunraku
fugu
gagaku
guru ou gourou

haïku
kung-fu
kuru*
kyu
nunchaku
piu

quipu ou quipou
quôc-ngu
seppuku
shiatsu
sodoku
telugu ou télougou

tofu
urdu
wu*

Voir T26

Attention !

-aoul

saoul, e ou soûl, e*

-ew

happy few
interview
stew

-oo

igloo ou iglou

Voir T17

-où

où*

-oub

radoub

-ouc

caoutchouc

Voir T71

-oue

abajoue
bajoue
boue*
bouteroue
gadoue
houe*
joue*
moue*
noue*
padoue ou padou
proue*
roue*
soue*

-oug

joug*

-oûl

soûl, e ou saoul, e*

-ouls

pouls*

-oup

beaucoup
cantaloup*
contrecoup
coup*
loup

Voir T103

-ous

absous, absoute
burnous
   (pron. aussi [us])
dessous
dissous, dissoute
entrevous
nous*
remous
sous*
tous (pron. aussi [us])
tripous ou tripoux
vous*

Voir T123

-out

about
ajout
antitout
atout
bagout ou bagou
bout*

brout*
debout
égout
embout
faitout ou fait-tout
marabout
partout
racahout
   (pron. aussi [ut])
rajout
surtout
tout, e*

Voir T134

-oût

août*
   (pron. aussi [ut])
coût*
dégoût
goût
moût*
ragoût
surcoût

-oux

alquifoux
courroux*
doux, douce
époux, épouse
houx*
jaloux, jalouse
redoux
roux, rousse*

Les terminaisons

saindoux
sioux
toux*
tripoux ou tripous

-ue

barbecue (pron. aussi [y])

Voir T26

*Mots où la lettre **u** se prononce* [u] : *voir le tableau C186*

*Genre des noms en **-ou** : voir le tableau G1*

*Pluriel des mots en **-ou** : voir le tableau N5*

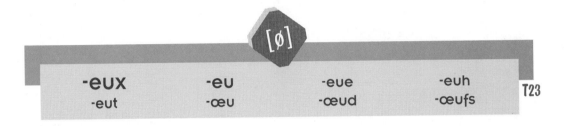

[ø]

-eux   **-eu**   **-eue**   **-euh**
-eut   -œu   -œud   -œufs

T23

-eux

La majorité des mots se termine par **-eux**, et fait **-euse** au féminin : *chanceux, chanceuse* ; *paresseux, paresseuse,* etc.

Voir T24

-eu

On trouve aussi plusieurs mots en **-eu**, dont le féminin, s'il y a lieu, est généralement en **-eue** :

alleu
areu
aveu
bleu, e
boutefeu
corbleu
dégueu
désaveu

émeu
enfeu
enjeu
feu, e
hébreu
heu*
jeu

leu
à la queue leu leu
morbleu
neveu
palsambleu
parbleu
peu*

pneu
sacrebleu
schleu, e ou chleu, e
scrogneugneu
ventrebleu
vertubleu

Voir T24, 26

Attention !

-eue

hochequeue
queue*

Voir T24

-euh

chleuh, e ou schleu, e
euh*
meuh
peuh*

-eut

sauve-qui-peut

-œu

vœu*

-œud

-œufs

nœud

bœufs (pl. de bœuf)
œufs* (pl. de œuf)

Pluriel des mots en
-eu : voir le tableau N4

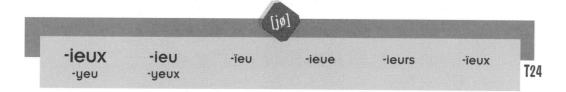

[jø]

-ieux   **-ieu**   -ïeu   -ieue   -ieurs   -ïeux
-yeu   -yeux

T24

-ieux

Comme pour le son [ø], la terminaison la plus fréquente est *-ieux*, dont le féminin est généralement *-ieuse* : *capricieux, capricieuse* ; *curieux, curieuse*, etc. ; mais *vieux, vieille*.

-ieu

De même que pour le son [ø], on retrouve aussi plusieurs mots en *-ieu* :

adieu	essieu	pardieu	tudieu
courlieu	fesse-mathieu	pieu*	vertudieu
dieu, Dieu	fieu	richelieu	
emposieu	lieu*	sacredieu	
épieu	milieu	tonlieu	

Attention !

-ïeu

caïeu ou cayeu
camaïeu

-ieurs

messieurs

-yeu

cayeu ou caïeu
moyeu

-ieue

banlieue
lieue*

-ïeux

aïeux

-yeux

yeux (pl. de œil)

Les terminaisons

[œ̃]

-un   -eun   -um   -uns   -unt

-un

On retrouve presque uniquement la terminaison *-un* : *brun, commun, opportun, tribun*, etc. Le féminin, s'il existe, est en *-une* : *brune, commune*, etc.

Voir T93, 95

Attention !

-eun   **-um**   **-uns**   **-unt**

jeun (à)   parfum   Huns*   emprunt

                        Voir T85, 87   *Voir T122*

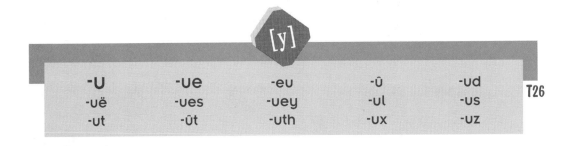

[y]

-u	-ue	-eu	-û	-ud
-uë	-ues	-uey	-ul	-us
-ut	-ût	-uth	-ux	-uz

-u

On trouve surtout des mots en *-u*, notamment plusieurs adjectifs et participes passés : *attendu, repu, tissu, vertu*, etc.

Voir T22

-ue

La terminaison *-ue* ne caractérise pas seulement le féminin des noms et adjectifs en *-u* ; on la retrouve aussi dans les mots suivants :

accrue*
avenue
barbecue
   (pron. aussi [kju])
barbue*
battue*
berlue
bévue
bienvenue
charrue
cohue
coquecigrue
cornue*

crue*
débattue
déconvenue
décrue
entrevue
erbue*
étendue
fondue*
grue
herbue*
hue*
inconnue*
ingénue

issue*
laitue
massue
melliflue ou melliflu, e
moins-value
morue
mue*
nue*
plus-value
promiscue
recrue*
remue
retenue

revenue*
revue
rue*
sangsue
sprue
statue*
survenue
tenue*
tortue*
venue*
verrue
vue*

Attention !

-eu

eu, eue*

Voir T23, 24

-û

crû, crue*
dû, due*
mû, mue*
recrû, recrue*
redû, redue

-ud

palud ou palus*

Voir T40

-uë

aigu, uë
ambigu, uë
bégu, uë
besaiguë ou bisaiguë
ciguë
contigu, uë

exigu, uë
subaigu, uë
suraigu, uë

-ues

menstrues

Voir T142

-uey

chop suey
   (pron. aussi [oj])

-ul

acul*
bacul
cucul ou cucu
cul

Voir T80, 81

-us

abstrus, use
abus

accu(s)*
cabus
camus, e
confus, e
contus, e
dessus
détritus (pron. aussi [ys])
diffus, e
inclus, e
incus, e
infus, e
intrus, e
jésus
jus
obtus, e
obus
palus ou palud*
perclus, e
profus, e
pus*
reclus, e
refus
surplus
sus* (pron. aussi [ys])
talus*
verjus

Voir T123, 124

-ut

attribut
bahut

bizut ou bizuth
   (pron. aussi [yt])
but* (pron. aussi [yt])
canut, use
chahut
chalut
début
institut
préciput
   (pron. aussi [yt])
raffut
rebut
salut
statut*
substitut*
tribut*

Voir T134, 135

-ût

affût
fût*

-uth

bizuth ou bizut
   (pron. aussi [yt])

Voir T135

-UX

-UZ

afflux
flux
influx
reflux

ruz*

*Genre des noms en -u
et -ue : voir le tableau
G1*

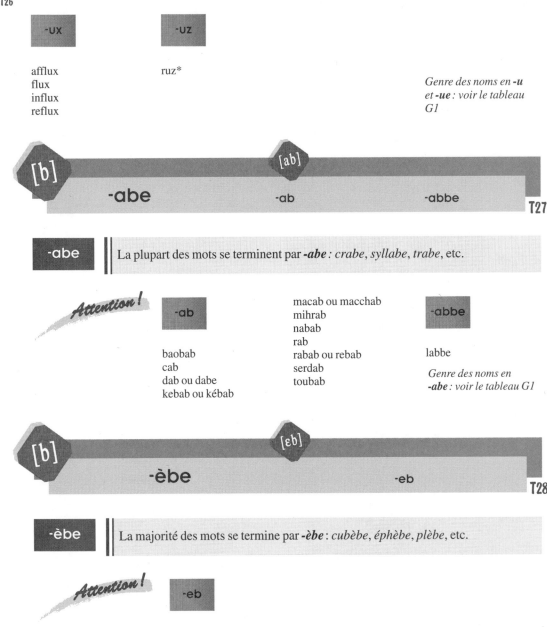

[b] **[ab]**

-abe -ab -abbe

T27

-abe | La plupart des mots se terminent par **-abe** : *crabe, syllabe, trabe*, etc.

Attention !

-ab

baobab
cab
dab ou dabe
kebab ou kébab

macab ou macchab
mihrab
nabab
rab
rabab ou rebab
serdab
toubab

-abbe

labbe

*Genre des noms en
-abe : voir le tableau G1*

[b] **[εb]**

-èbe -eb

T28

-èbe | La majorité des mots se termine par **-èbe** : *cubèbe, éphèbe, plèbe*, etc.

Attention !

-eb

acheb
deb
mahaleb

*Genre des noms en -èbe :
voir le tableau G1*

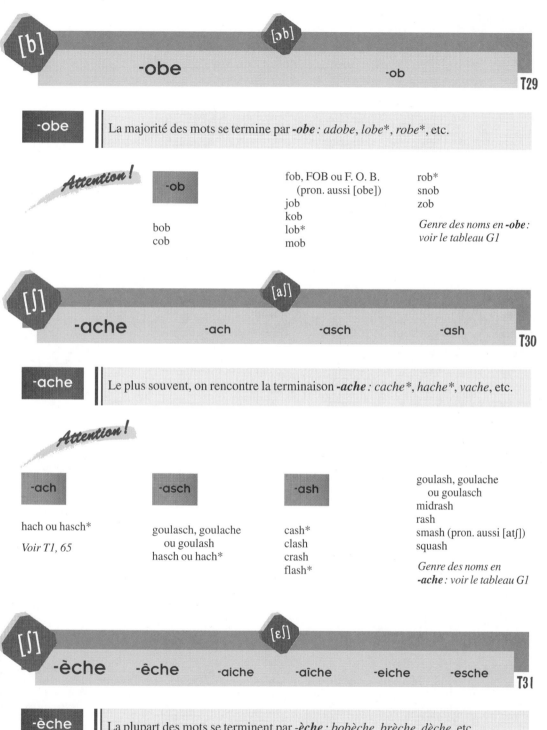

[b] **[ɔb]**

-obe -ob
T29

-obe | La majorité des mots se termine par **-obe** : *adobe*, *lobe**, *robe**, etc.

Attention !

-ob

bob
cob

fob, FOB ou F. O. B.
   (pron. aussi [obe])
job
kob
lob*
mob

rob*
snob
zob

Genre des noms en -obe :
voir le tableau G1

[ʃ] **[aʃ]**

-ache -ach -asch -ash
T30

-ache | Le plus souvent, on rencontre la terminaison **-ache** : *cache**, *hache**, *vache*, etc.

Attention !

-ach

hach ou hasch*

Voir T1, 65

-asch

goulasch, goulache
   ou goulash
hasch ou hach*

-ash

cash*
clash
crash
flash*

goulash, goulache
   ou goulasch
midrash
rash
smash (pron. aussi [atʃ])
squash

Genre des noms en
-ache : voir le tableau G1

[ʃ] **[εʃ]**

-èche -êche -aiche -aîche -eiche -esche
T31

-èche | La plupart des mots se terminent par -**èche** : *bobèche*, *brèche*, *dèche*, etc.

-êche || Il faut éviter de confondre les précédents avec ces mots en **-êche** :

bêche	dépêche	pimbêche	revêche
campêche	drêche	prêche	surpêche
chevêche	pêche*	rêche	

Attention !

-aiche

aiche, èche ou esche
houaiche
maiche*

-aîche

fraîche
laîche*

-eiche

épeiche
seiche*

-esche

esche, aiche ou èche

*Genre des noms en **-èche** : voir le tableau G1*

[ʃ] **[uʃ]**

-ouche **-ouch** **-ush**

T32

-ouche || La plupart des mots prennent la finale **-ouche** : *louche, retouche, souche*, etc.

Attention !

-ouch

chaouch
farouch*
tarbouch ou tarbouche

-ush

bush*

[d] **[ad]**

-ade **-ad** **-ades**

T33

-ade || La grande majorité des mots prend la finale **-ade** : *aiguade, poivrade, tirade*, etc.

Voir T36

-ad

-ades

bagad	rad*	hyades
djihad ou jihad	tan(-)sad	septembrisades
farad	Z. A. D.	
hermandad		*Genre des noms en*
lad	*Voir T36*	***-ade** : voir le tableau G1*

[d]   **[wad]**

-oide   **-ouade**

T34

-oide ‖ Presque tous les mots se terminent par ***-oide*** :

froide
roide

Attention !

-ouade

escouade

[d]   **[ãd]**

-ande   **-and**   **-ende**   **-endes**

T35

-ande ‖ La plupart des mots prennent la terminaison ***-ande*** : *bande, demande, lavande*, etc.

-and ‖ Ces mots d'origine étrangère (surtout anglaise) se terminent par ***-and*** :

big band	hinterland	maryland (pron. aussi [ã])	shetland
citizen band	homeland	no man's land	stand
dixieland	jazz-band	portland	
hand	Land*	rand*	*Voir T3*

Attention !

-ende

-endes

amende*	prébende	calendes
commende*	provende	
dividende		*Genre des noms en*
légende	*Voir T37*	***-ande** et **-ende** :*
		voir le tableau G1

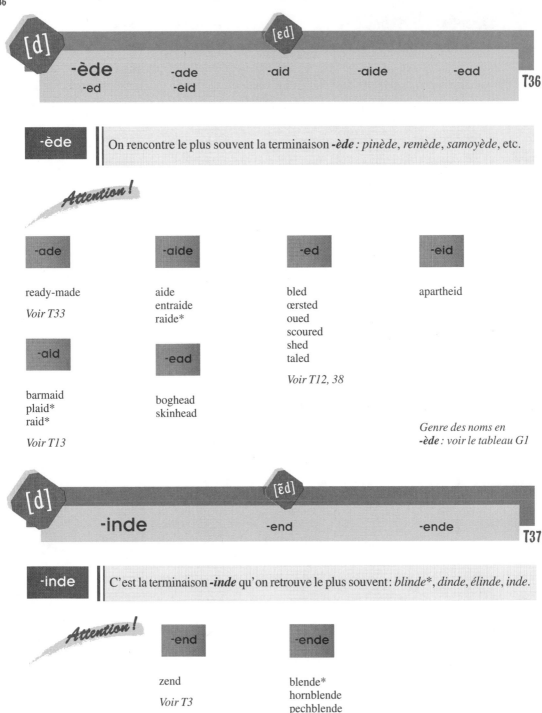

[d] **[ɛd]**

-ède   -ade   -aid   -aide   -ead
-ed   -eid

T36

-ède ‖ On rencontre le plus souvent la terminaison **-ède** : *pinède, remède, samoyède*, etc.

Attention !

-ade

ready-made

Voir T33

-aid

barmaid
plaid*
raid*

Voir T13

-aide

aide
entraide
raide*

-ead

boghead
skinhead

-ed

bled
œrsted
oued
scoured
shed
taled

Voir T12, 38

-eid

apartheid

*Genre des noms en
-ède : voir le tableau G1*

[d] **[ɛ̃d]**

-inde   -end   -ende

T37

-inde ‖ C'est la terminaison **-inde** qu'on retrouve le plus souvent : *blinde*, dinde, élinde, inde*.

Attention !

-end

zend

Voir T3

-ende

blende*
hornblende
pechblende

Voir T35

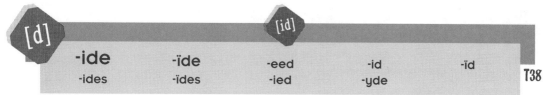

T38

-ide | La terminaison **-ide** est la plus fréquente : *livide, placide, tricuspide*, etc.

-ïde | Chaque fois qu'en finale on entend les sons **a-id** ou **o-id**, il faut écrire **-aïde** ou **-oïde** (sauf dans **moudjahid** et dans les quelques mots en **-ïd** qu'on trouvera ci-dessous). Par exemple : *astéroïde, danaïde, bizarroïde, métalloïde*, etc.

Attention !

-eed

speed
tweed

-ïd

kid
moudjahid
ozalid ou Ozalid
Polaroid ou polaroïd

Voir T16, 36

-ïd

caïd
celluloïd ou Celluloïd
polaroïd ou Polaroid
rhodoïd ou Rhodoïd
tabloïd ou tabloïde

-ïdes

antiride(s)
perséides
taurides*

-ïdes

corticoïde(s)
corticostéroïde(s)
hominoïdes

-ied

lied

Voir T12

-yde

acétaldéhyde
aldéhyde
bioxyde
chlamyde
dioxyde
époxyde
formaldéhyde
hémioxyde
hydroxyde
métaldéhyde
monoxyde
oxyde
pélamyde ou pélamide
peroxyde
protoxyde

Genre des noms en
-ide *et* **-oïde** :
voir le tableau G1

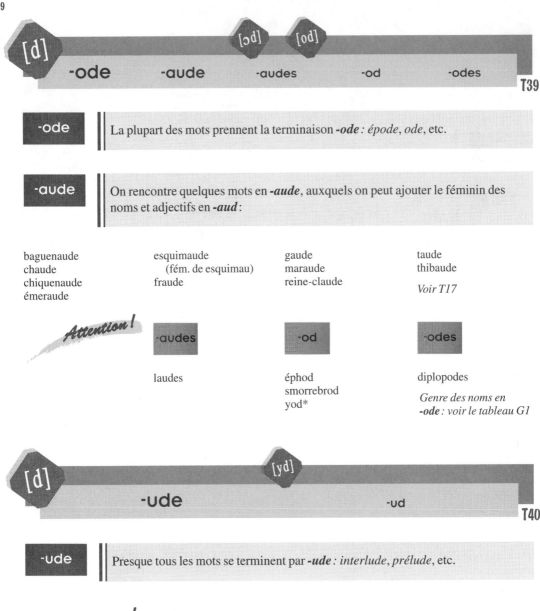

-ode — La plupart des mots prennent la terminaison *-ode* : *épode*, *ode*, etc.

-aude — On rencontre quelques mots en *-aude*, auxquels on peut ajouter le féminin des noms et adjectifs en *-aud* :

baguenaude	esquimaude	gaude	taude
chaude	(fém. de esquimau)	maraude	thibaude
chiquenaude	fraude	reine-claude	
émeraude			*Voir T17*

Attention !

-audes

laudes

-od

éphod
smorrebrod
yod*

-odes

diplopodes

Genre des noms en
-ode : voir le tableau G1

-ude — Presque tous les mots se terminent par *-ude* : *interlude*, *prélude*, etc.

Attention !

-ud

sud
Talmud

Voir T26

Genre des noms en
-ude : voir le tableau G1

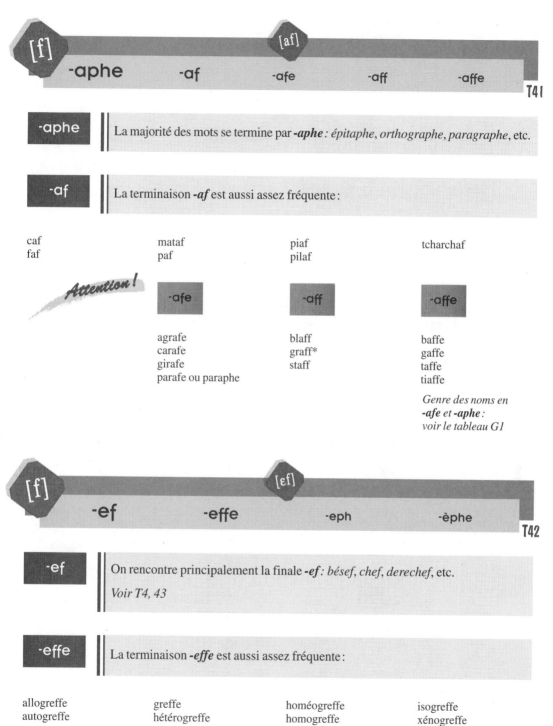

[f] [af]

-aphe   -af   -afe   -aff   -affe

-aphe | La majorité des mots se termine par **-aphe** : *épitaphe, orthographe, paragraphe*, etc.

-af | La terminaison **-af** est aussi assez fréquente :

caf	mataf	piaf	tcharchaf
faf	paf	pilaf	

Attention !

-afe

agrafe
carafe
girafe
parafe ou paraphe

-aff

blaff
graff*
staff

-affe

baffe
gaffe
taffe
tiaffe

Genre des noms en
-afe *et* **-aphe** :
voir le tableau G1

[f] [ɛf]

-ef   -effe   -eph   -èphe

-ef | On rencontre principalement la finale **-ef** : *bésef, chef, derechef*, etc.
Voir T4, 43

-effe | La terminaison **-effe** est aussi assez fréquente :

allogreffe	greffe	homéogreffe	isogreffe
autogreffe	hétérogreffe	homogreffe	xénogreffe

Les terminaisons

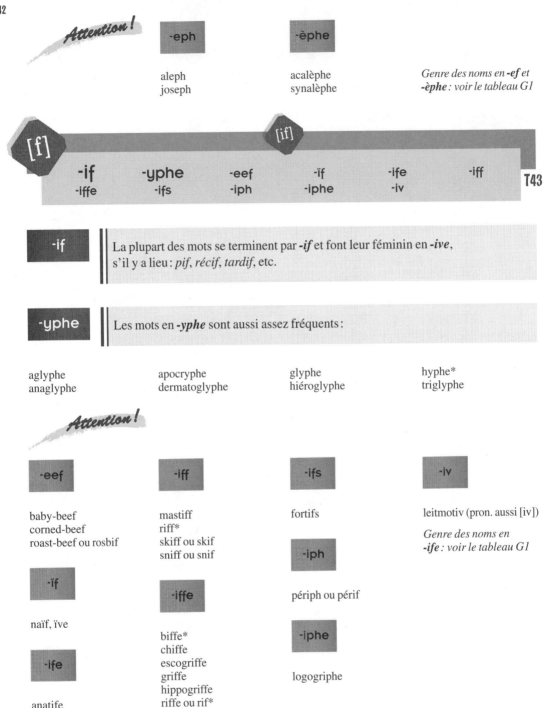

Attention !

-eph

aleph
joseph

-èphe

acalèphe
synalèphe

*Genre des noms en -ef et
-èphe : voir le tableau G1*

[f]

[if]

-if
-iffe

-yphe
-ifs

-eef
-iph

-ïf
-iphe

-ife
-iv

-iff

T43

-if

La plupart des mots se terminent par **-if** et font leur féminin en **-ive**,
s'il y a lieu : *pif, récif, tardif*, etc.

-yphe

Les mots en **-yphe** sont aussi assez fréquents :

aglyphe
anaglyphe

apocryphe
dermatoglyphe

glyphe
hiéroglyphe

hyphe*
triglyphe

Attention !

-eef

baby-beef
corned-beef
roast-beef ou rosbif

-iff

mastiff
riff*
skiff ou skif
sniff ou snif

-ifs

fortifs

-iv

leitmotiv (pron. aussi [iv])

*Genre des noms en
-ife : voir le tableau G1*

-iph

périph ou périf

-ïf

naïf, ïve

-iffe

biffe*
chiffe
escogriffe
griffe
hippogriffe
riffe ou rif*
tiffe ou tif

-iphe

logogriphe

-ife

anatife
calife ou khalife
pontife

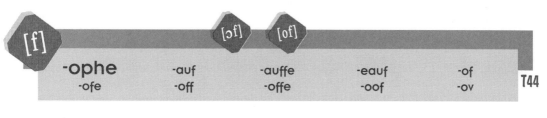

-ophe | C'est la terminaison **-ophe** qu'on rencontre le plus souvent : *philosophe*, *strophe*, etc.

Attention !

-auf

sauf, sauve

-auffe

chauffe
désurchauffe
resurchauffe
surchauffe

-eauf

beauf

-of

bichof ou bischof
bof
kouglof
lof
ouolof ou wolof
prof

-ofe

baeckeofe ou bäkeofe

-off

Bénioff (plan de)
Korsakoff
   (syndrome de)
off
roll on-roll off
sous-off
take-off

-offe

étoffe

-oof

witloof

Voir T45

-ov

kalachnikov
popov

Genre des noms en
-ophe *: voir le tableau G1*

-ouf | La plupart des mots se terminent par **-ouf** : *patapouf*, *pignouf*, *pouf*, etc.

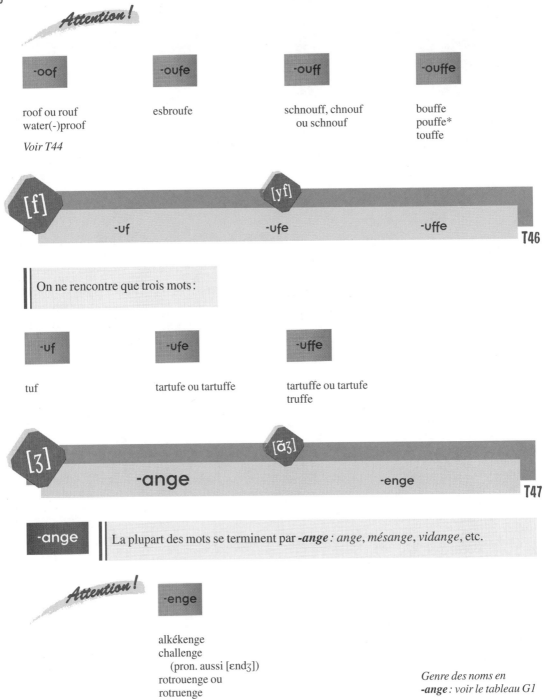

Attention !

-oof	-oufe	-ouff	-ouffe

roof ou rouf
water(-)proof

Voir T44

esbroufe

schnouff, chnouf
ou schnouf

bouffe
pouffe*
touffe

[f] [yf]

-uf   -ufe   -uffe

T46

On ne rencontre que trois mots :

-uf	-ufe	-uffe

tuf

tartufe ou tartuffe

tartuffe ou tartufe
truffe

[ʒ] [ɑ̃ʒ]

-ange   -enge

T47

-ange | La plupart des mots se terminent par ***-ange*** : *ange, mésange, vidange, etc.*

Attention !

-enge

alkékenge
challenge
   (pron. aussi [ɛndʒ])
rotrouenge ou
rotruenge

Genre des noms en
-ange : *voir le tableau G1*

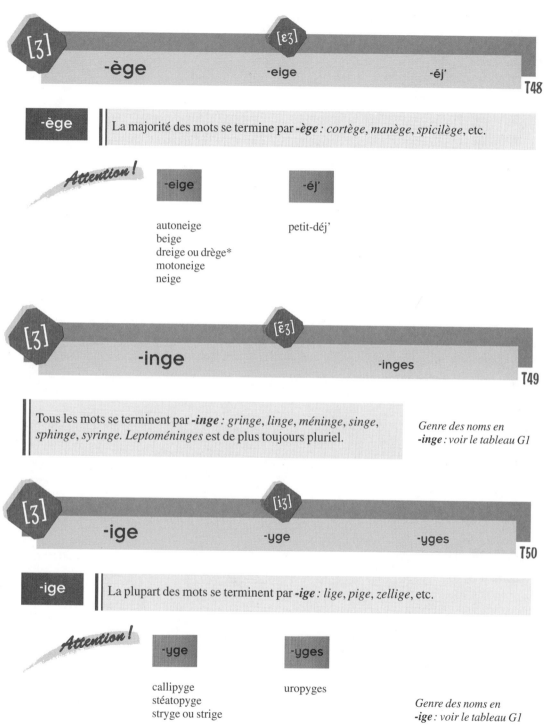

[ʒ] [ɛʒ]

-ège -eige -éj'

-ège La majorité des mots se termine par **-ège** : *cortège, manège, spicilège*, etc.

Attention !

-eige **-éj'**

autoneige petit-déj'
beige
dreige ou drège*
motoneige
neige

[ʒ] [ɛ̃ʒ]

-inge -inges

Tous les mots se terminent par **-inge** : *gringe, linge, méninge, singe, sphinge, syringe. Leptoméninges* est de plus toujours pluriel.

Genre des noms en **-inge** : *voir le tableau G1*

[ʒ] [iʒ]

-ige -yge -yges

-ige La plupart des mots se terminent par **-ige** : *lige, pige, zellige*, etc.

Attention !

-yge **-yges**

callipyge uropyges
stéatopyge
stryge ou strige

Genre des noms en **-ige** : *voir le tableau G1*

59 Les terminaisons

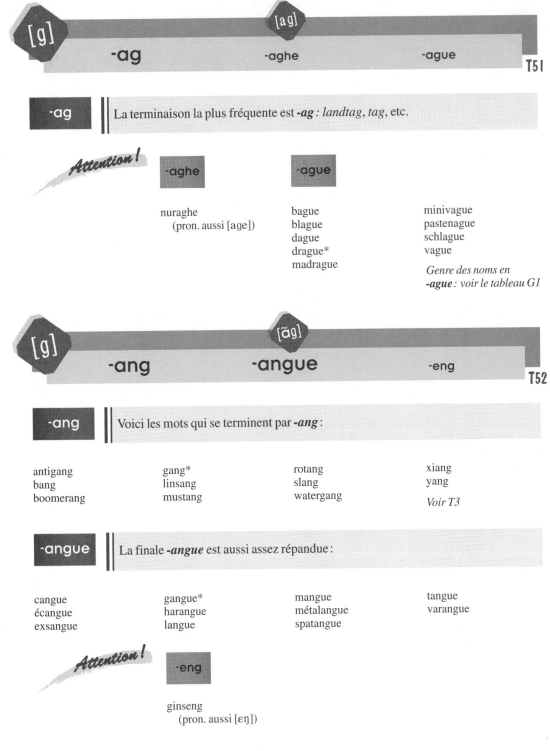

[g] **[ag]**

-ag -aghe -ague

T51

-ag | La terminaison la plus fréquente est *-ag* : *landtag*, *tag*, etc.

Attention !

-aghe **-ague**

nuraghe
(pron. aussi [age])

bague
blague
dague
drague*
madrague

minivague
pastenague
schlague
vague

Genre des noms en
-ague : voir le tableau G1

[g] **[ãg]**

-ang -angue -eng

T52

-ang | Voici les mots qui se terminent par *-ang* :

antigang
bang
boomerang

gang*
linsang
mustang

rotang
slang
watergang

xiang
yang

Voir T3

-angue | La finale *-angue* est aussi assez répandue :

cangue
écangue
exsangue

gangue*
harangue
langue

mangue
métalangue
spatangue

tangue
varangue

Attention !

-eng

ginseng
(pron. aussi [ɛŋ])

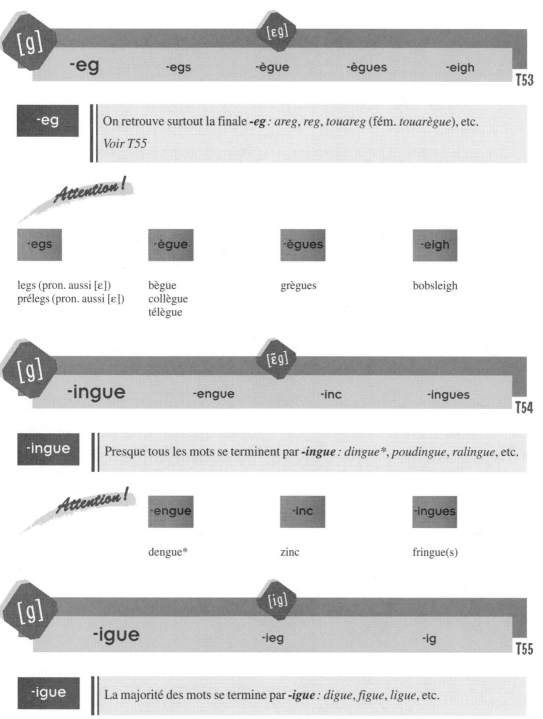

[g] [εg]

-eg -egs -ègue -ègues -eigh

-eg | On retrouve surtout la finale **-eg** : *areg*, *reg*, *touareg* (fém. *touarègue*), etc.
Voir T55

Attention !

-egs **-ègue** **-ègues** **-eigh**

legs (pron. aussi [ε])   bègue   grègues   bobsleigh
prélegs (pron. aussi [ε])   collègue
              télègue

[g] [ẽg]

-ingue -engue -inc -ingues

-ingue | Presque tous les mots se terminent par **-ingue** : *dingue**, *poudingue*, *ralingue*, etc.

Attention !

-engue **-inc** **-ingues**

dengue*   zinc   fringue(s)

[g] [ig]

-igue -ieg -ig

-igue | La majorité des mots se termine par **-igue** : *digue*, *figue*, *ligue*, etc.

Attention !

-ieg

blitzkrieg

-ig

mézig ou mézigue
pfennig
sézig ou sézigue

tézig ou tézigue
whig
zig ou zigue

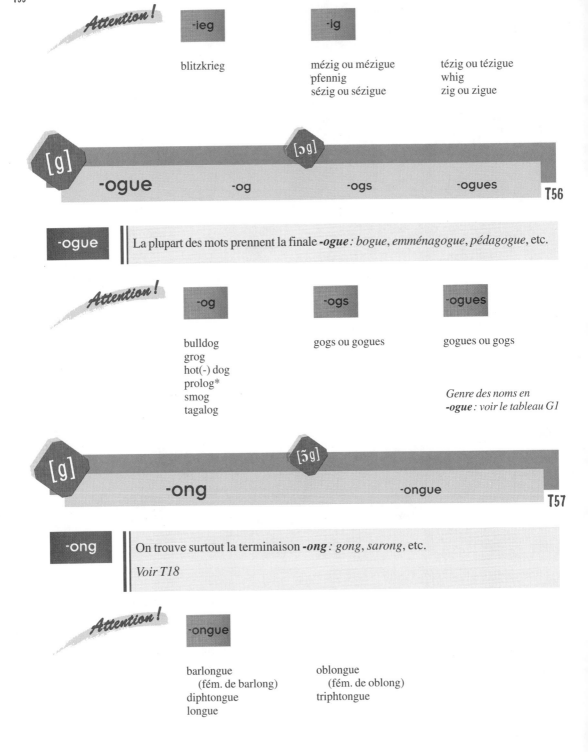

[g]

[ɔg]

-ogue   -og   -ogs   -ogues

T56

-ogue | La plupart des mots prennent la finale *-ogue* : *bogue, emménagogue, pédagogue*, etc.

Attention !

-og

bulldog
grog
hot(-) dog
prolog*
smog
tagalog

-ogs

gogs ou gogues

-ogues

gogues ou gogs

*Genre des noms en
-ogue : voir le tableau G1*

[g]

[ɔ̃g]

-ong   -ongue

T57

-ong | On trouve surtout la terminaison *-ong* : *gong, sarong*, etc.

Voir T18

Attention !

-ongue

barlongue
   (fém. de barlong)
diphtongue
longue

oblongue
   (fém. de oblong)
triphtongue

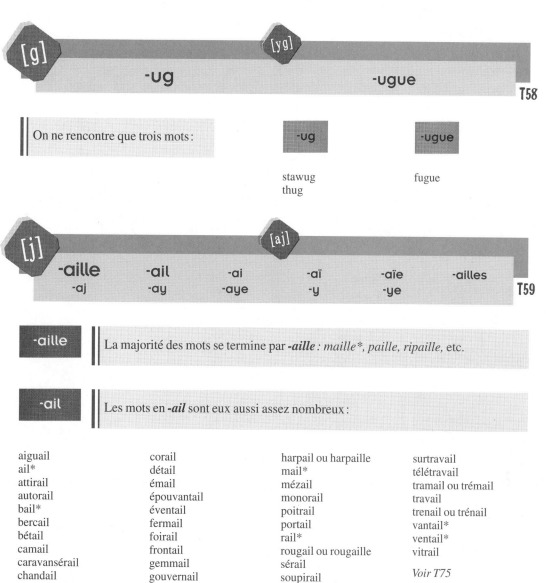

[g] **[yg]**

-ug **-ugue**

On ne rencontre que trois mots :

-ug

stawug
thug

-ugue

fugue

[j] **[aj]**

-aille **-ail** **-ai** **-aï** **-aïe** **-ailles**
-aj **-ay** **-aye** **-y** **-ye**

-aille | La majorité des mots se termine par ***-aille*** *: maille*, paille, ripaille,* etc.

-ail | Les mots en ***-ail*** sont eux aussi assez nombreux :

aiguail	corail	harpail ou harpaille	surtravail
ail*	détail	mail*	télétravail
attirail	émail	mézail	tramail ou trémail
autorail	épouvantail	monorail	travail
bail*	éventail	poitrail	trenail ou trénail
bercail	fermail	portail	vantail*
bétail	foirail	rail*	ventail*
camail	frontail	rougail ou rougaille	vitrail
caravansérail	gemmail	sérail	
chandail	gouvernail	soupirail	*Voir T75*

-ai

assai*
samurai ou samouraï

Voir T4, 13

-aï

bonsaï
congaï ou congaye
haïkaï
raï*
saï (pron. aussi [ai])
samouraï ou samurai
skaï ou Skaï
thaï, e

-aïe

aïe*
pagaïe, pagaille
   ou pagaye

-ailles

accordailles
entrailles
épousailles
fiançailles
funérailles
relevailles
représaille(s)
retrouvaille(s)
semailles
tenaille(s)

-aj

tokaj ou tokay*

-ay

tokay* ou tokaj

Voir T4, 13

-aye

aye-aye
cipaye
cobaye
congaye ou congaï
pagaye, pagaïe
   ou pagaille
papaye
rimaye (pron. aussi [ε])

Voir T13, 60

-y

dry*
extra-dry
stand-by

Voir T13, 16, 62

-ye

bye ou bye-bye
debye
fish-eye
rye*

Voir T16

*Genre des noms en
-aille : voir le tableau G1*

*Pluriel des mots en -ail :
voir le tableau N3*

[j] **[εj]**

-eille   -eil   -aye   -ei

T60

-eille | La plupart des mots revêtent la terminaison *-eille* : *abeille, teille, veille,* etc.

-eil | La finale *-eil* est assez fréquente ; le féminin des adjectifs est en *-eille*.

appareil
conseil
éveil
méteil

nonpareil, eille
orteil
pareil, eille

radio(-)réveil
réveil*
soleil

sommeil
vermeil, eille
vieil, vieille

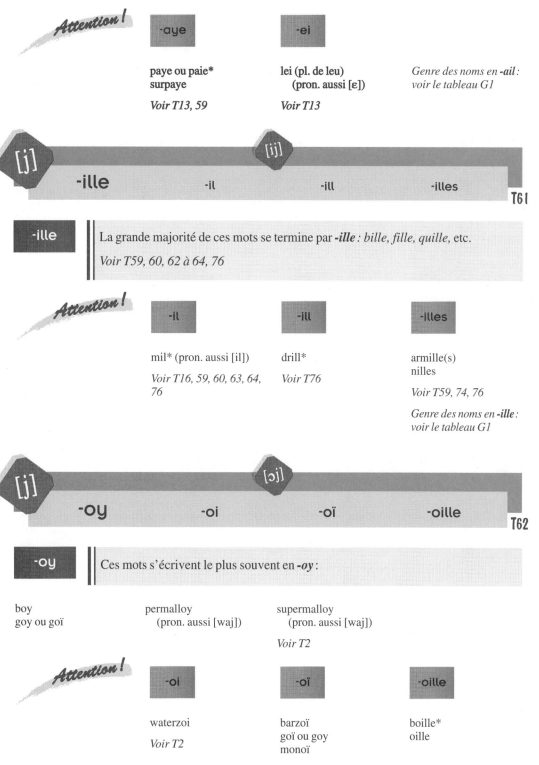

Attention !

-aye

paye ou paie*
surpaye

Voir T13, 59

-ei

lei (pl. de leu)
    (pron. aussi [ɛ])

Voir T13

*Genre des noms en -ail :
voir le tableau G1*

[j]   [ij]

-ille   -il   -ill   -illes

T61

-ille

La grande majorité de ces mots se termine par **-ille** : *bille, fille, quille*, etc.

Voir T59, 60, 62 à 64, 76

Attention !

-il

mil* (pron. aussi [il])

*Voir T16, 59, 60, 63, 64,
76*

-ill

drill*

Voir T76

-illes

armille(s)
nilles

Voir T59, 74, 76

*Genre des noms en -ille :
voir le tableau G1*

[j]   [ɔj]

-oy   -oi   -oï   -oille

T62

-oy

Ces mots s'écrivent le plus souvent en **-oy** :

boy
goy ou goï

permalloy
    (pron. aussi [waj])

supermalloy
    (pron. aussi [waj])

Voir T2

Attention !

-oi

waterzoi

Voir T2

-oï

barzoï
goï ou goy
monoï

-oille

boille*
oille

Les terminaisons

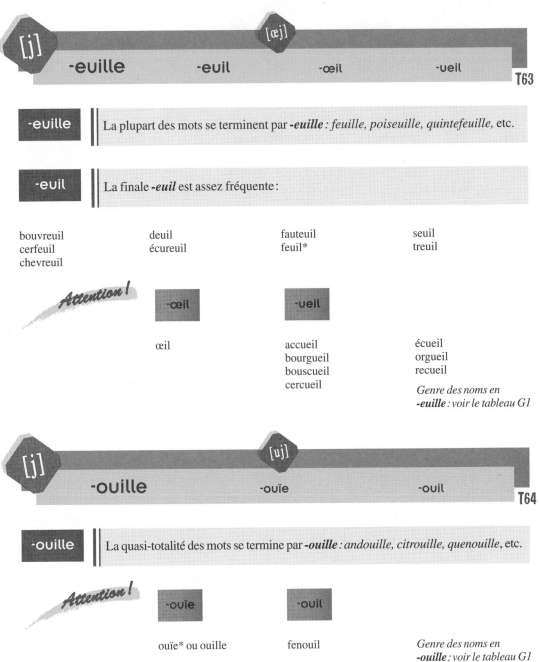

[j] **[œj]**

-euille -euil -œil -ueil

-euille ‖ La plupart des mots se terminent par ***-euille*** : *feuille, poiseuille, quintefeuille*, etc.

-euil ‖ La finale ***-euil*** est assez fréquente :

bouvreuil	deuil	fauteuil	seuil
cerfeuil	écureuil	feuil*	treuil
chevreuil			

Attention !

-œil

-ueil

œil

accueil	écueil
bourgueil	orgueil
bouscueil	recueil
cercueil	

Genre des noms en
-euille *: voir le tableau G1*

[j] **[uj]**

-ouille -ouïe -ouil

T64

-ouille ‖ La quasi-totalité des mots se termine par ***-ouille*** : *andouille, citrouille, quenouille*, etc.

Attention !

-ouïe

-ouil

ouïe* ou ouille

fenouil

Genre des noms en
-ouille *: voir le tableau G1*

[k] **[ak]**

-aque **-ac** **-ach** **-ack**
-acque -acques -ak -akh **T65**

| **-aque** | La plupart des mots se terminent par **-aque** : *démoniaque, paradisiaque, plaque,* etc. |

| **-ac** | Les mots en **-ac**, souvent issus de langues étrangères, sont eux aussi assez nombreux : |

adac	cognac	koulibiac	tacatac
agétac	cornac	lac*	tarmac
ammoniac, aque*	cotignac	mac*	tillac
arac, arack ou arak	couac	micmac	tombac
armagnac	coup de Jarnac	muntjac	trac*
bac	crac*	réac	trictrac
bissac	fac	ressac	ubac
bivouac	flac*	ric-rac	vrac
bric-à-brac	frac	sac	Z. A. C.
calambac	gaïac	sérac	Zodiac*
cétérac ou cétérach	hamac	sumac	*Voir T1*
clac*	havresac	tac*	

Attention !

-ach		**-acques**	ostiak ou ostyak
	drawback		oumiak
	feed-back		sandjak
	flash-back		tokamak
cétérach ou cétérac	half-track	jacques*	tomawak
krach*	jack*		yak ou yack
Mach (nombre de)	pack		zamak
	play-back	**-ak**	
Voir T1, 30	polack ou polaque*		*Voir T66, 68*
	rack		
	short-track	anorak	
-ack	snack	arak, arac ou arack	
	talpack	gopak ou hopak*	**-akh**
	yack ou yak	kanak, e ou canaque	
arack, arac ou arak	zwieback	kayak	kazakh, e
biofeedback		Kodak	
black		kodiak	*Genre des noms en*
colback	**-acque**	koulak	**-aque** : *voir le tableau G1*
come-back		krak*	
crack*	macque ou maque*	nunatak	
cut-back			

Les terminaisons

[k]   **[ɛk]**

-èque	-ec	-ake	-eak	-ech
-eck	-ecque	-ecs	-eik	-eikh
-ek	-eque	-èque	-èques	

-èque | La plupart des mots se terminent par **-èque** : *bibliothèque, pastèque, thèque*, etc.

-ec | On rencontre assez fréquemment la terminaison **-ec** :

arec	échec	mec	sec, sèche
avec	fennec	néogrec	tanrec ou tenrec
bec	fenugrec	(fém. néogrecque)	tec*
chebec, chébec	gallec	parsec	
ou chebek	grec* (fém. grecque)	rebec	
craspec	malbec	salamalec(s)	

Attention !

-ake

cake
keepsake
milk-shake
remake
sweepstake

-eak

beefsteak ou bifteck
break
romsteak, romsteck
  ou rumsteck
steak

Voir T68

-ech

cromlech

high-tech
varech

-eck

bifteck ou beefsteak
kopeck
neck
romsteck, rumsteck
  ou romsteak
spardeck
teck ou tek*
traveller's check,
  traveller's cheque
  ou traveller's chèque

-ecque

grecque*

-ecs

salamalec(s)

-eik

cheik, cheikh ou scheik*

-eikh

cheikh, cheik ou scheik*

-ek

chebek, chebec
  ou chébec
lek
ouzbek ou uzbek

tek ou teck*
trek

-eque

traveller's cheque,
  traveller's check
  ou traveller's chèque

-êque

archevêque
évêque

-èques

obsèques

Genre des noms en
-èque : *voir le tableau G1*

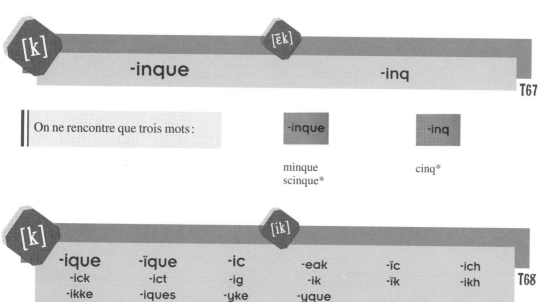

T67

-inque   **-inq**

On ne rencontre que trois mots :	-inque	-inq
	minque scinque*	cinq*

T68

-ique

La grande majorité des mots en [ik] — et ils sont très nombreux — se termine par ***-ique*** : *botanique, germanique, mécanique,* etc.

-ïque

On retrouve la terminaison ***-ïque*** chaque fois qu'on entend les sons **a-ik** ou **o-ik** (*altaïque, mosaïque, mésozoïque, stoïque,* etc.), sauf pour ***laïc*** et ***haïk***.

-ic

La terminaison ***-ic*** est également assez fréquente :

aérobic
agaric
alambic
arsenic
asdic
ASIC
aspic
basic
basilic*
bic ou Bic*
chic*
clic*
couic
cric* (pron. aussi [i])
cytodiagnostic

déclic
diagnostic*
dolic ou dolique
électrodiagnostic
fic
flic
fric*
hic
indic
kabic ou kabig
lambic ou lambick
lombric
loustic
lyric*
mastic

narcotrafic
ombilic
panic*
parapublic, ique
pic*
plastic*
polytric
pop music
porc-épic
pronostic
public, ique
radiodiagnostic
repic*
sérodiagnostic
sic*

S. M. I. C.
soul music
spic
syndic
télédiagnostic
téraspic
tic*
tonic*
trafic
tric ou trick*
ultra(-)chic
world music

Les terminaisons

Attention !

-eak

freak*

Voir T66

-ïc

laïc

-ich

schlich

-ick

brick *
carrick
click ou clic*
derrick
gimmick

kick
lambick ou lambic
limerick
quick
stick
trick ou tric

-ict

verdict (pron. aussi [ikt])

Voir T16

-ig

kabig ou kabic

-ik

apparatchik
batik
beatnik

bolchevik
    ou bolchevique
chachlik
kibboutznik
menchevik
moujik
pachalik
prussik*
realpolitik ou
    réalpolitik
refuznik
spoutnik
tadjik

Voir T66

-ik

haïk

-ikh

sikh, e*

Voir T66

-ikke

slikke

-iques

pythique(s)

-yke

dyke (pron. aussi [ajk])

-yque

diptyque
paronyque
polyptyque
triptyque

*Genre des noms en
-ique : voir le tableau G1*

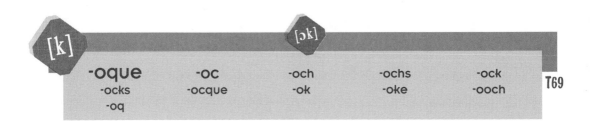

[k] **[ɔk]**

-oque **-oc** **-och** **-ochs** **-ock**
-ocks -ocque -ok -oke -ooch   **T69**
-oq

-oque | Les mots prennent majoritairement la terminaison *-oque* : *cholédoque, loque, toque*, etc.

-oc

Plusieurs mots se terminent par *-oc* :

ad hoc*
antichoc
bloc*
bric et de broc (de)
choc
clinfoc
doc ou D. O. C.*
électro(-)choc
estoc

étoc
floc
foc*
froc
manioc
mastoc
médoc
monobloc
nostoc

oc
parechoc ou pare-chocs
pébroc ou pébroque
ploc
polysoc
postdoc
rad(-)soc
roc*
silentbloc ou Silentbloc

sinoc, cinoque
  ou sinoque
soc*
toc*
trisoc
troc*
vioc ou vioque

Voir T17

Attention !

-och

Koch (bacille de)
loch* (pron. aussi [ɔx])
moloch
opodeldoch

-ochs

aurochs

-ock

alpenstock
block*

bock
dock*
haddock*
interlock
paddock
pibrock
pottock
rock*
schnock, chnoque
  ou schnoque
steinbock
stock
surstock

-ocks

smocks

-ocque

socque*

-ok

amok
kapok
smok
springbok

Voir T71

-oke

choke
coke*

-ooch

looch*

-oq

coq*

*Genre des noms en
-oque : voir le tableau G1*

[k]   [ɔ̃k]

-onque   -onc   -oncques   -onques   -unc

-onque

On retrouve le plus souvent la finale *-onque* : conque, jonque, quelconque, quiconque.

-onc

-oncques

-onques

-unc

donc (pron. aussi [ɔ̃])
onc, oncques ou onques

Voir T18, 122

oncques, onc ou onques

onques, onc ou oncques

hic et nunc
(pron. [ikɛtnɔ̃k])

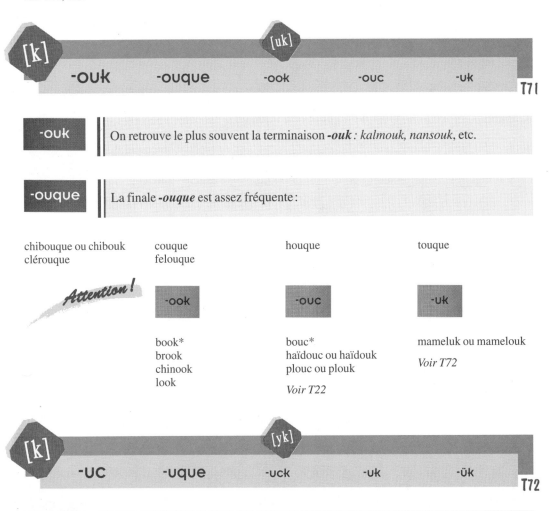

[k] [uk]

-ouk **-ouque** **-ook** **-ouc** **-uk**

-ouk ‖ On retrouve le plus souvent la terminaison **-ouk** : *kalmouk, nansouk*, etc.

-ouque ‖ La finale **-ouque** est assez fréquente :

chibouque ou chibouk
clérouque

couque
felouque

houque

touque

Attention !

-ook

book*
brook
chinook
look

-ouc

bouc*
haïdouc ou haïdouk
plouc ou plouk

Voir T22

-uk

mameluk ou mamelouk

Voir T72

[k] [yk]

-uc **-uque** **-uck** **-uk** **-ük**

-uc ‖ La majorité des mots prend la finale **-uc** : *aqueduc, suc, truc**, etc.

Les mots en **-uque** sont presque aussi nombreux :

caduque (fém. de caduc)	galéruque	nuque	tuque*
eunuque	heiduque	perruque	ulluque
fétuque	noctiluque	sambuque	

Attention !

-uck

-uk

-ük

nubuck	volapuk ou volapük	volapük ou volapuk
truck (pron. aussi [œk]) ou truc*	*Voir T71*	*Genre des noms en -uque : voir le tableau G1*

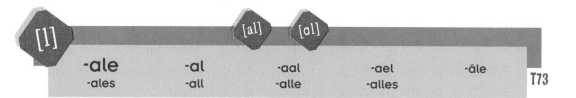

[l]

[al]   [ɑl]

-ale   **-al**   **-aal**   **-ael**   **-âle**
-ales   -all   -alle   -alles

T73

-ale

Une fois exclus les adjectifs et les noms en **-al** s'écrivant avec un *e* final au féminin (*commercial, marital,* etc.), la plupart des mots se terminent par **-ale** : *amygdale*, *pédale*, *troupiale*, etc.

Voir T75

-al

Les mots en **-al** sont eux aussi très nombreux :

acétal	canal	copal	final ou finale*
amiral	cantal	corporal	floréal
ammonal	caporal	corral*	foiral
animal	captal	cristal	fondamental*
archal	caracal	déverbal	fromental
armorial	carnaval	dispersal	frontal*
arsenal	central*	diurnal	furfural
aval	cérémonial	dural	futal
bacchanal*	chacal	emmental ou emmenthal	gal*
bal*	chenal	étal*	galgal
bancal	cheval	éthanal	gardénal
barbital	chloral	eurosignal	gavial
Bimétal	choral*	fanal	gayal
bocal	cipal	fécial ou fétial	général*
cal*	confessionnal	festival	géosynclinal

Les terminaisons

germinal
halal ou hallal
hectopascal
hôpital
journal
madrigal
majoral
mal*
maréchal*
marshal
matorral
mémorial
mescal ou mezcal
métal
méthanal
metical
microcristal
minerval
mistral
monocristal

municipal*
musical
narval
nopal
official
orignal
pal*
pascal
penthiobarbital
penthotal ou pentothal
phénobarbital
phénocristal
piédestal
pipéronal
pointal
prairial
présidial
pyridoxal
que dal* ou que dalle
quetzal

quintal
racinal
rational
raval
réal*
récital
régal*
rétinal
revival (pron. aussi [œl])
rial
riyal
rorqual
roseval
rural
sacramental
sal*
santal
sénéchal
serial
serval

sial
signal
sisal
sonal
tagal
tergal ou Tergal
terminal*
thiopental
tincal
trial*
tribunal
trimétal
tympanal
urinal
val
véronal
virginal
Zicral

Voir T74, 76, 77, 78

-aal

kraal

-ael

grœnendael

-âle

châle
hâle
mâle
pâle
râle

-ales

lupercales
parentales
vulcanales

-all

handball ou hand-ball

Voir T78

-alle

balle*
dalle*
galle*
halle
hémérocalle
intervalle
malle*
multisalle(s)
palle ou pale*
porteballe
prothalle
que dalle ou que dal
salle*
stalle
talle
thalle
trialle*
triballe*
trinqueballe ou
triqueballe

-alles

multisalle(s)
prince(-) de(-) galles

*Verbes en **-aler** et **-aller** :
voir le tableau C22*

*Genre des noms en **-al**,
-ale et **-alle** :
voir le tableau G1*

*Pluriel des mots en **-al** :
voir les tableaux N1 et 2*

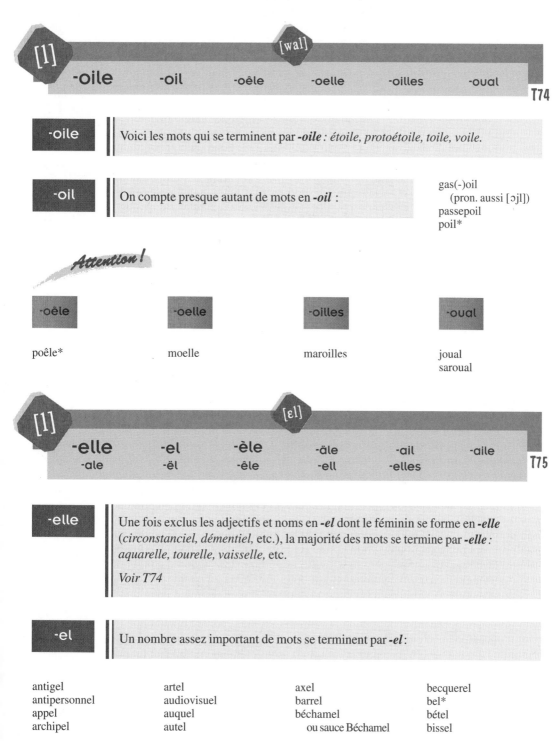

[l] **[wal]**

-oile   -oil   -oêle   -oelle   -oilles   -oual

-oile ‖ Voici les mots qui se terminent par **-oile** : *étoile, protoétoile, toile, voile.*

-oil ‖ On compte presque autant de mots en **-oil** :

gas(-)oil
(pron. aussi [ɔjl])
passepoil
poil*

Attention !

-oêle

poêle*

-oelle

moelle

-oilles

maroilles

-oual

joual
saroual

[l] **[ɛl]**

-elle   -el   -èle   -äle   -ail   -aile
-ale   -ël   -êle   -ell   -elles

-elle ‖ Une fois exclus les adjectifs et noms en **-el** dont le féminin se forme en **-elle** (*circonstanciel, démentiel,* etc.), la majorité des mots se termine par **-elle** : *aquarelle, tourelle, vaisselle,* etc.

Voir T74

-el ‖ Un nombre assez important de mots se terminent par **-el** :

antigel	artel	axel	becquerel
antipersonnel	audiovisuel	barrel	bel*
appel	auquel	béchamel	bétel
archipel	autel	ou sauce Béchamel	bissel

Les terminaisons

blondel
bordel
Bradel (reliure à la)
bretzel
calomel
cancel
caramel
carcel
carrousel
cartel
castel
chancel*
cheptel
chisel
ciel
colonel
coquetel ou cocktail
cupronickel
décibel
dégel
didacticiel
diesel ou diésel
différentiel*
djebel ou djébel
duel
duquel
eau de Javel

estoppel
ferronickel
fiel
fusel
gel
gospel
hôtel
hydrogel
hydromel
Inconel
isorel
jumel*
kummel
label*
lambel
lebel
lequel
listel
ludiciel
machiavel
martel
ménestrel
miel
mindel
minitel ou Minitel
mispickel
missel*

monel ou Monel
motel
murmel
napel
navel
neufchâtel
nickel
obel ou obèle
Opinel
oriel
oxymel
pagel ou pagelle
panel
pastel
péritel
Péritel (prise)
permagel
persel
pétrel
picarel
pixel
plastigel
progiciel
rappel
rastel
ratel
recel

regel
riel
rimmel ou Rimmel
rondel*
sahel
sapropel ou sapropèle
sarouel
scalpel
schnorchel ou schnorkel
sel*
septmoncel
shekel ou shékel
shrapnel ou shrapnell
strudel
   (pron. aussi [əl], [œl])
sulfosel
surréel
tael
tavel
teckel
Télétel
top model
tour de Babel
trommel
tunnel
Untel (fém. Unetelle)

Voir T73, 76, 79, 80

-èle On retrouve la terminaison *-èle* assez fréquemment :

allèle
anophèle
antiparallèle
arantèle
asphodèle
atèle*
burèle ou burelle
carnèle
cautèle
chrysomèle

cicindèle
clientèle
colpocèle
érésipèle ou érysipèle
fidèle
hépatocèle
hydrocèle
infidèle
isocèle
modèle

obèle ou obel
orbitèle
parallèle
parentèle
péramèle
phocomèle
prèle ou prêle
protèle
sapropèle ou sapropel

sittèle ou sittelle
sphacèle
stèle
triskèle
tubitèle
urodèle
varicocèle
vièle*
zèle

Attention !

-äle

tjäle

-ail

bobtail (pron. aussi [εjl])
cocktail ou coquetel
speed-sail

Voir T59

-aile

aile*

-ale	-èle	-ell	-elles

-ale

airedale
ale*

Voir T73

-ël

noël
Noël

-èle

fêle
frêle
grêle
paragrêle
pêle-mêle
prêle ou prèle

Voir T74

-ell

appenzell
brinell
maxwell
shrapnell ou shrapnel
tell*
Tell*

-elles

animelles
brucelles
écrouelles
mesdemoiselles

*Verbes en -eler et -eller :
voir le tableau C25*

*Genre des noms en -èle et
-elle : voir le tableau G1*

[l] **[il]**

-ile	-yle	-eal	-eel	-iel	-il	-île
-île	-ill	-ille	-illes	-yl	-yles	-ylle

T76

-ile

La plupart des mots se terminent par **-ile** : *agile, mobile, sébile,* etc.

-yle

Plusieurs mots revêtent cependant la finale **-yle** ; la plupart sont des termes scientifiques :

acétyle
acyle
alcoyle
alkyle
allyle
amyle
aréostyle
artiodactyle
aryle
azotyle
benzoyle
benzyle
bétyle
brachydactyle
butyle
cacodyle
carbonyle
carboxyle

chyle
condyle
cotyle
dactyle
didactyle
diphényle
distyle*
dodécastyle
éolipyle ou éolipile
épicondyle
épistyle
éthyle
formyle
hexastyle
hydrocotyle
hydroxyle
hypostyle
kabyle

méthyle
micropyle
modern style
monostyle
monoxyle
myroxyle
nitrosyle
nitryle
octostyle
oxhydryle
pentadactyle
périssodactyle
péristyle
phényle
phosphoryle
photostyle
polychlorobiphényle
polydactyle

polystyle
polyvinyle
prostyle
ptérodactyle
pyroxyle
spondyle
stéaryle
strongyle
style
sulfhydryle
syndactyle
systyle
tétradactyle
tétrastyle
tridactyle
uranyle
vaccinostyle
vinyle

Les terminaisons

Attention !

-eal

sex-appeal

-eel

bulb-keel

-iel

glockenspiel
kammerspiel
singspiel

-il

alguazil
amaril, e
avril
babil
baril (pron. aussi [i])
bouvril
brésil
chenil (pron. aussi [i])
cil*
civil, e
contre(-)fil
courbaril
exil
faufil
fenil (pron. aussi [i])
fil*
fraisil (pron. aussi [i])
frasil (pron. aussi [i])
goupil (pron. aussi [i])
grémil
grésil (pron. aussi [i])

gril* (pron. aussi [i])
groisil (pron. aussi [i])
il*
incivil, e
kil
marfil ou morfil
mil* (pron. aussi [ij])
nombril (pron. aussi [i])
pénil
péril
pistil
pointil
pontil
profil
puéril, e
sil*
stencil
subtil, e
surfil
tamil
terril (pron. aussi [i])
toril
tortil
vigil, e
vil, e
viril, e
volatil, e*

Voir T16, 59, 60, 63, 64

-ïle

zoïle

-île

île*
presqu'île

-ill

bill*
croskill
drill*
grill*
krill
mandrill

-ille

aspergille
bacille
bidonville
brindille
calville
codicille
colibacille
decauville
fibrille (pron. aussi [ij])
gille ou gilles
lactobacille
maxille
mille*
myofibrille
   (pron. aussi [ij])
myrtille (pron. aussi [ij])
pupille (pron. aussi [ij])
scille*
spongille
streptobacille
tranquille
vaudeville
verticille
vexille
vieux-lille
ville*
zorille (pron. aussi [ij])

Voir T59 à 64

-illes

gilles ou gille

Voir T59, 61, 74

-yl

béryl
chrysobéryl
Crésyl
rhovyl ou Rhovyl

-yles

stéréospondyles

-ylle

aphylle
bactériochlorophylle
centrophylle
chlorophylle
épiphylle
idylle
kentrophylle
myriophylle
psylle
sclérophylle
sibylle
xantrophylle

Genre des noms en
***-ille**, **-yle** et **-ylle** :*
voir le tableau G1

-ole
-oll

-ol
-olle

-al
-oul

-oles

T77

-ole

La plupart des mots se terminent par **-ole** : *idole*, *rougeole*, *symbole*, etc.

Voir T78

-ol

La terminaison **-ol** se retrouve assez fréquemment, surtout dans les termes scientifiques :

aérosol
alcool
aldol
algol
allopurinol
antivol
apiol
arol, arole ou arolle
axérophtol
bémol
benzol
benzonaphtol
biergol
bol
bristol
calciférol
campagnol
carburol
catéchol
catergol
cerdagnol, e
cévenol, e
chabrol
chloramphénicol
cholestérol
cobol
col*
collargol ou Collargol
consol*
coprostérol
corossol
cortisol

crésol
cytosol
dialcool
diaminophénol
dicoumarol
diergol
diol
diphénol
dol
dulcitol
entresol
envol
ergol
ergostérol
espagnol, e
estradiol
éthanol
eucalyptol
eugénol
fol*
formol
gaïacol
géraniol
girasol
glycérol
glycol
goménol
guignol
halopéridol
hydrosol
ichtyol
indophénol

kohol
komsomol, e
licol
lithosol
mannitol
mariol, mariole
  ou mariolle
menthol
méthanol
mol, molle
monergol
mongol, e
naphtol
nicol
œstradiol
paléosol
paracétamol
paramidophénol
parasol
pentanol
pergélisol
phénol
plastisol
podzol
polyalcool ou polyol
pomerol
propergol
pyrogallol
pyrrol ou pyrrole
raskol
résorcinol
rétinol

rhodinol
rossignol
salol
scatol ou scatole
schéol ou shéol
sénevol
sex-symbol
  ou sexe symbole
sitostérol
sol*
sorbitol
stérol
stol
survol
taxol
terpinéol ou terpinol
thioalcool
thiol
thymol
tocophérol
toluol
torcol
tournesol
trialcool
triol
viol*
vitriol
vol*
xylol

Voir T78, 80

Attention !

-al

spiritual (pron. aussi [ɔl])

Voir T73, 76, 78

-oles

roubignoles

-oll

atoll
rock(-) and(-) roll
   ou rock'n'roll
troll*

-olle

arolle, arol ou arole
barcarolle
bignolle ou bignole
bouterolle
chantignolle
   ou chantignole

chrysocolle
colle*
corolle
crolle
échantignolle
   ou échantignole
fofolle
foirolle
folle
fumerolle
girolle
glycocolle
grolle ou grole
guibolle ou guibole
ichtyocolle
lignerolle
mariolle, mariol
   ou mariole
molle (fém. de mou, mol)

muserolle
rousserolle
tartignolle ou tartignole
tavaïolle
trolle*

-oul

soul* (pron. aussi [ul])

Voir T22, 80

*Verbes en **-oler** et **-oller** :*
voir le tableau C30

*Genre des noms en **-ol**,*
***-ole** et **-olle** :*
voir le tableau G1

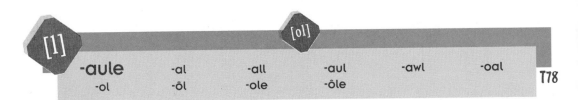

[l]   [ol]

-aule   **-al**   **-all**   **-aul**   **-awl**   **-oal**
-ol   **-ôl**   **-ole**   **-ôle**

-aule

Ces mots se terminent majoritairement par ***-aule*** : *acaule, taule*, etc. Remarquez que le son «o» y est prononcé différemment de celui de *vol* ou de *symbole*, par exemple.

Attention !

-al

spiritual (pron. aussi [ɔl])

Voir T73, 74, 76

-all

base(-)ball
basket-ball
football
hall
horse-ball
médecine-ball ou
   medicine-ball
music-hall
punching-ball
volley-ball

Voir T73

-aul

maul*

-awl

crawl
yawl

-oal

goal*

-ol

self-control

Voir T77, 80

-ôl

khôl

-ole

gniole, gnole, gnaule,
    gn(i)ôle ou niôle

Voir T77

-ôle

contrôle
dipôle
dôle
drôle
geôle
gn(i)ôle, niôle,
    gnaule ou gn(i)ole
môle*
pôle
quadripôle

rétrocontrôle
rôle
technopôle*
tôle*

[l] [œl]

-eul
-eules

-eule
-le

-al
-ull

-el

T79

-eul

Voici les mots qui se terminent par *-eul* :

aïeul, e
épagneul

filleul, e
seul, e

trisaïeul, e

-eule

Plusieurs mots prennent la terminaison *-eule* :

bégueule
cargneule

éteule
gueule

Attention !

-al

revival (pron. aussi [al])

Voir T73, 74, 76, 77, 78

-el

spiegel
strudel
    (pron. aussi [εl], [əl])

Voir T73, 75, 76, 80

-eules

gueules*

-le

jingle
puzzle
shingle

single
steeple

-ull

scull (pron. aussi [yl])

Voir T80, 81

Les terminaisons

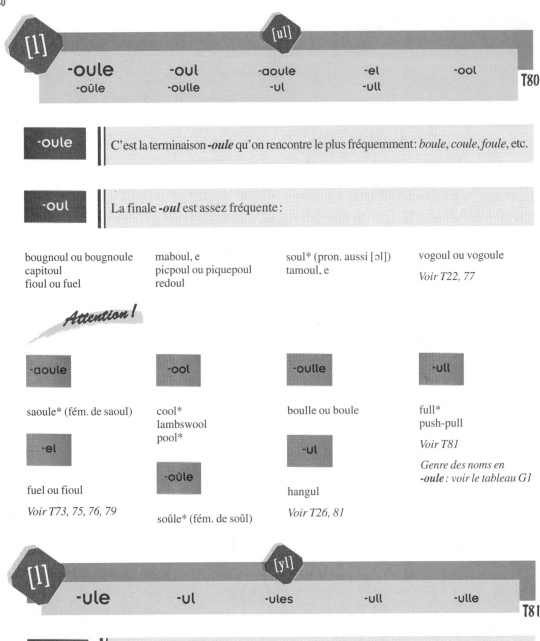

[l] **[ul]**

-oule -oul -aoule -el -ool
-oûle -oulle -ul -ull

-oule C'est la terminaison **-oule** qu'on rencontre le plus fréquemment: *boule, coule, foule*, etc.

-oul La finale **-oul** est assez fréquente :

bougnoul ou bougnoule
capitoul
fioul ou fuel

maboul, e
picpoul ou piquepoul
redoul

soul* (pron. aussi [ɔl])
tamoul, e

vogoul ou vogoule

Voir T22, 77

Attention !

-aoule

saoule* (fém. de saoul)

-el

fuel ou fioul

Voir T73, 75, 76, 79

-ool

cool*
lambswool
pool*

-oûle

soûle* (fém. de soûl)

-oulle

boulle ou boule

-ul

hangul

Voir T26, 81

-ull

full*
push-pull

Voir T81

*Genre des noms en
-oule : voir le tableau G1*

[l] **[yl]**

-ule -ul -ules -ull -ulle

-ule La plupart des mots prennent la terminaison **-ule** : *campanule, pendule*, etc.

-ul

Les mots suivants se terminent par **-ul** :

calcul
caracul ou karakul

consul
cumul

nul, nulle
proconsul

recul

Voir T26, 80

Attention !

-ules

jules

-ull

bull*
pull
scull (pron. aussi [œl])

Voir T80

-ulle

bulle*
cuculle
tulle

*Verbes en -uler et -uller :
voir le tableau C32*

*Genre des noms en -ule et
-ulle : voir le tableau G1*

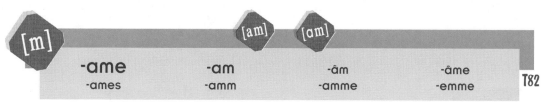

[m]

[am] **[ɔm]**

-ame
-ames

-am
-amm

-âm
-amme

-âme
-emme

-ame

Les mots qui se terminent par les sons **gram** prennent tous la finale **-gramme**, à
l'exception de ***Gram*** : *anagramme*, *épigramme*, etc.
Une fois exclus ces mots, c'est la terminaison **-ame** qu'on retrouve le plus
souvent : *dame*, *rame*, *vidame*, etc.

-am

La finale **-am** est assez fréquente, surtout pour les mots d'origine étrangère :

ashram
aspartam ou aspartame
baïram, bayram ou
beïram
clam
cramcram
dam* (pron. aussi [ɑ̃])
diam
dirham
durham
édam

Gram
hammam
hodjatoleslam
imam
islam
jam
jéroboam
lingam
litham
litsam
macadam

madapolam
malayalam
miam
miam-miam
nuoc-mam
ou nuoc-mâm
ogham
quidam
ram*
ramdam
réhoboam

schiedam
secam ou système
Secam
tam-tam
tarmacadam
tram*
wigwam
wolfram

Voir T3, 84

Les terminaisons

-âm

nuoc-mâm
  ou nuoc-mam

-âme

âme
blâme
infâme

-ames

mesdames

-amm

schlamm

-amme

flamme
gamme
gramme + dér.
oriflamme

-emme

femme

Voir T83

*Verbes en **-amer**
et **-ammer** : voir le
tableau C34*

*Genre des noms en
-ame : voir le tableau G1*

-ème	**-em**	**-aim**	**-ame**	**-eime**
-ème	-èmes	-emm	-emme	

T83

-ème | La plupart des mots prennent la finale **-ème** : *hème**, *poème*, *trirème*, etc.

-em | Plusieurs mots, souvent d'origine étrangère, se terminent par **-em** :

ad hominem
ad litem
ad valorem
chelem ou schelem
golem
harem
hem*

ibidem
idem
item
loucherbem
  ou louchébème
mathusalem

modem
nem
rem*
requiem
sachem
schelem ou chelem

star-system
stem ou stemm
sweating-system
tandem
tchernozem
totem

-aim

claim

Voir T14

-ame

wargame
  (pron. aussi [em])

-eime

seime*

-ème

baptême
blême
bohême
carême
chrême*
extrême
même
suprême

-èmes

pandèmes

-emm

stemm ou stem

-emme

dilemme
flemme
gemme
lemme

Voir T82

Genre des noms en
***-ème** et **-emme** :*
voir le tableau G1

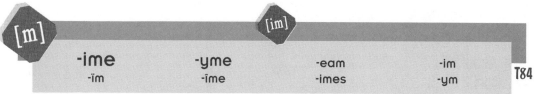

[m]   [im]

-ime   **-yme**   **-eam**   **-im**
-ïm   -îme   -imes   -ym

T84

-ime | La plupart des mots se terminent par ***-ime*** : *cime*, *sublime*, etc.

-yme | On retrouve de nombreux mots en ***-yme***, notamment les dérivés formés avec ***-onyme*** et avec ***enzyme*** :

abyme*
abzyme
acronyme
anonyme
anthroponyme
antienzyme
antonyme
apoenzyme
autonyme
azyme

cacochyme
chyme
coenzyme
collenchyme
cyclothyme
cyme*
didyme
enzyme
épendyme
épididyme

éponyme
ethnonyme
hétéronyme
homonyme
hyperonyme
hyponyme
lysozyme
matronyme
mésenchyme
néodyme

parenchyme
paronyme
patronyme
praséodyme
pseudonyme
ribozyme
schizothyme
sclérenchyme
synonyme
toponyme

Attention !

-eam

cold-cream
ice-cream
jet-stream
team

-im

alastrim
ashkenazim
    (pl. de ashkenazi)
goyim (pl. de goy)
    ou goïm
hassidim (pl. de hassid)
intérim

kilim
midrashim
    (pl. de midrash)
olim
passim
Pourim
sefardim (pl. de sefardi)
tephillim ou téphillim
toutim ou toutime

Voir T14

   Les terminaisons

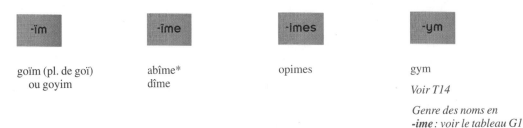

-ïm	-îme	-imes	-ym
goïm (pl. de goï) ou goyim	abîme* dîme	opimes	gym

Voir T14

Genre des noms en
-ime : *voir le tableau G1*

-um   -ome   -om   -öm   -omme

-um

La majorité des mots en [ɔm], principalement d'origine latine, se termine par **-um** : *album*, *forum*, *impluvium*, etc.

Voir T25, 87

-ome

Les mots en **-ome** sont aussi très nombreux. Parmi eux, certains se prononcent [ɔm] comme *homme* (*cardamome*, par exemple), d'autres riment avec *baume* (comme *carcinome*), alors que d'autres encore peuvent emprunter l'une ou l'autre prononciation ; ces nuances de phonétique ne sont soumises à aucune règle précise. Voici la liste de ces mots en **-ome**, quelle que soit leur prononciation :

achrome	autonome	cosmodrome	fibromyome
acrosome	autosome	craniopharyngiome	gastronome
adénocarcinome	axiome	cyclostome	génome
adénome	baisodrome	cynodrome	glaucome
ægosome ou égosome	biome	cytochrome	gléchome ou glécome
aérodrome	boulodrome	desmosome	gliome
agronome	brome	dichotome	glome
allosome	butome	distome	gnome
amblystome	carcinome	drome	granulome
amome	cardamome	dysembryome	hématome
anadrome	centrosome	économe	hétérochromosome
angiome	chironome	égosome ou ægosome	hétéronome
ankylostome	chondriome	Ektachrome	hippodrome
anthonome	chondriosome	embryotome	home*
antiatome	chondrome	endométriome	hybridome
arome ou arôme	chondrosarcome	entolome	hyperchrome
astronome	chrome	épisome	hypholome
athérome	chromosome	ergonome	hypochrome
atome	cinnamome	fécalome	idiome
autochrome	cœlome	ferrochrome	ignivome
autodrome	condylome	fibrome	isodome

kératome
léiomyome
léprome
leptosome
leucome
lipochrome
lipome
liposarcome
liposome
lithodome
lupome
lymphangiome
lymphome
lymphosarcome
lysosome
majordome
mélanoblastome
mélanome
méningiome

mercurochrome ou
Mercurochrome
mérostome
métronome
microtome
mirodrome
monochrome
mycétome
myélome
myome
neurinome
nichrome ou Nichrome
nome
nucléosome
opisthodome
ostéome
ostéosarcome
palindrome
papillome

pentatome
péristome
phascolome
phéochromocytome
phlébotome
physostome
pogrome ou pogrom
polychrome
polyribosome
prodrome
radioastronome
rhizome
rhizostome
rhizotome
rhytidome
ribosome
sacome
sarcome
schistosome

scotome
séminome
staphylome
stéatome
stratiome
syndrome
tératome
tichodrome
tome*
trachome
tricholome
trichome
trichrome
trypanosome
urochrome
vacuome*
vélodrome
xanthome

Attention !

-om

chilom ou shilom
condom
custom
D. O. M.
D. O. M.-T. O. M.
EPROM
malstrom, malström
   ou maelström
   (pron. aussi [øm])
pogrom ou pogrome
rom*
shilom ou chilom

sitcom
slalom
tchernoziom
télécom
tom ou tom-tom

Voir T18, 87

-öm

maelström, malström
   ou malstrom
   (pron. aussi [øm])

-omme

bonhomme
bulgomme
comme
gentilhomme
gomme
homme
pomme
prud'homme ou
prudhomme
rogomme

somme
surhomme
tomme ou tome*

*Verbes en **-omer** et
-ommer : voir le tableau
C43*

*Genre des noms en
-ome : voir le tableau G1*

[m]   **[om]**

-ome   **-ôme**   **-aume**   **-eaume**   **-ohm**

T86

-ome   La majorité des mots prend la finale **-ome**, que l'on retrouve au tableau précédent.

-ôme

La terminaison **-ôme** apparaît dans plusieurs mots :

arôme ou arome	diplôme	môme	radôme
binôme	dôme	monôme	symptôme
biscôme	fantôme	polynôme	trinôme
bôme*			

Attention !

-aume

agripaume
baume*
chaume
guillaume
paume
psaume
royaume

-eaume

heaume*

-ohm

mégohm
microhm
ohm*

*Genre des noms en
-aume : voir le tableau G1*

[m] [um]

-oum   **-oom**   -um

-oum

La majorité des mots se termine par **-oum** : *doum*, *loukoum*, etc.

-oom

On rencontre plusieurs mots en **-oom** :

baby-boom	boom*	groom	showroom
ou baby-boum	dressing-room	living-room	vroom ou vroum
bloom	grill-room	pipi-room	zoom

Attention !

-um

dum-dum
plum
targum

Voir T25, 85

[n]   [an]

-ane	-an	-ahn
-âne	-anes	-ânes
-ann	-anne	-aonne

-ane

La plupart des mots prennent la finale **-ane** : *filanzane*, *filigrane*, etc. On retrouve notamment la forme féminine de presque tous les noms et adjectifs en **-an** : *musulmane*, *ottomane*, etc.

Voir T3, 89

-an

Plusieurs mots revêtent la terminaison **-an**, où le *n* final est entendu ; ils proviennent souvent de langues étrangères, notamment de l'anglais.

alderman
aman (pron. aussi [ã])
barman
biznessman ou businessman
businesswoman
cameraman ou caméraman
chaman ou shaman
clapman
clergyman
crossman
crosswoman

dan
darshan
doberman
durian (pron. aussi [ã])
fan*
gagman
gan
gentleman
hetman (pron. aussi [ã])
hooligan ou houligan (pron. aussi [ã])
jazzman

jerrican, jerricane ou jerrycan
karman
ombudsman
perchman
policeman
propfan
pullman
recordman
recordwoman
rugbyman
self-made-man

shaman ou chaman
sportsman
superman
superwoman
taximan
tennisman
walkman ou Walkman
wattman
yachtman ou yachtsman
yeoman
yuan (pron. [ãn])

Voir T3, 92

Attention !

-ahn

presspahn

-âne

âne
crâne

flâne
péricrâne

-anes

atellanes
choane(s)

-ann

immelmann

-ânes

mânes

-anne

arcanne*
banne
canne*
channe
dame-jeanne
électrovanne

fibranne ou Fibranne
furanne ou furane
manne
marie-jeanne
panne*
paysanne
   (fém. de paysan)
polyuréthanne
   ou polyuréthane
pyranne

scribanne ou scriban
tanne*
uréthanne ou uréthane
valaisanne
   ou valaisane
   (fém. de valaisan)
vanne
verranne

Voir T89

-aonne

paonne*

*Forme plurielle des mots en -man :
voir le tableau É73*

*Verbes en -aner et
-anner : voir le tableau
C45*

*Genre des noms en
-ane et -anne : voir le
tableau G1*

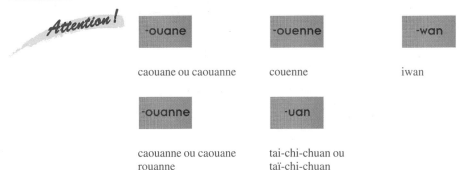

[n]   **[wan]**

-oine   **-ouane**   **-ouanne**   **-ouenne**   **T89**
-uan   -wan

-oine   ‖ La quasi-totalité des mots s'écrit en **-oine** : *antimoine, calcédoine, idoine,* etc.

Attention !

-ouane   **-ouenne**   **-wan**

caouane ou caouanne   couenne   iwan

-ouanne   **-uan**

caouanne ou caouane   tai-chi-chuan ou
rouanne   taï-chi-chuan

[n]   **[en]**

-ène   **-aine**   **-en**   **-ain**   **-aîne**   **T90**
-een   -eine   -ène   -ène   -ènes
-ènes   -enne   -ennes   -esne

-ène   ‖ Lorsqu'on exclut le féminin des adjectifs et des noms en **-en** (*coréenne,
lycéenne,* etc.), on constate que la majorité des mots se termine par **-ène** : *cantilène,
madrilène, sirène,* etc.

Voir T14, 91

⟫⟫➡

-aine

Les mots en **-aine** sont également assez nombreux ; on peut d'ailleurs leur ajouter le féminin des noms et adjectifs en **-ain**, qui n'ont pas été relevés ici :

achaine ou akène
aine
aubaine
bedaine
bourdaine
calembredaine
capitaine
centaine
cheftaine
chevaine, chevenne
   ou chevesne
cinquantaine
croque(-)mitaine
daine
dégaine
dizaine

domaine
dondaine
douzaine
draine ou drenne
faine ou faîne
fontaine
fredaine
futaine
gaine
graine
haine
huitaine
laine
marjolaine
marraine*

migraine
misaine
mitaine
moraine*
neuvaine
nonantaine
pédiplaine
pénéplaine
plaine*
porcelaine
poulaine
pretantaine,
prétantaine,
pretentaine ou
prétentaine

quarantaine
quintaine
quinzaine
rengaine
rivelaine
sacristaine
semaine
septantaine
soixantaine
tiretaine
trentaine
turlutaine
vingtaine

Voir T14

-en

La terminaison **-en**, où le *n* est prononcé, est également assez fréquente :

abdomen
albumen
amen*
aven
ben*
bigouden au fém.
cérumen
chorten
chouchen
cyclamen
dolmen

duramen
éden
germen*
gluten
golden
graben (pron. aussi [ən])
gramen
groschen
gulden
Hansen (bacille de)
hymen

kraken
larsen
lichen
loden
lumen
maghzen ou makhzen
open
pecten
peulven
pollen
rœntgen ou röntgen

rumen
sen*
shamisen
solen
spécimen
ten
zen

Voir T3, 14, 91, 92

Attention !

-ain

brain drain

Voir T14

-aîne

chaîne*
faîne ou faine
minichaîne
traîne*

-een

carragheen

Voir T92

-eine

baleine
déveine
haleine*
madeleine
peine*
pleine (fém. de plein)
reine*
seine ou senne*
sereine (fém. de serein)
veine*
verveine

Les terminaisons

-ēne

foëne, fouëne ou foène

-êne

alêne ou alène*
chêne*
frêne*
gêne*
pêne*
rêne*

-ènes

prolégomènes

-ênes

pain de Gênes

-enne

antenne
benne*
bipenne
cenne ou cent*
chevenne, chevaine
    ou chevesne
cornéenne
drenne ou draine
empenne
étrenne
garenne

géhenne
morguenne
pantenne ou pantène
penne*
pérenne
planipenne
renne*
senne ou seine
télébenne

Voir T89, 91

-ennes

marennes*

Voir T91

-esne

chevesne, chevaine
    ou chevenne

*Mots où les lettres **en**
se prononcent [ɛn]:
voir le tableau C169*

*Genre des noms en
-aine, **-en**, **-ène** et
-enne: voir le tableau G1*

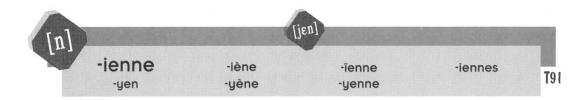

[n] **[jen]**

-ienne   **-iène**   **-ienne**   **-iennes**
-yen   **-yène**   **-yenne**

T91

-ienne

La majorité des mots, dont le féminin des adjectifs et noms en **-ien**, se termine par **-ienne**: *césarienne, julienne, obsidienne*, etc. Notez par ailleurs que les mots en **-ïen** et en **-yen** font quant à eux leur féminin en **-ïenne** et en **-yenne**.

Attention!

-iène

butadiène
diène
hygiène
polybutadiène
propadiène
sciène*

-ïenne

Voir T15

-ïennes

valenciennes

-yen

yen*

-yène

hyène*

-yenne

moyenne
poivre de Cayenne

Voir T15

-ine

La plupart des mots, parmi lesquels on trouve le féminin des noms et adjectifs en **-in**, se terminent par **-ine** : *magazine*, *praline*, *taquine*, etc.

-ïne

On rencontre la terminaison **-ïne** chaque fois qu'on entend les sons **a-ine** ou **o-ine** (comme dans *cocaïne*, *héroïne*), à l'exception de **djaïn**, **e** (ou *jaïn*, *e*).

-in

La terminaison **-in** où le *n* final est prononcé, est assez fréquente, surtout dans les mots d'origine étrangère :

Voir T14

chamsin ou khamsin	gin*	moudjahidin	sit-in
din*	in	(pl. de moudjahid)	skin
drumlin	isospin	muezzin	spin
fedayin	kelvin	muffin	tchin-tchin
free-martin	khamsin ou chamsin	pidgin	tefillin ou tephillin
(pron. aussi [ɛ̃])	min*	pinyin	yin

Attention !

-ean

clean
jean(s)*

-ïn

djaïn, e ou jaïn, e

-inn

djinn*
finn ou Finn*

-yin

hendiadyin

-een

green
halloween ou Halloween
has been
spleen
wintergreen

Voir T90

-ines

babine(s)
cytokines
gammaglobuline(s)
latrines
malines
matines

-inne

pinne*

Les terminaisons

-yne

	androgyne	hypogyne
	dyne*	misogyne
	épigyne	protérogyne
	girodyne	protogyne*
aérodyne	hétérodyne	superhétérodyne
alcyne		

Genre des noms en -ine et -yne : voir le tableau G1

[n] **[ɔn]**

-one   **-onne**   **-on**   **-own**   **-un**

-one

La plupart des mots se terminent par **-one** : *polygone*, *silicone*, etc. On les prononce [ɔn] ou [on] selon les cas, quoique très souvent les deux prononciations soient permises.

-onne

Les mots en **-onne** sont également très nombreux ; on compte parmi eux le féminin des noms et adjectifs en **-on**, à l'exception de **mormon** et de **santon** (qui font *mormone* et *santone*). Le féminin de *lapon*, *letton* et *nippon* est en **-one** ou en **-onne** : *lapone* ou *laponne*, *lettone* ou *lettonne*, *nippone* ou *nipponne*.

aiglon, onne	cochon, onne	huron, onne	patron, onne
amphitryon, onne	colonne*	kilotonne	percheron, onne
augeron, onne	con, conne	laideron, onne	personne
baron, onne	consonne	lapon, on(n)e	piéton, onne
beauceron, onne	couillon, onne	letton, on(n)e	pigeonne
berrichon, onne	couronne	levron, onne	pion, onne
besson, onne	coursonne	lionne	polisson, onne
bichon, onne	cretonne	luron, onne	poltron, onne
bobonne	donne	maçon, onne	quarteron, onne
bombonne ou bonbonne	dragonne	mahonne	rayonne
bon, bonne	esclavon, onne	maigrichon, onne	ronchon, onne
bouffon, onne	espion, onne	maldonne	sauvageon, onne
bougon, onne	fanfaron, onne	marron, onne	saxon, onne
bourguignon, onne	félon, onne	maton, onne	silionne ou Silionne
brabançon, onne	folichon, onne	mégatonne	sissonne ou sissone
breton, onne	fripon, onne	mignon, onne	slavon, onne
brouillon, onne	frison, onne	miston, onne	superchampion, onne
bûcheron, onne	garçonne	mollasson, onne	tardillon, onne
bufflonne	gascon, onne	mouton, onne	tatillon, onne
capon, onne	glouton, onne	négrillon, onne	teuton, onne
chaconne ou chacone	godichon, onne	nippon, on(n)e	tonne
champion, onne	grison, onne	noblaillon, onne	vigneron, onne
chaton, onne	grognon, onne	nonne*	wallon, onne
chiffonne	hérissonne	pâlichon, onne	

Voir T88

Attention !

-on

backgammon
bacon (pron. aussi [œn])
badminton
cañon ou canyon
   (pron. aussi [ɔ̃])
charleston
chatterton
colon*
dominion
   (pron. aussi [ɔ̃])

epsilon
gnôthi seauton
himation
klaxon ou Klaxon
Kyrie eleison
mégaron
newton
omicron
ostracon
Parkinson (maladie de)
péon (pron. aussi [ɔ̃])
podion
short ton
sine qua non

touron (pron. aussi [ɔ̃])
trudgeon
upsilon
won

Voir T18 à 21, 94, 95

-own

knock-down
   (pron. aussi
   [daun], [dawn])

Voir T95

-un

fun*

Voir T25, 95

Verbes en **-oner** et **-onner** :
voir le tableau C69

Genre des noms en **-one** et
-onne : voir le tableau G1

[n]   **-one**   **-ône**   **-aulne**   **[on]** **-aune**   **-on**   **-osne**

-one   La plupart des mots se terminent par **-one**, dont certains peuvent aussi se prononcer [ɔn].

-ône   La finale **-ône** se retrouve dans ces mots :

aumône
cône
côtes-du-rhône

icône*
kératocône

prône
pylône

tricône
trône

Attention !

-aulne

aulne* (pron. aussi [oln])

-aune

aune*
avifaune
béjaune ou bec-jaune
faune
jaune

-on

ippon

Voir T18 à 21, 93, 95

-osne

crosne

[n] **[un]**

-oon   -oune   -own   -oun   -un

On rencontre autant de mots en *-oon* , en *-oune*, qu'en *-own* :

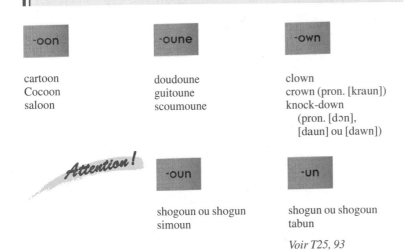

-oon

cartoon
Cocoon
saloon

-oune

doudoune
guitoune
scoumoune

-own

clown
crown (pron. [kraun])
knock-down
   (pron. [dɔn],
   [daun] ou [dawn])

Attention !

-oun

shogoun ou shogun
simoun

-un

shogun ou shogoun
tabun

Voir T25, 93

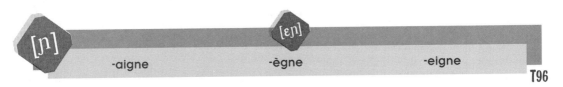

[ɲ] **[ɛɲ]**

-aigne   -ègne   -eigne

Les mots sont presque également répartis entre trois finales :

-aigne

bréhaigne
châtaigne
musaraigne
sphaigne
varaigne

-ègne

duègne
interrègne
règne
trirègne

-eigne

beigne
empeigne
enseigne
peigne
teigne

*Genre des noms en
-eigne : voir le tableau G1*

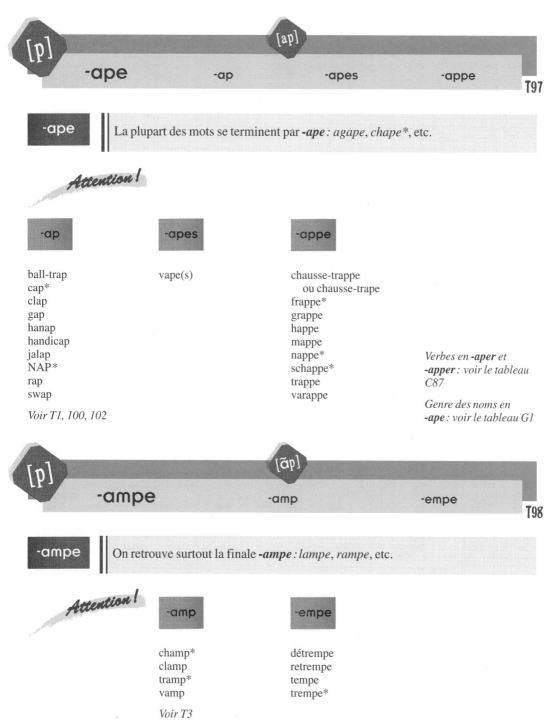

[p] [ap]

-ape
-ap -apes -appe

-ape | La plupart des mots se terminent par **-ape** : *agape, chape**, etc.

Attention !

-ap

ball-trap
cap*
clap
gap
hanap
handicap
jalap
NAP*
rap
swap

Voir T1, 100, 102

-apes

vape(s)

-appe

chausse-trappe
   ou chausse-trape
frappe*
grappe
happe
mappe
nappe*
schappe*
trappe
varappe

*Verbes en **-aper** et
-apper : voir le tableau
C87*

*Genre des noms en
-ape : voir le tableau G1*

[p] [ãp]

-ampe
-amp -empe

-ampe | On retrouve surtout la finale **-ampe** : *lampe, rampe*, etc.

Attention !

-amp

champ*
clamp
tramp*
vamp

Voir T3

-empe

détrempe
retrempe
tempe
trempe*

Les terminaisons

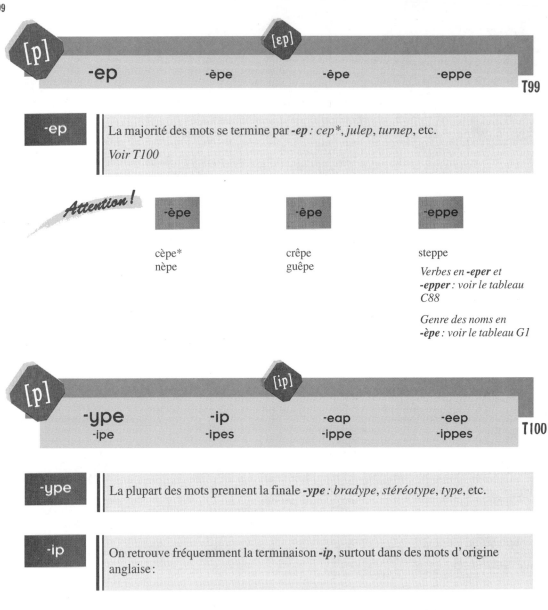

[p] **[εp]**

-ep   -èpe   -êpe   -eppe

-ep

La majorité des mots se termine par **-ep** : *cep**, *julep*, *turnep*, etc.

Voir T100

Attention !

-èpe

cèpe*
nèpe

-êpe

crêpe
guêpe

-eppe

steppe

*Verbes en **-eper** et **-epper** : voir le tableau C88*

*Genre des noms en **-èpe** : voir le tableau G1*

[p] **[ip]**

-ype   -ip   -eap   -eep
-ipe   -ipes   -ippe   -ippes

T100

-ype

La plupart des mots prennent la finale **-ype** : *bradype*, *stéréotype*, *type*, etc.

-ip

On retrouve fréquemment la terminaison **-ip**, surtout dans des mots d'origine anglaise :

bip	hip	motorship	trip*
chip*	kip	sistership	vidéo(-)clip
clip*	leadership	skip	zip ou Zip
flip	manip ou manipe	slip	
grip*	midship	township	

-eap

cheap

-eep

jeep ou Jeep

-ipe

équipe
fripe(s)
manipe ou manip
municipe
œdipe
participe
pipe
principe
ripe
stipe
tripe*
tulipe

-ipes

fripe(s)

-ippe

cippe
grippe
klippe*
lippe
nippe(s)

-ippes

nippe(s)

*Verbes en -iper et -ipper :
voir le tableau C89*

*Genre des noms en
-ipe : voir le tableau G1*

[p]   [ɔp]

-ope   **-op**   **-oop**   **-oppe**

T101

-ope | La plupart des mots revêtent la finale *-ope* : *apocope*, *syncope*, etc.

-op | Plusieurs mots, surtout d'origine anglaise, se terminent par *-op* :

agit-prop
auto(-)stop
be-bop
bishop

bop
boscop ou boskoop
drop
flop

free-shop
hop*
pop*
sex-shop

stop*
top*

Voir T17, 103

Attention !

-oop

boskoop ou boscop

Voir T103

-oppe

échoppe
enveloppe

*Verbes en -oper et -opper :
voir le tableau C90*

*Genre des noms en
-ope : voir le tableau G1*

[p] **[op]**

-aupe   -oap

-aupe | On trouve surtout la terminaison **-aupe** :

gaupe
hypotaupe
taupe

Attention ! **-oap**

soap

[p] **[up]**

-oupe   -oop   -oup   -ouppe

-oupe | La plupart des mots revêtent la terminaison **-oupe** : *groupe*, *soupe*, *troupe*, etc.

Attention ! **-oop** **-oup** **-ouppe**

scoop	croup*	houppe*
sloop	group*	
Voir T101	houp*	
	youp	
	Voir T22	*Genre des noms en* **-oupe** : *voir le tableau G1*

[p] **[yp]**

-upe   -up   -uppe

-upe | On rencontre surtout la terminaison **-upe** :

drupe	géotrupe	minijupe
dupe	jupe	pupe

-up

-uppe

ZUP ou Z. U. P.

huppe

Genre des noms en
-upe *: voir le tableau G1*

[r]   [ar]

-ard   **-ar**   **-arc**   **-ards**   **-are**
-arre   -arrhe   -arrhes   -ars   -art   **T105**
-arts

-ard | La majorité des mots se termine par **-ard** : *canard, plumard, tard**, etc.

-ar | La finale **-ar** est aussi très fréquente :

adrar	césar	kala-azar	quasar
agar-agar	char*	kandjar	racontar
alcazar	cheddar	kevlar ou Kevlar	radar
anar	clédar	ksar	réalgar
antichar	coaltar	lascar	salmanazar
antiradar	colcotar	lidar	samovar
asiadollar	coquemar	liquidambar	sar
autocar	costar ou costard	loubar ou loubard	schofar*
avatar	cultivar	lupanar	sirdar
balthasar ou balthazar	czar, tsar ou tzar	macassar	sitar*
bar*	dinar	magyar, e	sonar
bazar	dollar	malabar	star
bédégar	drakkar	millibar	superstar
bichelamar ou	épar ou épart*	minbar	tabar ou tabard
bichlamar	escobar	minicar	tablar ou tablard
bolivar	espar	mudéjar, e	tatar, e
calamar ou calmar	eurodollar	nanar	téléradar
canar*	falzar	narcodollar(s)	thénar
canular	far*	nectar	tolar*
car*	hangar	nénuphar	tsar, tzar ou czar
casoar	hospodar	oscar	tungar
cauchemar	hypothénar	par*	var
caviar	instar de (à l')	pétrodollar(s)	vélar
cellular	invar ou Invar	polar*	zanzibar
centibar	jar*	pulsar	

Voir T106, 107

Les terminaisons

Attention !

-arc

marc*

-ards

achards

-are

aérogare
are*
avare
barbare
bulgare
carrare
cathare*
centiare
cigare
cithare*
curare
dare-dare
disamare
eschare ou escarre*
fanfare
gabare ou gabarre
gammare
gare
gémellipare
guitare
gyrophare
hectare
héligare
hilare
hyperbare
ignare
isallobare
isobare
lare*

mare*
multipare
nullipare
ovipare
ovovivipare
pal(l)icare ou
   pal(l)ikare
phare*
primipare
pupipare
radiophare
rare
samare
scare
scissipare
solfatare
sudoripare
tarare
tare*
tartare
terramare
tiare
unipare
vivipare

Voir T106, 107

-arre

amarre
bagarre
barre*
bécarre*
bizarre
carre*
charre ou char*
escarre ou eschare*
esquarre*
gabarre ou gabare
jarre*
marre*
simarre
tintamarre

-arrhe

catarrhe*

-arrhes

arrhes*

-ars

ars* (pron. aussi [ars])
épars, e*
jars*
narcodollar(s)
pétrodollar(s)

Voir T1, 152

-art

art*
binart ou binard
braquemart
brocart*
broutart ou broutard
champart
coquart ou coquard
coquillart*
départ
dog-cart
   (pron. aussi [art])
écart
encart
épart ou épar*
essart(s)
fart*
fendart ou fendard

flambart ou flambard
godendart
hansart
hart*
huart ou huard
inquart
jacquemart
   ou jaquemart
jambart
javart
malart ou malard
part*
plupart (la)
poupart*
prélart
quart, e*
rancart*
rempart
rohart
savart
tribart
trinquart
trocart

-arts

essart(s)
quat'zarts

Genre des noms en
***-ar**, **-are** et **-arre** :*
voir le tableau G1

[r]   [war]

-oir	-oire	-eoir	-oires
-ouar	-uar	-uare	-ware

-oir

Un peu plus de la moitié des mots prend la finale **-oir** : *arrosoir*, *manoir*, *parloir*, *soir*, etc. C'est le cas des verbes, à l'exception d'***accroire***, ***boire***, ***croire*** et ***reboire***.

-oire

Les mots en **-oire** sont presque aussi nombreux ; les voici classés par nature.

Adjectifs

abrogatoire	dédicatoire	illusoire	récursoire
absolutoire	définitoire	imprécatoire	rédhibitoire
accusatoire	dégueulatoire	incantatoire	rémunératoire
aléatoire	délibératoire	inflammatoire	rescisoire
ambulatoire	dénégatoire	inquisitoire	résolutoire
anovulatoire	dérisoire	inspiratoire	respiratoire
anticipatoire	dérogatoire	invocatoire	révocatoire
aratoire	diffamatoire	jaculatoire	rogatoire
articulatoire	dilatoire	jubilatoire	rotatoire
aspiratoire	dînatoire	juratoire	sacrificatoire
attentatoire	discriminatoire	libératoire	saltatoire
auscultatoire	divinatoire	méritoire	sécrétoire
blasphématoire	éjaculatoire	migratoire	sternutatoire
captatoire	élévatoire	natatoire	stillatoire
cardio(-)respiratoire	épuratoire	notoire	subrogatoire
circulatoire	estimatoire	novatoire	sudatoire
classificatoire	évaporatoire	obligatoire	superfétatoire
collusoire	évocatoire	ondulatoire	supplétoire
comminatoire	excrétoire	opératoire	surérogatoire
commissoire	expiatoire	oscillatoire	transitoire
compensatoire	expiratoire	ostentatoire	usurpatoire
compromissoire	exploratoire	ovulatoire	vexatoire
conciliatoire	expurgatoire	péremptoire	vibratoire
condamnatoire	fidéjussoire	phonatoire	
confiscatoire	fraudatoire	possessoire	
conjuratoire	frustratoire	postopératoire	**Adverbe**
consommatoire	fulminatoire	prémonitoire	
contradictoire	gestatoire	préopératoire	voire*
décisoire	giratoire	préparatoire	
déclamatoire	hallucinatoire	probatoire	
déclaratoire	identificatoire	propitiatoire	

Noms féminins, dont certains sont aussi des adjectifs

aplatissoire
  ou aplatissoir, n. m.
armoire
avaloire
  ou avaloir*, n. m.
baignoire
balançoire
bassinoire
bétoire
bouilloire
combinatoire
doloire
drayoire ou drayoir, n. m.

échappatoire
écritoire
écumoire
éliminatoire
épissoire ou épissoir, n. m.
eupatoire
foire
glissoire*
gloire
hiloire
histoire
jabloire
  ou jabloir, n. m.

lardoire
mâchoire
mangeoire
mémoire*
moire
nageoire
noire
pantoire
passoire
pataugeoire
patinoire
pâtissoire
périssoire

pétoire
poire
polissoire*
préhistoire
protohistoire
ramassoire
ratissoire
rôtissoire
trajectoire
victoire

Noms masculins, dont certains sont aussi des adjectifs ou des verbes

accessoire
auditoire
boire
ciboire
collutoire
conservatoire
consistoire
crématoire
déambulatoire
déboire
déclinatoire
dépilatoire
dimissoire
directoire
ducroire

émonctoire
épilatoire
exécutoire
exutoire
faldistoire
fumigatoire
grimoire
infusoire
interlocutoire
interrogatoire
ivoire
laboratoire
masticatoire
mémoire*
monitoire

moratoire
observatoire
offertoire
oratoire
pétitoire
pourboire
prétoire
promontoire
propitiatoire
provisoire
purgatoire
purificatoire
réfectoire
répertoire
réquisitoire

rescisoire
suppositoire
territoire
vésicatoire
vomitoire

Verbes

accroire
boire
croire
reboire

-eoir	-oires	-uar	-ware

asseoir
bougeoir
dégorgeoir
drageoir
égrugeoir
grugeoir
messeoir
plongeoir
purgeoir
rasseoir
seoir*
surseoir
vendangeoir

cisoires

-ouar

cougouar ou couguar
douar

cougouar ou cougouar
jaguar

square

software
  (pron. aussi [wɛr])

*Mots en -çoir, -çoire, -soir et -soire :
voir le tableau C126*

*Genre des noms en -oir :
voir le tableau G1*

[r] **[εr]**

-aire	-ère	-er	-air	-are
-ear	-eer	-ehr	-eire	-ér
-erc	-ere	-ëre	-ères	-erf
-erre	-ers	-ert		

-aire

-ère

Lorsqu'on exclut les mots se terminant par les sons [jεr], qui seront analysés plus loin, on constate que si la majorité des mots se termine en **-aire**, la finale **-ère** est également très fréquente. Chaque fois que les sons [εr] sont précédés des sons **é, o** et **u**, c'est de la finale **-aire** qu'il s'agit (**-éaire, -oaire, -uaire**) : *linéaire, protozoaire, actuaire*, etc. ; une seule exception : **moère**. De plus, tous les **verbes** prennent la terminaison **-aire** : *plaire, parfaire*, etc. Quand on regroupe les mots en **-aire** ou en **-ère** selon la **consonne** qui précède les sons [εr], il devient plus facile de distinguer la terminaison minoritaire. Ainsi, à moins qu'ils ne soient mentionnés dans les terminaisons subséquentes (*-air, -are, -ear, -eer, -ehr, -eire, -er, -ér, -erc, -ere, -ëre, -ères, -erf, -erre, -ers* ou *-ert*), les mots s'écriront donc soit en **-ère**, soit en **-aire**, selon les remarques suivantes :

-cère
-sère

brachycère
chélicère
cladocère
criocère
insincère
misère
nématocère
sincère
tessère
ulcère
viscère

Les autres mots se terminent par **-saire** : *corsaire, janissaire*, etc.

-dère

bayadère
belvédère
cardère
débarcadère

embarcadère
madère

Les autres mots se terminent par **-daire** : *dromadaire, secondaire*, etc.

-lère

colère
galère
phalère

Les autres mots se terminent par **-laire** : *lanlaire, molaire*, etc.

-maire

brumaire
frimaire
grammaire
intérimaire

maire*
mammaire
palmaire*
primaire
sommaire
ulmaire
victimaire

Les autres mots se terminent par **-mère** : *polymère, trimère**, etc.

-nère

congénère
monère
phanère
scorsonère

Les autres mots se terminent par **-naire** : *débonnaire, thonaire**, etc.

-quère

mouquère ou moukère

Les autres mots s'écrivent en **-caire** ou **-quaire** : *antiquaire, calcaire*, etc.

-rère

confrère
frère
parère

Les autres mots se terminent par **-raire** : *funéraire, honoraire*, etc.

-tère

acrotère
adultère
amphotère
artère
austère
baptistère*
caractère

climatère
clystère
cratère
critère
délétère
dicastère
familistère
haltère*
ictère
magistère*
mastère

mésentère
ministère
monastère
mystère ou Mystère
patère*
phalanstère
phylactère
presbytère
statère
stère
trilitère

uretère
zostère

À moins de se terminer par les suffixes **-cautère**, **-latère** ou **-ptère**, les autres mots prennent la finale **-taire** (*militaire, unitaire, utilitaire*, etc.) ou **-thaire** (*périanthaire* et *zoanthaire*).

Les mots qui restent se terminent par **-ère**, à l'exception de :

affaire
aire*
bulbaire
calvaire
chaire*
chirographaire
clair, e*
clavaire

dorsolombaire
douaire
faire*
grégaire
haire*
impair, e*
larvaire
limbaire

lobaire
lombaire
ovaire
pair, e*
pseudobulbaire
pulpaire
repaire*
salivaire

syllabaire
tarifaire
tubaire
valvaire
volvaire
vulgaire
vulvaire

Voir T108

-er La terminaison **-er** est aussi très fréquente :

aber
acétobacter
afrikaner,
afrikaander ou
afrikander
amer, ère
amylobacter
aster*
azotobacter
ber
bessemer
bitter
blazer (pron. aussi [œr])
blister
boulder (pron. aussi [œr])
boxer
bulldozer
cacher, cas(c)her,
cawcher, kas(c)her
ou cachère
cancer
canter

cantilever
   (pron. aussi [œr])
carter*
cathéter
charter
cher, ère
chester
cluster (pron. aussi [œr])
cocker
confer
container
   ou conteneur
coroner* (pron. aussi [œr])
cotonéaster
cracker (pron. aussi [œr])
cubitainer ou
Cubitainer
cutter (pron. aussi [œr])
der
docker
doppler ou Doppler (effet)
dragster

eider
enfer
entrefer
ester*
éther
fauber ou faubert
fer*
frater
gangster
géaster
getter (pron. aussi [ər])
gewurztraminer ou
gewurztraminer
geyser
globe-trotter
   (pron. aussi [œr])
hamster
hiver
imper*
inter
jigger
   (pron. aussi [œr], [ər])

joker
junker
   (pron. aussi [ər])
kaiser
kas(c)her, cacher,
   cas(c)her, cawcher
   ou cachère
khmer, ère
kreutzer ou kreuzer
Länder
laser
liber*
linter
luger
mâchefer
magister*
manager
   (pron. aussi [œr])
maser
masséter
mater*
mauser

mer*
messer
minnesänger ou
minnesinger
môn-khmer, ère
munster
nitrobacter
outremer
oxer
palmer*
panzer
papaver
pater ou Pater*
pinscher
placer
plansichter
pointer* (pron. aussi
[œr])
poker
polder
polyester
polyéther

porter
poster*
pull-over
(pron. aussi [œr])
quater
racer (pron. aussi [œr])
radioreporter
raider (pron. aussi [œr])
ranger (pron. aussi [œr])
reporter* (pron. aussi [œr])
revolver ou révolver
riser (pron. aussi [œr])
roadster
scanner
schnauzer
scooter (pron. aussi [œr])
setter
sinter
spalter
sparring-partner
spencer (pron. aussi [œr],
[ər])

sphincter
spider
spinnaker
(pron. aussi [œr])
spirifer
spoiler (pron. aussi [ər])
springer (pron. aussi [œr])
stabat mater
stadhouder
ou stathouder
starter
statthalter
(pron. aussi [œr])
stoker (pron. aussi [œr])
suber
super*
superwelter
supporter*
(pron. aussi [œr])
sylvaner
téléreporter
tender

ter*
thaler
trickster
triester
trimmer*
trochanter
trochiter
tuner (pron. aussi [œr])
ver*
vétiver
vomer
voucher
water(s)
weber
welter
winchester

Voir T4 à 12, 108, 111

Attention !

-air

air*
blair
canadair ou Canadair
chair*
clair, e*
éclair*
épair*
flair
impair, e*
mohair
pair, e*
rocking-chair
vair*

-are

hardware
software
(pron. aussi [war])

Voir T105, 106

-ear

sport(s)wear
teddy-bear

-eer

jonkheer

-ehr

landwehr

-eire

cheire*
épeire*
macrocheire

-ér

fillér*

-erc

clerc*

-ere

moere
(pron. aussi [ur])
ou moère, moëre

Voir T108, 109

-ère

moëre
ou moere, moère

-ères

guères ou guère*
phénicoptères

Voir T108

-erf

cerf*
nerf
serf* (pron. aussi [ɛrf])

-erre

cimeterre
enquerre (à)
équerre
erre*
fumeterre
guéguerre
guerre*

➠

lierre
paratonnerre
parterre
pierre
resserre
sancerre
serre*
terre*
tonnerre*
verre*

-ers

avers
convers, e

devers
dévers
divers, e
envers
ers*
obvers
pers, e*
pervers, e
revers
travers
univers
vers*
water(s)

Voir T4, 12, 108, 111

-ert

camembert
colvert
concert
couvert, e
découvert, e
désert, e
dessert*
disert, e
entrouvert, e
expert, e
faubert ou fauber

haubert*
inexpert, e
insert
navicert
   (pron. aussi [ɛrt])
offert, e
ouvert, e
pivert ou pic-vert
robert
transfert
vert, e*

Voir T153

*Genre des noms en
-eire, -ère et -erre :
voir le tableau G1*

[r]   **[jer]**

-ière	-iaire	-ier	-iere	-ières
-iers	-iller	-illère	-llière	-yère

T108

-ière

La majorité des mots se termine par *-ière* ; on compte notamment parmi eux le féminin des noms et adjectifs en *-ier : buandière, glacière, pâtissière*, etc.

-iaire

Les mots en *-iaire* sont aussi très nombreux :

alliaire
auxiliaire
aviaire
bénéficiaire
bestiaire
biliaire
bréviaire
cambiaire
ciliaire
conciliaire
coralliaire
domiciliaire
épiaire

évangéliaire
extrajudiciaire
ferroviaire
fiduciaire
fluvio(-)glaciaire
foliaire
glaciaire
herniaire
hexacoralliaire
hydrocoralliaire
incendiaire
indiciaire
interglaciaire

intermédiaire
judiciaire
latifundiaire
miliaire
milliaire
nobiliaire
octocoralliaire
partiaire
pécuniaire
pénitentiaire
périglaciaire
plagiaire
plénipotentiaire

postglaciaire
préglaciaire
radiaire
rétiaire
spongiaire
stagiaire
subsidiaire
tertiaire
topiaire
triaire*
vendémiaire
vestiaire

-ier

hier

Voir T5 à 7, 12

-iere

condottiere

-ières

corbières
plombières

-iers

tiers, tierce

Voir T12

-iller

cuiller ou cuillère

Voir T5 à 7, 9, 10

-illère

anguillère
  ou anguillière
bétaillère
conseillère
  (fém. de conseiller)
cordillère
crémaillère
cuillère ou cuiller
écaillère
  (fém. de écailler)
genouillère
grenouillère
houillère
mouillère
œillère
ouillère, ouillière
  ou oullière
persillère
rabouillère
tortillère
volaillère
  (fém. de volailler)

-llière

anguillière
  ou anguillère
coquillière
  (fém. de coquillier)
dentellière
  (fém. de dentellier)
joaillière
  (fém. de joaillier)
lavallière
métallière
  (fém. de métallier)
ouillière, oullière
  ou ouillère
quincaillière
  (fém. de quincaillier)
serpillière
tellière
tullière (fém. de tullier)

-yère

berruyère
  (fém. de berruyer)
bruyère
cacaoyère
caloyère (fém. de caloyer)
clayère
cloyère
corroyère
écuyère (fém. de écuyer)
frayère
gruyère
hainuyère, hannuyère ou
hennuyère
  (fém. de hainuyer,
  hannuyer, hennuyer)
métayère
rayère
tuyère

[r] [ir]

-ir	-ire	-ere	-ir
-îre	-irr	-irre	-irrhe
-yr	-yre	-yrrh	-yrrhe

T109

-ir

La plupart des mots, notamment des infinitifs, se terminent par *-ir* : *finir, souffrir, soupir*, etc.

Voir T111

Les terminaisons

-ire

La finale *-ire* se retrouve aussi assez fréquemment :

autodétruire (s')
autogire
bruire*
buire
cachemire
  ou cashmere
circoncire
circonscrire
cire*
conduire
confire
construire
contredire
coproduire
cuire*
déconstruire
décrire
dédire
déduire
délire
détruire
dire

éconduire
écrire
élire
empire
enduire
entre(-)détruire (s')
frire
hégire
induire
inscrire
instruire
interdire
introduire
ire
leptospire
lire*
luire
maudire
méconduire (se)
médire
messire
mire*

navire
nuire
occire
pire
prédire
prescrire
produire
proscrire
reconduire
reconstruire
récrire ou réécrire
recuire
redire
réduire
réécrire ou récrire
réélire
réinscrire
réintroduire
relire
reluire
reproduire
retraduire

retranscrire
rire
satire*
sbire
séduire
sire*
sourire
souscrire
spire
suffire
surproduire
tire*
tirelire
traduire
transcrire
trévire
vampire
vire*

Voir T111

-ere

cashmere
  ou cachemire

Voir T107, 108

-ir

amuïr (s')
haïr
ouïr

-ïre

hétaïre
pécaïre (pron. aussi [re])
zaïre

-irr

birr*

-irre

cirre ou cirrhe*
squirre ou squirrhe

-irrhe

cirrhe ou cirre*
squirrhe ou squirre

-yr

martyr, e*
zéphyr

-yre

apyre
collyre
dextrogyre
hydrargyre
lamprophyre
lampyre
lévogyre
lyre*
martyre*
mélampyre
oculogyre
porphyre
satyre*
spirogyre

-yrrh

Byrrh*

-yrrhe

myrrhe*

Mots contenant les lettres
*-**gir**- et -**gyr**- :*
voir le tableau C17

*Genre des noms en -**ire** et*
*-**yre** : voir le tableau G1*

-ore — C'est la finale **-ore** qu'on retrouve le plus souvent : *carnivore*, *pécore*, *pléthore*, etc.

-or — La terminaison **-or** est aussi assez fréquente :

alligator
angor
athanor
birotor
butor
cador
cantor
castor
comprador, e
condor
confiteor
conquistador
constrictor
cor*
corregidor ou
corrégidor
corridor
cruor
décor

encor*
escalator ou Escalator
essor
fluor
for*
fructidor
ichor
junior
kwashiorkor
labrador
major
matador
médiator
melchior
mentor
messidor
mirador
mirliflor ou mirliflore
modulor ou Modulor

monitor
monsignor
    ou monsignore
mucor
myocastor
nabuchodonosor
octuor
or*
phototransistor
picador
portor
quatuor
releasing factor
rotor
senior ou sénior
septuor
sextuor
similor
solicitor

sponsor
stator
stentor
stertor
stridor
tabor
tchador
technicolor ou
Technicolor
ténor
thermidor
thyristor
toréador
transistor
trésor
tussor ou tussore
vibor ou vibord

Attention !

-aur

gaur*
saur*

-aure

atlantosaure
brontosaure

centaure
dinosaure
exhaure
ichtyosaure
laure*
maure ou more*
plésiosaure
roquelaure
stégosaure
taure*
téléosaure
tyrannosaure

-oor

indoor

-orc

porc*

-ord

abord
accord*
bâbord
bitord
bord*
débord
désaccord
discord, e

fiord ou fjord
   (pron. aussi [ɔrd])
gord*
lord* (pron. aussi [ɔrd])
milord
nord
oxford (pron. aussi [ɔrd])
raccord
rebord
record*
sabord
tribord
vibord ou vibor

-ords

remords*

-ores

ores*
zygospores

-orps

anticorps
corps*
justaucorps
monocorps

-orr

torr*

-orre

schorre

-ors

alors
cahors
dehors
détors, e
fors*
hors*

lors*
mors*
recors*
retors, e*
tors, e*

-ort

accort, e*
aéroport
altiport
apport
autoport
beaufort
birapport
bort*
confort
consort
contrefort
croque(-)mort
déport
effort*
emport
export
fort, e*
handisport
héliport
hoverport
import

inconfort
maillechort
mort, e*
nasitort
passeport
piéfort ou pied-fort
port*
raifort
rapport
réassort
réconfort
renfort
report
ressort*
roquefort
sort*
sport*
support
téléport
terrefort
tort*
transport

-orts

omnisports

Genre des noms en
-ore : voir le tableau G1

[r]   [œr]

-eur	**-er**	**-ers**	**-eure**	**-eurre**
-eurs	-eurt	-ir	-ire	-œur
-œurs	-ure			

T111

-eur

On retrouve en grande majorité des noms et adjectifs en *-eur* (*chaleur*, *pâleur*, etc.); certains font leur féminin en *-euse* ou en *-ice*: *chômeur*, *chômeuse*; *directeur*, *directrice*.

-er

De nombreux mots étrangers en *-er* prennent selon les dictionnaires la prononciation [œr] lorsqu'ils sont francisés, alors que d'autres empruntent plutôt la prononciation [ɛr]:

▄▄➡

angledozer
baby-sitter
best-seller
blazer (pron. aussi [ɛr])
bloomer
bookmaker
boomer
booster
bootlegger
boulder (pron. aussi [ɛr])
broker
bulldozer
bunker
burger
cabin-cruiser
cantilever
   (pron. aussi [ɛr])
challenger
   ou challengeur
cheeseburger
chopper*
clinker
clipper
cluster (pron. aussi [ɛr])
computer ou computeur
corn-picker
corn-sheller
coroner (pron. aussi [ɛr])
cowper
cracker (pron. aussi [ɛr])
crooner (pron. aussi [ər])
cruiser
cutter (pron. aussi [ɛr])
damper
dealer ou dealeur
debater ou débatteur
designer

discounter
   ou discounteur
dispatcher ou dispatcheur
dogger
drifter
driver ou driveur
drummer
dumper
eye-liner
feeder
filler*
flipper*
flutter
freezer
führer*
gauleiter
globe-trotter
   (pron. aussi [ɛr])
grader
hamburger
highlander
home-trainer
horse power
hurdler
interviewer
   ou intervieweur, euse
jigger (pron. aussi [ər],
   [ɛr])
jogger ou joggeur, euse
kaiser (pron. aussi [ɛr])
kipper
leader
lieder (pl. de lied)
liner
loader (pron. aussi [ər])
looser ou loser
manager (pron. aussi [ɛr])

miler
mixer ou mixeur
motopaver
   ou motopaveur
motorgrader
oudler
outrigger
outsider
pacemaker
packager ou packageur
pager ou pageur
pointer* ou pointeur
pull-over (pron. aussi [ɛr])
putter*
racer
raider* (pron. aussi [ɛr])
ranger (pron. aussi [ɛr])
reporter* (pron. aussi
   [ɛr]) ou reporteur
retriever
rewriter ou rewriteur
ripper ou rippeur
riser (pron. aussi [ɛr])
rocker ou rockeur, euse
roller
rooter
schnauzer
schooner
scooter (pron. aussi [ɛr])
scraper
scrubber
seersucker
shaker
shipchandler
sinn-feiner
skipper
speaker

spencer (pron. aussi [ɛr],
   [ər])
spinnaker
   (pron. aussi [ɛr])
springer (pron. aussi [ɛr])
sprinkler
sprinter ou sprinteur
squatter ou squatteur
statthalter
   (pron. aussi [ɛr])
stayer
steamer
stepper ou steppeur
sticker
stoker (pron. aussi [ɛr])
stop-over
stripper
supertanker
supporter*
   (pron. aussi [ɛr])
   ou supporteur, trice
sweater
tanker
teaser
teen(-)ager
thriller
toaster ou toasteur
trader ou tradeur
traveller
trimmer*
tuner (pron. aussi [ɛr])
turn(-)over
tweeter
walk-over
woofer

Voir T4 à 12, 107, 108

-ers	-eure	-eurre	-eurs

knickerbockers ou
knickers

Voir T4, 12, 107, 108

amphineure
chantepleure
demeure
heure*
kilowatt(-)heure
majeure*
mineure*
plateure
varheure
wattheure

babeurre
beurre*
leurre*

ailleurs
messeigneurs
   (pl. de monseigneur)
nosseigneurs
   (pl. de monseigneur)
plusieurs

Voir T24

-eurt

heurt*

-ir

sir

Voir T109

-ire

esquire
squire
yorkshire

Voir T109

-œur

chœur
cœur
consœur
contrecœur
rancœur
sœur

-œurs

mœurs*

-ure

joint(-) venture
(pron. aussi [ər])

Voir T113

[r] [ur]

-our
-ourg

-ours
-ourre

-oere
-ourt

-ourd
-uhr

-oure
-ur

-our || La majorité des mots se termine par ***-our*** : *cour**, *four**, *tour**, etc.

-ours || La finale ***-ours*** est assez fréquente :

atour(s)
concours
cours*
débours

décours
discours
en(-)cours
gour(s)*

intercours
mamours
parcours
rebours

recours
secours
toujours
velours

Attention !

-oere

moere, moère ou moëre
(pron. aussi [ɛr])

-ourd

balourd, e
gourd, e*
hourd

lourd, e*
sourd, e
tourd*

-oure

anomoure
anoure
brachyoure
bravoure
loure*

macroure
protoure
thysanoure

-ourg

bourg*
brandebourg
faubourg
fribourg

-ourre

bourre*
courre*
fourre*
laissé-courre ou
laisser-courre
mourre

-ourt

court, e*
ultracourt, e
yaourt, yoghourt ou
yogourt
   (pron. aussi [urt])

-uhr

kieselguhr ou kieselgur
   (pron. aussi [yr])

-ur

kieselgur
   ou kieselguhr
   (pron. aussi [yr])
kommandantur
   (pron. aussi [yr])

Yom Kippur, Kippour
   ou Yom Kippour

Voir T113

[r]   [yr]

-ure	**-ur**	**-uhr**	**-ûr**	**-ûre**
-ures	-urre	-urrhe	-urs	

-ure

C'est la finale **-ure** qu'on retrouve le plus souvent : *cure, dorure, parure*, etc. Il est intéressant de la remarquer après les lettres **-ge-** dans les mots suivants :

bringeure
envergeure ou enverjure

gageure
mangeure

vergeure

Voir T111

-ur

Les mots en **-ur** sont assez nombreux :

azur
deleatur ou déléatur
dur, e*
exequatur
extradur
fémur

futur, e
imprimatur
impur, e
jodhpur(s)
kieselgur ou kieselguhr
   (pron. aussi [ur])

kommandantur
   (pron. aussi [ur])
lémur*
mur*
ne varietur

obscur, e
pur, e
regur
sur, e*

Voir T112

Attention !

-uhr

kieselguhr ou kieselgur
   (pron. aussi [ur])

-ûr

mûr, e*
sûr, e*

-ûre

mûre*
piqûre
surpiqûre

-ures

balayures
baquetures
battitures
démêlure(s)
peignures
râtelures

Les terminaisons

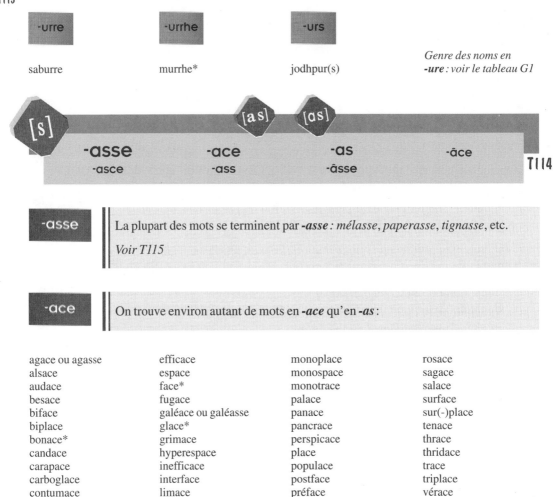

-urre

saburre

-urrhe

murrhe*

-urs

jodhpur(s)

Genre des noms en
-ure *: voir le tableau G1*

[s] **-asse** [as] **-ace** [as] **-as** **-âce**
-asce -ass -âsse

T114

-asse

La plupart des mots se terminent par **-asse** : *mélasse, paperasse, tignasse*, etc.

Voir T115

-ace

On trouve environ autant de mots en **-ace** qu'en **-as** :

agace ou agasse	efficace	monoplace	rosace
alsace	espace	monospace	sagace
audace	face*	monotrace	salace
besace	fugace	palace	surface
biface	galéace ou galéasse	panace	sur(-)place
biplace	glace*	pancrace	tenace
bonace*	grimace	perspicace	thrace
candace	hyperespace	place	thridace
carapace	inefficace	populace	trace
carboglace	interface	postface	triplace
contumace	limace	préface	vérace
coriace	loquace	pugnace	vivace
dace	lovelace	race	vorace
dédicace	menace	rapace	
			Voir T115, 117

-as

alcarazas	catoblépas	hamadryas	lias*
alias	chlamydomonas	hélas	madras
altuglas ou Altuglas	choléra nostras	hépatopancréas	maracas
anabas	clarias	hypocras	mas*
ananas (pron. aussi [a])	csardas ou czardas	hypospadias	millas, millasse
argas	cycas	juliénas	ou milliasse
as	damas (pron. aussi [a])	kvas ou kwas	ninas
asclépias	épispadias	lampas (pron. aussi [a])	nitrosomonas
atlas	gambas	las*	nostras

⫘➡

palmas
pancréas
papas
patas
pataugas ou Pataugas
pater familias ou
paterfamilias

phytéléphas
plexiglas ou Plexiglas
psoas
ras*
sas* (pron. aussi [a])
sensas ou sensass

spondias
stras ou strass*
tapas
tétras (pron. aussi [a])
trias
trichomonas

upas (pron. aussi [a])
vasistas
vindas (pron. aussi [a])

Voir T1

Attention !

-âce

grâce

-asce

fasce*

-ass

black-bass
by-pass ou bipasse
glass*
jass ou yass
lemon-grass
mêlé-cass, mêlé(-)casse
    ou mêlé-cassis
ray-grass
    (pron. aussi [a],[ɑs])
schlass (pron. aussi [ɑs])
sensass ou sensas
strass ou stras*
yass ou jass

-âsse

châsse

Genre des noms en
-ace, -as et -asse :
voir le tableau G1

[s]

[was]

-oisse   -oice   -ouace   -ouasse   -oisses

TII5

-oisse | On trouve surtout la terminaison *-oisse* :

angoisse
paroisse
poisse

Attention !

-oice

joice ou jouasse

-ouace

fouace

-ouasse

jouasse ou joice

-oisses

époisses

Les terminaisons

[s]

[ãs]

-ance
-ans
-enses

-ence
-anse

-aans
-ens

-ances
-ense

-ance

-ence

Les mots en *-ance* sont presque aussi nombreux que ceux en *-ence*. En comparant uniquement ces deux terminaisons, on remarque toutefois que le groupe sonore [ʒãs] s'écrit toujours *-gence* (*divergence*, *résurgence*, etc.) sauf dans les mots suivants :

allégeance	désobligeance	intransigeance	vengeance
dérogeance	engeance	obligeance	

Les sons [sjãs] s'orthographient le plus souvent *-science* (*conscience*, etc.), à l'exception d'*in-souciance*, de *biosciences* et de *neurosciences* (toujours pluriels). Les sons [ɔnãs] s'écrivent pour leur part soit *-onance* (*résonance*), soit *-onnance* (*ordonnance*). Les sons [sãs] s'écrivent généralement *-scence* (*luminescence*, *résipiscence,* etc.) sauf dans les mots suivants :

Voir C63

-cence

-sance

-sence

-cence	-sance		-sence
décence	connaissance	naissance	absence
indécence	croissance	obéissance	essence
innocence	décroissance	paissance	quintessence
licence	désobéissance	puissance	
magnificence	excroissance	reconnaissance	
munificence	glissance	réjouissance	
récence	impuissance	renaissance	
réticence	jouissance	superpuissance	
	méconnaissance		

Mis à part les mots qui suivent et ceux qui seront énumérés sous la mention «Attention !», tous les autres mots se terminent en *-ance* : *défaillance, délivrance, séance,* etc.

abstinence	désinence	incontinence	proéminence
adhérence	différence	indifférence	providence
affluence	diffluence	indolence	prudence
ambivalence	dissidence	inexistence	pulvérulence
antécédence	efficience	inexpérience	purulence
apparence	effluence	inférence	quérulence
appétence	électrovalence	influence	radiofréquence
audience	éloquence	ingérence	récurrence
audioconférence	éminence	inhérence	référence
audiofréquence	équipollence	insolence	rémanence
audioréférence	équipotence	interférence	rémittence
bivalence	équivalence	intermittence	rénitence
cadence	évidence	irrévérence	résidence
carence	excellence	jouvence	résilience
circonférence	existence	jurisprudence	révérence
clémence	expérience	latence	sapience
coexistence	faïence	obédience	semence
cohérence	féculence	occurrence	sentence
coïncidence	flatulence	omnipotence	séquence
compétence	florence	omniprésence	silence
concurrence	fréquence	opulence	somnolence
conférence	grandiloquence	patience	stridence
confidence	hyperfréquence	pénitence	subsidence
confluence	immanence	permanence	succulence
congruence	imminence	pertinence	téléconférence
connivence	immunocompétence	pestilence	totipotence
conséquence	immunodéficience	polyvalence	transparence
continence	impatience	potence	trivalence
cooccurrence	impénitence	précellence	truculence
coordinence	impertinence	prééminence	turbulence
coprésidence	impotence	préexcellence	valence
corpulence	imprudence	préexistence	véhémence
covalence	impudence	préférence	vidéoconférence
crédence	inappétence	prépotence	vidéofréquence
décadence	incidence	présence	violence
déférence	inclémence	présidence	virulence
déficience	incohérence	prévalence	visioconférence
démence	incompétence	procidence	
déshérence	inconséquence		

Attention !

-aans

afrikaans ou afrikans

-ances

accointance(s)
condoléances

-ans

afrikans ou afrikaans
cis-trans
Marans (race de)

Voir T3

-anse

anse
contredanse
danse*
ganse
hanse
manse*
panse*
transe

-ens

cens
contresens
impatiens
sens

Voir T3, 14, 15, 118

Les terminaisons

-ense

dispense
immense
impense(s)
intense
mense*
offense
récompense
suspense*

autodéfense
défense
dense*
dépense

-enses

impense(s)

Genre des noms en
-ance *: voir le tableau G1*

[s] [ɛs]

-esse	-ès	-ace	-aisse	-èce
-èces	-eiss	-es	-esce	-ess
-èsse	-ez			

T117

-esse La plupart des mots se terminent par **-esse** : *caresse, jeunesse, vitesse*, etc.

-ès On rencontre également la terminaison **-ès**, notamment dans certains mots d'origine étrangère :

aédès ou aedes
alkermès
aloès
aspergès
cacatoès ou kakatoès
chermès
cortès ou Cortes

ès*
exprès, esse*
faciès
fécès ou fèces
florès
hermès
herpès

kakatoès ou cacatoès
kermès
limès ou limes
londrès
népenthès
palmarès
pataquès

sirventès
tabès ou tabes
terfès ou terfesse
xérès ou jerez

Voir T13

Attention !

-ace

ace* (pron. aussi [es])

Voir T114, 115

-aisse

abaisse*
baisse
bouillabaisse

caisse
encaisse
épaisse (fém. de épais)
graisse
laisse
sot-l'y-laisse

-èce

espèce
nièce
périthèce
pièce

-èces

fèces ou fécès*

-eiss

edelweiss ou édelweiss
  (pron. aussi [ajs])
gneiss
speiss

-es

ad patres
aedes ou aédès
Cortes ou cortès
gentes (pl. de gens)
limes ou limès
nes
reales (pl. de réal)
saccharomyces
soleares (pl. de soleá)

tabes ou tabès
tagetes

Voir T4

-esce

´vesce*

-ess

battle-dress
bizness ou business
express*
hammerless
mess*
stress
topless
tubeless

-ësse

boësse

-ez

jerez ou xérès
merguez
   (pron. aussi [ɛz])

Voir T4, 139

Genre des noms en -ès et
***-esse** : voir le tableau G1*

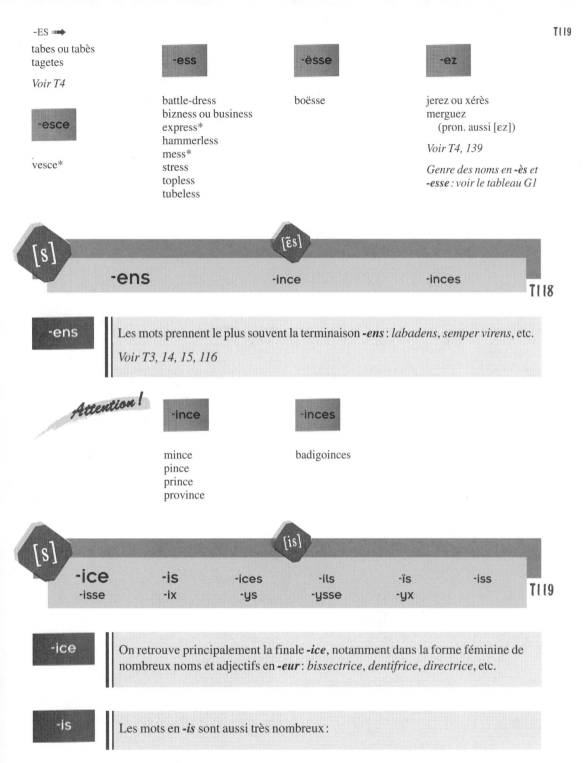

[s] **[ɛ̃s]**

-ens   -ince   -inces

T118

-ens | Les mots prennent le plus souvent la terminaison ***-ens*** : *labadens, semper virens*, etc.
Voir T3, 14, 15, 116

Attention !

-ince

mince
pince
prince
province

-inces

badigoinces

[s] **[is]**

-ice   -is   -ices   -ils   -ïs   -iss
-isse   -ix   -ys   -ysse   -yx

T119

-ice | On retrouve principalement la finale ***-ice***, notamment dans la forme féminine de
nombreux noms et adjectifs en ***-eur*** : *bissectrice, dentifrice, directrice*, etc.

-is | Les mots en ***-is*** sont aussi très nombreux :

III➡

Les terminaisons

adonis
æpyornis ou épyornis
affectio societatis
agrostis
agrotis
amaryllis
ampélopsis
anthémis
anthyllis
ascaris
axis
berbéris
bis*
blinis
botrytis
cannabis
cassis* (pron. aussi [i])
catharsis
cauris (pron. aussi [i])
chionis
cis*
clitoris
cochylis ou conchylis
colonne Morris
consilium fraudis
coréopsis
cypris
de profundis
dinophysis
dinornis

doris
drépanornis
elæis, élæis ou éléis
éléphantiasis
épistaxis
épulis
épyornis ou æpyornis
eudémis
ex-libris
gerris
gloméris
gratis
haggis
hamamélis
hendiadis ou hendiadys
hérédosyphilis
hétérosis
hippeis (pl. de hippeus)
hydrastis
hystérésis
ibéris
ibis
ichtyornis
in extremis
inlandsis
iris
iritis
isatis
jadis
koumis ou koumys

laguis (pron. aussi [i])
lapis
lexis
liparis
lis* ou lys
loris (pron. aussi [i])
lychnis
macrocystis
mégalopolis
métis, isse
mirabilis
mutatis mutandis
mycosis
myosis
myosotis
néréis
oasis
onyxis
orchis
ovotestis
oxalis
paraphimosis
pastis
pécoptéris
pelvis
pénis
phimosis
physalis
picris
pityriasis

praxis
pretium doloris
proglottis
propolis
psoriasis
ptosis ou ptôsis
pubis
pyrosis
pyrrhocoris
rachis
reis
satyriasis
sialis
sui generis
sycosis
synopsis
syphilis
tamaris
tandis que (pron. aussi [i])
tennis
tournevis
trichiasis
trustis
tupinambis
unguis
vermis
vis*
volubilis

Voir T16

Attention !

-ices

auspice(s)
immondice(s)
prémices*
sévices

-ils

fils

-ïs

maïs
raïs

-iss

criss ou kriss*
miss
riss

-isse

abscisse
antiglisse
bâtisse
bisse*
boutisse
canisse ou cannisse
champisse (fém. de
   champi ou champis)
clarisse

clisse
clovisse*
coulisse
cuisse
drisse
éclisse
écrevisse
entrecuisse
esquisse
génisse
glisse
hisse (ho ou oh)
jaunisse
jectisse ou jetisse
jocrisse
lisse*
mantisse
mélisse
métisse (fém. de métis)
narcisse
pelisse

pisse
prémisse*
pythonisse
réglisse
sarisse
saucisse
suisse
tchérémisse
tontisse
tournisse
vibrisse

-ix

dix (pron. aussi [i], [iz])
six (pron. aussi [i], [iz])

Voir T16, 147

-ys

chænichtys
hendiadys ou hendiadis
koumys ou koumis

lys ou lis
oaristys
ophrys

Voir T16

-ysse

abysse
alysse

-yx

coccyx

Voir T147

Genre des noms en -ice, -is, -isse, -ys et -ysse : voir le tableau G1

[s]   [ɔs]

-os   **-osse**   **-oce**   **-oss**

T120

-os

La plupart des mots prennent la finale **-os** : *pathos*, *pronaos*, par exemple. Ces mots peuvent se prononcer selon les cas [ɔs] comme *atroce*, ou [os] comme *fausse*.

Voir T17

-osse

La terminaison **-osse** est aussi assez fréquente :

balanoglosse
bosse*
brosse
buglosse
cabosse
carrosse

colosse
cosse
crosse*
cynoglosse
dosse
drosse

gosse
hypoglosse
isoglosse
jarosse
molosse

ophioglosse
panosse
rosse

Voir T121

Attention !

-oce

atroce
féroce
négoce
noce
précoce
sacerdoce
véloce
volvoce

-oss

bicross
boss*
cross*
vélocross

Genre des noms en -os : voir le tableau G1

Les terminaisons

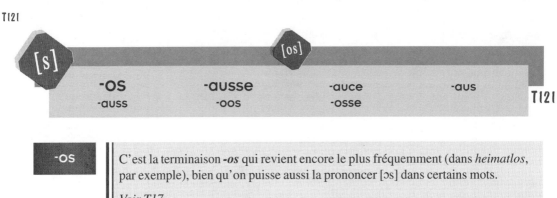

-os

C'est la terminaison **-os** qui revient encore le plus fréquemment (dans *heimatlos*, par exemple), bien qu'on puisse aussi la prononcer [ɔs] dans certains mots.

Voir T17

-ausse

Quelques mots se terminent en **-ausse** :

antihausse	chausse	fausse* (fém. de faux)
causse	défausse	hausse

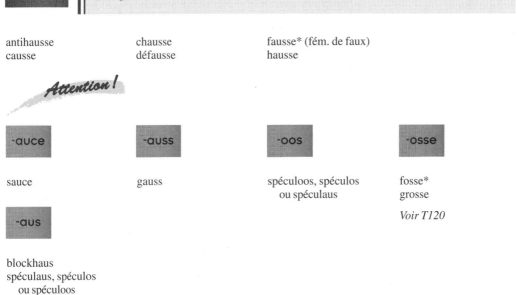

-auce

sauce

-auss

gauss

-oos

spéculoos, spéculos
ou spéculaus

-osse

fosse*
grosse

Voir T120

-aus

blockhaus
spéculaus, spéculos
ou spéculoos

-once

La plupart des mots se terminent par **-once** : *nonce*, *oponce*, etc.

Attention !

-onc'

caf'conc'

Voir T18, 70

-ons

skons, sconse,
    skunks ou skuns

Voir T18, 19, 21

-onse

absconse
    (fém. de abscons)
réponse
sconse, skons,
    skunks ou skuns

-unks

skunks, sconse,
    skons ou skuns

-uns

skuns, sconse,
    skons ou skunks

Voir T25

Genre des noms en
***-once* :** *voir le tableau G1*

[s]   [us]

-ousse   **-ouce**   **-ous**
-us   -uss

T123

-ousse   La majorité des mots se termine par ***-ousse* :** *brousse, frousse, trousse*, etc.

Attention !

-ouce

douce (fém. de doux)
pouce*

-ous

burnous (pron. aussi [u])
couscous
mahous, ousse ou
maous, ousse

Voir T22

-us

de cujus (pron. aussi [ys])

Voir T26

-uss

schuss

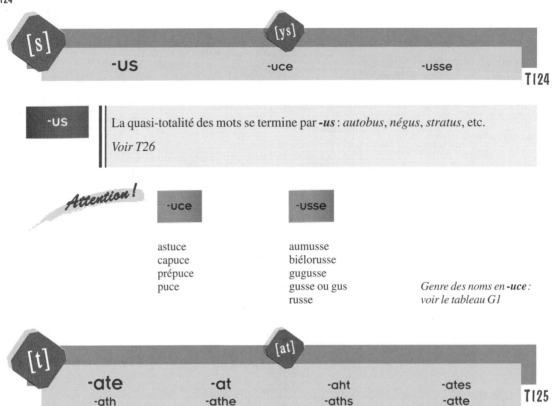

-US

La quasi-totalité des mots se termine par **-us** : *autobus*, *négus*, *stratus*, etc.

Voir T26

Attention !

-uce

astuce
capuce
prépuce
puce

-usse

aumusse
biélorusse
gugusse
gusse ou gus
russe

*Genre des noms en **-uce** :*
voir le tableau G1

-ate

La plupart des mots se terminent par **-ate** : *carbonate*, *mainate*, *silicate*, etc.

Voir T126, 128

-at

On trouve plusieurs mots en **-at**, dont le *t* final se prononce ; ils sont souvent issus de langues étrangères :

afat ou A.F.A.T.	flat (pron. aussi [a])	qat ou khat	tat ou T.A.T.
anastigmat	ikat	ribat	transat
ou anastigmate	khat ou qat	salat	veniat
audimat ou Audimat	kyat	samizdat	vivat (pron. aussi [a])
diktat	magnificat	scat	zakat
exeat	mat, e*	shabbat	ziggourat
fat, e (pron. aussi [a])	médiamat	sprat	
fiat	pat*	stat	*Voir T1, 126, 130, 132*

Attention !

-aht

baht*

-ates

pénates

-ath

bath*
feldspath
math(s)*
spath*

-athe

agnathe
allopathe
étiopathe
homéopathe
isobathe
marathe ou mahratte
myopathe
névropathe
ostéopathe
prognathe
psychopathe
spathe*
syngnathe
télépathe

-aths

math(s)*

-atte

baratte
batte*
blatte
chanlatte ou chanlate
chatte (fém. de chat)
datte*
effarvatte
gatte
gratte
jatte

latte
mahratte ou marathe
malmignatte
matte*
natte
patte*
ratte*
surpatte

*Genre des noms en -at et
-ate : voir le tableau G1*

[t] **[wat]**

-oite
-ouate

-oit
-uat

-oïte
-watt

-oitte

T126

-oite

On retrouve principalement la finale *-oite* : *droite*, *moite*, etc.

Attention !

-oit

soit* (pron. aussi [wa])
Voir T2

-oïte

benoîte
boîte*

-oitte

boitte*, boëte, boette,
   boëtte ou bouette

-ouate

alouate
ouate*

-uat

kumquat
squat

-watt

hectowatt
kilowatt
mégawatt
watt*

Les terminaisons

-ante
La plupart des mots prennent la terminaison *-ante* : *ailante*, *plante*, *rossinante*, etc. ; c'est aussi le cas de la forme féminine des adjectifs et des noms en *-ant*.

-ente
La terminaison *-ente* est assez fréquente ; au féminin des adjectifs et des noms en *-ent*, on peut ajouter les mots suivants :

attente	fente	permanente	suspente
charpente	fiente	polyvalente	tangente
contrepente	impatiente	présidente	tarente
cotangente	lente	rente	télévente
descente	mésentente	revente	tente*
détente	mévente	sente*	tourmente
ente*	parapente	serpente	trente
entente	parturiente	sirvente	vente
farniente	patente	soupente	
(pron. aussi [ɛnte], [ɛ̃t])	pente*	survente	*Voir T3, 129*

-anthe

acanthe	périanthe
cœlacanthe	philanthe*
hélianthe	rhinanthe
ményanthe	scléranthe
œnanthe	

-ent

gent* (pron. aussi [ɑ̃])

Voir T3, 15, 129

-enthe

menthe*

Genre des noms en -ante, -anthe et -ente : voir le tableau G1

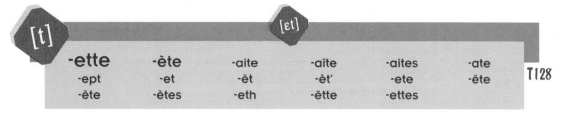

-ette

La plupart des mots prennent la terminaison **-ette** : *limette*, *vedette*, etc. ; c'est le cas notamment de la forme féminine de certains adjectifs et noms en **-et** : *coquette*, *proprette*, etc.

-ète

Les mots en **-ète** sont également assez nombreux :

actinomycète
agamète
alphabète
ammocète
anachorète
analphabète
arbalète
argyronète
arpète ou arpette
ascète
ascomycète
asyndète
athlète
basidiomycète
blastomycète
cacahouète ou
cacahuète
centripète
circaète
comète
complète
  (fém. de complet)
concrète (fém. de concret)

désuète (fém. de désuet)
diabète
diète
discomycète
discrète (fém. de discret)
épithète
esthète
eumycète
exégète
fivète ou fivete
gamète
gastéromycète ou
gastromycète
gnète
guète ou guette
gypaète
helvète
hyménomycète
incomplète
  (fém. de incomplet)
indigète
indiscrète
  (fém. de indiscret)

inquiète (fém. de inquiet)
interprète
isoète
isohyète
massorète
musagète
mysticète
myxomycète
népète
nomothète
obsolète
odontocète
oligochète
orcanète ou orcanette
ossète
perpète (à) ou perpette (à)
phycomycète
planète
poète
polychète
porphyrogénète
préfète
prophète

protoplanète
proxénète
quiète (fém. de quiet)
replète (fém. de replet)
sarrète, sarrette
  ou serrette
saynète
secrète
siphomycète
spirochète
streptomycète
suffète
tagète ou tagette
thesmothète
thète*
triathlète
uraète
zétète
zoogamète
zygomycète

Attention !

-aite

défaite
entrefaite(s)
laite*
préretraite

retraite
traite

On peut ajouter à cette liste le féminin des adjectifs et des noms en **-ait** : *faite,* satisfaite*, etc.

Voir T13

-aîte

faîte*

-aites

entrefaite(s)

Les terminaisons

-ate

skate
starting-gate

Voir T125, 126

-ept

sept*

Voir T151

-et

basket
celebret
cet, cette*
cricket
fret* (pron. aussi [ɛ])
gadget
jacket*
jet*
Knesset
let*
net*
offset
pickpocket
quartet ou quartette
quintet*

racket*
rocket ou roquette*
set*
soviet
suet* (pron. aussi [ɛ])
tacet*
ticket* (pron. aussi [ɛ])
velvet
vilayet (pron. aussi [ɛ])
water-closet
whippet

Voir T13, 130

-êt

survêt
têt*

Voir T13

-èt'

cafèt'

-ete

colcrete
fivete ou fivète

-ëte

boëte, boette, boëtte,
   boitte ou bouette

-ête

arête
bébête
bête*
conquête
crête
déshonnête
enquête
fête*
honnête
malhonnête
quête
reconquête
requête
tempête
tête*

-êtes

pépètes ou pépettes
pyrénomycètes

-eth

aneth
schibboleth
taleth ou talleth

-ëtte

boëtte, boëte, boette,
   boitte ou bouette

-ettes

castagnettes
clopinettes
cuissettes
mirette(s)
pépettes ou pépètes
poucettes
rillettes
roupettes

*Verbes en -eter et -etter :
voir le tableau C142*

*Genre des noms en -ète
et -ette : voir le tableau
G1*

---

[t]   [ɛ̃t]

-einte   **-inte**   **-ainte**   **-eintes**
  -ent   -ente   -int   -inthe   **T129**

-einte ‖ La plupart des mots se terminent par *-einte* : *empreinte*, *teinte*, etc.

-inte ‖ Plusieurs mots prennent également la finale *-inte* :

⇒

adjointe (fém. de adjoint)
aquatinte
coloquinte

conjointe
  (fém. de conjoint)
disjointe
  (fém. de disjoint)

jointe (fém. de joint)
ointe (fém. de oint)
pinte*

pointe
quinte
trépointe

Attention !

-ainte

complainte
contrainte
crainte
mainte (fém. de maint)
plainte*
précontrainte
sainte* (fém. de saint)

-eintes

épreintes

-ent

privatdocent ou
privatdozent
  (pron. aussi [ɛnt])

Voir T3, 15, 127

-ente

aguardiente
  (pron. aussi [ɛnte])
farniente
(pron. aussi [ɛnte], [ãt])

Voir T127

-int

peppermint ou pippermint
  (pron. aussi [int])

Voir T14

-inthe

absinthe
helminthe
hyacinthe
jacinthe
labyrinthe
némathelminthe
plathelminthe
plinthe*
térébinthe

[t] **[it]**

-ite	**-yte**	**-eat**	**-eet**	**-it**
-it	-ïte	-ïte	-ith	-ithe
-itt	-itte	-ythe		

T130

-ite

La majorité des mots prend la terminaison *-ite* : *alucite, ammonite, colite,* etc.

-lite

-lithe

-lyte

Le groupe sonore [lit] en fin de mot s'écrit le plus souvent *-lithe*.
On retrouve également quelques mots en *-lyte*, ainsi que quatre cas particuliers :
banana split*, *talith (ou *tallith*), ***mélitte*** et ***schlitte***.

-lithe

coprolithe
éolithe
galalithe ou Galalithe
hydrolithe
mégalithe
monolithe
otolithe
oxylithe
podolithe

-lithe *Ou*

aérolithe
chrysolithe
cryolithe
laccolithe
lépidolithe
microlithe
oolithe
phonolithe
pisolithe
rhyolithe
sidérolithe
zéolithe

-lite

aérolite
chrysolite
cryolite
laccolite
lépidolite
microlite
oolite
phonolite
pisolite
rhyolite
sidérolite
zéolite

-lyte

acolyte
alyte
ampholyte
électrolyte
prosélyte
scolyte

-yte

En plus des mots en *-lyte* mentionnés précédemment, la finale *-yte* est assez fréquente :

ammodyte
baryte

pélodyte
presbyte

trachyte
troglodyte

-cyte

adipocyte
érythrocyte
gamétocyte
gonocyte
granulocyte
hépatocyte
histiocyte
leucocyte
lymphocyte
macrocyte
mégacaryocyte

mégalocyte
mélanocyte
métamyélocyte
monocyte
myélocyte
oocyte ou ovocyte
ostéocyte
phagocyte
plasmocyte
promyélocyte
réticulocyte
spermatocyte
thrombocyte
thymocyte
tréphocyte

-phyte

bryophyte
charophyte
cormophyte
cryptophyte
cyanophyte
épiphyte
gamétophyte
halophyte
néophyte
ostéophyte
protophyte

ptéridophyte
pyrophyte
saprophyte
spermaphyte ou
spermatophyte
sporophyte
thallophyte
trachéophyte
xérophyte
zoophyte

Attention !

-eat

beat*
dead-heat

-eet

skeet

-it

accessit
aconit
affidavit
akvavit ou aquavit
audit
banana split
bit*
cockpit
déficit
digit

dixit
Durit ou durite
éfrit*
exit
granit ou granite
hit
huit (pron. aussi [yi])
incipit
instit
inuit
kit*
obit
pandit (pron. aussi [i])
pipit ou pitpit

prétérit
prurit
pschit, pcht, pschitt
   ou pscht
réquisit
ringgit
rit ou rite*
satisfecit
Securit ou sécurit
shit
transit
white-spirit

Voir T16, 134

-ït

coït
introït

-ïte

caraïte, karaïte ou qaraïte
çivaïte ou sivaïte
nicolaïte
saïte
tokyoïte

-ite

gîte

-ith

granny-smith
hadith
talith ou tallith
turbith
zénith

-ithe

cérithe ou cérite
télolécithe

Voir -lithe

-itt

pschitt, pcht, pschit
   ou pscht
psitt ou pst

-itte

bitte*
fritte*
mélitte
palafitte
quitte*
schlitte

-ythe

lécythe
mythe*
scythe*

*Genre des noms en -it,
-ite, -ithe, -itte et -yte :
voir le tableau G1*

[t]   [ɔt]

-ote	-otte	-acht	-ot
-othe	-ott	-ottes	-ought

-ote

La majorité des mots se termine par *-ote* : *échalote, jugeote, rhynchote*, etc.
Notons les formes féminines de ***rigolo*** et de ***typo*** : ***rigolote*** et ***typote***.

-otte

On trouve plusieurs mots en *-otte* :

bachotte
ballotte*
bellotte (fém. de bellot)
biscotte
boscotte (fém. de boscot)
botte*
bougeotte
bouillotte
boulotte (fém. de boulot)
cagerotte
cagnotte
caillebotte

calotte
cancoillotte
carotte
chamotte
charlotte
cheviotte
chiotte
chochotte
cocotte
cotte*
crotte
culotte

don Quichotte
épiglotte
flotte
garrotte
gavotte
gelinotte ou gélinotte
gibelotte
glotte
goulotte
griotte
grotte
hotte

hulotte
jeunotte (fém. de jeunot)
kichenotte ou quichenotte
linotte
longotte
maigriotte
   (fém. de maigriot)
marcotte
marmotte
marotte
mascotte
masselotte

Les terminaisons

menotte
motte
palangrotte
pâlotte (fém. de pâlot)
péotte
polyglotte
poulotte (fém. de poulot)
quenotte
quichenotte ou kichenotte

rigotte
roulotte
sciotte
sotte (fém. de sot)
trotte
vieillotte (fém. de vieillot)
vitelotte
wyandotte

-otte   *Ou*   **-ote**

barbotte
chicotte
gnognotte
golmotte
lotte
loupiotte
  (fém. de loupiot)
parlotte

barbote
chicote
gnognote
golmote
lote
loupiote

parlote

Attention !

-acht

yacht (pron. aussi [ot])

-ot

dot*
fox-trot
hot*
jackpot
kot
melting-pot

passing-shot
phot
rot*
spot
stock-shot

Voir T17, 134

-othe

ostrogothe
  (fém. de ostrogoth)
wisigothe
  (fém. de wisigoth)

-ott

boycott
chott
Pott (mal de)

-ottes

chocottes

-ought

dreadnought

Verbes en -oter et -otter : voir le tableau C151

Genre des noms en -ot et -ote : voir le tableau G1

[t]   **[ot]**

-aute   -acht   -oat   -ôte

-aute   ‖ La plupart des mots se terminent par **-aute** : *argonaute*, *astronaute*, etc.

Attention !

-acht

yacht (pron. aussi [ɔt])

-oat

autocoat
cat-boat
duffel-coat ou
duffle-coat
ferry-boat
house-boat
ice-boat
trench-coat

-ôte

côte
entrecôte
hôte*
maltôte
Pentecôte

Genre des noms en -ôte : voir le tableau G1

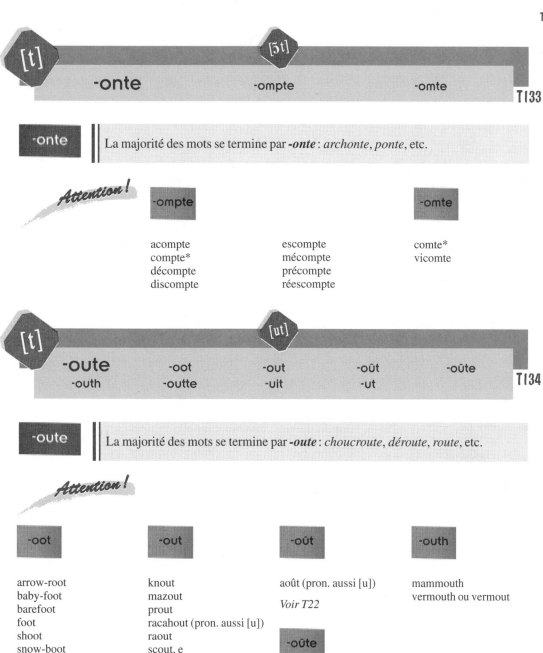

[t] **[ɔ̃t]**

-onte   -ompte   -omte

-onte | La majorité des mots se termine par **-onte** : *archonte*, *ponte*, etc.

Attention !

-ompte

		-omte
acompte	escompte	comte*
compte*	mécompte	vicomte
décompte	précompte	
discompte	réescompte	

[t] **[ut]**

-oute   -oot   -out   -oût   -oûte
-outh   -outte   -uit   -ut

-oute | La majorité des mots se termine par **-oute** : *choucroute*, *déroute*, *route*, etc.

Attention !

-oot

arrow-root
baby-foot
barefoot
foot
shoot
snow-boot

-out

knout
mazout
prout
racahout (pron. aussi [u])
raout
scout, e
stout (pron. aussi [aut],
    [awt])
vermout ou vermouth

Voir T22

-oût

août (pron. aussi [u])

Voir T22

-oûte

croûte
voûte

-outh

mammouth
vermouth ou vermout

Les terminaisons

-outte

goutte*
stilligoutte

-uit

grape(-)fruit

-ut

input
inuktitut
output

Voir T26, 135

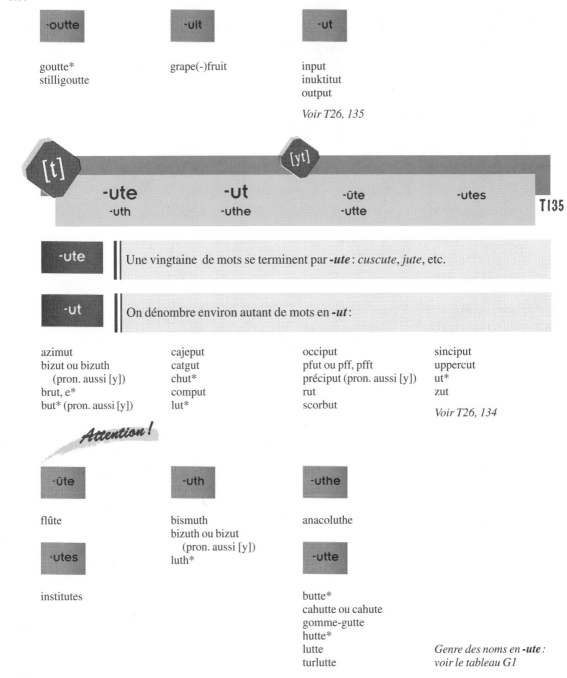

[t]   **[yt]**

-ute   **-ut**   **-ûte**   **-utes**
-uth   **-uthe**   **-utte**

-ute ‖ Une vingtaine de mots se terminent par **-ute** : *cuscute*, *jute*, etc.

-ut ‖ On dénombre environ autant de mots en **-ut** :

azimut
bizut ou bizuth
   (pron. aussi [y])
brut, e*
but* (pron. aussi [y])

cajeput
catgut
chut*
comput
lut*

occiput
pfut ou pff, pfft
préciput (pron. aussi [y])
rut
scorbut

sinciput
uppercut
ut*
zut

Voir T26, 134

Attention !

-ûte

flûte

-uth

bismuth
bizuth ou bizut
   (pron. aussi [y])
luth*

-uthe

anacoluthe

-utes

institutes

-utte

butte*
cahutte ou cahute
gomme-gutte
hutte*
lutte
turlutte

*Genre des noms en **-ute** :
voir le tableau G1*

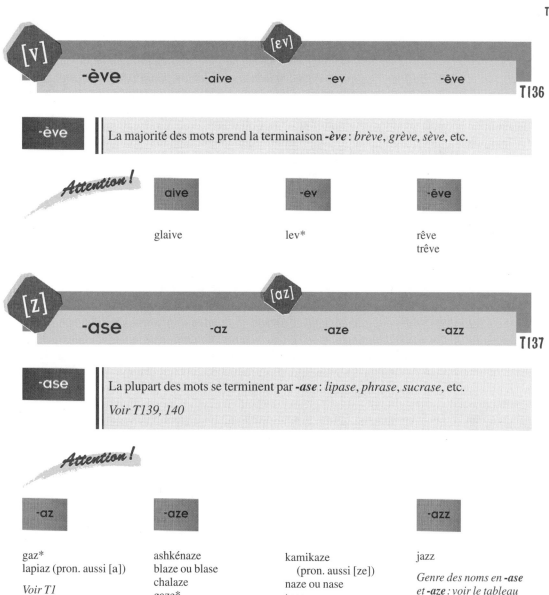

-ève / [ɛv]

-ève — La majorité des mots prend la terminaison **-ève** : *brève, grève, sève*, etc.

Attention !

aive	-ev	-ève
glaive	lev*	rêve
		trêve

-ase / [az]

-ase — La plupart des mots se terminent par **-ase** : *lipase, phrase, sucrase*, etc.

Voir T139, 140

Attention !

-az
gaz*
lapiaz (pron. aussi [a])

Voir T1

-aze
ashkénaze
blaze ou blase
chalaze
gaze*

kamikaze
(pron. aussi [ze])
naze ou nase
topaze

-azz
jazz

*Genre des noms en **-ase** et **-aze** : voir le tableau G1*

-oise | Tous les mots se terminent par ***-oise*** : *noise*, *québécoise*, *toise*, etc.
Notez que ***tricoises*** est toujours pluriel.

Genre des noms en
-oise *: voir le tableau G1*

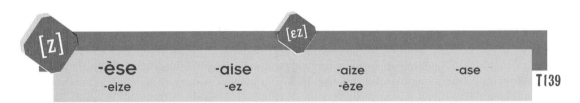

-èse | La plupart des mots prennent la finale ***-èse*** : *parenthèse*, *synthèse*, etc.

-aise | On trouve plusieurs mots en ***-aise***, en plus du féminin des noms et adjectifs en ***-ais*** :

aise	bordelaise	fournaise	mortaise
alaise ou alèse	braise	foutaise	polonaise
anglaise	charentaise	fraise	portugaise
aragonaise	cimaise ou cymaise	glaise	punaise
baise	daraise	malaise	
balaise, balès,	euphraise	maltaise	*Voir T13*
balèse ou balèze	fadaise	mayonnaise	
basquaise	falaise	mésaise	

Attention !

-aize

gaize
laize*

-ase

attaché-case
steeple-chase
  (pron. aussi [ez])
vanity-case
  (pron. aussi [ez])

Voir T137, 140

-eize

seize
treize

-ez

fez
merguez (pron. aussi [ɛs])

Voir T4, 117

-èze

balèze, balaise, balès
    ou balèse
guèze
jèze ou jèse (jésuite)
mélèze

pèze*
pièze
planèze
terfèze, terfès ou terfesse
trapèze

*Genre des noms en **-aise** et **-èse** : voir le tableau G1*

[z] [iz]

-ise
-ïse

-yse
-ix

-ease
-iz

-eeze
-ize

-ies

T140

-ise

-lyse

-physe

La majorité des mots se termine en **-ise** : *crise, mise, prise,* etc. Les groupes sonores [liz] et [fiz] s'écrivent quant à eux **-lyse** et **-physe**, à l'exception des mots suivants :

alise ou alize
balise
église

enclise
lise*
radiobalise

valise
vocalise

Attention !

-ease

strip(-)tease

-eeze

squeeze

-ies

pennies (pl. de penny)

Voir T16

-ïse

moïse

-ix

dix (pron. aussi [i], [is])
six (pron. aussi [i], [is])

Voir T16, 147

-iz

kirghiz, e
quiz
rémiz
show(-)biz

Voir T16

-ize

alize ou alise
brize*
mycorhize
pezize ou pézize

*Genre des noms en **-ise**, **-ize** et **-yse** : voir le tableau G1*

Les terminaisons

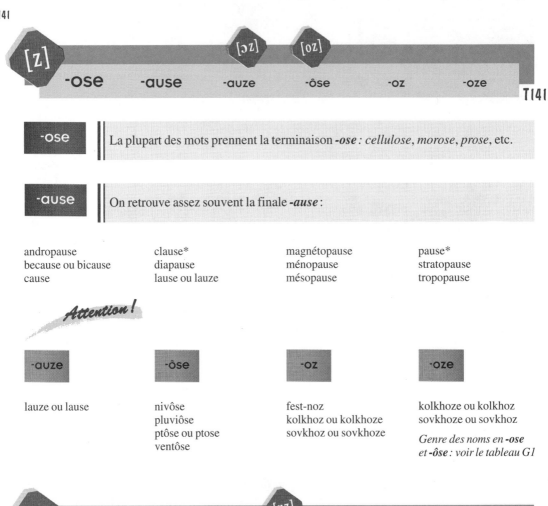

-ose [z] • **-ause** • **-auze** [ɔz] • **-ôse** [oz] • **-oz** • **-oze**

-ose ‖ La plupart des mots prennent la terminaison **-ose** : *cellulose, morose, prose*, etc.

-ause ‖ On retrouve assez souvent la finale **-ause** :

andropause	clause*	magnétopause	pause*
because ou bicause	diapause	ménopause	stratopause
cause	lause ou lauze	mésopause	tropopause

Attention !

-auze • **-ôse** • **-oz** • **-oze**

lauze ou lause	nivôse	fest-noz	kolkhoze ou kolkhoz
	pluviôse	kolkhoz ou kolkhoze	sovkhoze ou sovkhoz
	ptôse ou ptose	sovkhoz ou sovkhoze	
	ventôse		

*Genre des noms en **-ose** et **-ôse** : voir le tableau G1*

-ouse [z] • **-ouze** [uz] • **-ues**

-ouse ‖ La plupart des mots se terminent par **-ouse** : *blouse, farlouse*, etc.
‖ On note aussi le féminin d'*époux* et de *jaloux* : **épouse** et **jalouse**.

Attention !

-ouze

barbouze
douze
flouze ou flouse

partouze ou partouse
perlouze ou perlouse
tantouze ou tantouse
toungouze ou toungouse

-ues

blues

Voir T26

Genre des noms en -ouse et -ouze : voir le tableau G1

[z] **[yz]**

-use **-uses** **-uze**

-use La quasi-totalité des mots prend la finale **-use** (*écluse*, *méduse*, etc.) notamment le féminin des adjectifs et des noms en **-us** : *abstruse*, *confuse*, etc., ainsi que **canuse**, le féminin de **canut**.

Attention !

-uses **-uze**

scyphoméduses druze

Genre des noms en -use : voir le tableau G1

[ks] **[aks]**

-ax **-axe**

-ax On retrouve surtout la finale **-ax** : *addax*, *anthrax*, *thorax*, etc.

Attention !

-axe

axe
biaxe

cylindraxe
détaxe
entraxe*
morphosyntaxe
névraxe
parallaxe

parataxe
relaxe*
saxe*
scramasaxe
surtaxe
syntaxe

taxe
uniaxe

Genre des noms en -axe : voir le tableau G1

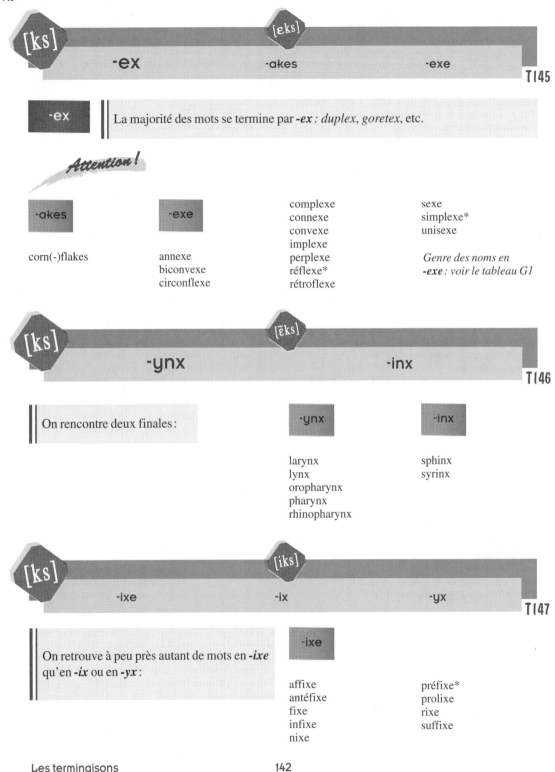

-ex | La majorité des mots se termine par **-ex** : *duplex*, *goretex*, etc.

Attention !

-akes

corn(-)flakes

-exe

annexe
biconvexe
circonflexe

complexe
connexe
convexe
implexe
perplexe
réflexe*
rétroflexe

sexe
simplexe*
unisexe

Genre des noms en
-exe : *voir le tableau G1*

-ynx | **-inx**

On rencontre deux finales :

-ynx

larynx
lynx
oropharynx
pharynx
rhinopharynx

-inx

sphinx
syrinx

-ixe | **-ix** | **-yx**

On retrouve à peu près autant de mots en **-ixe**
qu'en **-ix** ou en **-yx** :

-ixe

affixe
antéfixe
fixe
infixe
nixe

préfixe*
prolixe
rixe
suffixe

-ix

hélix
lagothrix
phénix ou phœnix
préfix, e*
remix

sandix ou sandyx
strix
tamarix

Voir T16

-yx

aptéryx
archéoptéryx
bombyx
cérambyx
onyx

oryx
sandyx ou sandix
sardonyx
trionyx

Voir T119

Genre des noms en
***-ixe** : voir le tableau G1*

[ks] **[ɔks]**

-OX   **-ocks**   **-okes**   **-oxe**

-ox | La plupart des mots se terminent par ***-ox*** : *cow-pox*, *intox*, etc.

Attention !

-ocks

dreadlocks

-okes

stokes
(pron. aussi [oks])

-oxe

boxe*
équinoxe

hétérodoxe
intoxe ou intox
orthodoxe
paradoxe
stomoxe

[kt] **[ɛkt]**

-ect   **-ecte**   **-ectes**

|| On rencontre environ autant de mots en ***-ect*** qu'en ***-ecte***.

-ect

abject, e
affect
correct, e
direct, e
hypercorrect, e
incorrect, e

indirect, e
infect, e
intellect
prospect
select ou sélect, e

Voir T13

-ecte

architecte
collecte
dialecte
eunecte
idiolecte
insecte

latrodecte
notonecte
pleuronecte
secte

143

Les terminaisons

T149

-ectes

analectes ou analecta
pandectes

*Genre des noms en
-ecte : voir le tableau G1*

[ps] [ɛps] **-eps** **-epse**

T150

-eps | Les mots prennent généralement la finale **-eps** :

anableps	reps
biceps	seps
forceps	triceps
princeps	turneps ou turnep
quadriceps	

-epse

prolepse
syllepse

[pt] [ɛpt] **-epte** **-ept**

T151

|| On rencontre presque autant de mots en **-epte** qu'en **-ept**.

-epte   **-ept**

adepte	concept
inepte	percept
lepte	transept
précepte	
	Voir T128

[rs] [ars]

-arse   -arce   -ars

T152

Les mots en **-arse** et en **-arce** sont presque aussi nombreux les uns que les autres :

-arse

-arce

-ars

comparse
darse ou darce
métatarse
narse
tarse

darce ou darse
farce
garce

ars (pron. aussi [ar])
mars

Voir T1, 105

Genre des noms en
-arse *: voir le tableau G1*

[rt] [ert]

-erte   -ert   -ertes   -erthe

T153

-erte

On trouve généralement la finale **-erte** : *alerte, découverte, némerte,* etc.

Attention !

-ert

-ertes

-erthe

dissert
navicert (pron. aussi [ɛr])
sievert (pron. aussi [œrt])

Voir T107

certes*

berthe

Les confusions orthographiques

Rien n'est plus fâcheux que de se mettre à hésiter sur des mots que l'on emploie tous les jours, mais à propos desquels on se demande à brûle-pourpoint s'il faut écrire un *l* ou deux, *c* ou *qu*, *x* ou *ct*, et ainsi de suite. Certains de ces dilemmes « existentiels » ont déjà été résolus dans le chapitre précédent, lorsqu'ils se rapportaient strictement à la finale des mots (*échalote* et *cagnotte* pour les sons [ɔt], *musulmane* et *paysanne* pour les sons [an], etc.). Le présent chapitre se concentrera pour sa part sur des problèmes que l'on ne rencontre pas nécessairement dans la terminaison des mots : les consonnes simples ou doublées, les lettres différentes produisant le même son, les lettres et groupes de lettres plus rares ou prononcés de manière inhabituelle. Il est à noter que les éléments étudiés ont été choisis arbitrairement, afin de refléter ce qui, à notre humble avis, nous a paru le plus pertinent.

La première section du chapitre traite ces questions par le biais de comparaisons portant sur une graphie spécifique (et non plus seulement sur le son final) : par exemple, les mots en *-cable* et en *-quable*, en *-ument* et en *-uement*, en *-onal* et en *-onnal*, l'emploi des lettres *-gir-* et *-gyr-*. Ces parallèles ont été réalisés en tenant compte de la prononciation des mots, plutôt que de leur simple orthographe : lorsqu'on compare les mots en *-amer* (comme *ramer*) et en *-ammer* (comme *programmer*), on n'aura pas tenu compte de l'adjectif *amer*, qui détonne de par sa prononciation. La seconde section analyse d'autres difficultés portant sur des lettres et des groupes de lettres spécifiques, sans établir de comparaisons : on rencontrera notamment des mots qui contiennent les lettres siamoises *æ*, d'autres où le *-ch-* se prononce [k], etc.

Pour faciliter l'apprentissage, on pourra se contenter de mémoriser les graphies minoritaires dont le titre est en bleu, et de lire simplement les mots des graphies majoritaires, qui souvent n'ont pas tous été énumérés et sont alors suivis d'un « etc. » et de leur nombre approximatif ; la liste complète de ces mots est toutefois présentée lorsqu'on en trouve presque autant pour l'une et l'autre graphie. Il est souvent avantageux de s'aider d'un tableau à l'autre, lorsque les verbes, les noms ou les adjectifs de la même famille ont le même radical (*carottier* et *carotter*, notamment) ; on pourrait étudier d'abord, par exemple, les mots en *-oniste*, pour compléter ensuite avec les mots en *-onisme* qui n'avaient pas déjà leur pendant en *-oniste*. La prudence est toutefois de mise, car il est facile de confondre des mots de même famille dont le radical ne diffère que par une lettre (*donateur* et *donner*, entre autres).

La mention « + dér. » indique que les mots de la même famille présentent la même difficulté : « accéder + dér. » dans le tableau du *-cc-* prononcé [ks] implique que les deux *c* d'*accès* et d'*accessible* se liront également [ks] ; de même, « luminescence + dér. » sous-entend que *chimioluminescence* et *thermoluminescence* se termineront aussi par *-escence*. Souvent, la

> Que l'on soit un adepte du fonctionnalisme ou du rationalisme, que l'on considère l'orthographe comme une discipline tyrannique et satanique, comme un moyen de se dépanner lorsqu'on veut écrire sans ahaner, ou encore comme la quintessence de la déliquescence, la clé de la réussite pour les francophiles en cours de cognition est d'ouvrir l'œil promptement pour s'acquitter sans contrition de cette mission que représente, selon les cas, le polissage ou le rapiéçage de leurs connaissances linguistiques.

mention « + dér. » se rapportera aux mots débutant par le même préfixe (*chrys-* dans le tableau du *-ch-* prononcé [k], ou *penta-* dans celui du *-en-* prononcé [$\tilde{\epsilon}$]). Enfin, quelques dérivés ont été mentionnés en plus de leur mot d'origine lorsqu'ils s'avéraient plus difficiles à reconnaître (*sceau* et *sceller*, *acquis* et *acquérir*, etc.). L'astérisque indique que, selon le sens, le mot revêt l'une ou l'autre des graphies mises en parallèle.

Les corrélats renverront quant à eux au chapitre « Terminaisons » pour des mots où le problème du doublement de consonne se retrouve dans le son final, ainsi qu'au chapitre « Accents » pour un parallèle avec des mots ne portant pas le même accent. On pourra aussi consulter les chapitres « Mots étrangers » et « Homonymes » pour identifier l'origine des mots comportant des lettres particulières, ou le sens des termes suivis d'un astérisque.

Plan du chapitre

Comparaisons entre des graphies similaires

Il est fréquent d'hésiter dans la finale des mots sur la présence ou l'absence d'une lettre muette (*-iment* ou *-iement*, *-ument* ou *-uement*), sur le choix d'une autre lettre (*s* ou *t*, *c* ou *qu*), ou bien sur le doublement possible d'une consonne (*l* ou *ll*, *n* ou *nn*). Voici des parallèles entre deux ou plusieurs terminaisons qui se prononcent de la même façon mais diffèrent à l'écrit par une ou deux lettres : *-onais* et *-onnais*, *-cable* et *-quable*, *-icien* et *-itien*, par exemple. On trouvera ces comparaisons classées en ordre alphabétique, à l'intérieur du type de difficulté qu'elles présentent : *c* ou *qu* ; avec ou sans *e* ; *g*, *ge* ou *gu* ; *i* ou *y* ; *l* ou *ll* ; *m* ou *mm* ; *n* ou *nn* ; *p* ou *pp* ; le son [s] : *c*, *s* ou *t* ; le son [s] : *ç* ou *s* ; le son [s] : *sc* ou *ss* ; *t* ou *tt* ; *x* ou *ct*.

C OU QU

La plupart des mots qui dérivent de verbes en **-quer** ou de noms en **-que** changent le *qu* en *c* avant de prendre leur suffixe : *confiscable* (de *confisquer*), *blocage* (de *bloquer*), *africain* (d'*Afrique*), etc.

-cable ou -quable C1

-cable

confiscable
inextricable
etc. (25)

-quable

attaquable
chéquable
critiquable
immanquable
inattaquable
remarquable

Attention !

banquable ou bancable

On écrit par ailleurs kayakable.

-cage ou -quage C2

-cage

antiblocage
applicage
blocage
bocage
cage
contreplacage

déblocage
décorticage
flicage
flocage
marécage
masticage

-quage

apiquage
astiquage
braquage
calquage
claquage
craquage

décalquage
déchoquage
détroquage
encaustiquage
hydrocraquage
laquage

Les confusions orthographiques

-cage

pacage*	remasticage
parcage	rusticage
picage*	saccage
placage*	stucage
racage	

-quage

marquage	plaquage*
masquage	remorquage
matraquage	repiquage
pacquage*	taquage
piquage*	vapocraquage

Attention!

démarquage ou démarcage   plastiquage ou plasticage
démastiquage ou démasticage   truquage ou trucage
dépiquage ou dépicage

On écrit zincage *ou* zingage.

-cain, e ou -quain, e

C3

-cain, e

Attention!

africain, e	jamaïcain, e
mexicain, e	ou jamaïquain, e
vulcain	
etc. (20)	

-caire ou -quaire

C4

-caire

ficaire	
persicaire	
sicaire	
etc. (25)	

-quaire

antiquaire	
disquaire	
moustiquaire	
reliquaire	

-cant, e ou -quant, e

C5

-cant, e

capricant, e	
claudicant, e	
communicant, e	
convaincant, e	
coruscant, e	
fabricant, e	
formicant, e	
intoxicant, e	
mordicant, e	
peccant, e	
prédicant	
provocant, e	
radicant, e	
sécant, e	
suffocant, e	
urticant, e	
vacant, e	
vésicant, e	

-quant, e

attaquant, e	
bêtabloquant, e	
choquant, e	
claquant, e	
clinquant, e	
craquant, e	
croquant, e	
délinquant, e	
manquant, e	
marquant, e	
narcotrafiquant, e	
paniquant, e	
piquant, e	
pratiquant, e	
prédélinquant, e	
trafiquant, e	

-cation ou -quation

C6

-cation

allocation	
altercation	
convocation	
etc. (200)	

-quation

adéquation	
coéquation	
équation	
inadéquation	
inéquation	
liquation	
péréquation	

Ils se prononcent tous
coua-sion.

AVEC OU SANS E

La plupart des noms qui s'écrivent avec un *e* **muet** dérivent de verbes en *-er*: *déblaiement* (nom dérivé de *déblayer*), *gréement* (nom dérivé de *gréer*), *congédiement* (nom dérivé de *congédier*), etc.; par contre, on trouve *braiment* (de *braire*, qui n'est pas un verbe en *-er*), *métairie* (de *métayer*, qui n'est pas un verbe mais bien un nom), *spontanément* (qui n'est pas un nom mais un adverbe). Font toutefois exception *agrément* (d'*agréer*), *châtiment* (de *châtier*), *supplément* (de *suppléer*); de plus, *soierie* a un *e* intercalé même s'il ne provient pas d'un verbe.

-aiement, -aiment ou -ayement C7

-aiement	-aiment	-ayement	*Attention !*
déblaiement	braiment	délayement	égaiement ou égayement
paiement	vraiment	frayement	enraiement ou enrayement
etc. (12)			étaiement ou étayement
			paiement ou payement

On écrit gaîment
ou gaiement.

-aierie ou -airie C8 | -éement ou -ément C9

-aierie	-airie	-éement	-ément
paierie*	frairie	gréement	agrément
	hétairie ou hétérie		spontanément
	librairie		etc. (70)
	mairie		
	métairie		
	pairie*		
	prairie		
	ségrairie		

-iement ou -iment

-iement

appariement
balbutiement
congédiement
crucifiement
déliement
dépliement
émaciement

licenciement
maniement
pépiement
pliement
ralliement
rapatriement
rappariement

rassasiement
remaniement
remerciement
reniement
repliement

-iment

assentiment
ressentiment
etc. (40)

-oiement

atermoiement
louvoiement
etc. (35)

-oierie ou -oirie

-oierie

corroierie
hongroierie
soierie

-oirie

hoirie
plaidoirie

Attention !

voierie ou voirie

-ouement

dénouement
dévouement
ébrouement
échouement
engouement
enjouement

enrouement
nouement
rabrouement
renflouement
secouement

-uement ou -ument

-uement

dénuement
engluement
éternuement
nuement ou nûment
remuement

-ument

résolument
tégument
etc. (12)

Adverbes en -ûment : voir le tableau A32

G, GE, GU

Il est tentant de confondre les noms et les adjectifs en **-gant** ou en **-gent** avec les participes présents des verbes en **-guer** ou en **-ger** à partir desquels ils ont été formés, d'autant plus que plusieurs adjectifs et noms dérivés de ces verbes ont conservé le e intercalé : comparez par exemple les adjectifs *convergent* et *dérangeant* (de *converger* et de *déranger*).

-gant, e ou -guant, e — C15

-gant, e

arrogant, e	gant
colitigant, e	inélégant, e
défatigant, e	intrigant, e
délégant, e	navigant, e
élégant, e	radionavigant
extravagant, e	suffragant, e
fatigant, e	wallingant, e
flamingant, e	zigzagant, e
fringant, e	

-guant, e

*Notamment, le participe présent de tous les verbes en **-guer** :*

en conjuguant
en fatiguant
en naviguant
etc. (75)

-geant, e ou -gent, e — C16

-geant, e

*Notamment, le participe présent des verbes en **-ger** :*

en allégeant
en dérangeant
en limogeant
etc. (200)

-gent, e

agent	diligent, e	intelligent, e
argent	divergent, e	négligent, e
astringent, e	émergent, e	réfringent, e
biréfringent, e	entregent	régent, e
constringent, e	gent	résurgent, e
contingent, e	indigent, e	sergent
convergent, e	indulgent, e	tangent, e
détergent, e	inintelligent, e	urgent, e

I OU Y

Si la référence à certaines racines grecques est souvent d'un précieux secours lorsqu'on hésite entre le *i* et le *y*, quelques mots particulièrement antipathiques, ou ceux que l'on entend pour la première fois, nous font perdre… notre latin. Nous avons ici encore analysé la question dans les finales, mais en plus, à quelques occasions, nous nous sommes également attardées à l'intérieur ou au début des mots.

-gir- ou -gyr-   C17

-gir- et *-gyr-* sont deux variantes du même élément qui signifie « cercle » ; le sens ici ne nous aide donc pas !

-gir-

autogire	girie
girafe + dér.	girodyne
girandole	girofle + dér.
girasol	girolle
giration	giron + dér.
giratoire	girond, e
giraumon ou giraumont	girondin, e
giraviation	girouette
giravion	hégire
girelle	

-gyr-

ægyrine	gyromitre
argyraspide	gyrophare
argyrie ou argyrose	gyropilote
argyrisme	gyroscope + dér.
argyronète	gyrostat
dextrogyre	hydrargyre + dér.
gyrin	lévogyre
gyrocompas	oculogyre
gyromagnétique	panégyrique + dér.
gyromètre	spirogyre

-lithique, -litique ou -lytique   C18

Les mots en *-lithique* dérivent surtout de mots en *-lithe*, élément qui signifie « pierre » (*mégalithe*, *monolithe*, etc.). Quant aux mots en *-lytique*, ils proviennent souvent de noms en *-lyse*, suffixe qui veut dire « solution, dissolution » (*analyse*, *catalyse*, etc.).

-lithique

antilithique
chalcolithique
énéolithique
épipaléolithique
leptolithique
lithique
mégalithique

-litique

anaclitique
antipoliomyélitique
antisyphilitique
apolitique
cellulitique
enclitique
ferrallitique

-lytique

analytique	glycolytique
anxiolytique	hémolytique
caryolytique	lipolytique
catalytique	lytique
cytolytique	paralytique
électrolytique	parasympatholytique
fibrinolytique	protéolytique

-lithique

mésolithique
monolithique
néolithique
oolithique
paléolithique

-litique

géopolitique
glagolitique
hérédosyphilitique
impolitique
nummulitique
ophiolitique
poliomyélitique
politique
proclitique
sociopolitique
syphilitique

-lytique

psychanalytique
scialytique ou
Scialytique
spasmolytique
sympatholytique
vagolytique

Attention !

microlithique
   ou microlitique
phonolithique
   ou phonolitique
pisolithique
   ou pisolitique
sidérolithique
   ou sidérolitique

-phil- ou -phyl-   C19

L'élément **phil-** signifie « ami » (*francophile*, qui aime la France; *philanthrope*, qui aime l'huma-
nité), alors que **phyll-** veut plutôt dire « feuille » (*aphylle*, sans feuilles; *chlorophylle*, couleur verte
des feuilles). On retrouve par ailleurs la graphie **-phil-** à l'intérieur de mots qui n'ont aucune connotation « amicale » (*louis-philippard* ou *tephillim*, par exemple).

-phile

basophile
discophile
nécrophile
etc. (55)

-phil-

anémophilie
anglophilie
aquariophilie
bibliophilie
cartophilie + dér.
coprophilie
discophilie
éosinophilie
francophilie
germanophilie
gérontophilie
haltérophilie
hémophilie
hérédosyphilis
homophilie
louis-philippard, e
lyophiliser + dér.
marcophilie

nécrophilie
pédophilie
philanthe
philanthrope + dér.
philatélie + dér.
philharmonie + dér.
philhellène + dér.
philibeg ou filibeg
philippin, e
philippique
philistin + dér.
philo
philodendron
philologie + dér.
philosophie + dér.
philtre
scripophilie
sidérophiline
spasmophilie + dér.
syphilis + dér.
taphophilie
tephillim, téphillim,
tephillin ou tefillin
xénophilie
zoophilie

-phylle

aphylle
bactériochlorophylle
centrophylle
   ou kentrophylle
chlorophylle
épiphylle
myriophylle
sclérophylle
xanthophylle

-phyl-

anaphylaxie + dér.
phylactère
phylarque
phylétique
phylogenèse + dér.
phylogénie + dér.
phylum
prophylaxie + dér.
staphylier
staphylin, e
staphylocoque + dér.
staphylome
tachyphylaxie

-phyll-

aminophylline
caryophyllacée
caryophyllé, e
chlorophyllien, enne
cristallophyllien, enne
phyllade
phyllie
phyllopode
phyllotaxie
phylloxera ou
phylloxéra + dér.
théophylline

poli-, polli- ou poly- C20

Les mots débutant par **poli-** viennent souvent du grec *polis*, c'est-à-dire « ville » ; le préfixe **poly-** quant à lui signifie « plusieurs ».

poli-		polli-	poly-
poli, e + dér.	poliomyélite + dér.	pollicitation	polychrome
police + dér.	poliorcétique	pollinie + dér.	polyptyque
policer	polir + dér.		polyvalent, e
polichinelle	polisson, onne + dér.		etc. (140)
policlinique*	poliste		
policologie	politique + dér.		

L OU LL

Dans les comparaisons de finales qui suivent, on constate que le *l* **simple** se retrouve plus fréquemment que les deux *l*.

-alement ou -allement C21

-alement	-allement	*Attention !*
chevalement	emballement	trimbalement ou trimballement
ravalement		
etc. (100)		

-aler ou -aller C22

-aler	-aller		*Attention !*
pédaler	aller	raller	trimbaler ou trimballer
surjaler	baller	réinstaller	
etc. (30)	daller	remballer	*Mots en -alle :*
	déballer	taller	*voir le tableau T73*
	emballer	triballer	
	installer		

-alisme ou -allisme   C23

-alisme

canibalisme
confessionnalisme
paternalisme
etc. (130)

-allisme

bimétallisme
monométallisme

Il en va de même pour les mots en *-aliste* et *-alliste* qui dérivent de tous ces noms.

-èlement ou -ellement   C24

-èlement

bourrèlement
cisèlement
décèlement
démantèlement
écartèlement
fidèlement

harcèlement
infidèlement
martèlement
parallèlement

-ellement

encorbellement
tellement
etc. (100)

Attention !

craquèlement
  ou craquellement

Parallèles entre les mots en -èlement et d'autres mots sans accent grave : voir les tableaux A12 et 24

-eler (-elé, e) ou -eller (-ellé, e)   C25

-eler (-elé, e)

appeler
barbelé, e
grommeler
modeler
potelé, e
prunelée
etc. (120)

-eller (-ellé, e)

aquarellé, e
consteller + dér.
démieller
desceller
desseller
emmieller
enfieller
ensellé, e
exceller
flageller + dér.

interpeller
lamellé, e
libeller + dér.
miellé, e
nieller
ocellé, e
ombellé, e
pédicellé, e
peller
quereller

resseller
sceller + dér.
seller
truellée
vieller

Mots en -èle : voir le tableau T75

-èlerie ou -ellerie

C26

-èlerie	-ellerie
grivèlerie	hôtellerie vaissellerie etc. (15)

-elier, ère ou -ellier, ère

C27

-elier, ère	-ellier, ère
chapelier vaisselier etc. (25)	cellier cenellier ou senellier mirabellier sellier tellière

Attention !

dentelier, ère ou dentellier, ère
prunelier, ère ou prunellier, ère

-elliste

C28

aquarelliste duelliste libelliste mutuelliste	nouvelliste pastelliste violoncelliste

-olement ou -ollement

C29

-olement	-ollement
accolement affolement récolement etc. (10)	décollement follement mollement recollement

-oler (-olé, e) ou -oller (-ollé, e)

C30

-oler (-olé, e)	-oller (-ollé, e)	
accoler affoler racoler raffoler etc. (70)	coller contrecollé, e crollé, e décoller désencoller encoller	grisoller mollé, e préencollé, e recoller tollé

Attention !

équipolé ou équipollé
olé ou ollé

*Mots en **-olle** :*
voir le tableau T77

-ulement ou -ullement

C31

-ulement

basculement
pullulement
etc. (6)

-ullement

nullement

-uler (-ulé, e) ou -uller (-ullé, e)

C32

-uler (-ulé, e)

annuler
tintinnabuler
tubulé, e
etc. (115)

-uller (-ullé, e)

bullé, e
buller

*Mots en -ulle :
voir le tableau T81*

M OU MM

Huit fois sur dix dans les comparaisons de finales qui suivent, on retrouve un *m simple* plutôt que deux *m*.

-amation ou -ammation

C33

-amation

acclamation
amalgamation
déclamation
desquamation

diffamation
exclamation
proclamation
réclamation

-ammation

déprogrammation
inflammation
microprogrammation

multiprogrammation
programmation
reprogrammation

-amer (-amé, e) ou -ammer (-ammé, e)

C34

-amer (-amé, e)

acclamer
desquamer
tramer
etc. (20)

-ammer (-ammé, e)

déprogrammer
désenflammer
enflammer + dér.
flammé, e

gammée
multiprogrammé, e
préprogrammé, e
programmer + dér.

renflammer
reprogrammer

*Mots en -amme :
voir le tableau T82*

-amide

C35

pyramide
sulfamide
etc. (12)

-amie

C36

bigamie
infamie
etc. (30)

Les confusions orthographiques

-amien, enne

adamien, enne
  ou adamite
mésopotamien, enne

panamien, enne
  ou panaméen, enne
vietnamien, enne

-amier

balsamier ou baumier
lamier
etc. (8)

-amique

balsamique
islamique
etc. (35)

-amite ou -ammite

-amite

-ammite

adamite
  ou adamien, enne
annamite
calamite
dynamite
préadamite

mammite
psammite

-ammaire

grammaire
mammaire

-amois, e

chamois
siamois, e

-omer(-omé, e) ou -ommer(-ommé, e)

-omer (-omé, e)

abromé, e
chromer + dér.
diatomée
épitomé
géromé

ipomée
protomé
slalomer
tomer

-ommer (-ommé, e)

assommer
consommé
etc. (20)

Attention !

innomé, e ou innommé, e

*Mots en -ome
et en -omme :
voir le tableau T85*

N OU NN

Dans les comparaisons de finales qui suivent, on rencontre le *n* **simple** plus **fréquemment** que les deux *n*.

-anais, e ou -annais, e

C44

-anais, e	-annais, e
orléanais, e	morbihannais, e
panais	villeurbannais, e
etc. (20)	

-aner (-ané, e) ou -anner (-anné, e)

C45

-aner (-ané, e)	-anner (-anné, e)
ahaner	année
caner*	canner*
cutané, e	dépanner + dér.
romanée	empanner
rubaner	enrubanner
etc. (50)	enturbanné, e
	épanner
	panné, e
	scanner
	suranné, e
	tanner + dér.
	vanner + dér.

*Mots en -anne :
voir le tableau T88*

-anerie ou -annerie

C46

-anerie	-annerie
charlatanerie	chouannerie
chicanerie	paysannerie
courtisanerie	tannerie
magnanerie	vannerie
rubanerie	

-anesque

C47

charlatanesque	romanesque
donjuanesque	titanesque
rembranesque	

-anien, enne ou -annien, enne

C48

-anien, enne	-annien, enne
jordanien, enne	riemannien, enne
soudanien, enne	
etc. (20)	

-anier, ère (-anié, e) ou -annier, ère

C49

-anier, ère (-anié, e)	-annier, ère
lanière	bannière
lantanier	cannier, ère*
magnanier	ou canneur, euse
safranière	vannier
etc. (30)	

Attention !

quartanier ou quartannier

C50

-anique ou -annique
C50

-anique

panique
satanique
etc. (40)

-annique

britannique
johannique
stannique
tannique
tyrannique

-anisme
C52

anglicanisme
canadianisme
charlatanisme
etc. (70)

-anir ou -annir
C51

-anir

aplanir

-annir

bannir

-anite ou -annite
C53

-anite

amanite
balanite
granite ou granit
manganite
morganite
organite
thorianite
uranite

-annite

johannite
mannite

-enie ou -enni, e
C54

-enie

chapellenie
châtellenie
vilenie

-enni, e

blennie
décennie
nenni

-enois, e ou -ennois, e
C55

-enois, e

champenois, e

-ennois, e

valenciennois, e
viennois, e

-onade ou -onnade
C56

-onade

cantonade
caronade
cassonade
gonade
limonade
monade
oignonade

-onnade

bastonnade
caleçonnade
canonnade
chiffonnade
citronnade
colonnade
cotonnade
couillonnade
dragonnade

fanfaronnade
gasconnade
pantalonnade
ratonnade
robinsonnade
rognonnade
talonnade
tamponnade

Attention!

carbonade ou carbonnade

-onage ou -onnage

-onage

acconage ou aconage
clonage
colonage
limonage
patronage
pattinsonage
ramonage
téléphonage
zonage

-onnage

braconnage
espionnage
etc. (75)

-onaire ou -onnaire

-onaire

alcyonaire
antiphonaire
coronaire
gorgonaire
limonaire
pulmonaire
saponaire
thonaire

-onnaire

débonnaire
fonctionnaire
etc. (55)

-onais, e ou -onnais, e

On remarque que les adjectifs se référant à des villes ou territoires français prennent habituellement **deux *n*** (*boulonnais*, *toulonnais*, etc.), à l'exception de *sénonais* et des adjectifs suivants, que l'on ne retrouve pas dans la partie « noms communs » des dictionnaires : *aramonais, axonais, chinonais, langonais, léonais, oloronais, pouillonais, saint-chamonais, saint-ponais, sisteronais, thironais, tournonais* et *trélonais*.

Lorsque l'adjectif se rapporte à une ville ou un territoire non français, il ne prend qu'**un *n*** (*barcelonais, gabonais*, etc.), à l'exception de *lisbonnais* et de *wasselonnais*.

-onais, e

aragonais, e
barcelonais, e
bolonais, e
cantonais, e
gabonais, e
japonais, e
polonais, e
sénonais, e

-onnais, e

aveyronnais, e
boulonnais, e
bourbonnais, e
dijonnais, e
garonnais, e
lisbonnais, e
lyonnais, e
mâconnais, e
mayonnaise
réunionnais, e
roussillonnais, e
toulonnais, e

-onal, e ou -onnal

-onal, e

diagonale
international, e
personale
régional, e
etc. (50)

-onnal

confessionnal

-onalisme ou -onnalisme

C61

-onalisme

congrégationalisme
internationalisme
irrationalisme
nationalisme
rationalisme
régionalisme
supranationalisme
traditionalisme

-onnalisme

confessionnalisme
conventionnalisme
distributionnalisme
fonctionnalisme
institutionnalisme
occasionnalisme
personnalisme
professionnalisme
sensationnalisme

-onalité ou -onnalité

C62

-onalité

atonalité
extensionalité
internationalité
irrationalité
nationalité
orthogonalité
polytonalité
rationalité
supranationalité
tonalité

-onnalité

constitutionnalité
fonctionnalité
impersonnalité
inconditionnalité
inconstitutionnalité
intentionnalité
personnalité
proportionnalité
saisonnalité

-onance ou -onnance

C63

-onance

assonance
consonance
dissonance
résonance

-onnance

ordonnance

-onant, e ou -onnant, e

C64

-onant, e

antidétonant, e
assonant, e
consonant, e
détonant, e
dissonant, e
nonante
ponant

-onnant, e

bedonnant, e
tonnant, e
tourbillonnant, e
etc. (30)

Attention !

résonant ou résonnant

-onard, e ou -onnard, e

C65

-onard, e

léonard, e
zonard, e

-onnard, e

sorbonnard, e

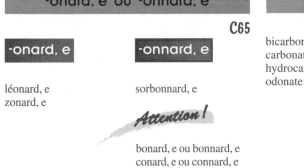

Attention !

bonard, e ou bonnard, e
conard, e ou connard, e
salonard, e ou salonnard, e

-onate

C66

bicarbonate
carbonate
hydrocarbonate
odonate

sonate
sulfocarbonate
thiocarbonate
thionate

-onateur, trice ou -onnateur, trice

C67

-onateur, trice

codonateur, trice
détonateur
donateur, trice
ozonateur
phonateur, trice
pronateur, trice
résonateur

-onnateur, trice

coordonnateur, trice
ordonnateur, trice

-onel, elle ou -onnel, elle

C68

-onel, elle

colonel, elle
coronelle
Inconel
monel ou Monel
rhynchonelle
salmonelle
trigonelle

-onnel, elle

conditionnel, elle
péronnelle
rationnel, elle
etc. (100)

gonelle ou gonnelle

-oner (-oné, e) ou -onner (-onné, e)

C69

-oner (-oné, e)

archidiaconé
bigophoner
carboné, e
cloner
componé, e
détoner*
dionée
dipneumoné, e
dissoner
époumoner (s')
erroné, e
hydrocarboné, e
mucroné, e
oxycarboné, e
ozoner + dér.
péroné
personé, e
pulmoné
ramoner
retéléphoner
saponé
saumoné, e
siliconer
sulfoné, e
téléphoner + dér.
violoner + dér.
zoner + dér.

-onner (-onné, e)

attentionné, e
ballonner
fanfaronner
savonnée
etc. (350)

Mots en -onne :
voir le tableau T93

-onerie ou -onnerie

C70

-onerie

japonerie
timonerie

-onnerie

bouffonnerie
gloutonnerie
etc. (25)

-onesque

C71

caméléonesque
feuilletonesque

-onesse ou -onnesse

C72

-onesse

diaconesse

-onnesse

patronnesse

-onet ou -onnet

C73

-onnet

balconnet
ballonnet
bâtonnet
bonnet
cochonnet
cordonnet
cramponnet
garçonnet
mentonnet
mignonnet, ette
sansonnet
sonnet
wagonnet

Attention !

baronet ou baronnet

-oneur ou -onneur

C74

-oneur

ozoneur
ramoneur

-onneur

camionneur
honneur
etc. (40)

-onial, e

C75

canonial, e
cérémonial, e
colonial, e
extrapatrimonial, e
matrimonial, e

monial, e
patrimonial, e
stolonial, e
testimonial, e

-onide

C76

adonide
argonide
ozonide

péponide
pycnogonide

-onie ou -onnie

C77

-onie

félonie
parcimonie
etc. (70)

-onnie

baronnie

-onien, enne ou -onnien, enne

C78

-onien, enne

bourbonien, enne
huronien, enne
etc. (40)

-onnien, enne

essonnien, enne

-onier, ère ou -onnier, ère

C79

-onier, ère

acconier ou aconier
brugnonier
gonfalonier ou
gonfanonier
limonier, ère
nautonier, ère
oignonière
péronier, ère
thonier
timonier
zonier, ère

-onnier, ère

canonnier
champignonnière
marronnier
poissonnière
etc. (45)

Attention !

acapronier ou capronnier

-onin, e

C80

calcitonine	santonine
cinchonine	saponine
léonin, e	sérotonine
mélatonine	thionine
méthionine	thonine
opsonine	thréonine

-onique ou -onnique

C81

-onique

platonique
tonique
etc. (110)

-onnique

abandonnique
antimaçonnique
kilotonnique
maçonnique
mégatonnique
subkilotonnique

-onir ou -onnir

C82

-onir

agonir

-onnir

abonnir
honnir
rabonnir

-onisation ou -onnisation

C83

-onisation

canonisation
intronisation
etc. (20)

-onnisation

dépigeonnisation

-onisme ou -onnisme

C84

En général, pour les mots en **-onisme** ou **-onnisme**, comme pour ceux en **-oniste** ou **-onniste**, on remarque que ceux qui proviennent de noms propres s'écrivent avec **un seul *n***, alors que ceux qui dérivent de noms communs prennent **deux *n***. Par exemple, *éonisme* (du chevalier d'Éon), *péroniste* (partisan de Perón), mais *annexionnisme* (d'*annexion*), *contorsionniste* (de *contorsion*). Les exceptions sont néanmoins assez fréquentes, surtout dans les mots n'ayant qu'un *n* : *histrionisme* (d'*histrion*), *téléphoniste* (de *téléphone*), *gasconnisme* (de *Gascon*).

-onisme

anachronisme	laconisme
antagonisme	marcionisme
asynchronisme	monisme
bullionisme	mormonisme
daltonisme	néoplatonisme
démonisme	parachronisme
diatonisme	péronisme
dodécaphonisme	platonisme
éonisme	plutonisme
eudémonisme	pyrrhonisme
hédonisme	saint-simonisme
hégémonisme	sionisme
histrionisme	synchronisme
ionisme	unionisme
isochronisme	wallonisme
japonisme	

-onnisme

abolitionnisme	expressionnisme
abstentionnisme	fractionnisme
annexionnisme	gasconnisme
associationnisme	illusionnisme
cloisonnisme	impressionnisme
collectionnisme	interventionnisme
confusionnisme	intuitionnisme
connexionnisme	isolationnisme
créationnisme	mutationnisme
déviationnisme	négationnisme
diffusionnisme	néoprotectionnisme
divisionnisme	obstructionnisme
évolutionnisme	perceptionnisme
exhibitionnisme	perfectionnisme
expansionnisme	postimpressionnisme

-onnisme

précisionnisme	révisionnisme	situationnisme
prohibitionnisme	scissionnisme	vérificationnisme
protectionnisme	ségrégationnisme	
réductionnisme	sensationnisme	

-oniste ou -onniste   C85

On remarque que les noms de musiciens ne prennent qu'un *n* (*accordéoniste*, *violoniste*, etc.), à l'exception de *percussionniste*.

-oniste

accordéoniste
agoniste
antagoniste
bassoniste
canoniste
cartooniste
dodécaphoniste
feuilletoniste
harmoniste
hédoniste
ironiste
japoniste
moniste
orphéoniste
orthophoniste
péroniste
physiognomoniste
polyphoniste
protagoniste
radiotéléphoniste
saxophoniste
sioniste
symphoniste
téléphoniste
tromboniste
unioniste
vibraphoniste
violoniste
xylophoniste

-onniste

abolitionniste
abstentionniste
annexionniste
antiprotectionniste
antiségrégationniste
ascensionniste
assomptionniste
champignonniste
cohabitationniste
collaborationniste
connexionniste
contorsionniste
créationniste
déflationniste
déviationniste
diffusionniste
divisionniste
évolutionniste
excursionniste
exhibitionniste
expansionniste
expressionniste
fractionniste
illusionniste
impressionniste
inflationniste
intégrationniste
interventionniste
intuitionniste

isolationniste
mutationniste
négationniste
nutritionniste
obstructionniste
percussionniste
perfectionniste
populationniste
postimpressionniste
prévisionniste
prohibitionniste
projectionniste
protectionniste
réceptionniste

réductionniste
réfractionniste
relationniste
révisionniste
scissionniste
sécessionniste
ségrégationniste
sensationniste
situationniste

Attention !

passioniste
ou passionniste

-onite ou -onnite   C86

-onite

limonite
maronite
etc. (20)

-onnite

collectionnite
espionnite

Attention !

réunionite ou réunionnite

P OU PP

Dans les comparaisons de finales qui suivent, le *p* **simple** est deux fois plus fréquent que les deux *p*.

-aper (-apé, e) ou -apper (-appé, e) C87

On peut s'aider en pensant que très souvent, pour une raison ou pour une autre, les verbes représentant des gestes «durs» s'écrivent avec **deux *p*** : *frapper*, *happer*, *kidnapper*, par exemple, contrairement à *draper*, *handicaper* ou *laper* ; *napper* et *saper*, notamment, viennent toutefois contredire cette tendance.

-aper (-apé, e)

attraper
canapé
caper
chapé, e
décaper
déraper
désaper ou dessaper
draper + dér.
handicaper + dér.
laper

napée*
priapée
rattraper
rechaper
rescapé, e
retaper
saper
taper + dér.

-apper (-appé, e)

clapper
échapper + dér.
égrapper
frapper + dér.
happer
japper
kidnapper
mapper
napper*
réchapper + dér.

trapper
varapper
zapper

Attention !

raper ou rapper

*Mots en **-appe** :
voir le tableau T97*

-eper ou -epper C88

-eper

receper ou recéper

-epper

stepper ou steppeur

*Mots en **-eppe** :
voir le tableau T99*

-iper (-ipé, e) ou -ipper (-ippé, e)   C89

-iper (-ipé, e)

anticiper + dér.
chiper
constiper + dér.
défriper
déséquiper
dissiper
émanciper + dér.
équiper + dér.
étriper
exciper
friper
guiper

participer
pipée
piper
riper
suréquiper

-ipper (-ippé, e)

agripper
dégripper
flipper
gripper + dér.
lippée
nipper
stripper
zipper

Attention !

tiper ou tipper

*Mots en -ipe et en -ippe :
voir le tableau T100*

-oper (-opé, e) ou -opper (-oppé, e)   C90

-oper (-opé, e)

apocopé, e
canopée
choper*
conopée
doper
éclopé, e
écoper
épopée
escaloper
flopée
galoper
magnétoscoper

mélopée
onomatopée
pharmacopée
propé
prosopopée
saloper
sténopé
syncoper + dér.
télescoper
toper
varloper

-opper (-oppé, e)

achopper
chopper*
désenvelopper
développer + dér.
échopper
envelopper + dér.
stopper
surdéveloppé, e

Attention !

droper ou dropper

*Mots en -ope
et en -oppe :
voir le tableau T101*

-uper (-upé, e) ou -uppé, e   C91

-uper (-upé, e)

désoccupé, e
duper
inoccupé, e

occuper + dér.
préoccuper + dér.
réoccuper

-uppé, e

huppé, e

LE SON [s] : C, S OU T

Dans les finales qui suivent, le son [s] peut se manifester sous trois formes différentes : *c, s* ou *t*.
Pour cette raison, il est difficile de dégager une règle commune à tous les cas traités.

-cer (-cé) ou -ser (-sé)

-acé, e ou -assé, e

C92

-acé, e

cétacé
panacée
sébacé, e
verglacé, e
etc. (160)

-assé, e

brassée
cassé, e
chassé
compassé, e
cuirassé, e
damassé, e
déclassé, e
dépassé, e
embarrassé, e
embrassé, e
fricassée
harassé, e
lampassé, e
massé
matelassé, e
outrepassé, e
passé, e
ramassé, e
tabassée
tassé, e

*Mots en -acé :
voir le tableau T4*

-acer ou -asser

C93

-acer

agacer
dédicacer
déglacer
délacer
déplacer
effacer
enlacer
entrelacer
espacer
glacer
grimacer
lacer
menacer
placer
préfacer
remplacer
replacer
retracer
surfacer
tracer
verglacer
violacer

-asser

finasser
fricasser
etc. (65)

*Mots en -ace
ou en -asse :
voir le tableau T114*

-ciaire ou -tiaire

C94

-ciaire

bénéficiaire
extrajudiciaire
fiduciaire
fluvioglaciaire
glaciaire
indiciaire

interglaciaire
judiciaire
nivoglaciaire
périglaciaire
postglaciaire
préglaciaire

-tiaire

partiaire
pénitentiaire
plénipotentiaire
rétiaire (pron. aussi [tjɛr])
tertiaire

-cial, e, -sial, e ou -tial, e

-cial, e

antisocial, e
asocial, e
commercial, e + dér.
crucial, e
dyssocial, e
facial, e
glacial, e
interracial, e
médicosocial, e
multiracial, e
official
oncial, e + dér.
patricial, e
provincial, e
psychosocial, e
racial, e
social, e
solsticial, e
spécial, e + dér.

-sial, e

paroissial, e
sial

-tial, e

abbatial, e + dér.
aérospatial, e + dér.
comitial, e
consortial, e
impartial, e
initial, e + dér.
martial, e
nuptial, e
palatial, e
partial, e
pénitential, e
prénuptial, e
primatial, e + dér.
sapiential, e
spatial, e

Attention !

fécial ou fétial

-cie, -sie ou -tie

-acie, -assie ou -atie

Penser à un adjectif ou à un nom de la même famille nous donne très souvent la réponse : *acrobate, acrobatie* ; *démocrate, démocratie* ; *pharmacien, pharmacie*, etc.

-acie

dermopharmacie
donacie
ostéomalacie
parapharmacie
pharmacie
phytopharmacie

-assie

cassie
chassie

-atie

acrobatie
aristocratie
autocratie
bureaucratie
démocratie
diplomatie
gérontocratie
hématie (pron. aussi [ti])
médiocratie
méritocratie
monocratie
phallocratie

physiocratie
ploutocratie
primatie
procuratie
spermatie
    (pron. aussi [ti])
suprématie
technocratie
thalassocratie
théocratie
voyoucratie

-écie, -essie ou -étie

-écie

alopécie
apothécie
paramécie
zoécie

-essie

messie
vessie

-étie

facétie
goétie
homothétie
  (pron. aussi [ti])

péripétie
prophétie

-icie, -itie ou -ytie

-icie

superficie

-itie

calvitie
canitie
impéritie
lithotritie

-ytie

presbytie

-ocie, -ossie ou -otie

-ocie

dystocie
eutocie

-ossie

diglossie

-otie

enzootie
  (pron. aussi [ti])
épizootie
  (pron. aussi [ti])
idiotie

-ucie, -ussi, e ou -utie

-ucie

fiducie

-ussi, e

jussie ou jussiée
réussi, e

-utie

argutie
minutie

-ciel ou -tiel

-anciel, elle, -antiel, elle, -enciel, elle ou -entiel, elle | CI0I

Circonstanciel, *tendanciel* et *révérenciel* s'écrivent exactement comme le nom qui leur correspond (*circonstance*, *tendance* et *révérence*), alors que *protubérantiel*, *substantiel* et *consubstantiel* diffèrent de *protubérance* et de *substance*. Tous les autres mots se terminent par ***-entiel***.

-anciel, elle

circonstanciel, elle
tendanciel, elle

-enciel, elle

révérenciel, elle

-antiel, elle

consubstantiel, elle
protubérantiel, elle
substantiel, elle

-entiel, elle

anticoncurrentiel, elle
carentiel, elle
concurrentiel, elle
confidentiel, elle
démentiel, elle
désinentiel, elle
différentiel, elle
équipotentiel, elle
essentiel, elle
événementiel, elle ou
évènementiel, elle

excrémentiel, elle
existentiel, elle
exponentiel, elle
fréquentiel, elle
incrémentiel, elle
interférentiel, elle
jurisprudentiel, elle
obédientiel, elle
pénitentiel, elle
pestilentiel, elle
potentiel, elle

préférentiel, elle
présidentiel, elle
providentiel, elle
référentiel, elle
résidentiel, elle
sapientiel, elle
séquentiel, elle
tangentiel, elle
torrentiel, elle
transférentiel, elle

-cien, -sien ou -tien

-acien, enne, -assien, enne ou -atien, enne | CI02

-acien, enne

alsacien, enne
aurignacien, enne
balzacien, enne
batracien

pharmacien, enne
propharmacien, enne
sélacien, enne

-assien, enne

circassien, enne
jurassien, enne
parnassien, enne

-atien, enne

dalmatien, enne

-écien, enne ou -étien, enne

C103

-étien, enne

capétien, enne
rhétien, enne

Attention !

lutécien ou lutétien

-icien, enne ou -itien, enne

C104

-icien, enne

informaticien, enne
mathématicien, enne
etc. (90)

-itien, enne

haïtien, enne
tahitien, enne
tribunitien, enne
vénitien, enne

-ocien, enne ou -otien, enne

C105

-ocien, enne

cappadocien, enne
languedocien, enne

-otien, enne

béotien, enne
laotien, enne

-ucien, enne, -ussien, enne ou -utien, enne

C106

-ucien, enne

rosicrucien, enne

-ussien, enne

prussien, enne

-utien, enne

lilliputien, enne

-cier, -sier ou -tier

-acier, ère (-acié, e), -ascié, e ou -assier, ère (-assié, e)

C107

-acier, ère (-acié, e)

acier
disgracier
émacier
fouacier
glacier
gracier
grimacier, ère
placier, ère
populacier, ère
préfacier

-ascié, e

fascié, e

-assier, ère (-assié, e)

avocassier, ère
calebassier
carnassier, ère
cassier
cognassier
crassier
cuirassier
échassier
écrivassier, ère
finassier, ère
jacassier, ère

massier, ère
matelassier, ère
mulassier, ère
paperassier, ère
plumassier, ère
putassier, ère
quassier
rochassier, ère
terrassier
tracassier, ère

Les confusions orthographiques

-aissier, ère, -écier (-écié, e) ou -essier, ère

-aissier, ère

baissier, ère
caissier, ère

-écier (-écié, e)

apprécier
déprécier
inapprécié, e

-essier, ère

fessier, ère
messier
pressier

-ancier, ère (-ancié, e), -encier, ère (-encié, e) ou -ensier, ère

-ancier, ère (-ancié, e)

ambulancier, ère
balancier
circonstancié, e
cocréancier, ère
correspondancier, ère
créancier, ère
devancier, ère
distancier
échéancier
financier, ère + dér.

garancière
lancier
nuancier
ordonnancier
outrancier, ère
plaisancier, ère
romancier, ère
tenancier, ère
vacancier, ère

-encier, ère (-encié, e)

agencier
audiencier
conférencier, ère
différencié, e
différencier
    ou différentier
faïencier, ère
indifférencié, e
indulgencier
licencier + dér.

obédiencier
pénitencier
permanencier, ère
quintessencier + dér.
semencier, ère

-ensier, ère

censier, ère
dépensier, ère

-(e)aucier ou -(e)aussier, ère

-aucier ou -eaucier

peaucier*
saucier

-aussier, ère ou -eaussier, ère

aussière ou haussière
haussier, ère
peaussier*

-icier, ère (-icié, e), -issier, ère ou -itier

-icier, ère (-icié, e)

artificier
bénéficier
canéficier
épicier, ère
justicier, ère
nourricier, ère
officier
policier, ère
préjudicier
souricier
supplicier +dér.
tunicier
vicier + dér.

-issier, ère

canissier ou cannissier
cassissier
coulissier
huissier
mégissier
pâtissier, ère
tapissier, ère

-itier

initier

Attention !

licier ou lissier

-ocier (-ocié, e) ou -ossier, ère
C112

-ocier (-ocié, e)

associer + dér.
coassocié, e
dissocier
négocier
renégocier

-ossier, ère

brossier, ère
carrossier
dossier
grossier, ère

-oucier ou -oussier
C113

-oucier

poucier*
soucier

-oussier

couscoussier
pamplemoussier
poussier*

-cier, ère, -sier, ère ou -tier
C114

-cier, ère

annoncier, ère
foncier, ère
mercier, ère
princier, ère
pucier
remercier

roncier
sorcier, ère
sourcier, ère
tréfoncier

-sier, ère

autopsier
boursier, ère
coursier, ère
fait-diversier
tarsier
traversier, ère

-tier

balbutier

-cieux, euse, -sieux, euse ou -tieux, euse
C115

Dans la plupart des cas, on n'a qu'à penser au nom correspondant : *artifice, artificieux ; caprice, capricieux ; ambition, ambitieux ; chassie, chassieux*, etc.

-cieux, euse

artificieux, euse
avaricieux, euse
capricieux, euse
etc. (30)

-sieux, euse

chassieux, euse

-tieux, euse

ambitieux, euse
captieux, euse
contentieux, euse
facétieux, euse
factieux, euse

infectieux, euse
minutieux, euse
prétentieux, euse
séditieux, euse
superstitieux, euse

-cin, e ou -sin, e

-cin, e

calcin
doucine
hircin, e
ricin
etc. (55)

-sin, e

abyssin, e
agassin
antitrypsine
arsin
arsine
assassin, e
bassin
bassine
brassin
broussin
cassine
cathepsine
chymotrypsine
coussin
dessin

émulsine
érepsine
fantassin
fuchsine
glossine
gressin
horsin ou horsain
houssine
marcassin
messin, e
mocassin
moissine
opsine
organsin
oursin

pepsine
poussin
poussine
quassine
rhodopsine
roussin
spadassin
tocsin
tracassin
traversin
traversine
trypsine
vasopressine

Attention !

caracin ou carassin

-cion, -sion ou -tion

-assion ou -ation

-assion

compassion
passion

-ation

glaciation
itération
nictation
sidération
vernation
etc. (1 700)

-ession ou -étion

-ession

intercession
possession
sécession
etc. (45)

-étion

accrétion
complétion
concrétion
délétion
déplétion
discrétion
excrétion
hypersécrétion
hyposécrétion
indiscrétion
neurosécrétion
réplétion
sécrétion
sujétion

-icion, -ission ou -ition
C119

-icion

suspicion

-ission

admission	neurotransmission
commission	omission
compromission	permission
démission	réadmission
émission	rémission
expromission	retransmission
fission	scission
insoumission	soumission
intermission	surémission
intromission	télétransmission
manumission	transmission
mission	vidéotransmission

-ition

coalition
déperdition
inanition
etc. (100)

-ocyon ou -otion (-aution)
C120

-ocyon

otocyon

-otion (-aution)

caution
potion
précaution

promotion
etc. (10)

-uccion, -ussion ou -ution
C121

-uccion

liposuccion
  (pron. aussi [ksjɔ̃])
succion
  (pron. aussi [ksjɔ̃])

-ussion

concussion
discussion
fidéjussion
jussion

percussion
répercussion
succussion

-ution

ablution
locution
etc. (50)

-cis, e ou -sis, e
C122

-cis, e

circoncis, e	indécis, e
concis, e	lacis*
froncis	macis
glacis	précis, e
imprécis, e	

-sis, e

assis, e	retroussis
cassis (pron. aussi [is])	reversis ou reversi
châssis	sis, e
contrechâssis	sursis
lassis*	
ramassis	
rassis, e	

Mots où le t se prononce [s] : voir les tableaux C181 à 185

LE SON [S] : Ç OU S

Les mots en *-çon* et en *-çu* mis à part, tous les mots qui prennent un *ç* dans les tableaux suivants proviennent de verbes en *-cer*, à l'exception de *faïençage* (de *faïence*). Les mots en *-çu* dérivent pour leur part de verbes en *-cevoir* (*déçu*, *décevoir*; *reçu*, *recevoir*).

-çable ou -sable — C123

-çable

effaçable	ineffaçable	prononçable
finançable	influençable	remplaçable
improprononçable	irremplaçable	

-sable

impensable
indéfinissable
etc. (70)

-çage ou -sage — C124

-çage

amorçage	faïençage	pinçage
autoamorçage	fonçage	ponçage
coinçage	forçage	rapiéçage
décoinçage	garançage	renforçage
défonçage	glaçage	reterçage
déglaçage	laçage	rinçage
dépeçage	lançage	séquençage
désamorçage	matriçage	sérançage
écorçage	mordançage	surfaçage
épinçage	perçage	traçage

-sage

métissage
polissage
etc. (110)

-çant, e ou -sant, e — C125

-çant, e

agaçant, e	glaçant, e	remplaçant, e
berçant, e	grimaçant, e	traçant, e
commençant, e	grinçant, e	verglaçant, e
commerçant, e	menaçant, e	
exerçant, e	perçant, e	

-sant, e

finissant, e
pensant, e
etc. (120)

On peut ajouter à cette liste le participe présent des verbes en *-cer*: *en forçant*, *en prononçant*, etc.

-çoir, -çoire ou -soir, -soire   C126

-çoir, -çoire

amorçoir
balançoire
perçoir
suçoir
traçoir

-soir, -soire

périssoire
polissoir
etc. (35)

Attention !

linçoir ou linsoir

-çon, onne ou -son, onne

-açon, onne ou -asson, onne   C127

-açon, onne

caparaçon
colimaçon
contrefaçon
estramaçon
façon
glaçon
limaçon
maçon, onne
malfaçon

-asson, onne

basson
canasson
casson
contrebasson
mollasson, onne
paillasson

-ançon, onne ou -anson   C128

-ançon, onne

brabançon, onne
charançon
étançon
jurançon
lançon
palançon
plançon
rançon

-anson

arcanson
chanson
échanson

-arçon, onne   C129

arçon
cheval-arçons
   ou cheval(-) d'arçons
garçon, onne

-eçon ou -esson, onne   C130

-eçon

caleçon
caveçon
hameçon
leçon
séneçon ou sèneçon

-esson, onne

besson, onne
cresson
tesson

-inçon ou -inson

C131

-uçon ou -usson

C132

-inçon

écoinçon
pinçon*
poinçon

-inson

pinson*

-uçon

suçon

-usson

écusson

-çon ou -son

C133

-çon

point d'Alençon
soupçon
tronçon

-son

infrason
ourson
pacson, paqson
    ou paxon

telson
tenson
tickson
ultrason

Attention !

courçon ou courson

Notez qu'on ne retrouve jamais la graphie -*çon* après les sons [ɛ], [i], [o], [u] ou [wa]. On écrit donc, par exemple :

alysson   calisson   mousson
boisson   chausson   etc.
caisson

-çu, e ou -su, e

C134

-çure ou -sure

C135

-çu, e

aperçu
conçu, e
déçu, e
inaperçu, e
perçu, e
préconçu, e
reçu, e

-su, e

insu
tissu
etc. (15)

-çure

enfonçure
enlaçure
gerçure
glaçure
pinçure
plaçure
rinçure

-sure

blessure
morsure
etc. (40)

Mots avec un ç :
voir le tableau C163

LE SON [s] : SC OU SS

La graphie *sc* est presque toujours majoritaire dans les comparaisons de finales qui suivent ; mais on gagnerait quand même à observer attentivement les mots qui la revêtent, puisque de ces noms et adjectifs dérivent plusieurs autres mots s'écrivant eux aussi avec les lettres *sc* : *déhiscent*, de *déhiscence* ; *irascibilité*, d'*irascible*, etc.

-aissance, -escence ou -essence C136

-aissance

connaissance + dér.
naissance + dér.
paissance

-escence

acescence + dér.
adolescence + dér.
alcalescence + dér.
arborescence + dér.
coalescence + dér.
concrescence + dér.
convalescence + dér.
défervescence
dégénérescence
déliquescence + dér.
délitescence + dér.
détumescence
effervescence + dér.
efflorescence + dér.
érubescence + dér.
évanescence + dér.
fluorescence + dér.
incandescence + dér.
inflorescence

intumescence + dér.
lactescence + dér.
luminescence + dér.
marcescence + dér.
nitescence
obsolescence + dér.
opalescence + dér.
phosphorescence + dér.
présénescence
pubescence + dér.
putrescence + dér.
quiescence + dér.
ramescence
recrudescence + dér.
sénescence + dér.
tumescence + dér.
turgescence + dér.
virescence

-essence

essence
quintessence

-aissant, e, -escent, e ou -essant, e C137

-aissant, e

abaissant, e
dégraissant, e
encaissant, e
naissant, e
reconnaissant, e
renaissant, e

-escent, e

*Tous les adjectifs dérivés
des noms en -escence*

-essant, e

blessant, e
caressant, e
cessant, e
dressant
incessant, e
inintéressant, e

intéressant, e
oppressant, e
pressant, e
stressant, e

-iscence ou -issance

-scible ou -ssible

-iscence

concupiscence
déhiscence
indéhiscence
réminiscence
résipiscence
reviviscence

de même que les
adjectifs qui en dérivent

-issance

glissance
jouissance + dér.
obéissance + dér.
puissance + dér.

-scible

fermentescible
imputrescible
infermentescible
irascible
marcescible
miscible
putrescible

immarcescible
ou immarcessible

-ssible

accessible + dér.
admissible + dér.
cessible + dér.
compressible + dér.
fissible
inamissible
irrépressible + dér.
passible + dér.
possible + dér.
rémissible + dér.
successible
transmissible + dér.

Mots contenant les
lettres -sc- : voir les
tableaux C177 à 180

T OU TT

Dans les comparaisons de finales qui suivent, on retrouve cette fois encore le *t* **simple** environ **quatre fois plus souvent** que les deux *t*.

-etage ou -ettage

-ètement ou -ettement

-etage

époussetage
étiquetage
etc. (35)

Attention !

curetage ou curettage
vignetage ou vignettage

-ettage

brouettage
commettage
frettage
toilettage

-ètement

affrètement
béguètement
caquètement
   ou caquetage
complètement
concrètement
discrètement
empiètement
   ou empiétement
halètement

-ettement

chouettement
coquettement
désendettement
doucettement
douillettement
émiettement
endettement
fouettement
nettement
pirouettement

-ètement

hébètement
   ou hébétement
incomplètement
indiscrètement
piètement
   ou piétement
rempiètement
   ou rempiétement
secrètement

-ettement

surendettement
volettement

Attention !

cliquètement
   ou cliquettement
craquètement
   ou craquettement

*Parallèles entre les mots
en -ètement et d'autres
mots sans accent grave :
voir les tableaux A19 et 27*

-eter ou -etter   C142

-eter

guillemeter
souffleter
etc. (75)

-etter

bretter
brouetter
débraguetter
désendetter (se)
émietter
endetter
facetter
fouetter
fretter
guetter
levretter

maquetter
moquetter
pirouetter
racketter
rebraguetter
regretter
rénetter
saietter
silhouetter
toiletter

Attention !

chevreter ou chevretter

*Mots en -ète :
voir le tableau T128*

Dans la conjugaison, la plupart des verbes en **-eter** doublent le *t* devant un *e* muet : je *soufflette*, il *trompette* ; mais nous *guillemetons*, etc.
Voici ceux qui ne doublent pas le *t* et qui prennent plutôt un accent grave sur le *e* précédant une syllabe muette :

acheter	crocheter	haleter
bégueter	fileter	racheter
corseter	fureter	

Ainsi : j'*achète*, elle *béguète* ; nous *filetons*, vous *haletez*, etc.

-eté, e ou -etté, e

C143

-eté, e

bouleté, e
échiqueté, e
marqueté, e
etc. (30)

-etté, e

aigretté, e
fouetté, e
levretté, e
lunetté, e
surendetté, e

-etier, ère ou -ettier, ère

C145

-etier, ère

cabaretier, ère
noisetier
robinetier
etc. (45)

-ettier, ère

allumettier, ère
carpettier
casquettier
crevettier
limettier

Attention !

lunetier, ère ou lunettier

-eterie, -èterie ou -etterie

C144

-eterie

bonneterie
briqueterie
buffleterie
gobeleterie
graineterie
louveterie
marqueterie
mousqueterie
paneterie
papeterie
parqueterie
pelleterie

-etterie

billetterie
coquetterie
déchetterie ou
Déchetterie
douilletterie
lunetterie
robinetterie
tabletterie

Attention !

bleueterie ou bleuetterie

Parallèles entre les mots en -èterie et d'autres mots sans accent grave : voir le tableau A27

-èterie

affèterie ou afféterie
archèterie
contrepèterie

-éthique, -étique ou -ettique

C146

-éthique

aléthique
bioéthique
éthique*

-étique

diabétique
prophétique
etc. (120)

-ettique

lettique, lette ou letton
squelettique

-éthisme, -étisme ou -ettisme

C147

-éthisme

éréthisme

-étisme

ascétisme
mahométisme
etc. (35)

-ettisme

maquettisme

-ettiste

C148

billettiste
duettiste
marionnettiste
etc. (12)

-otage ou -ottage

C149

-otage

clapotage
fricotage
grignotage
etc. (45)

-ottage

ballottage
boycottage
carottage
cottage
culottage
décarottage
décrottage
déculottage
émottage
flottage
frottage
garrottage
marcottage

-oter ou -otter

C151

-oter

comploter
empoter
etc. (100)

Attention !

cocoter ou cocotter
dansoter ou dansotter
dégoter ou dégotter
margoter ou margotter

*Mots en -ote et en -otte :
voir le tableau T131*

-otter

ballotter
botter
bouillotter
boulotter
boycotter
calotter
carotter
crotter
culotter
débotter
décalotter
décrotter
déculotter
émotter
flotter
frisotter
frotter
garrotter
grelotter
hotter
mangeotter
marcotter
marmotter
menotter
reculotter
roulotter
trotter

-otement ou -ottement

C150

-otement

accotement
emmaillotement
etc. (25)

-ottement

ballottement
émottement
flottement
frottement
grelottement
marmottement
sottement

-oterie ou -otterie

C152

-oterie

bigoterie
minoterie
etc. (12)

-otterie

biscotterie
cachotterie

-otier ou -ottier, ère

C153

-otier

bergamotier
minotier
etc. (20)

-ottier, ère

bottier
cachottier, ère
carottier, ère
culottier, ère
griottier
roulottier, ère

-othique, -otique ou -ottique

C154

-othique

gothique*
néogothique
ostrogothique
wisigothique

-otique

despotique
robotique
etc. (60)

-ottique

épiglottique
glottique

Les confusions orthographiques

-otisme ou -ottisme

C155

-otisme

ilotisme
scotisme
etc. (20)

-ottisme

don quichottisme ou
donquichottisme

-otiste

C156

argotiste
égotiste

protiste
scotiste

X OU CT

Si plusieurs noms en **-xion** proviennent de verbes en **-xer** (*annexion*, d'*annexer*; *préfixion*, de *préfixer*), alors que les dérivés des autres terminaisons verbales sont en **-ction** (*abstraire* fait *abstraction*; *détecter*, *détection*; *affliger*, *affliction*; *réduire*, *réduction*), on trouve également des noms en **-xion** issus d'autres types de verbes (*connexion*, de *connecter*; *crucifixion*, de *crucifier*; *réflexion*, de *réfléchir*, etc.).

-action

C157

abstraction
réfraction
transaction
etc. (45)

-iction, -ixion ou -ixtion

C159

-iction

affliction
éviction
etc. (25)

-ixtion

admixtion
démixtion
immixtion
mixtion

*Mots en **-ixe**:
voir le tableau T147*

-ixion

crucifixion
préfixion
transfixion

-ection ou -exion

C158

-ection

abjection
détection
interjection
etc. (65)

Attention !

convexion ou convection

*Mots en **-exe**:
voir le tableau T145*

-exion

annexion
complexion
connexion
déconnexion
déflexion
flexion
génuflexion
inflexion
interconnexion
irréflexion
réflexion
rétroflexion

-oction

C160

coction
décoction

-uction ou -uxion C161

-uction

conduction
induction
réduction
etc. (40)

-uxion

fluxion
solifluxion

*Mots où le **t** se prononce
[s] : voir les tableaux
C181 à 185*

Lettres ou groupes de lettres particuliers

Les tableaux qui suivent énumèrent des mots contenant certaines lettres ou groupes de lettres qu'on retrouve moins fréquemment en français (**-cqu-**, **-exc-**, **-sc-**, par exemple), ou dont la prononciation est inhabituelle (notamment **-cc-** se disant [ks], **-un-** se prononçant [ɔ̃]). Les groupes traités sont classés en ordre alphabétique.

æ C162

Les lettres **æ** se retrouvent dans des mots d'origine latine.

ægyrine
æschne (pron. [ɛ])
althæa
cæcum + dér.
chænichtys
chlamydiæ
  (pl. de chlamydia)

curriculum vitæ
  ou curriculum vitae
dies irae
ex æquo
intuitu personæ
nævus + dér.

novæ (pl. de nova)
supernovæ
  (pl. de supernova)
tædium vitæ
uræus

*Mots dont les lettres **æ**
peuvent être remplacées
par une autre :
voir le tableau É102*

ç C163

Les dérivés des mots déjà mentionnés dans les listes de la section précédente n'ont pas été inclus (*caleçonnade*, dérivé de *caleçon*, ou *façonner*, dérivé de *façon*, par exemple).

au-deçà de
ça
çà
chançard, e
çivaïsme ou sivaïsme
çivaïte ou sivaïte
couci-couça

curaçao
deçà
douçain ou doucin
douçâtre ou douceâtre
dulçaquicole
façade
fiançailles

fonçaille
forçat
français, e
niçois, e
pinçard, e
provençal, e
renforçateur

suçoter
valençay

*Mots se terminant par
-çable, **-çage**, **-çant**,
-çoir, **-çon**, **-çu**, **-çure** :
voir les tableaux C123 à
135*

-cc- se prononçant [ks] C164

La prononciation [ks] pour les lettres *-cc-* révèle souvent une origine latine (*occiput*, *siccité*, etc.), parfois italienne (*accelerando*) ou même corse (*ajaccien*).

accéder + dér.
accelerando ou
accélérando
accélérer + dér.
accent + dér.
accepter + dér.
accès + dér.
accessit
accessoire + dér.
accident + dér.
accise + dér.
ajaccien, enne

baccifère
bacciforme
buccin + dér.
cocci
coccidie + dér.
coccinelle
coccyx + dér.
ecce homo
eccéité
flaccidité
gonococcie

liposuccion
  (pron. aussi [sjɔ̃])
mélitococcie
occident + dér.
occiput + dér.
occire
occitan, e + dér.
puccinia ou puccinie
riccie
roccella ou rocelle
sacciforme

siccité
staphylococcie + dér.
streptococcie + dér.
succédané
succéder + dér.
succenturié, e
succès
succin + dér.
succinct, e + dér.
succion (pron. aussi [sjɔ̃])
vaccin + dér.

-cc- se prononçant [tʃ] C165

Ces mots sont d'origine italienne ou corse.

broccio, brocciu ou
bruccio

cappuccino ou
cappucino

capriccio
  (pron. aussi [sjo])

carpaccio
libeccio

-ch- se prononçant [k] C166

Plusieurs mots sont formés à partir d'éléments grecs, qui ont conservé dans presque tous leurs dérivés la prononciation [k] d'origine : par exemple, **chondro-** (comme dans *chondrome*, *chondroblaste*), du mot grec pour « cartilage » ; **onycho-** (comme dans *onychophore*), du grec « ongle ». Se glissent aussi dans cette liste des mots d'origine allemande (*krach*), arabe (*acheb*), écossaise (*loch*), italienne (*chianti*), latine (*deus ex machina*), etc.

acétylcholine
achaine, achène
  ou akène
achalasie
acheb
achéen, enne
achéménide

achillée
acholie
achondroplasie
achoura
æschne
alchémille
allochtone

anachorète + dér.
anarcho(-)
  syndicalisme + dér.
angiocholite
antichrèse
arachnide + dér.
arachnoïde + dér.

archaïsme + dér.
archange + dér.
archanthropien, enne
archéen, enne
archégone
archéologie + dér.
archéoptéryx

                                                           ⫸

archétype + dér.
archiatre
archiépiscopal, e
  (pron. aussi [ʃi])
archiptère
archonte + dér.
aurochs
autochtone
bacchanale + dér.
bacchante ou bacante
brachial, e + dér.
brachycère + dér.
branchiopode
broncho-pneumonie
  + dér. de bronch(o)-
  (sauf bronche)
catachrèse
catéchol + dér.
  (pron. aussi [ʃɔl])
catéchuménat + dér.
cétérach
chænichtys
chalaze
  (pron. aussi [ʃa])
chalcosine ou chalcosite
  + dér. de chalco-
chaldéen, enne
chamærops ou
chamérops
chamito-sémitique
chaos + dér.
charadriidé + dér.
charale ou charophyte
charisme + dér.
chéilite
chéiroptère
  ou chiroptère
chélate + dér.
chéleutoptère
chélicère + dér.
chélidoine
chéloïde
chélonien
chémocepteur, trice
  ou chémorécepteur,
  trice (pron. [ʃe])
chénopode + dér.
chermès
chianti
chiasma + dér.
chionis
chiralité
chirographie + dér.
chiromancie + dér.
chironome

chiropractie ou
chiropraxie + dér.
chiroptère
  ou chéiroptère
chitine + dér.
chiton
chlamyde + dér.
chlamydia
chlamydomonas
chloasma
chlore + dér. de chloro-
choane(s) + dér.
choéphore
chœur
cholagogue
cholédoque
  + dér. de chol(é)-
choléra + dér.
cholestérol + dér.
choliambe ou cholïambe
choline + dér.
chondrichtyen
chondriome + dér.
chondrome + dér.
chondostréen
choral, e + dér.
chorde ou corde + dér.
chorée + dér.
chorège + dér.
chorégraphie + dér.
choreute
choriambe ou chorïambe
chorion + dér.
choriste
choroïde + dér.
chorologie
chorus
chrême + dér.
chrestomathie
chrétienté + dér.
chris(-)craft ou
Chris-Craft
chrisme
christ + dér.
christiania
christe-marine
  ou criste-marine
chromatide + dér.
chromatisme + dér.
chromatopsie + dér.
chrome + dér.
chromo + dér.
chronaxie
chroniciser + dér.
chrono + dér.

chrysalide
chrysanthème
chryséléphantin, e
chrysobéryl
chrysocale
chrysocolle
chrysolite ou chrysolithe
chrysomèle + dér.
chrysomonadale
  ou chrysophycée
chrysope
chrysoprase
chthonien, enne ou
chtonien, enne
cinchonine
cochléaire + dér.
cochlée
conchoïde + dér.
conchylis
  ou cochylis + dér.
cromlech
deus ex machina
dextrochère
diachylum ou diachylon
dichogamie + dér.
dichotomie + dér.
dichroïsme + dér.
dieffenbachia
dolichocéphale
dolichocôlon
drachme
ecchymose + dér.
échidné
échinocactus
échinocoque + dér.
échinoderme
écho + dér.
écholalie
écholocalisation ou
écholocation
échotier, ère
eschare ou escarre
eschatologie + dér.
eucharistie + dér.
euchologe ou eucologe
exarchat
fuchsia + dér.
  (pron. aussi [fyʃja])
gléchome ou glécome
glischroïdie + dér.
gnocchi
gonochorisme + dér.
gutta-percha
hésychasme
high-tech

hydrocharidacée
ichneumon
ichor + dér.
ichthus
ichtyoïde
  + dér. de ichty(o)-
inchoatif, ive
ischémie + dér.
ischion + dér.
isochore
isochrone ou
isochronique + dér.
Koch (bacille de)
krach
lichen
lipochrome
loch (pron. aussi [ɔx])
loméchuse
looch
lychnide ou lychnis
macchab ou macab
macchabée
Mach (nombre de)
machaon
machiavel + dér.
machmètre
macrocheire
malachite
  (pron. aussi [ʃit])
manichéen, enne + dér.
manichordion
  ou manicorde
melchior
melchite ou melkite
mitochondrie + dér.
moloch
monachisme
  (pron. aussi [ʃi])
monochrome + dér.
munichois, e
nabuchodonosor
nichrome ou Nichrome
oligochète
onchocercose
onychophore + dér.
opodeldoch
orchestique
orchestre + dér.
orchidée + dér.
orchis
orchite + dér.
orichalque
ostéichtyens
ostéochondrose

pachyderme
   (pron. aussi [ʃi])
panchro ou
panchromatique
périchondre
picholine
polychète
polychrome + dér.
pschent
psychiatre
   + dér. de psych(o)-
psychrométrie + dér.
pyrotechnie + dér.
rhynchite
rhynchonelle
rhynchote
saccharose + dér.
scherzando
scherzo

schiedam
schistosomiase
schizoïde + dér.
schizose + dér.
schnorchel ou schnorkel
scholie ou scolie + dér.
schooner
   (pron. aussi [ʃu])
senestrochère ou
sénestrochère
spirochète + dér.
splanchnique + dér.
sporotrichose
stichomythie
stochastique
stœchiométrie + dér.
strychnée ou strychnos
strychnine

synchrone + dér.
tachéométrie + dér.
tachine ou tachina
tachiscopique
   ou tachistoscopique
tachistoscope + dér.
tachyon + dér. de tachy-
taricheute
tautochrone
technème
technétronique
technique + dér.
tétrarchat
tichodrome
trachéen, enne
   + dér. de trachée
   (sauf trachée)
trichiasis

trichine + dér.
trichite
trichoma ou
trichome + dér.
   de trich(o)-
trochaïque
trochanter + dér.
trochile + dér.
trochiter
trochlée + dér.
trochophore
   ou trochosphère
tylenchus
varech
yacht
   (pron. aussi [ɔt], [ot])
zucchette ou zuchette
zurichois, e

-cqu-   C167

Plusieurs mots dérivent de mots en **-ec** (*bec*, *embecquer*; *grec*, *grecque*) ou d'antécédents latins (*acquiescer*, *socque*). Le *c* de cette graphie rare est même parfois facultatif (*becquée* ou *béquée*, *jacquemart* ou *jaquemart*).

acqua-toffana
acquérir + dér.
acquêt
acquiescer + dér.
acquis
acquit
acquitter + dér.
becquée ou béquée

becquerel
becquet ou béquet
becqueter
   ou béqueter + dér.
dacquois, e
embecquer
grecque
grecquer

jacquard
jacqueline ou jaquelin
jacquemart ou jaquemart
jacquerie
jacques
jacquet
jacquier ou jaquier

jacquot, jaco ou jacot
macque ou maque
oncques, onc ou onques
pacquer + dér.
sacquebute ou saquebute
sacquer ou saquer
socque + dér.

-em- ou -en-   se prononçant [ɛ̃]   C168

Cette prononciation est très fréquente dans les termes latins, tant pour les mots à consonance savante que pour ceux d'utilisation courante : *agenda*, *appendice*, *consensus*, etc.
N'ont pas été retenus les mots où les lettres *-en-* prononcées [ɛ̃] se retrouvent en fin de mot (*examen*, *mécanicien*, etc.).

addenda
agenda
arguardiente
   (pron. aussi [ɛn])

amniocentèse
appendice + dér.
auto sacramental
bengali

benjamin, e
benjoin
benthos + dér.
bentonite

benzène + dér.
benzine
benzoate + dér.
benzol + dér.

benzoyle
benzyle + dér.
bienfait + dér.
bienheureux, euse
bienséance + dér.
bientôt
bienveillance + dér.
bienvenir + dér.
blende
chrétienté
combientième
compendium
   (pron. aussi [ɑ̃])
consensus
crescendo
   (pron. aussi [ɛn]) + dér.
delirium tremens
dendrochronologie
   (pron. aussi [ɑ̃])
dengue
dicentra
diminuendo
   (pron. aussi [ɛn])
efendi, éfendi ou effendi
emmental ou emmenthal
   (pron. aussi [ɑ̃], [ɛn])
farniente
   (pron. aussi [ɑ̃], [ɛn])

gens*
gentes (pl. de gens*)
hendécagone
hendécasyllabe
hendiadyin ou
hendiadys
   (pron. aussi [ɛn])
hornblende
impedimenta
in absentia
   (pron. aussi [ɑ̃])
in extenso
influenza
   (pron. aussi [ɑ̃], [ɛn])
intelligentsia
   (pron. aussi [ɛn])
   ou intelligentzia
kentia (pron. aussi [ɛn])
labadens
lato sensu
lépidodendron
magenta
marengo
martensite + dér.
mémento
mendélévium
mendélisme + dér.
mentor

mérens
modus vivendi
népenthès
paracentèse
pechblende
pembina ou pimbina
pensum
pentacle
pentagone
   + dér. de pent(a)-
pentarchie
pentathlon
pentatome
penthiobarbital
penthode ou pentode
penthotal ou pentothal
penthrite ou pentrite
perfringens
philodendron
placenta + dér.
privat(-)docent ou
privat(-)dozent
   (pron. aussi [ɛn])
référendum
   ou referendum
   + dér. (pron. aussi [ɑ̃])
rendzine
rhododendron

sapiential, e
   + dér. (pron. aussi [ɑ̃])
semper virens
   (pron. [sɛ̃pɛrvirɛ̃s])
sempervirent, e
sempervivum
sempiternel, elle
   + dér. (pron. aussi [ɑ̃])
siemens (pron. aussi [ɛn])
silentbloc (pron. aussi [ɑ̃])
sirventès (pron. aussi [ɑ̃])
spencer (pron. aussi [ɛn])
spina-ventosa
stencil (pron. aussi [ɛn])
stendhalien, enne
stricto sensu
tempo (pron. aussi [ɛm])
thiopental
thoracentèse
   (pron. aussi [ɑ̃])
tylenchus
wurtembergeois, e
zend

*Mots se terminant
par -en : voir les tableaux
T14 et 15*

-en- se prononçant [ɛn] C169

> Ces mots proviennent de langues étrangères aussi variées que l'allemand (*alpenstock*), l'anglais (*engineering*), l'espagnol (*hacienda*), l'italien (*aggiornamento*), le japonais (*kendo*), le russe (*menchevik*), et plusieurs autres.
> N'ont pas été retenus les mots où les lettres -en- prononcées [ɛn] se retrouvent en fin de mot (*abdomen*, *éden*, etc.).

aggiornamento
aguardiente
   (pron. aussi [ɛ̃])
al dente
alpenstock
appenzell
asiento
audiencia
ayuntamiento
benji
challenger ou
challengeur + dér.
   (pron. aussi [ɑ̃])

chippendale
crescendo + dér.
   (pron. aussi [ɛ̃])
dieffenbachia
diminuendo
   (pron. aussi [ɛ̃])
divertimento
encomienda
engineering
ennéagone
   (pron. aussi [e])
farniente (pron. aussi [ɑ̃t])
fazenda

flamenco, ca
french cancan
garden-party
gentleman
   (pron. aussi [ɑ̃])
gentry
grœnendael
groenlandais, e
hacienda
happy end
hendiadis, hendiadyin ou
hendiadys
   (pron. aussi [ɛ̃])

impeachment
influenza
   (pron. aussi [ɑ̃], [ɛ̃])
intelligentsia
   (pron. aussi [ɛ̃])
   ou intelligentzia
joint(-) venture
kendo
kentia (pron. aussi [ɛ̃])
lamento
lento
menchevik
nomenklatura

panchen-lama
pence
penthouse
penty
pfennig (pron. aussi [e])
polenta
privat(-)docent ou
privat(-)dozent
   (pron. aussi [ɛ̃])

pronunciamiento
pschent
quattrocento + dér.
Regency
röntgenthérapie
self-government
semen-contra
siemens (pron. aussi [ɛ̃])

spencer (pron. aussi [ɛ̃])
stencil (pron. aussi [ɛ̃])
suspense (pron. aussi [ɑ̃]) *
tiento
trench ou trench-coat
trend
week-end

Mots en -en se prononçant [ɛn] : voir le tableau T90

-es   muet en fin de mot C170

On note que presque tous ces mots sont des noms propres devenus noms communs : *gilles, jacques, jules* (prénoms masculins) ; *époisses, malines, plombières* (villes), et ainsi de suite. Quelques adverbes se glissent également dans la liste : *certes, guères, jusques, oncques (onques), ores* ; certains d'entre eux peuvent aussi s'écrire sans *s* final.

certes
chiroubles
corbières
époisses
gilles ou gille
graves*
guères ou guère
gueules*

jacques
jules
jusques ou jusque
king-charles
langres
malines
marennes

maroilles
oncques, onques, onc
ores
Pâques
plombières
prince(-) de(-) galles
rivesaltes

sauternes
sèvres
valenciennes

Mots toujours pluriels : voir les tableaux N28 à 32

exc-   se prononçant [ɛks] C171

Notez que dans ces mots, le *c* modifie la prononciation : comparez *excellent* et *exaltant*, *excès* et *exèdre*. Dans *excuser* et ses dérivés, les lettres *exc* se prononcent avec un [k] additionnel.

excéder + dér.
exceller + dér.
excentrer + dér.

excentricité + dér.
excepter + dér.
excès + dér.

exciper + dér.
exciser + dér.

exciter + dér.
exciton

-gn- se prononçant [gn] C172

Ces mots sont pour la plupart d'origine latine (*magnum*, *pugnace*) ou grecque (*gnosie*, *pro-gnathe*), parfois même allemande (*wagnérien*) ou africaine (*gnou*). En anglais, la traduction de plusieurs d'entre eux se prononce aussi [gn] : *cognition*, *ignition*, *stagnation*, etc.

agnathe
agnation + dér.
agnostique + dér.
agnus-castus
    (pron. aussi [ɲys])
agnus-Dei ou Agnus Dei
    (pron. aussi [ɲys])
anagnoste
cognat + dér.
cognition + dér.
diagnostic + dér.
gneiss + dér.
gnète ou gnetum
gnome + dér.

gnomon + dér.
gnose + dér.
gnosie + dér.
gnôthi seauton
gnou
igname (pron. aussi [ɲa])
ignifuge + dér.
    (pron. aussi [ɲi])
igniponcture ou
ignipuncture
    (pron. aussi [ɲi])
ignition (pron. aussi [ɲi])
ignitron (pron. aussi [ɲi])

ignivome
    (pron. aussi [ɲi])
inexpugnable
    (pron. aussi [ɲa])
magnat
magnificat
    (pron. aussi [ɲi])
magnum
pathognomonique
pharmacognosie
physiognomonie + dér.
prégnance + dér.
    (pron. aussi [ɲɑ̃s])

prognathe + dér.
pugnace + dér.
récognition + dér.
    (pron. aussi [ɲi])
stagnation + dér.
stéréognosie
syngnathe + dér.
urolagnie
    (pron. aussi [ɲi])
wagnérien, enne
wagnérisme
zygnéma

-mn- se prononçant [n] C173

Encore une fois, des réminiscences latines !

automne + dér.
damner + dér.

œ C174

Les lettres *œ* se prononcent tantôt comme un « *é* » (dans *cœliaque*, *fœtus*, etc.), tantôt comme un « *e* » (*œil*, *œuf*), tantôt encore comme un « *é* » ou un « *eu* », au choix (*œdème*, *œdipe*). On retrouve dans cette liste plusieurs mots d'origine grecque ou latine.

accœlomate
as(s)a-fœtida
bœuf
chœur
cœlacanthe
cœlentéré
cœliaque + dér.
cœlome + dér.
cœlostat

cœur + dér.
fœtus + dér.
frœbélien, enne
grœnendael
lœss
manœuvre + dér.
mœurs
monœcie
myxœdème + dér.

nœud
œcuménisme + dér.
œdème + dér.
œdicnème
œdipe + dér.
œil + dér.
œillet + dér.
œnanthe + dér.
œnologie + dér.

œnométrie + dér.
œnothera ou
œnothère + dér.
œrsted
œrstite
œsophage + dér.
œstradiol ou estradiol
œstre + dér.
œstrogène ou estrogène

œstrone ou estrone
œuf + dér.
œuvre + dér.

pœcile
rancœur
sœur + dér.

stœchiométrie + dér.
synœcisme
vœu

*Mots dans lesquels
on peut substituer aux
lettres œ une autre lettre :
voir le tableau É103*

-pt- se prononçant [t] C175

Ces mots ont gardé le *p* de leur racine latine originale, bien qu'ici on ne le prononce pas. Dans d'autres mots français, provenant également du latin, on doit toutefois prononcer ce *p* : *aptitude, coopter, septembre*, etc.

acompte
baptême + dér.
baptisme + dér.
cheptel (pron. [ʃɛptɛl]
   ou [ʃtɛl])
compte + dér.
comptine
comptoir

discompte + dér.
dompter + dér.
escompte + dér.
exempt, e
exempté, e
exempter (pron. aussi
   [pte], comme
   exemption [psjɔ̃])

mécompte
précompte
prompt, e
   (pron. aussi [prɔ̃pt])
promptement (pron.
   aussi [prɔ̃ptəmɑ̃])
promptitude (pron.
   aussi [prɔ̃ptityd])

sculpter + dér.
sept
septain
septième
septièmement
septmoncel

s se prononçant [s] entre deux voyelles C176

Contrairement aux règles habituelles de la prononciation, le *s* de ces mots, bien que placé entre deux voyelles, ne se prononce pas [z] comme dans *asiatique* ou dans *osier*, mais plutôt [s], comme s'il y avait deux *s* au lieu d'un. Quelques-uns de ces mots proviennent de langues étrangères (*asiento*, de l'espagnol ; *dasein*, de l'allemand ; *imprésario*, de l'italien ; *madrasa*, de l'arabe, etc.). La plupart sont formés à partir d'un mot commençant par *s*, auquel on a joint, sans ajouter de *s* supplémentaire, un préfixe se terminant par une voyelle, tout en conservant le son [s] du mot ainsi modifié : *parasympathique, resaler, présupposer, antisida, microsillon, polysoc*, etc. Comme on peut appliquer ce principe à la plupart des préfixes, tous les dérivés qu'ils ont servi à former n'ont pas été mentionnés dans la liste qui suit, même s'ils sont construits sur ce modèle.

aérosol
aérosondage
almasilicium
aluminosilicate
ambisexué, e
antisémite + dér.
antisida
aposélène
asémantique + dér.
aseptiser + dér.
asexualité + dér.
asialie
asiento
asocial, e + dér.

asomatognosie
asymbolie
asymétrie + dér.
asymptomatique
asymptote + dér.
asynchronisme + dér.
asyndète
asynergie
attoseconde
autosubsistance
autosuffisance + dér.
axisymétrique
biosynthèse
bisexualité + dér.

bisulfate + dér.
bodhisattva
borosilicate + dér.
chondrosarcome
contresigner + dér.
corticosurrénal, e
cosécante
cosigner + dér.
cosinus
dasein
décasyllabe + dér.
désacraliser + dér.
désaisonnaliser + dér.
désaper ou dessaper

désatelliser + dér.
désectoriser + dér.
déségrégation
désensibilisation
désexualiser + dér.
désiler
désiliciage
désocialiser + dér.
désodé, e
désolidariser
désorption
désuet, ète + dér.
   (pron. aussi [z])
désulfiter + dér.

désulfurer + dér.
désurchauffer + dér.
désynchroniser
désyndicaliser + dér.
dinosaurien
disaccharide
disamare
disulfirame
dodécasyllabe
dysenterie + dér.
échosondage
entresol + dér.
équisétale
équisétinée
eurosignal
extrasensible
extrasensoriel, elle
extrasystole
faseyer (pron. aussi [z])
gamosépale
géosynchrone
géosynclinal
gymnosophiste
havresac
héliosynchrone
hendécasyllabe
heptasyllabe
hérédosyphilitique
hétérosexuel, elle + dér.
homosexuel, elle + dér.
house-boat
hydrosol
hydrosoluble
hyposécrétion
hyposodé, e
idiosyncrasie
imparisyllabique

impresarii
   (pl. de impresario)
impresario ou imprésario
   (pron. aussi [z])
infra(-)son + dér.
kiesérite ou kiésérite
   (pron. aussi [z])
Kyrie eleison
lactosérum
lépidosirène
liposarcome
liposuccion
lithosol
lombo(-)sacré, e
luni(-)solaire
lymphosarcome
macroséisme + dér.
macrosociologie
madrasa ou medersa
médicosocial, e
médullosurrénal, e
microsillon
microsonde
minnesang
minnesänger
minnesinger
monosaccharide
monosépale
morphosyntaxe + dér.
multisalle(s)
neurosécrétion
nucléosynthèse
octosyllabe
oligosaccharide
orthosympathique
ostéosarcome
ostéosynthèse

paléosibérien, enne
paléosol
palmiséqué, e
parasol
parasympathique + dér.
parisyllabique
pasionaria
   ou passionaria
paso doble
penthouse
pergélisol
périsélène
peseta
peso (pron. aussi [z])
photosensible + dér.
photosynthèse + dér.
phytosanitaire
phytosociologie
plastisol
pluriséculaire
polysémie + dér.
polysoc
posada
préséance
présélection + dér.
présupposer + dér.
primesautier, ère
prosecteur
prosimien
psychosocial, e
ptérosaurien
pyrosulfurique
qasida
quadrisyllabe + dér.
radiosensible + dér.
radiosonde + dér.
resaler

resalir
resarcelé, e
résection
resemer ou ressemer
réséquer
resingle, résingle
   ou recingle
résipiscence
resocialiser + dér.
resucée
resurchauffer + dér.
resurgir ou ressurgir
soubresaut
sulfosel
suprasegmental, e
suprasensible
susurrer + dér.
télésiège
télésouffleur
tétrasyllabe + dér.
thermosensible
thermosiphon
thiosulfate
thiosulfurique
tournesol
trisoc
trisyllabe + dér.
turbosoufflante
ultra(-)son + dér.
ultrasensible
unisexe + dér.
vaisya
vivisection
vraisemblance+ dér.
zoosémiotique

*Préfixes : voir les tableaux
M1 à 7*

-SC-

Un *s* obscène s'est immiscé avec scélératesse avant le *c* des mots suivants pour produire le son
[s]. La plupart sont d'origine latine ou grecque, auxquels s'ajoutent quelques mots italiens
ou anglais. Ils sont divisés selon les lettres qui suivent le groupe **-sc-**. Ont été exclus les mots
en *-escence*, *-escent, e, -iscence* et *-scible* ayant déjà été traités dans la section précédente.

-sce-, -scé- ou -scè-   C177

acquiescer + dér.
ascèse + dér.
coalescer + dér.

discerner + dér.
faisceau
fasce + dér.

fluorescéine
hyposcenium
immiscer (s')

intussusception
macroscélide + dér.
mercurescéine

miscellanées
obscène + dér.
parascève
proscenium

sceau
scélérat, e + dér.
sceller + dér.
scenario ou scénario + dér.

scène + dér.
scenic railway
scénopégies
sceptique + dér.

sceptre
susceptible + dér.
vesce
viscère + dér.

-scen- C178

ascendant + dér.
ascensionner + dér.

condescendre + dér.
crescendo + dér.

descendre + dér.
transcender + dér.

-sci- ou -scy- C179

abscisse
ascidie
ascite + dér.
auscitain, e
disciple + dér.
discipline + dér.
dyscinésie
   ou dyskinésie + dér.
fascia + dér.
fascicule + dér.
fascine
fasciner + dér.
fuscine

lascif, ive + dér.
méniscite
mucoviscidose + dér.
muscidé
muscinée
osciètre
osciller + dér.
pisciculture + dér.
piscine
plébiscite + dér.
priscillianisme
proboscidien
putrescine

rescision + dér.
ressusciter
scialytique ou Scialytique
sciatique
scie + dér.
sciène + dér.
scille
scincidé ou scincoïde
scinder + dér.
scinque
scintigramme ou
   scintillogramme + dér.
scintiller + dér.

scion
sciotte
scirpe
scissile
scission + dér.
scissipare + dér.
scissure
scitaminale
sciuridé
scyphoméduses
scyphozoaire
scythe ou scythique
susciter

-scien- C180

conscience + dér.
escient
prescience + dér.

sciemment
science + dér.
scientisme + dér.

*Mots en -escence,
-iscence et -scible :
voir les tableaux C136 à
139*

t se prononçant [s] C181

Le *t* se prononce comme un *s* dans ces mots, de même que dans les mots de même famille dont le *t* est suivi d'un *i*, puis d'une autre voyelle : par exemple, *confidentialité*, duquel dérive *confidentiel* ; *insatiable*, qui vient de *satiété* ; par contre, bien que *conception* se dise avec le son [s], on prononcera [t] dans *conceptuel*, puisque ce n'est pas un *i* qui suit la lettre *t*.
Ont été exclus tous les mots traités dans la section précédente sous la rubrique « le son [s] : *c*, *s* ou *t* », ainsi que leurs dérivés (par exemple, *constitutionnel*, qui dérive de *constitution*).

absorption + dér.
acception
adoptianisme
adsorption

a fortiori
assomption + dér.
comitialité + dér.
conception + dér.

confidentialité
conscription
convention
déception

description
désorption
différentiable
différentiation

enduction
essentialisme + dér.
exemption
fonction + dér.
gentiane
gratiole
impatiens
inertiel, elle
initier
insatiable + dér.
inscription + dér.
intention* + dér.
interception
interruption

intussusception
irruption
mention
nuptial, e + dér.
option + dér.
partialité
patience + dér.
patio (pron. aussi [tjo])
perception + dér.
péremption
pétiole + dér.
physisorption
potentialiser + dér.
prescription

présidentiable + dér.
présomption
prétention + dér.
propitiatoire
proscription
providentialisme
quotient
ratio
ratiocination + dér.
réception + dér.
rédemption
résorption
satiation
satiété

sélection
sorption
souscription
spartiate
strontiane
subreption
suscription
tertiairisation ou
tertiarisation
tertio
transcription
transsubstantiation

-thia ou -tia
C182

forsythia
in absentia
kentia (pron. aussi [tja])
opuntia ou oponce

poinsettia
    (pron. aussi [tja])
tradescantia

-tie
C183

anodontie
endodontie
ineptie
inertie

orthodontie
    (pron. aussi [ti])
orthoptie ou orthoptique
pédodontie

-tien
C184

aléoutien, enne
aoûtien, enne
égyptien, enne

kantien, enne
    (pron. aussi [tjɛ̃])
laurentien, enne
martien, enne

-tium
C185

consortium
pretium doloris

strontium
technétium

Mots se terminant par -action, -antiel, -atie, -atien, -ation, -aution, -ection, -entiel, -étie, -étien, -étion, -iction, -itie, -itien, -itier, -ition, -ixtion, -oction, -otie, -otien, -otion, -tiaire, -tial, -tier, -tieux, -uction, -utie, -utien, -ution, -ytie : voir les tableaux C94 à 121, 157 à 161

U   se prononçant [u] C186

Comme dans leur langue d'origine, le *u* de ces mots se prononce comme un « *ou* » français. Certains viennent de l'allemand (*landsturm*), de l'anglais (*pullman*), de l'arabe (*luffa*), de l'espagnol (*azulejo*), de l'italien (*piu*), du portugais (*escudo*), du vietnamien (*quôc-ngu*), etc. D'autres mots étrangers ont par ailleurs été totalement francisés, et on prononce leur *u* à la française : *occiput* (du latin), *refuznik* (du russe), *volapuk*, etc. ; dans d'autres cas, enfin, les dictionnaires ne précisent pas laquelle de ces prononciations convient.

ayuntamiento
azulejo
bakufu
banyuls (pron. aussi [y])

barbecue (pron. aussi [y])
barracuda (pron. aussi [y])
brocciu, broccio ou
bruccio

bulldozer
bunker (pron. aussi [œn])
bunraku
bush

cruzado
de cujus (pron. [dekujus]
    ou [dekyjys])

⇒

deus ex machina
  (pron. aussi [y])
duce
dum-dum
escudo (pron. aussi [y])
fugu
full
gagaku
gulden
guru ou gourou
haïku
hamburger
  (pron. aussi [œ])
juke-box
junker
kieselguhr ou kieselgur
  (pron. aussi [y])
kommandantur
  (pron. aussi [y])
kufique ou coufique

kumquat
kung-fu
kuru
kyu
landsturm
luffa ou loofa
lumpenprolétariat
macumba
maracuja (pron. aussi [y])
mudéjar (pron. aussi [y])
mudra
muleta ou muléta
  (pron. aussi [y])
mulla, mollah ou mullah
munda ou mounda
mungo
nunchaku
nuraghe (pron. aussi [y])
piu
pronunciamiento

pudding ou pouding
pullman
pull-over (pron. aussi [y])
puntillero
puseyisme
putsch
putto
quipu
quôc-ngu
rupiah
schupo
seppuku
shantung ou chantoung
shiatsu
shogun ou shogoun + dér.
sodoku
strudel (pron. aussi [y])
stuka
sumo

sunna
sushi
tabun
telugu ou télougou
tofu
trullo (pron. aussi [y])
tsunami (pron. aussi [y])
tutti(-) frutti
tutti quanti
ukase ou oukase
uléma (pron. aussi [y])
  ou ouléma
urdu ou ourdou
uzbek ou ouzbek
weltanschauung
wu
yakusa ou yakuza
yuppie

-um- ou -un- se prononçant [ɔ̃] C187

> Aux mots d'origine latine (comme *nuncupation* ou *unguis*) s'ajoutent quelques mots issus d'autres langues, telles que l'anglais (*punch*), le chinois (*pacfung*), l'italien (*contrapuntique*), le provençal (*puntarelle*), etc. La connaissance de ces langues peut parfois nous être fort utile ; par exemple, quand on sait qu'*avunculaire* fait référence à un oncle, on peut penser à l'anglais « *uncle* », où la graphie -un- a subsisté.

acupuncture
  ou acuponcture + dér.
avunculaire + dér.
carborundum ou
Carborundum
columbarium
columbium
  ou colombium
conjungo
contrapuntique
  ou contrapontique
  + dér.

de profundis
digitopuncture
électropuncture
  ou électroponcture
fundus
homuncule
  ou homoncule
ignipuncture
infundibulum + dér.
jungle (pron. aussi[œ̃])
latifundium + dér.
lumbago ou lombago

negundo ou négondo
nelumbo ou nélombo
nuncupation + dér.
opuntia ou oponce
pacfung ou packfung
punch*
punctum
puntarelle
rhumb ou rumb

secundo
skunks, skuns
  ou sconse, skons
unciforme
unciné, e
unguéal, e
unguifère
unguis
zérumbet

w se prononçant [v] C 188

Ces mots ont conservé pour le **w** la prononciation [v] de leur langue d'origine ; on rencontre notamment des mots allemands (*wassingue*), anglais (*wagon*), arabes (*willaya*) ou norvégiens (*stawug*). Le **w** de plusieurs autres mots, surtout d'origine anglaise, se prononce pourtant [w] : c'est le cas, entre autres, de *western* (de l'anglais), *witloof* (du flamand) et *won* (du coréen).

bowette
edelweiss ou édelweiss
feldwebel
kwas ou kvas
landwehr
rédowa
Sandow (pron. aussi [o])
schwa ou chva
stawug
talweg ou thalweg

wagnérien, enne
wagnérisme
wagon
walkyrie ou valkyrie
warrant + dér.
   (pron. aussi [w])
wassingue
weber
wehnelt

welche ou velche
weltanschauung
welter (pron. aussi [w])
wergeld
wienerli
wilaya ou willaya
wisigoth, e + dér.
witz
wolfram

wombat + dér.
wormien
wu
würm
wurtembergeois, e
wyandotte
zwanze (pron. aussi [w])
zwinglianisme
   + dér. (pron. aussi [w])

z se prononçant [s] C 189

Le **z** de ces mots a conservé sa prononciation d'origine et se dit comme un *s* français ; on rencontre dans cette liste des mots allemands (*zwieback*), espagnols (*jerez*), hébreux (*kibboutz*), italiens (*grazioso*), russes (*tzar*), etc. D'autres mots étrangers se prononcent toutefois à la française, avec le son [z] : *alcazar* (de l'arabe), *dazibao* (du chinois), *zêta* (du grec) ou *ziggourat* (de l'hébreu), par exemple.

binz ou bin's
breitschwanz
chintz
chorizo (pron. aussi [z])
cruzado (pron. aussi [z])
cruzeiro (pron. aussi [z])
csardas ou czardas
   (pron. aussi [z])
grazioso
hertz
intelligentzia
   ou intelligentsia

jerez ou xérès
kibboutz
konzern (pron. aussi [z])
kreutzer (pron. aussi [z])
merguez (pron. aussi [z])
privat(-)dozent
   ou privat(-)docent
quartz
quartzite
ranz (pron. aussi [rãz]
   ou [rã])
ruolz

Seltz (eau de)
tzar ou tsar
   (pron. aussi [z])
tzarévitch ou tsarévitch
   (pron. aussi [z])
tzarine ou tsarine
   (pron. aussi [z])
tzigane ou tsigane
   (pron. aussi [z])
witz
zapateado ou zapatéado
   (pron. aussi [z])

zarzuela (pron. aussi [z])
zwanze
   (pron. aussi [z]) + dér.
zwieback
zwinglianisme + dér.

Pour l'origine de ces mots et pour d'autres mots provenant des mêmes langues : voir le chapitre « Mots étrangers »

*L*es accents

Il est souvent aisé, lorsqu'on doit orthographier un mot, de déterminer s'il doit porter un accent, et si oui, lequel. Les difficultés surviennent d'une part en cas de prononciation boiteuse (lorsqu'on dit, par exemple, *pèlerin* comme s'il avait un accent aigu), d'autre part quand le mot en question ressemble à s'y méprendre à un autre mot connu… qui, lui, n'est pas nécessairement coiffé du même accent (comme *racler* et *bâcler*).

Le chapitre qui suit vise deux objectifs : d'abord, répertorier des mots présentant, à notre avis, des difficultés d'accent (ces listes ne pourront donc jamais être parfaitement exhaustives); ensuite, mettre côte à côte à des fins d'observation certains mots de même famille ne portant pas le même accent (*mèche* et *émécher*, notamment).

Les comparaisons entre les mots sont encore une fois capitales. Si l'on sait écrire *chaîne*, on n'aura aucune difficulté avec les verbes *enchaîner* et *déchaîner*, puisqu'ils appartiennent à la même famille. Cependant, ce procédé peut induire en erreur lorsqu'on croit que deux mots ont une origine commune alors qu'il n'en est rien : par exemple, *ilote* n'est pas un dérivé d'*île* mais désigne plutôt un esclave chez les Spartiates. Les mots mis en parallèle n'appartiennent donc pas nécessairement à la même famille : ils ont été opposés afin d'insister sur leurs différences.

Parsemés çà et là, incongrûment, les accents nous font souvent endêver, quelquefois même… chialer, et apprendre à maîtriser cette infamie nous paraît aussi inaccessible que la cime d'un séquoia ou le faîte d'un coteau escarpé. Mais trêve de palabres : avant de devenir tatillons ou pimbêches, de glacer de peur jusqu'à la moelle ou de nous infliger une crise aiguë du côlon, mettons l'accent sur cet élément capital de la langue française, et apprenons à câliner ces accents qui donnent à notre langue des reflets chatoyants.

Les tableaux A1, 4, 30, 49, 60 à 65 portent uniquement sur les accents aigu, grave et circonflexe, les mots sans accent et le tréma. Les tableaux intermédiaires, entre A2 et 59, établissent ensuite des parallèles entre ces différents types d'accents. Enfin, les tableaux A66 à 79 recensent les mots pour lesquels les dictionnaires mentionnent plus d'une orthographe, ou pour lesquels ils entrent en désaccord quant à l'accent. Notez qu'en général chaque mot n'apparaîtra qu'une fois, de préférence là où il a pu être jumelé à d'autres mots présentant un accent différent, et classé dans la terminaison la plus simple que puisse prendre un des mots de cette famille (*chère* et *chèrement*, par exemple, se retrouveront avec *cher* dans le groupe «-er»).

Lorsqu'il est possible de dégager une règle générale (dans le cas de terminaisons ou de suffixes répandus), seuls quelques exemples sont recensés, et la liste se termine par «etc.». La mention « + dér. » implique que tous les mots de la famille portent le même accent, à moins qu'ils ne se retrouvent en parallèle : « drôle + dér. **mais** drolatique » sous-entend que *drôlerie*, *drôlement*, *drôlesse*, etc. s'écrivent tous avec un accent circonflexe, et que *drolatique* est seul à ne pas en avoir. La plupart des dérivés sont donc traités implicitement, bien que quelques-uns soient parfois énumérés pour éviter la confusion. Des familles peuvent aussi être opposées : « île + dér. **mais** ilote + dér., iléon + dér. » signifie qu'*îlot*, *îlet*, *îlien*, *îlotage* prendront un accent circonflexe, contrairement à *ilotisme* (condition d'ilote) ou à *iléal*, *iléite*, *iliaque*, etc. (relatifs à l'iléon, au bassin).

Les corrélats vous renverront à d'autres tableaux du présent chapitre, ainsi qu'aux chapitres « Terminaisons », « Confusions orthographiques », « Mots étrangers » et « Homonymes » : un coup d'œil sur ces listes saura répondre aux questions qui surgiront sans doute à la lecture des « Accents », et permettra d'en approfondir l'étude.

Plan du chapitre

é

L'accent aigu

L'accent aigu est généralement facile à utiliser correctement car, d'après la prononciation des mots, on distingue assez clairement le *é* du *e*, du *è* ou du *ê*. Voici toutefois une liste de mots sur lesquels on hésite à l'occasion.

abécédaire
abréger + dér.
affété, e + dér.
agréger + dér.
albédo
appétit + dér.
bandonéon
baréter
belvédère
bréviaire
cambrésien, enne
caméscope ou Caméscope
candélabre
cellérier, ère
crémaillère
crémant
crémation + dér.
crémone
créneler + dér.
créner + dér.
crépiter + dér.
décitex
déficit + dér.
démonétiser + dér.
déshérence
déspécialisation
déstabiliser + dér.
déstalinisation + dér.
déstocker + dér.
déstructurer + dér.
diarrhéique

égocentrisme + dér.
émanché
emprésurer + dér.
énième ou nième
épéisme + dér.
épistémologie + dér.
espéranto
essénien, enne
évoé ou évohé
fémelot
fuégien, enne
gardénal
généthliaque
géorgien, enne
géorgique
goéland
goélette
goémon
gréer + dér.
hébéter + dér.
hélas
héler
hématémèse
indélébile + dér.
interféron
intérim + dér.
intérioriser + dér.
ipséité
irénisme + dér.
irrédentisme + dér.
jéroboam
juliénas

kaléidoscope + dér.
léninisme + dér.
lépidodendron
léser
magdalénien, enne
mazdéisme + dér.
médiéviste + dér.
médiumnité + dér.
méiose + dér.
méphistophélique
mérens
mésestimer + dér.
mésuser + dér.
métathérien
mézig ou mézigue
millépore
misonéisme + dér.
monténégrin, e
oréade
panthéon + dér.
passéisme + dér.
péage + dér.
pénien, enne + dér.
pérégrin
pérégrination(s)
péréquation
perpétrer + dér.
petit-déj'
phaéton
phytéléphas
piédestal
piédouche
piétaille
piétin
piétisme + dér.
piétrain
pipéronal
planchéier + dér.
pléiade
pompéien, enne
pou de San José
protothérien

psaltérion
récépissé
récollet
rédhibition + dér.
rédie
réer ou raire
référer + dér.
réfrigérer + dér.
régnié
régresser + dér.
réhoboam
réluctance
rémunérer + dér.
répliquer + dér.
répréhension + dér.
requérir + dér.
résine + dér.
réviser + dér.
ronéo ou Ronéo + dér.
rouspéter + dér.
rubénien, enne
sacrédié
sénatus-consulte
sénevol
splénique + dér.
sténo + dér.
stéréo + dér.
stérol + dér.
superfétation + dér.
surérogation + dér.
téflon ou Téflon + dér.
télamon
télex + dér.
ténesme
*ténoriser
ténu, e + dér.
téraspic
tératologie + dér.
térébration + dér.
vauchérie
vénal, e + dér.
vociférer + dér.

Préfixes **re-** *et* **ré-** *: voir le tableau M7*

Mots d'origine étrangère portant un accent aigu : voir les tableaux É87 à 97

Mots qui ont plus d'une orthographe (avec ou sans accent aigu) : voir les tableaux A66 à 70

Les accents

Parallèle avec l'accent circonflexe

On hésite parfois entre l'accent aigu et l'accent circonflexe, lorsque les lettres qui les portent se prononcent presque identiquement, ou lorsqu'il est possible de confondre des mots de même famille. Observez les quelques exemples suivants.

é	Mais	ê
acquérir + dér.		acquêt
chéneau (conduit)		chêneau (arbre)
génois, e		Gênes
méli-mélo		mêler + dér.
préteur + dér. (magistrat)		prêter
prétoire + dér.		prêteur, euse (qui prête)
vélin		vêler + dér.

Parallèle avec l'accent grave

Voici une liste de mots appartenant à la même famille mais se distinguant par leur accent : en général, quand la syllabe qui suit le *e* est **muette** (*lèpre, dessèchement*), on écrit celui-ci avec un **accent grave** ; mais quand cette syllabe **n'est pas muette** (*lépreux, dessécher*), le *e* qui précède est plutôt coiffé d'un **accent aigu**.

é	Mais	è	é	Mais	è
allégresse		allègre	régner + dér.		règne
bléser + dér.		blèsement	sévrienne		sèvres
célébrer + dér.		célèbre	ténébreux, euse		ténèbres
fiévreux, euse + dér.		fièvre + dér.	ténébrion		
funéraire + dér.		funèbre	tréflé, e + dér.		trèfle
genévrier		genièvre	urétral, e + dér.		urètre
intégrer + dér.		intègre	vertébral, e + dér.		vertèbre
lépreux, euse + dér.		lèpre	zébrer + dér.		zèbre
néflier		nèfle			
négresse		nègre			
négrier, ère + dér.					
obséquieux, euse		obsèques			
orfévré, e		orfèvre			
		orfèvrerie			
pyréthrine + dér.		pyrèthre			
réglementaire(ment)		règlement			
régler + dér.		règle			
régulier, ère					

Parallèles supplémentaires avec des mots portant un accent circonflexe ou grave, ou ne portant pas d'accent : voir les tableaux A5 à 27, A36 à 42, A50 à 59

Mots ayant plus d'une orthographe (avec ou sans accent aigu) : voir les tableaux A66 à 70

Homonymes et paronymes qui se distinguent par leur accent : voir les tableaux H4 et 5

L'accent grave

L'accent grave se rencontre surtout sur le *e*, parfois sur le *a* (notamment pour la préposition *à*, et pour les adverbes *çà* et *là*, afin de les distinguer de leurs homonymes); on le trouve aussi sur le *u* de *où* (adverbe ou pronom) pour distinguer ce dernier de la conjonction *ou*. On n'écrit **jamais** d'accent grave devant une syllabe **non muette**, c'est-à-dire lorsque cette syllabe contient non pas un *e* muet mais un son comme *a*, *eu*, *o*, *ou*, etc. Remarquez l'accent grave dans les mots suivants:

duègne
ès (préposition)
espièglerie + dér.
grègues
guèbre
hièble ou yèble

mièvre + dér.
pègre
pèlerin + dér.
piètre + dér.
synalèphe

Liste complète des mots qui se terminent par **-à**, **-è**: *voir les tableaux T1 et 13*

Mots d'origine étrangère portant un accent grave: voir le tableau É98

Mots qui ont plus d'une orthographe (avec ou sans accent grave): voir les tableaux A70 à 75

Parallèles par terminaisons

On retrouve généralement l'accent grave sur le *e* lorsque la syllabe suivante est **muette**: *pièce*, *mèche*, *arpège*, *grève*, *cautèle*, etc. Mais ce *è* se transforme en *é* ou en *e* **muet** lorsque la syllabe qui suit **n'est plus muette**: *rapiécer*, *émécher*, *arpéger*, *grever*, *cauteleux*, etc. On applique notamment cette règle dans la conjugaison de nombreux verbes: *accéder* (*j'accède* mais *nous accédons*), *crever* (*je crève* mais *nous crevons*), etc.
Les listes qui suivent ne tiendront toutefois pas compte des verbes conjugués, et se limiteront aux mots cités en entrée dans les dictionnaires.
Voici des mots dont l'accent grave est disparu ou est devenu accent aigu dans d'autres mots de même famille, ainsi que des paires de mots d'origine différente pour lesquels une confusion d'accent est possible. Ils sont groupés par terminaisons, parfois accompagnés d'autres dérivés remarquables, en retrait, et divisés selon que le *è* devient *é* ou *e*.

Les accents

-èbe A5

 Mais

è	é
éphèbe	éphébie
grèbe	grébiche, grébige
	ou gribiche
plèbe	plébain ou pléban
	plébéien, enne
	plébiscite + dér.
Thèbes	thébain, e + dér.

-èce A6

 Mais

è	é
espèce	spéciation
fèces ou fécès	fécal, e + dér.
Lutèce	lutécien ou lutétien
	lutécium
pièce	piécette
	rapiéçage
	rapiécer

-èche A7

 Mais

è	é
Ardèche	ardéchois, e
brèche	bréchet
ébrèchement	ébrécher + dér.
crèche	crécher
dèche	déchéance
flèche	flécher + dér.
	fléchir + dér.
lèche	lécher + dér.
mèche	mécher + dér.
pourlèche ou perlèche	pourlécher (se)
sec, sèche	sécher + dér.
sèchement	

-ède A8

 Mais

è	é
Archimède	archimédien, enne
intermède	intermédiaire
mède	médique
remède	remédier + dér.
suède	suédine + dér.
Suède	suédois, e
tiède	tiédir + dér.
tièdement	

-pède Les mots se terminant par *-pède* changent l'accent grave en accent aigu dans les terminaisons *-pédie*, *-pédique*, etc. ; c'est aussi le cas pour le préfixe *péd-*.

 Mais

è	é
bipède	quadrupédie
quadrupède	pédale + dér.
etc.	pédicelle + dér.
	pédicule + dér.
	pédoncule + dér.

-èdre A9 Les mots se terminant par *-èdre* changent cet accent grave en accent aigu devant une syllabe non muette, notamment dans les terminaisons *-édrie*, *-édrique*, etc.

 Mais

è	é
cèdre	cédrière
polyèdre	polyédrique
etc.	

-ège A10

è	Mais	é

è	é
allège	alléger
	allégeance
Ariège	ariégeois, e
arpège	arpéger
chorège	chorégie
collège	collégial, e + dér.
grège	grégeois
liège	liégé, e
Liège	liégeois, e
Norvège	norvégien, enne
piège	piéger + dér.
privilège	privilégier
siège	siéger
stratège	stratégie + dér.

-ègue A11

è	Mais	é

è	é
bègue	bégayer + dér.
	bégueter + dér.

-èle A12

è	Mais	é

è	é
allèle	allélique
chrysomèle	chrysomélidé
clientèle	clientélisme
érysipèle ou érisipèle	érysipélateux, euse
fidèle(ment)	fidélité + dér.
infidèle(ment)	
modèle	modélisme + dér.
parallèle(ment)	parallélisme
sapropèle ou sapropel	sapropélique
zèle	zélé, e + dér.

è	Attention !	e

è	e
cautèle	cauteleux, euse

-ème A13

è	Mais	é

è	é
anathème + dér.	anathémiser ou anathématiser
blasphème	blasphémer + dér.
bohème	bohémien, enne
crème	crémer + dér.
(comme crèmerie)	écrémer + dér.
emblème	emblématique
emphysème + dér.	emphysémateux, euse + dér.
érythème + dér.	érythémateux, euse + dér.
exanthème	exanthématique + dér.
méristème	méristématique
noème	noématique
œdème + dér.	œdémateux, euse
phonème	phonétique + dér.
poème	poésie
problème	problématique + dér.
schème	schéma + dér.
sème	sémantique + dér.
	sémème
système	systématiser + dér.
thème	thématique + dér.
théorème	théorématique
tréponème	tréponématose

-ène A14

è	Mais	é

è	é
acétylène	acétylénique
amène	aménité
arène	arénicole + dér.
axène	axénique + dér.
benzène + dér.	benzénique
carène	caréner + dér.
carotène	caroténoïde
catéchumène	catéchuménat
cène	cénacle
ébène	ébéniste + dér.
éthylène	éthylénique
galène	galénisme + dér.

Les accents

-ène

è   *Mais*   **é**

gangrène	gangréner
	ou gangrener + dér.
gène	génétique
glène	gléner
hellène + dér.	hellénique + dér.
hygiène	hygiénique + dér
isoprène	isoprénique
lycène	lycénidé
mécène	mécénat
molybdène	molybdénite
murène	murénidé
Mycènes	mycénien, enne
néotène	néoténie
noumène	nouménal, e
obscène	obscénité
paraphrène	paraphrénie + dér.
phénomène	phénoménal, e + dér.
ruthène	ruthénium
scène	scénique + dér.
sciène	sciénidé
sélène	sélénium
sirène	sirénien
slovène	Slovénie
sthène	sthénie
terpène	terpénique
turkmène	Turkménistan

-gène et -phrène   Les dérivés formés avec **-gène** et avec **-phrène** changent l'accent grave en accent aigu, notamment dans les terminaisons **-génie**, **-génique**, **-phrénie**, ainsi que devant une syllabe non muette.

è   *Mais*   **é**

homogène	**homogénéiser**
indigène	**indigénat**
oxygène	**oxygéner**
schizophrène	**schizophrénie**
etc.	

-èque A15

è   *Mais*   **é**

chèque	chéquier
tchèque	tchécoslovaque

-pithèque et -thèque   Les dérivés formés avec **-pithèque** et avec **-thèque** changent l'accent grave en accent aigu devant une syllabe non muette, quelle que soit la position de ces éléments à l'intérieur du mot.

è   *Mais*   **é**

anthropopithèque	pithécanthrope
bibliothèque	bibliothécaire
hypothèque	hypothécaire
etc.	hypothéquer

-ère A16

è   *Mais*   **é**

adultère	adultérer + dér.
ampère	ampérage
anthère	anthérozoïde
aptère	aptéryx
arrière	arriérer + dér.
artère	artériel, elle + dér.
austère	austérité
berbère	berbéris + dér.
caractère	caractériser + dér.
carrière	carriérisme + dér.
cautère	cautériser + dér.
chélicère	chélicérate
chimère	chimérique
climatère	climatérique
colère	coléreux, euse + dér.
commère	commérer + dér.
compère	compérage
confrère	confrérie
cratère	cratérisé, e + dér.
critère	critérium
croisière	croisiériste

➠

 è	é
enchère	enchérir + dér.
éphémère	éphéméride
équilatère	équilatéral, e
Finistère	finistérien, enne
frère	frérot
galère	galérien + dér.
haltère	haltérophilie + dér.
Homère	homérique
ibère	ibérique + dér.
ictère	ictérique
infère	inférovarié, e
	mais superovarié, e
madère	madériser (se)
manière	maniérisme + dér.
matière	matiérisme + dér.
mésentère	entéralgie
	entérite
	mésentérique
ministère	ministériel, elle
misère	misérable + dér.
Molière	moliéresque
mystère	mystérieux, euse + dér.
œnothère	œnothéracée
ornière	orniérage
pépinière	pépiniériste
phalanstère	phalanstérien, enne
phanère	phanérogame
poussière	poussiéreux, euse
presbytère	presbytérien, enne
prolifère	proliférer + dér.
prospère	prospérer + dér.
quadrilatère	quadrilatéral, e
repère	repérer + dér.
réverbère	réverbérer + dér.
rosière	rosiériste
sévère(ment)	sévérité
sincère(ment)	sincérité
stère	stéradian
	stérer
surenchère	surenchérir + dér.
trière	triérarque
ulcère	ulcérer + dér.
uretère	urétéral, e + dér.
vipère	vipéridé + dér.
viscère	viscéral, e + dér.
voltampère	voltampérométrie
zostère	zostérien, enne

è *Attention !*	e
chère(ment)	cherté
cratère	craterelle
fière(ment)	fierté

è *Attention !*	e
fougère	fougerole
impubère	impuberté
jonchère	joncheraie
pubère	puberté
supère	superovarié, e
	mais inférovarié, e

-mère et -sphère

Les éléments *-mère* (en science, dans le sens de partie) et *-sphère* changent l'accent grave en accent aigu devant une syllabe non muette, quelle que soit leur position à l'intérieur du mot.

è *Mais*	é
mésomère	mésomérie
métamère	métamérie
hémisphère	hémisphérique
sphère	sphéroïde
etc.	

-ès A17

è *Mais*	é
abcès	abcéder
accès	accédant, e
	accéder
décès	décéder
excès	excédant, e
	excédent, e
	excéder
grès	gréser + dér.
herpès	herpétique + dér.
procès	procédé
	procéder
	procédure + dér.
succès	succédané
	succéder
tabès ou tabes	tabétique

 ⇒

Les accents

Attention !

è	e
accès	accessible + dér. accession
congrès	congressiste
excès	excessif, ive excessivement
exprès	expresse, expressément
londrès	Londres
procès	processeur processif, ive procession
progrès	progresser + dér.
succès	successeur
insuccès	successible + dér. successif, ive + dér.

-èse   A18

 Mais

è	é
alèse ou alaise	aléser + dér.
ascèse	ascétisme + dér.
cinèse	cinétique
électrocinèse	électrocinétique
diaphorèse	diaphorétique
diathèse	diathésique
dièse	diéser
diocèse	diocésain, e
archidiocèse	archidiocésain, e
diurèse	diurétique
électrophorèse	électrophorétique
épenthèse	épenthétique
exégèse	exégétique
hypothèse	hypothétique
jèse ou jèze	jésuite + dér.
noèse	noétique
obèse	obésité
prosthèse	prosthétique
prothèse	prothésiste + dér.
synthèse	synthétique + dér.
thèse	thésard, e

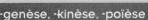

-genèse, -kinèse, -poïèse

L'élément **-genèse** s'écrit généralement sans accent sur le premier *e*, comme dans *biogenèse*, *embryogenèse*, etc. *Uréogénèse* a pourtant un accent aigu. Les trois mots suivants présentent pour leur part deux orthographes :

épigénèse ou épigenèse
histogénèse ou histogenèse
thermogénèse ou thermogenèse

De plus, **-genèse**, **-kinèse** et **-poïèse** changent l'accent grave en accent aigu devant une syllabe non muette.

 Mais

è	é
genèse	génésiaque génésique génétique
psychokinèse	télékinésie
érythropoïèse	érythropoïétine
hématopoïèse	hématopoïétique
etc.	

On écrit toutefois *kinesthésie* (ou *cinesthésie*).

-ète   A19

 Mais

è	é
alphabète	alphabétique + dér.
anachorète	anachorétique + dér.
analphabète	analphabétisme
arbalète	arbalétrier + dér.
ascète	ascétique
ascomycète + dér. de mycète	mycétome
athlète	athlétisme + dér.
comète	cométique + dér.
complète(ment)	compléter + dér.
concrète(ment)	concrétiser + dér.
Crète	crétois, e
désuet, ète	désuétude
diabète	diabétique + dér.

Mais

è	é
diète	diététique + dér.
discrète(ment)	discrétion + dér.
esthète	esthétique + dér.
exégète	exégétique
gamète	gamétocyte + dér.
helvète	helvétisme + dér.
incomplète(ment)	incomplétude
indiscrète(ment)	indiscrétion
inquiet, ète	inquiéter + dér.
interprète	interpréter + dér.
ossète	Ossétie
à perpète ou à perpette	perpétuité + dér.
planète	planétaire + dér.
poète	poétereau
	poétesse
	poétique + dér.
prophète	prophétesse + dér.
proxénète	proxénétisme
quiet, ète	quiétisme + dér.
replet, ète	réplétion + dér.
secrète(ment)	secréter + dér.
spirochète	spirochétose
zétète	zététique

 Attention !

è	e
Aobsolète	obsolescence + dér.
préfète	préfecture + dér.

-être A20

Dans les dérivés formés avec **-mètre**, l'accent grave est remplacé par un accent aigu devant une syllabe non muette.

 Mais

è	é
audiomètre	audiométrie
chronomètre	chronométrer
etc.	emmétrer
	métrage
	métronome

-ève A21

 Mais

è	é
bref, brève	brévité
brièvement	
brièveté	
fève	févier
Geneviève	génovéfain
grève	gréviste
sève	dessévage

 Attention !

è	e
crève	crever + dér.
élève	élever
Genève	genevois, e
grève	grever
lève	lever + dér.
relève(ment)	relever + dér.

-èze A22

 Mais

è	é
Corrèze	corrézien, enne
jèze ou jèse	jésuite
pièze	piézomètre
	+ dér. de piézo-
trapèze	trapéziste + dér.

*Liste complète des mots qui se terminent par **-èce**, **-ègue**, **-èle**, **-ère**, **-ès**, **-ète**, **-èze** : voir les tableaux T117, 53, 75, 107, 13, 128 et 139*

Les adverbes et les noms qui suivent s'écrivent tous avec un accent grave, puisque le *e* qui porte l'accent précède une syllabe muette. Ils ont cependant été formés à partir de verbes ou d'autres noms comportant un *é* ou un *e*. N'ont été retenus que les mots ne dérivant pas de termes déjà mentionnés dans les listes précédentes.

-ècement A23

è **Mais**	e
dépècement	dépecer + dér.

-èlement, -èlerie A24

è **Mais**	e
bourrèlement	bourreler
cisèlement	ciseler + dér.
décèlement	déceler
démantèlement	démanteler
écartèlement	écarteler
grivèlerie	griveler + dér.
harcèlement	harceler + dér.
martèlement	marteler + dér.

-ènement A25

è **Mais**	e
avènement	venir
égrènement	égrener + dér.
enchifrènement	enchifrené, e
engrènement	engrener + dér.
rengrènement	rengrener ou rengréner
soutènement	soutenir + dér.
tènement	tenancier, ère
	tenir + dér.

è **Attention !**	é
refrènement ou réfrènement	refréner ou réfréner

-èrement A26

è **Mais**	é
transfèrement	transférer + dér.

-ètement, -èterie A27

è **Mais**	e
archèterie	archet + dér.
béguètement	bégueter
caquètement	caqueter + dér.
contrepèterie	contrepet
halètement	haleter + dér.

è **Attention !**	é
affrètement	affréter + dér.
empiètement ou empiétement	empiéter
piètement ou piétement	piéter
rempiètement ou rempiétement	rempiéter

-èvement A28

è **Mais**	e
achèvement	achever
dégrèvement	dégrever
embrèvement	embrever
enlèvement	enlever + dér.

è	*Mais*	e

grièvement · grief
inachèvement · inachevé, e
parachèvement · parachever
prélèvement · prélever
regrèvement · grever + dér.
soulèvement · soulever + dér.

Mots en **-èlement**, **-èlerie**, **-ètement**, **-èterie** :
voir les tableaux C24, 26, 141 et 144

Parallèle avec d'autres mots sans accent

à, è, ù	*Mais*	a, e, u

çà (adv.) · ça (pron.)
célèbre · celebret
chèvre · chevrier, ère + dér.
dès (adv.) · des (art.)
entièreté · entier, ère
grènetis · grener ou grainer + dér.
grossièreté · grossier, ère
là (adv.) · la (art.)
légèreté · léger, ère
où (adv.) · ou (n.m. ou conj.)

Autres parallèles avec des mots ayant un accent aigu ou circonflexe, ou aucun accent : voir les tableaux A3, 38, 39 et 41

Mots avec plus d'une orthographe (avec ou sans accent grave) : voir les tableaux A70 à 75

Homonymes et paronymes se distinguant par leur accent : voir les tableaux H4 et 5

Les accents

L'accent circonflexe

La principale difficulté entourant l'accent circonflexe vient de ce que sa présence n'est pas toujours perceptible dans la prononciation. Si on la sent dans *blême* ou *châle*, elle ne peut toutefois être perçue dans *bûche* ou *épître*. De plus, les fautes de prononciation induisent souvent en erreur, et pour le **e**, la confusion avec l'accent grave est assez fréquente.

A30

aîné, e + dér.
alcôve
âme
âne + dér.
août + dér.
apprêter + dér.
âpre + dér.
arête + dér.
arrêter + dér.
à tâtons
bâbord + dér.
bâfrer + dér.
bâlois, e
bâton + dér.
bêler + dér.
brêler
brûler + dér.
câlin, e + dér.
champêtre
châtaigne + dér.
châtain
châtellenie
châtelperronien, enne
chevêtre
chômer + dér.
clôture + dér.
dépêtrer
dîner + dér.
empêcher + dér.
empêtrer
enchevêtrer + dér.
endêver
enfaîter + dér.
enrêner
être
évêque + dér.
fâcher + dér.

faîte + dér.
fêler + dér.
fête + dér.
frôler + dér.
gâcher + dér.
gît (du verbe gésir)
guêtre + dér.
hâblerie + dér.
hâte + dér.
hâtereau
hâtiveau
hêtre + dér.
lâcher + dér.
mêlé-cass,
mêlé(-)casse ou
mêlé-cassis
moyenâgeux, euse
neuchâteloise
neufchâtel
nîmois, e
ô
ôter
pâte + dér.
pâté + dér.
patenôtre
pâtir
pâtis
pâtisser + dér.
pâtisson
pâturer + dér.
pâturin
pêle-mêle
peut-être
pour sûr
prêcher + dér.
presqu'île
prêtre + dér.

prévôté
puîné, e
râble + dér.
reître
renâcler
rhônalpin, e + dér.
rôneraie

rônier ou rondier
rônin
salpêtre + dér.
traîneau
valdôtain, e
vêpres
vêtir + dér.

-aître

-oître

A31

Voici les seuls mots se terminant par *-aître* et par *-oître*. Les verbes conservent l'accent circonflexe dans la conjugaison **lorsque le i précède un t**. Il faut porter une attention spéciale à *croître* : toutes les formes que l'on pourrait confondre avec celles de *croire* prennent un accent circonflexe sur le i afin de s'en distinguer.

apparaître
comparaître
connaître
contremaître
disparaître
maître + dér.
méconnaître
naître
paître
paraître
réapparaître
recomparaître
reconnaître

renaître
repaître
reparaître
traître + dér.
transparaître

accroître
cloître + dér.
croître
décroître
recroître

Voir A48

Cas particuliers

Vous êtes tentés de mettre des accents circonflexes… indûment ? Sachez que les mots suivants sont **les seuls** à porter l'accent circonflexe dans leurs terminaisons respectives. On peut donc en déduire, par exemple, que *racler*, *aicher*, *brailler* ou *drainer* s'écrivent sans accent circonflexe.

-âcle / -âcler

bâcle
    débâcle
    embâcle
bâcler + dér.
renâcler

-aîcher / -aîchir

fraîchir + dér.
maraîcher, ère + dér.

-âiller

bâiller + dér.
entrebâiller + dér.

-aîner

chaîner + dér.
traîner + dér.

-âler

hâler + dér.
râler + dér.

-âmer

blâmer + dér.
pâmer + dér.

-âner

crâner + dér.
flâner + dér.

-âper

râper + dér.

-âteau

château + dér.
gâteau
râteau + dér.
    sauf ratisser + dér.

-îme

abîme + dér.
dîme

-ître

bélître ou belître
épître
huître + dér.

-oît

croît et décroît
    (de croître et décroître)
noroît ou norois
surcroît
suroît

-ôse

nivôse
pluviôse
ptôse ou ptose
ventôse

-oûter

coûter + dér.
croûter + dér.
voûter + dér.

-ûche

bûche + dér.
embûche
    sauf débucher + dér.
    rembucher + dér.
    trébucher + dér.

-ûre

mûre
piqûre
surpiqûre

-ûment

assidûment
congrûment
continûment
crûment
dûment

goulûment
incongrûment
indûment
nûment ou nuement

-ûter

affûter + dér.
    sauf raffut
enfûter + dér.
    sauf enfutailler
flûter + dér.

De plus

-âter

A33

Les seuls verbes en **-âter** sont les suivants :

â *Mais* **a**

appâter
bâter + dér.
démâter + dér.
empâter + dér.   empatter + dér.
gâter + dér.   gatter
hâter + dér.
mâter + dér.   mater + dér.
tâter + dér.   tatillon, onne + dér.

batée

-âtrer

A34

Tous les verbes en **-âtrer** ont un accent circonflexe : *châtrer, folâtrer*, etc.

Par contre

-âtre

La plupart des mots se terminant par le son «*âtre*» prennent un accent circonflexe. Cette terminaison, qu'on retrouve notamment dans *bleuâtre, marâtre* ou *idolâtre*, donne souvent aux mots une connotation péjorative. Les seuls mots qui n'ont pas d'accent circonflexe mais que l'on prononce presque de la même façon sont les suivants :

-atre

archiatre   phoniatre + dér.
embatre ou embattre   psychiatre + dér.
gériatre + dér.   quatre
hippiatre + dér.   ranatre
pédiatre + dér.   vératre + dér.

-atrie

A35

Outre les dérivés précédents, voici les seuls mots en **-atrie** :

fratrie   phratrie
latrie   sociatrie
patrie

-arer, -aser   Il n'y a **aucun** accent circonflexe sur les verbes en **-arer** ou **-aser** (*accaparer, déclarer, embraser, évaser*, par exemple).

Liste complète des mots en **-âme**, **-âne**, **-ât**, **-êque**, **-êt**, **-ît**, **-ô**, **-oîte**, **-ôt**, **-oût**, **-oûte**, **-ût** : *voir les tableaux T82, 88, 1, 66, 13, 16, 17, 126, 17, 22, 134 et 26*

Parallèles entre des mots en **-aiche** *et* **-aîche**, **-aine** *et* **-aîne**, **-ale** *et* **-âle** : *voir les tableaux T31, 90 et 73*

Parallèles avec des mots en **-ailler**, **-oit** : *voir les tableaux T5 et 2*

Mots d'origine étrangère portant un accent circonflexe : voir le tableau É99

Mots qui ont plus d'une orthographe (avec ou sans accent circonflexe) : voir les tableaux A75 à 77

Parallèles par terminaisons

Comme l'accent grave, l'accent circonflexe se transforme souvent en **accent aigu** lorsque la syllabe qui suit le e **n'est pas muette** (*extrême* mais *extrémité*). Cette règle ne s'applique cependant pas toujours (*évêque, évêché*). Voici des paires de mots, appartenant à la même famille ou qu'il est facile de confondre, où l'un porte un accent circonflexe, et l'autre un accent aigu ou grave, ou aucun accent. Ils sont classés par terminaisons, parfois accompagnés d'autres dérivés remarquables en retrait, et divisés selon que le *ê* devient *e, é* ou *è*.

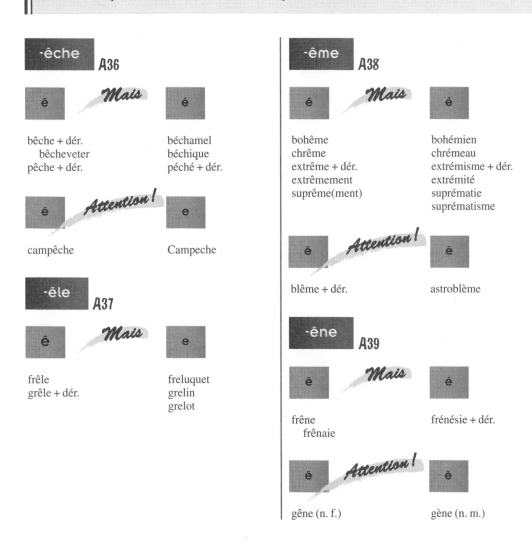

-êche A36

ê *Mais* é

bêche + dér.
  bêcheveter
pêche + dér.

béchamel
béchique
péché + dér.

ê *Attention!* e

campêche

Campeche

-êle A37

ê *Mais* e

frêle
grêle + dér.

freluquet
grelin
grelot

-ême A38

ê *Mais* é

bohême
chrême
extrême + dér.
extrêmement
suprême(ment)

bohémien
chrémeau
extrémisme + dér.
extrémité
suprématie
suprématisme

ê *Attention!* è

blême + dér.

astroblème

-êne A39

ê *Mais* é

frêne
  frênaie

frénésie + dér.

ê *Attention!* è

gêne (n. f.)

gène (n. m.)

Les accents

-êpe A40

ê	*Mais*	é
crêpe		crépi
crêpage		crépine
crêpelé, e		crépinette
crêpelure		
crêper		crépir
crêperie		crépissage
crêpier, ère		crépon
crêpure		crépu, e
guêpe + dér.		guépard

-ête A41

ê	*Mais*	é
bête + dér.		bétail + dér.
bêta		bétel
conquête		conquérir
crête		crételle
enquête + dér.		enquérir (s')
quête + dér.		quérir
tempête + dér.		tempétueux, euse
têtard		tétanos + dér.
tête + dér.		téter + dér.
têteau		téterelle
têtière		tétin + dér.
têtu, e		téton + dér.

ê	*Attention !*	è
tête-bêche		tète-chèvre

-êve A42

ê	*Mais*	é
rêve + dér.		réveil
trêve		trévire + dér.

-ôle A43

ô	*Mais*	o
contrôle + dér.		controlatéral, e
dipôle		dipolaire
dôle		doleau
drôle + dér.		drolatique
môle		molaire
		mole + dér.
niôle, gniôle,		niolo
gnôle, gnaule,		
gniole ou gnole		
pôle		polaire
		polarité + dér.
quadripôle		quadripolaire
tôle + dér.		tolet + dér.

-ôme A44

ô	*Mais*	o
arôme ou arome		aromate + dér.
		aromatique + dér.
binôme		binomial, e
diplôme + dér.		diplomate + dér.
fantôme		fantomatique
môme		momerie
mômerie (de môme)		(affectation)
monôme		monomère
polynôme		polynomial, e
symptôme		symptomatique + dér.

-ône A45

ô	*Mais*	o
cône		conicine
kératocône		conifère
tricône		conique + dér.
icône ou icone		iconique
		iconographie + dér.
prône		pronateur, trice
prôner		pronation

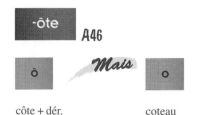

A46

ô	*Mais*	o
côte + dér.		coteau

Liste complète des mots en **-êche, -êle, -ême, -ène, -êpe, -ête, -êve, -ôle, -ôme, -ône, -ôte** : *voir les tableaux T31, 75, 83, 90, 99, 128, 136, 78, 86, 94 et 132*

Parallèle avec d'autres mots sans accent circonflexe

Les mots suivants ont été mis en parallèle parce qu'ils appartiennent à la même famille sans nécessairement conserver leur accent circonflexe, ou parce qu'ils se ressemblent. Remarquons des mots tels que *Pâques, baptême, épître, apôtre* et *goût,* ainsi que les dérivés *pascal, baptismal, épistolaire, apostolique* et *gustatif* : ces derniers montrent que les accents circonflexes modernes ont souvent remplacé des *s* de l'ancien français.

A47

âcre (irritant)	acre (mesure)	câprier	capronier ou
âcreté	acrimonie + dér.		capronnier
affûter + dér.	raffut	châle	chalet
affûtiaux		châlit	chaleur
raffûter		châsse	chassie + dér.
âge (vieillesse) + dér.	age (d'une charrue)	châsses	
ancêtre	ancestral, e	châssis + dér.	
apôtre	apostolique + dér.	enchâsser + dér.	
appât (pâture) + dér.	appas (charmes)	châtier + dér.	chatière
âtre	atriau	côcher (féconder)	cocher (marquer)
bâche + dér.	bachique	côlon (intestin)	colon + dér.
bâiller (de sommeil)	bailler (donner) + dér.	dolichocôlon	colique
+ dér.	baille	mégacôlon	coloscopie ou
bâillon + dér.	bailli		colonoscopie
bât + dér.	bat-flanc		aérocolie
bâtard, e + dér.	batardeau	côté	cote (chiffre)
bâtir + dér.	batifoler + dér.	côtelé, e	coter + dér.
bâtisse + dér.	batillage	côtelette	coterie
benoît, e + dér.	Benoit (Pierre)	côtoyer + dér.	cotir
boîte + dér.	boiter + dér.		coteau
déboîter + dér.	boitiller + dér.	coût + dér.	coutil
emboîter + dér.		crâne + dér.	craniosténose
bûche + dér.	débuché ou débucher		+ dér. de crani(o)-
embûche	rembuchement	endocrânien, enne	bucrane
	rembucher	épicrânien, enne	olécrane + dér.
	trébucher + dér.	croît (croître)	croit (croire)
câble + dér.	accabler + dér.	décroît (décroître)	
câpre	capron	croûte + dér.	choucroute

〓▶

dépôt	déposer + dér.	mâture	mature
disgrâce	disgracier + dér.	mâtin (chien) + dér.	matin + dér.
drômois, e	drome	mâtiner	matines
enjôler + dér.	enjoliver + dér.	moût	moutier
entrepôt	entreposer + dér.		mouture
épître	épistolaire + dér.	mûr, e (adj.) + dér.	murer + dér.
fenêtre + dér.	fenestration + dér.	mûre + dér.	
forêt (arbres)	foret (drille)	mûrir + dér.	
	déforestation + dér.	mûron	
fût (tonneau)	fut (être au passé)	nôtre (pron.)	notre (adj.)
enfûtage	futaie	pâle (adj.) + dér.	pale (rame)
enfûter	futaille		palée
	enfutailler	pâleur	palastre ou palâtre
	futaine	pâli, e	pali
gâpette	gaperon		palis + dér.
genêt (arbrisseau) + dér.	genet (cheval)		paleron
gîte + dér.	giton	pâlichon, onne	palisson + dér.
goût + dér.	égout + dér.	pâlir + dér.	palisser + dér.
dégoût + dér.	dégoutter	pâlissant, e	palissandre
	égoutter + dér.	pâlot, otte	palot (pelle)
	goutter + dér.	pâque(s) ou Pâque(s)	pascal
grâce	gracier + dér.	pâquerette	paquet
	gracieux, euse + dér.	plaît (de plaire)	plaire
	gracile	prêtre + dér.	presbytère + dér.
hâle (peau) + dér.	haler (tirer) + dér.	protêt	protester + dér.
	halle + dér.	ragoût + dér.	ragougnasse
hâve	haver + dér.	râler + dér.	raller
	havir	râper + dér.	raper ou rapper + dér.
	havre + dér.		rapière
hôpital	hospitalier, ère		rapine + dér.
hôtel + dér.	hosteau, hosto ou osto	râteau	ratel
	hostellerie	râteler + dér.	ratiboiser
île + dér.	ilote + dér.	râtelier	ratisser + dér.
	iléon + dér.	râtelures	
Île-de-France	francilien, enne	rôdailler	roder (mettre au point)
impôt	imposer	rôder (errer) + dér.	+ dér.
infâme	infamant, e	rôt (rôti)	rot (renvoi) + dér.
	infamie + dér.	rôtir + dér.	
intérêt + dér.	intéresser + dér.	rôtisserie + dér.	rotifère
jeûne (diète) + dér.	jeun (à)	soûl, e + dér.	soul music
	jeune (récent) + dér.	sûr, e (certain) + dér.	sur (préposition)
	déjeuner		sur, e (aigre)
mâche	machette		assurer + dér.
mâchefer			surelle
mâcher + dér.			suret, ette
mâchicoulis			surin + dér.
mâchoire			suriner ou chouriner
mâchonner + dér.			surir + dér.
mâcon + dér.	maçon	tâche (travail) + dér.	tache (saleté) + dér.
mâle	masculin, e	tâcheron	
mânes	manette	tâtonner	tatillon, onne
mât (nom) + dér.	mat, e (adj.) + dér.	théâtre + dér.	théatin
mâtereau	amatir	vêpres	vespéral, e
	matage	vôtre (pron.)	votre (adjectif)
	matefaim		
	mati, e		
	matir, mater + dér.		
	matoir		
	matois, e		

Les participes passés *crû* et *recrû* (des verbes *croître* et *recroître*) ne prennent un accent circonflexe qu'au **masculin singulier**, alors qu'*accru* (d'*accroître*) n'en a jamais. *Cru*, sans accent, peut être le participe passé du verbe *croire*, un nom (vin), ou un adjectif (non cuit). *Recrû*, pour sa part, est employé comme nom en arboriculture ; distinguons-le de l'adjectif *recru* (fatigué) et du nom *recrue* (nouveau membre d'un groupe).

De même, nous retrouvons *dû* (nom masculin et participe passé au **masculin singulier** seulement) et *redû*, mais *indu*.

Mû, du verbe *mouvoir*, porte aussi l'accent circonflexe au **masculin singulier** ; remarquons l'orthographe de la lettre grecque *mu*, et les adjectifs *ému* et *promu*.

Parallèle avec des mots ayant un accent aigu: voir le tableau A2

Mots ayant plus d'une orthographe (avec ou sans accent circonflexe): voir les tableaux A75 à 77

Homonymes et paronymes se distinguant par leur accent: voir les tableaux H4 et 5

Les mots sans accent

Certains ont la fâcheuse habitude d'écrire des accents là où il n'en faut pas. Voici, à leur intention, une liste de mots qui ne prennent pas d'accent.

aigu
assidu, e
bolchevik ou
bolchevique
bolchevisme
bolcheviste
cabrer + dér.
calice
caliorne
calisson
cela
centennal, e
chai
chatoyer + dér.
chialer + dér.
cimier
closeau ou closerie
convoiter + dér.
déhaler
délabrer

dévot, e + dér.
drainer
dru, e
duplexage + dér.
écimer + dér.
embraser
encadrer
enclume
euskerien, enne,
   eskuarien, euscarien
   ou euskarien
glabre
goitre + dér.
groenlandais, e
haillon
havre + dér.
kenyan, e
kenyapithèque
labre
ladre + dér.

Lego
macabre
macre
maladrerie
menhir
metical
minoen, enne
moelle + dér.
moellon
nacre + dér.
navrer + dér.
opimes
peroxyde + dér.
plateau

pretintaille
puseyisme
rafler + dér.
raout
registre + dér.
regur
sabre + dér.
sedan
simulacre
toit + dér.
traiter + dér.
weber
zydeco

Mots d'origine étrangère ne portant pas d'accent: voir les tableaux É87 et 88

Mots qui ont plus d'une orthographe (avec ou sans accent): voir les tableaux A66 à 69, 71 à 74, 76 à 79

Les accents

Parallèles par terminaisons

Voici des mots où la dernière syllabe ne compte **pas d'accent** et se termine par une consonne. Ils sont mis en parallèle avec des mots de même famille dans lesquels le *e* s'est transformé en *é*.

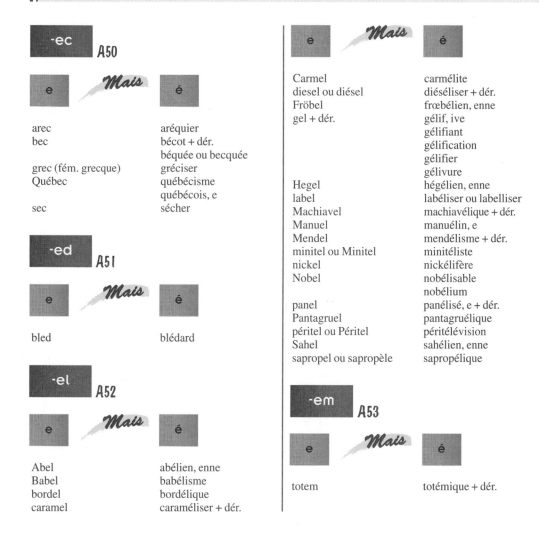

-ec A50

e	*Mais*	é
arec		aréquier
bec		bécot + dér.
		béquée ou becquée
grec (fém. grecque)		gréciser
Québec		québécisme
		québécois, e
sec		sécher

-ed A51

e	*Mais*	é
bled		blédard

-el A52

e	*Mais*	é
Abel		abélien, enne
Babel		babélisme
bordel		bordélique
caramel		caraméliser + dér.

e	*Mais*	é
Carmel		carmélite
diesel ou diésel		diéséliser + dér.
Fröbel		frœbélien, enne
gel + dér.		gélif, ive
		gélifiant
		gélification
		gélifier
		gélivure
Hegel		hégélien, enne
label		labéliser ou labelliser
Machiavel		machiavélique + dér.
Manuel		manuélin, e
Mendel		mendélisme + dér.
minitel ou Minitel		minitéliste
nickel		nickélifère
Nobel		nobélisable
		nobélium
panel		panélisé, e + dér.
Pantagruel		pantagruélique
péritel ou Péritel		péritélévision
Sahel		sahélien, enne
sapropel ou sapropèle		sapropélique

-em A53

e	*Mais*	é
totem		totémique + dér.

-en A54

e	*Mais*	é
Austen		austénite + dér.
éden		édénique
hymen		hyménée
Ilmen		ilménite
Jansen		jansénisme + dér.
solen		solénoïde + dér.
Yémen		yéménite

-ep A55

e	*Mais*	é
cégep		cégépien, enne
cep		cépage
		cépée

-er A56

e	*Mais*	é
acier		aciérage + dér.
acétobacter		bactérie + dér.
amylobacter		
azotobacter		
nitrobacter		
aster		astérie + dér.
blister		blistériser
Bonder		bondériser + dér.
cancer		cancéreux, euse + dér.
cathéter		cathétérisme
charter		chartériser
cher, ère(ment)		chérir + dér.
confer		conférer
container		containériser
ou conteneur		ou conteneuriser
courrier		courriériste
eider		eidétique + dér.
ester		estérification + dér.
éther		éthéré, e + dér.

e	*Mais*	é
fer		fil(-)de(-)fériste
		téléférique ou
		téléphérique + dér.
fier, ère		fiérot, e
Fourier		fouriérisme + dér.
gangster		gangstérisme
Garnier		garniérite
Hitler		hitlérien, enne + dér.
inter		intéroceptivité + dér.
Jenner		jennérien, enne
Jupiter		jupitérien, enne
Kieser		kiesérite ou kiésérite
liber		libériste + dér.
		libero ou libéro
Lister		listériose
Lucifer		luciférien, enne + dér.
Luther		luthérien, enne + dér.
manager		managérial, e
Mesmer		mesmérisme + dér.
Montpellier		montpelliérain, e
Le Moustier		moustérien, enne
Neper		népérien, enne
Niger		nigérien. enne
osier		osiériculture
ouvrier, ère		ouvriérisme + dér.
pelletier, ère		pelletiérine
polder		poldérisation
pompier, ère		pompiérisme
revolver ou révolver		révolvériser
rosier		rosiériste
scooter		scootériste
sinter		sintériser + dér.
sphincter		sphinctérien, enne
squatter		squattériser
stathouder		stathoudérat
suber		subéreux, euse
Sumer		sumérien, enne
super		supérette
trochanter		trochantérien
ver		véreux, euse
vomer		vomérien, enne
Wagner		wagnérien, enne + dér.

Les accents

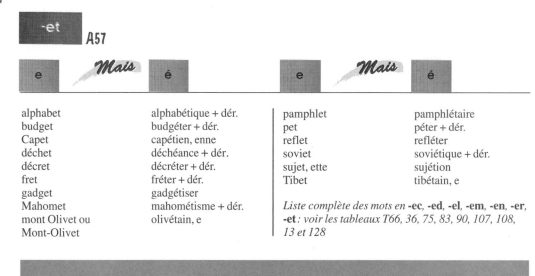

-et A57

e	Mais	é	e	Mais	é
alphabet		alphabétique + dér.	pamphlet		pamphlétaire
budget		budgéter + dér.	pet		péter + dér.
Capet		capétien, enne	reflet		refléter
déchet		déchéance + dér.	soviet		soviétique + dér.
décret		décréter + dér.	sujet, ette		sujétion
fret		fréter + dér.	Tibet		tibétain, e
gadget		gadgétiser			
Mahomet		mahométisme + dér.			
mont Olivet ou		olivétain, e			
Mont-Olivet					

Liste complète des mots en **-ec**, **-ed**, **-el**, **-em**, **-en**, **-er**, **-et** : *voir les tableaux T66, 36, 75, 83, 90, 107, 108, 13 et 128*

Parallèles avec l'accent aigu

Lorsqu'on forme un dérivé à partir d'un mot sans accent, il arrive que le *e* du dérivé doive, lui, prendre un **accent aigu** ; c'est le cas notamment des mots qui suivent. Remarquez toutefois que certaines paires n'ont pas la même origine, et ont été relevées uniquement à des fins de comparaison.

e	Mais	é	e	Mais	é
Aristote		aristotélicien, enne + dér.	frein		frénateur, trice
			Gange		gangétique
Arles		arlésien, enne	genou + dér.		génuflecteur, trice
arsenic		arsénié, e			génuflexion
arsenical, e		arsénique + dér.			
Azerbaïdjan		azéri, e	hemigrammus		hémicycle
		ou azerbaïdjanais, e	joseph ou Joseph		joséphisme
			Kemal		kémalisme
Blois		blésois, e	Keynes		keynésien, enne + dér.
C. A. P. E. S.		capésien, enne	kinescope		kinétoscope
C. B.		cébiste	legs		léguer
congeler + dér.		congélateur	levrette + dér.		lévrier
		congélation	maugrebin, e		magrébin, e ou
demodex		démoder	ou maugrabin, e		maghrébin, e
devers		dévers	mellite		mélitte
dysenterie		dysentérique	melon + dér.		mélongine ou
élevage		élévateur, trice			mélongène
élever		élévation	Mendeleïev		mendélévium
éleveur, euse		élévatoire	mime		mimétisme + dér.

A58

e	**Mais**	é		e	**Mais**	é

e	é	religieux	irréligieux, euse
Nancy	nancéien, enne	religieux	irréligieux, euse
negro(-) spiritual	négro	religion	irréligion
Orvieto	orviétan	remédiable	irrémédiable + dér.
passereau + dér.	passériforme	remettre	rémission + dér.
peine	pénal, e + dér.	remoulage	rémoulade
peiner	pénaliser + dér.	remouler	rémouleur
pelage	Pélage + dér.	repartir	répartement
	Pélasges + dér.		répartir + dér.
pelagos	pélagique + dér.	reprochable	irréprochable + dér.
P. Q. (Parti québécois)	péquiste	ressurgir ou resurgir	résurgence + dér.
periodique	périodique + dér.	retenir	rétention + dér.
Perón	péronisme + dér.	revers	réversible + dér.
plein, e	plénier, ère	Rubens	rubénien, enne
prescience + dér.	préscientifique	secréter + dér.	sécréter + dér.
rebelle + dér.	rébellion	sein	sénologie + dér.
rebut + dér.	rébus	select ou sélect, e	sélecter + dér.
reclus, e	réclusion + dér.	semence	insémination + dér.
recoller + dér.	récoler + dér.	ensemencer	
recouvrable + dér.	irrécouvrable	réensemencer	
recréer + dér.	récréer + dér.	Sens	sénonais, e
refaire	réfection	serin, e + dér.	sérine
reformer + dér.	réformer + dér.	surgeler	surgélation + dér.
Regency	régence	tenace + dér.	ténacité
Reims	rémois, e	Tenore	ténorite
rein	rénal, e	terpine	terpinéol ou terpinol
	réniforme	tutelle	tutélaire
relation	corréler + dér.	Venezuela	vénézuélien, enne

-ment

A59

Au lieu d'ajouter simplement le suffixe *-ment* à leur forme féminine pour former l'adverbe correspondant, les adjectifs suivants nécessitent un **accent aigu** supplémentaire :

e	**Mais**	é		e	**Mais**	é

e	é	e	é
aveugle	aveuglément	obscur, e	obscurément
commode + dér.	commodément + dér.	opportun, e + dér.	opportunément + dér.
commun, e	communément	précis, e	précisément
conforme	conformément	profond, e	profondément
confus, e	confusément	profus, e	profusément
dense	densément	uniforme	uniformément
diffus, e	diffusément		
énorme	énormément		
exprès, esse	expressément		
exquis, e	exquisément		
immense	immensément		
importun, e	importunément		
indivis, e	indivisément		
intense	intensément		

Autres parallèles avec des mots ayant un accent grave ou circonflexe : voir les tableaux A12, 16, 17, 19, 21, 23 à 25, 27 à 29, 33 à 37, 43 à 48

Mots qui ont plus d'une orthographe (avec ou sans accent) : voir les tableaux A66 à 69, 71 à 74, 76 à 79

Les accents

Le tréma

Le tréma sert, en français, à indiquer qu'une voyelle ne forme pas de groupe unique avec la voyelle précédente et qu'elle se prononce séparément : sans son tréma, le *oi* de *colloïde* se prononcerait comme celui de *froide*. Ainsi, tous les mots qui comportent les sons *ide*, *ine*, *ique* ou *isme* suivant un *a* ou un *o* s'écrivent avec un tréma sur le *i*. En voici quelques exemples :

aï A60

danaïde

cocaïne + dér.

laïque
prosaïque + dér.

archaïsme + dér.
bahaïsme ou béhaïsme
caodaïsme
çivaïsme ou sivaïsme
   + dér.
dadaïsme + dér.
hébraïsme + dér.
judaïsme + dér.
lamaïsme + dér.

mithraïsme
   ou mithriacisme
mosaïsme + dér.
nicolaïsme
pharisaïsme + dér.
prosaïsme + dér.
sivaïsme ou çivaïsme
   + dér.
thébaïsme + dér.

oï

bizarroïde
négroïde

égoïne
héroïne + dér.

héroïque + dér.
stoïque + dér.

averroïsme
dichroïsme + dér.
égoïsme + dér.
héroïsme
hylozoïsme

maoïsme + dér.
polychroïsme
shintoïsme ou shinto
   + dér.
taoïsme + dér.

uï A61

Le *u* quant à lui est généralement prononcé d'office, sans se combiner à une autre voyelle (*altruisme*, *incongruité*, etc.). Lorsqu'il suit un *g* ou un *q*, il peut passer inaperçu (*fatiguer*, *question*, etc.) ou encore être prononcé (*linguiste*, *équation*, etc.). Voici les seuls cas où on retrouve la graphie *uï* :

ambiguïté
amuïr (s')
amuïssement

contiguïté
désambiguïsation
désambiguïser

exiguïté
inouï, e
ouï-dire

ouïe
ouïr

uë A62

Lorsque le *u* doit se prononcer après le *g* (pour que le féminin de *contigu*, *contiguë*, rime avec *ému* plutôt qu'avec *figue*), un *ë* s'ajoute à l'adjectif dans sa forme féminine :

aigu, uë   bégu, uë   exigu, uë   suraigu, uë
ambigu, uë   contigu, uë   subaigu, uë

Il en va de même pour les noms *besaiguë* (ou *bisaiguë*) et *ciguë*.
Par ailleurs, lorsque dans la conjugaison du verbe *arguer* (qu'on prononce **ar-gu-er**) le *u* est suivi d'un *e* **muet**, ce *e* prend un tréma : *j'arguë, tu arguës*, etc. C'est aussi le cas pour le *i* aux 1ʳᵉ et 2ᵉ personnes du pluriel de l'imparfait de l'indicatif : *nous arguïons, vous arguïez.*

Voici des listes de mots ayant un tréma sur les lettres *e*, *i* et *u* :

ë A63

boësse
canoë **mais** canoéiste
Gaëls **mais** gaélique
noël (chant)
Noël (fête)

Ismaël **mais** ismaélite
Israël **mais** israélien, enne
   israélite
Raphaël
   mais raphaélique,
   raphaélesque + dér.

ï A64

aï
aïe
aïeul, e + dér.
aroïdacée ou aroïdée
azerbaïdjanais, e
   ou azéri, e
bahaï ou béhaï + dér.
bahreïni, e
baïonnette
banjoïste
camaïeu
caraïbe
caraïte, karaïte ou
   qaraïte
çivaïte ou sivaïte + dér.
coïncider + dér.
coïnculpé, e

coït + dér.
ébroïcien, enne
érythropoïèse + dér.
faïence + dér.
féroïen, enne
   ou féringien, enne
ghettoïsation
glaïeul
haï, e
haïr
haïssable
haïtien, enne
hautboïste
héboïdophrénie
hématopoïèse + dér.
héroïcité
héroï(-)comique

hétaïre
jamaïcain, e ou
jamaïquain, e
kafkaïen, enne
laïc + dér.
laïus + dér.
leucopoïèse + dér.
lymphopoïèse
maïa
maïeutique + dér.
maïs
maïserie
maïzena ou
Maïzena
moïse
monoïdéisme + dér.
naïade

naïf, ïve + dér.
nicolaïte
oïdie
oïdium
oïl
païen, enne
pécaïre
saïte
skaï ou Skaï
taïwanais, e
tavaïolle
thaïlandais, e
thermoïonique
tokyoïte
voltaïsation + dér.
zaïre + dér.
zoïle

ü A65

capharnaüm
Müller (canaux de)
würmien, enne

Liste complète des mots se terminant par **-ïd** :
voir le tableau T38
Mots d'origine étrangère portant un tréma :
voir le tableau É100
Mots ayant plus d'une orthographe (avec ou sans tréma) : voir les tableaux A78 et 79

Les accents au choix

Il arrive fréquemment que les dictionnaires divergent quant à l'accent qu'il faut écrire sur un mot donné, que l'un d'eux (ou tous) présente ou tolère plus d'une graphie : vous avez donc le choix entre ces différentes façons d'orthographier les mots (*receler* ou *recéler*, *empiétement* ou *empiètement*, par exemple). On doit cependant prendre garde, dans certains cas, à d'autres changements qui surviennent à l'intérieur du mot lorsque cet accent est absent. Les listes vous sont présentées dans le même ordre que pour les tableaux rencontrés précédemment.

   A66

é	ou	e
antébois ou antibois		antebois
asséner		assener
bésicles		besicles
cédex		cedex
cuillérée		cuillérée
énamourer (s')		énamourer (s')
féérie		féerie
féérique		féerique
gangréner		gangrener
gangréneux, euse		gangreneux, euse
gélinotte		gelinotte
génépi		genépi
lisérage		liserage
liséré		liseré
lisérer		liserer
nifé		nife
péléen, enne		peléen, enne
pépérin		péperin
pézize		pezize
pipérade		piperade
prétentaine ou prétantaine		pretentaine
recéler		receler
recéleur, euse		receleur, euse
recépage		recepage
recépée		recepée
recéper		receper
réchampi(s)		rechampi
réchampir		rechampir
réchampissage		rechampissage
réfrènement		refrènement

é	ou	e
réfréner		refréner
rengréner		rengrener
répartie		repartie
répartir (répliquer)		repartir
résingle		resingle ou recingle
rétreindre + dér.		retreindre
		retreinte
réversal, e		reversal, e
sécurit		Securit
sénestre		senestre
sénestrochère		senestrochère
vilénie		vilenie
vipéreau ou vipériau		vipereau

 A67

é	ou	ai (ei)
écher ou escher		aicher
églefin		aiglefin
éléomètre ou oléomètre		élaiomètre
hétérie		hétairie
pénard		peinard
rénette		rainette

avec é	Ou	sans é A68
isoséiste		isosiste
séismal, e		sismal, e
séismicité		sismicité
séismique		sismique
séismographe		sismographe
séismologie		sismologie
séméiologie		sémiologie
séméiologique		sémiologique
terpinéol		terpinol
valdéisme		valdisme

é	Ou	autres lettres A69

Il faut ajouter des lettres ou en changer certaines lorsqu'on écrit ces mots sans accent aigu :

béquet	becquet
béqueter	becqueter
débéqueter	débecter
	débecqueter
désaper	dessapper
panaméen, enne	panamien, enne
piédroit	pied-droit
piéfort	pied-fort
piémont	piedmont
trécheur	trescheur

é	Ou	è A70
abrégement		abrègement
afféterie		affèterie
allégement		allègement
allégrement		allègrement
céleri		cèleri
crémerie		crèmerie
empiétement		empiètement
événement		évènement
événementiel, elle		évènementiel, elle
féverole ou faverole		fèverole

é	Ou	è
hébétement		hébètement
péquenaud, e ou		pèquenaud, e ou
péquenot ou pecnot		pèquenot
piétement		piètement
rempiétement		rempiètement
sécheresse		sècheresse
sécherie		sècherie
séneçon		sèneçon
senevé		sènevé
vénerie		vènerie

è	Ou	e A71
fivète		fivete
lès		les ou lez

è	Ou	doubles consonnes A72

Si l'on n'écrit pas l'accent grave, il faut doubler la consonne qui suit immédiatement le *e* en question :

arpète	arpette
cacahouète ou cacahuète	cacahouette
cliquètement	cliquettement
craquèlement	craquellement
craquètement	craquettement
guète	guette
orcanète	orcanette
pantène	pantenne
pépètes	pépettes
à perpète	à perpette
sarrète	sarrette ou serrette
tagète	tagette ou tagetes

è	Ou	ai A73
alèse		alaise
èche ou esche		aiche
égrènement		égrainement

à, è Ou	autres lettres A74

> On peut ne pas mettre l'accent grave, à condition de faire subir aux mots d'autres transformations :

à-plat	aplat
balès ou balèze	balaise
cuillère	cuiller
obèle	obel
sapropèle	sapropel
terfès ou terfèze	terfesse

è Ou	ê A75
alène	alêne
prèle	prêle

â, î, ô, û Ou	a, i, o, u A76
allô	allo
arôme	arome
dessoûler	dessouler ou dessaouler
encâblure	encablure
faîne	faine
gâble	gable
gniôle, gnôle ou niôle	gniole, gnole ou gnaule
icône (informatique)	icone
pâturon	paturon
technopôle	technopole

â, î, ô, û Ou	autres lettres A77

> Lorsqu'on écrit ces mots sans accent circonflexe, il faut leur faire subir des modifications orthographiques :

châteaubriant	chateaubriand
gaîté	gaieté
gaîment	gaiement
khâgne	cagne
khâgneux, euse	cagneux, euse
nûment	nuement
palâtre	palastre
soûl, e	saoul, e
soûlard, e	saoulard, e

â, î, ô, û Ou	autres lettres
soûler	saouler
soûlerie	saoulerie
tâte-vin	taste-vin
tôlard, e (détenu)	taulard, e
tôle (chambre d'hôtel ou prison)	taule
tôlier, ère (patron)	taulier, ère

ï Ou	i A78
cholïambe	choliambe
chorïambe	choriambe
ïambe	iambe
ïambique	iambique
isoïonique	isoionique
koweïtien, enne	koweitien, enne

ë, ï Ou	autres lettres A79

> On peut ne pas écrire le tréma, à condition de modifier l'orthographe du reste du mot :

aïoli	ailloli
anchoïade	anchoyade
biscaïen, enne	biscayen, enne
boëtte ou boëte	boette, bouette ou boitte
caïeu	cayeu
copaïer	copayer
crapaüter	crapahuter
foëne ou fouëne	foène
hawaïen, enne	hawaiien, enne
ismaïlien, enne	ismaélien, enne
ismaïlisme	ismaélisme
judaïté	judéité
maërl	maerl ou merl
maïeur	mayeur
maïoral, e	mayoral, e
maïorat	mayorat
mithraïsme	mithriacisme
pagaïe	pagaille ou pagaye
romaïque	roméique
taïaut	tayaut

Mots en -èlement, -ètement : voir les tableaux C24 et 141

Mots d'origine étrangère pouvant s'écrire avec ou sans accent : voir les tableaux É101 à 109

_Le genre et le nombre

Outre l'orthographe, le genre et la forme plurielle des mots représentent deux clés grammaticales essentielles dès qu'on insère ces éléments du discours dans des phrases plutôt que de les traiter isolément. Ce chapitre analysera successivement les deux questions, en traitant d'abord le genre (tableaux G1 à 4), puis en abordant le nombre (tableaux N1 à 32).

On se fie souvent à l'instinct pour déterminer le genre d'un nom, en se laissant influencer par la finale du mot ou par ses premières lettres. On confond parfois le genre de deux mots parce qu'ils présentent la même terminaison ; ou encore, on peut être tenté de croire que les noms commençant par une voyelle sont féminins (ce qui n'est pas toujours le cas), à cause de la liaison avec l'article précédent. Voici pourquoi, une fois de plus, nous avons choisi de traiter la plupart des noms selon leur finale pour effectuer les comparaisons. Comme dans l'immense majorité des cas le genre ne se raisonne pas et ne peut qu'être mémorisé, on se facilitera la tâche en _ne_ remarquant pour une terminaison donnée _que_ le masculin ou _que_ le féminin, de préférence celui qui compte le moins de mots : c'est pourquoi, à moins qu'on rencontre presque autant de cas de part et d'autre, nous avons relevé pour chaque finale la liste complète du genre minoritaire (à droite), mais seulement

quelques exemples du genre majoritaire (à gauche). Le nombre approximatif d'occurrences pour chaque genre est d'ailleurs indiqué.

Si le pluriel des mots simples ne cause généralement pas de problèmes, on hésite parfois pour certaines terminaisons (-al ou -eu, entre autres), lorsque le mot est un nom déposé (comme _Kodak_ ou _Téléboutique_), ou lorsqu'il provient directement d'un nom propre (par exemple, un _oscar_, ou du _suède_). De plus, alors qu'on ne le soupçonne pas toujours, quelques mots se révèlent invariables, ou variables seulement dans certains usages : c'est le cas notamment de l'adjectif _fluo_ (_des casquettes fluo_), ou du nom _capot_ employé adjectivement (_elles sont capot_). Enfin, certains mots n'ont qu'un nombre, soit le singulier (_du bétail_), soit le pluriel (_des funérailles_). On trouvera donc des listes pour chacun de ces types de difficultés.

Le chapitre « Terminaisons » présentera dans plusieurs cas la liste complète des mots revêtant une finale donnée. On trouvera les formes plurielles des mots étrangers et des mots composés, de même que le genre de ces derniers, dans les chapitres du même nom. Le chapitre « Homonymes » permettra finalement d'identifier les noms dont le sens varie avec le genre ou la forme plurielle.

Si les cassandres prétendent que maîtriser parfaitement le pluriel des mots est aussi inexplicable que de tomber d'un trampoline sur l'asphalte dur sans qu'une épistaxis s'ensuive, les mathématiciens précisent pour leur part qu'au solstice estival comme à l'équinoxe automnal, dans l'un ou l'autre des hémisphères, la probabilité de trouver le genre correct d'un mot est toujours de 50 %. Pour s'aider, on peut invoquer l'âme de ses feus grands-parents, chanter des chorals à la manière d'une dugazon, se mirer dans de grandes psychés comme des narcisses, se gaver d'un pithiviers ou de deux jéroboams de sauternes, s'amuser avec des anagrammes farfelues ou des Anacroisés, composer des libelles enflammés ou des odes passionnées, se cacher dans une alcôve ou une garde-robe, ou encore parader avec de voyantes oriflammes marengo ou nacarat : l'important est de parvenir après moult tentatives à passer outre les difficultés et à accorder participes et adjectifs avec des ouf de soulagement.

Plan du chapitre

Le genre

Le masculin ou le féminin, selon la finale

Voici, pour certaines terminaisons susceptibles de causer des hésitations, des parallèles entre les noms féminins et les noms masculins. Les mots ont été classés selon leurs finales, de façon à ce que le regroupement établisse les parallèles mnémotechniques les plus éloquents possibles ; par exemple, il sera utile d'isoler les noms en -*forme* des noms en -*orme*, pour se rendre compte que si le féminin est majoritaire dans le premier cas, c'est le masculin qui prédomine dans le second. On n'aura donc qu'à chercher les mots selon leurs lettres finales, -*igne*, -*ouge*, -*ugle*, etc. ; on pourra même s'aider des renvois internes (sans se décourager !) si on se demande jusqu'à quelle lettre reculer dans le mot pour trouver la comparaison (dans le cas d'*oriflamme* ou d'*escogriffe*, notamment, on devra se rendre à -*flamme* et à -*griffe*). Notez que les noms qui peuvent s'employer dans les deux genres (comme *dentiste*, *amnésique*, *politologue*, *secrétaire*, etc.) et les noms qu'on peut rendre féminins (ou masculins) en modifiant leur terminaison (*chanteur*, *pharmacien*, *boulanger*, *danseur*, *infirmier*, etc.) n'ont pas été pris en considération. Il en va de même pour les noms composés, qui font l'objet d'un traitement particulier dans le chapitre du même nom. Les mots suivis d'un astérisque ont un genre différent selon le sens ; on en trouvera la signification dans le chapitre « Homonymes ». Enfin, les noms qui peuvent prendre les deux genres en tout temps ont été regroupés dans le tableau G4, en plus de se retrouver dans le présent tableau suivis de la mention « n. m. ou f. »

-a

Il est tentant de croire que la majorité des noms en **-a** sont féminins, peut-être sous l'influence de langues étrangères telles que l'espagnol ou l'italien, où le *a* marque souvent ce genre grammatical. Cependant, en français, environ les **deux tiers** des noms en -*a* sont du **masculin** ! Voici quelques noms en -*a* sur lesquels on hésite parfois :

Féminin			Masculin
≈ 300	gaultheria	mozzarella	≈ 555
apadana	ou gaulthérie	nagaïka ou nahaïka	abaca
asa-fœtida ou	gomina ou Gomina	nepeta ou népète	ada
assa-fœtida	grappa	neurula	anomala
aula	grivna	nouba	ou anomale
aura	gutta-percha	ricotta	aphélandra
blastula	influenza	roccella	araucaria
boukha	insula	rumba	aspidistra
canada*	ixia	sépia	aucuba
cascara	kacha	smala	bambara
féra	kippa	téléga ou télègue	bandana
feta ou féta	L-dopa	tephrosia	bauhinia
fovéa	landolphia	ou téphrosie	ou bauhinie, n. f.
gandoura	lavra ou laure	thora ou torah	bégonia
gastrula	listeria ou listéria	uvula ou uvule	bignonia
	marchantia	vanda	
	morula	wilaya	
	moussaka	yeshiva	

⇒

-a

MASCULIN ⇒
briska
calathéa
calva ou calvados
camélia ou camellia
catalpa
catleya ou cattleya
célesta
chouia, chouïa ou
   chouya
claustra
cobæa, cobéa
   ou cobée,
   n. m. ou f.
cochléaria
copra ou coprah
cordoba
cryptomeria
dahlia
dieffenbachia
dioula
dracæna, dracena ou
dracéna
drosera ou droséra
éphédra
falbala
fellaga ou fellagha
forsythia
ganga

gardénia
gerbera ou gerbéra
gleditschia
gloxinia
gurdwara
halva
hortensia
houka
hygroma
ikebana
ipéca ou ipécacuana
jojoba
jussieua ou jussiée
kamala
katchina
kerria ou kerrie,
   n. m. ou f.
lantana ou lantanier
mahatma
mahonia
mamba
mana
mantra
maranta
marimba
mastaba
mélodica
mimosa
monilia

monstera
mounda ou munda
moxa
néopilina
nida
nota
nymphéa
ocarina
ondatra
pétunia
piassava
pimbina
pipa
pita
polygala
   ou polygale
rafflesia
   ou rafflésie, n. f.
raphia
rata
ratafia
rauwolfia
réa
retsina
rhodia ou Rhodia
rudbeckia
saïga
saintpaulia
samara

sarracenia
   ou sarracénie, n. f.
sauna
sauvastika
   ou svastika
señorita
seringa ou seringat
sesbania
sherpa
simaruba
smegma
spina-bifida
strelitzia
svastika ou swastika
tanka
tara
tigridia
   ou tigridie, n. f.
tillandsia
tradescantia
véda
washingtonia
wellingtonia
yucca
zamia ou zamier
zeugma ou zeugme
zinnia
zygnéma

-abe

MASCULIN (17)

ex. : carabe
   dabe
   rabe

FÉMININ (2)

syllabe
trabe

Les dérivés de *syllabe* sont tous **masculins** : *dodécasyllabe*, *monosyllabe*, etc.

-able

MASCULIN (37)

ex. : connétable
   gable ou gâble
   jable

FÉMININ (11)

chantefable
décapotable
étable
fable
gournable
imperdable

indéfrisable
opéable
privatisable
table
variable

-ace

FÉMININ (29)

ex. : agace
   candace
   fouace
   interface

MASCULIN (12)

ace
alsace
biface
espace*

hyperespace
lovelace
monospace
palace

⇒

-ace

FÉMININ	MASCULIN	
	panace	rapace
	pancrace	vivace

> Notez les dérivés de *place*, qui sont **masculins** : *biplace*, *monoplace** et *sur(-)place*.

-acée

Voir -ée

-ache

FÉMININ (28)	MASCULIN (8)	
ex.: ache	apache	grenache
drache	bravache	panache
houache	cache*	potache
viscache	eustache	
	goulache, goulash	
	ou goulasch,	
	n. m. ou f.	

-acle

MASCULIN (13)	FÉMININ (4)	
ex.: cénacle	barnacle ou bernacle	racle
pentacle	macle	

-âcle

FÉMININ (2)	MASCULIN (1)
bâcle	embâcle
débâcle	

-acre

MASCULIN (7)	FÉMININ (4)	
ex.: fiacre	acre	nacre
simulacre	macre	polacre

-acte

MASCULIN (3)		FÉMININ (2)
acte	pacte	cataracte
entracte		épacte

-ade

FÉMININ (≈ 180)	MASCULIN (10)	
ex.: dyade	alcade	jade
foucade	asclépiade*	phyllade
hamadryade	cade	rade*
rocade	clade	stade
	gade ou gadidé	troubade

> Les dérivés de *grade* sont, comme lui, du **masculin** : *centigrade*, *décigrade*, etc.

-afe

FÉMININ (3)		MASCULIN (1)
agrafe	girafe	parafe
carafe		

-age

MASCULIN (≈ 1 600)

ex.: binage
damage
souage
tillage

FÉMININ (12)

cage	plage
hypallage	rage
image	sarcophage*
nage	saxifrage
ouvrage*	solidage
page*	ou solidago, n. m.
passerage	

-agne

FÉMININ (10)

ex.: fagne
hypocagne

MASCULIN (4)

bagne	charlemagne
champagne*	pagne

-ague

FÉMININ (9)

ex.: pastenague
schlague

MASCULIN (1)

vague*

-aille

FÉMININ (≈ 70)

ex.: baille
trésaille

MASCULIN (3)

braille	rocaille*, n. m. ou f.
poiscaille, n. m. ou f.	

-aine

FÉMININ (58)

ex.: faine
moraine
rivelaine

MASCULIN (5)

achaine ou akène	croquemitaine
capitaine	ou croque-mitaine
chevaine, chevenne	domaine
ou chevesne	

-aise

FÉMININ (25)

ex.: cymaise
euphraise

MASCULIN (2)

malaise
mésaise

-aison

Voir **-on**

-al

MASCULIN (≈ 145)

ex.: minerval
tincal

FÉMININ (2)

roseval
trial*

-ale

FÉMININ (≈ 145)

ex.: amentale
chrysomonadale
jale
sphagnale

MASCULIN (27)

airedale	némale
anomale ou anomala	ornithogale
astragale	ovale
bubale	pétale
chippendale	pétrogale
chrysocale	polygale ou polygala
crotale	quiscale
dédale	régale*
dentale*	scandale
éristale	sépale
étale, n. m. ou f.	squale
finale*	

-ale

FÉMININ	MASCULIN	
	tantale	triticale
	tépale	troupiale

> Tous les dérivés formés avec **-céphale** sont **masculins** : *diencéphale*, *mésencéphale*, etc.
>
> Notez aussi que si *pétale* est **masculin**, *zygopétale* (ou *zygopetalum*) est le seul de ses dérivés qui est aussi du masculin ; on a donc *une dialypétale*, *une gamopétale*, etc.

-alle

FÉMININ (13)	MASCULIN (6)	
ex. : hémérocalle	intervalle	thalle
trialle	porteballe	trinqueballe ou
	prothalle	triqueballe

-alte

MASCULIN (2)		FÉMININ (1)
asphalte	basalte	halte

-ambe

MASCULIN (9)	FÉMININ (3)	
ex.: crambe	flambe	jambe
dithyrambe	gambe	

-ame

MASCULIN (24)	FÉMININ (13)	
ex. : cérame	brame*	madame
dictame	came	prame
lactame	dame	rame
	entame	réclame*
	igname	squame
	jusquiame	trame
	lame	

> Les noms en **-game** peuvent prendre les deux genres (*cryptogame*, *phanérogame*, etc.), sauf ces deux noms **masculins** : *amalgame*, *wargame*.
>
> Si *lame* est du **féminin**, les quatre noms suivants sont toutefois **masculins** : *bilame*, *calame*, *épithalame*, *réclame**.

-an

MASCULIN (≈ 250)	FÉMININ (6)	
ex.: dolman	houdan	woman
pemmican	maman	et ses dérivés

-ance

FÉMININ (≈ 260)	MASCULIN (3)	
ex. : ambiance	ordonnance*	romance*
stance	rance	

-anche

FÉMININ (19)

ex.: banche
éclanche
ranche

MASCULIN (4)

dimanche
manche*

paravalanche
romanche

> Si **branche** est du féminin, les huit dérivés formés avec **-branche** sont par contre **masculins**: *lamellibranche, opisthobranche*, etc.

-ande

FÉMININ (27)

ex.: brande
salbande

MASCULIN (3)

hollande*
multiplicande

opérande

-andre

FÉMININ (8)

bélandre
calandre
cassandre
coriandre

filandre
malandre
salamandre
sandre, n. m. ou f.

MASCULIN (5)

esclandre
méandre
palissandre

sandre, n. m. ou f.
scaphandre

-ane

FÉMININ (67)

ex.: cellophane
colophane
phrygane

MASCULIN (58)

aéroplane
alcane
aquaplane
arcane
bédane ou bec-d'âne
borane
brahmane
bucrane
butane
cétane
choane
　ou choanes, n. f. pl.
cyclane
delta(-)plane
éthane
filanzane
filigrane
furane ou furanne
halothane
havane
heptane
hexane + dér.
hurricane
iguane
jerricane, jerrican
　ou jerrycan
lanthane

lindane
longane
lucane
macfarlane
marrane
méthane + dér.
naviplane ou
Naviplane
octane + dér.
olécrane
organe
pédimane
pentane + dér.
platane
propane + dér.
prytane
quadrumane
silane
thane
titane
tryptophane
tsigane ou tzigane
urane
uréthane
　ou uréthanne
　+ dér.

-ange

MASCULIN (16)

ange	mélange
archange	méthylorange
change	nidange ou
échange	nid d'ange
interfrange	orange*
lange	rechange
losange	sporange + dér.

FÉMININ (13)

alfange	louange
boulange	mésange
cange	orange*
fange	phalange
fontange	vendange
frange	vidange
grange	

-angle

MASCULIN (4)

angle	rectangle
quadrangle	triangle

FÉMININ (2)

mangle	sangle

-anne

FÉMININ (18)

ex.: arcanne
scribanne
verranne

MASCULIN (4)

furanne	pyranne
polyuréthanne	uréthanne
ou polyuréthane	ou uréthane

-ante

FÉMININ (50)

ex.: adragante
marante
spirante

MASCULIN (14)

adiante	corybante
ailante	hiérophante
alicante	pante
amiante	quarante
andante	soixante
atlante	strophante
cinquante	sycophante

-anthe

MASCULIN (7)

ex.: cœlacanthe
ményanthe

FÉMININ (2)

acanthe
œnanthe

-ape

FÉMININ (14)

ex.: escape
retape
sape

MASCULIN (5)

antipape	portechape
esculape	satrape
pape	

-aphe

MASCULIN (62)

ex.: héliographe
paraphe

FÉMININ (3)

épigraphe   orthographe
épitaphe

-aque

FÉMININ (30)

ex.: chabraque
icaque
sandaraque

MASCULIN (16)

abaque	jaque*, n. m. ou f.
anaphrodisiaque	laque*, n. m. ou f.
aphrodisiaque	macaque
braque*	ouraque
claque*	polaque ou polack
cloaque	syriaque
cosaque	tonicardiaque
épimaque	zodiaque

-ar

MASCULIN (≈ 110)

ex.: bédégar
    hospodar

FÉMININ (2)

star
superstar

-are

MASCULIN (24)

ex.: carrare
    centiare
    tarare

FÉMININ (19)

aérogare	isobare*
cithare	mare
disamare	multipare
eschare ou escarre	nullipare
fanfare	samare
gabare ou gabarre	solfatare, n. m. ou f.
gare	tare
guitare	terramare
héligare	tiare
isallobare	

-arpe

MASCULIN (10)

carpe* et ses neuf   méricarpe
dérivés: mésocarpe
   artocarpe   métacarpe
   endocarpe   péricarpe
   épicarpe   pilocarpe
   escarpe*

FÉMININ (5)

carpe*   escarpe*
contrescarpe harpe
écharpe

-arre

FÉMININ (9)

ex.: gabarre ou gabare
    simarre

MASCULIN (4)

bécarre   jarre*
charre   tintamarre

-arse

FÉMININ (2)

darse ou darce   narse

MASCULIN (2)

métatarse   tarse

-as

MASCULIN (≈ 115)

ex.: asclépias
    hypocras
    madras

FÉMININ (7)

apsaras ou apsara   gambas, n. f. pl.
chlamydomonas   palmas, n. f. pl.
csardas ou czardas   tapas, n. f. pl.

-ase

FÉMININ (103)

ex.: bénincase
    colocase
    stase

MASCULIN (9)

blase ou blaze   pétase
gymnase   plagioclase
oukase ou ukase   nase ou naze
pégase   vase*

-asse

FÉMININ (70)

ex.: arcasse
    morasse
    rascasse

MASCULIN (10)

bidasse   interclasse
bipasse   mêlécasse
borasse   paillasse*
casse*   parnasse
fricasse   passe*

-assée   *Voir* **-ée**
-astique   *Voir* **-ique**

-at

MASCULIN (≈ 300)

ex.: diktat
     wombat

FÉMININ (6)

afat ou A. F. A. T.	stat
burlat	transat*
salat	ziggourat

-ate

MASCULIN (116)

ex.: carate
     hydrate
     silicate

FÉMININ (33)

agate	ouate
annate	patate
antidate	plate
cantate	postdate
casemate	prostate
cassate	rate
chanlate	régate
ou chanlatte	savate
cravate	soldate
date	sonate
disparate, n. m. ou f.	sourate ou surate
écarlate	spartiate*
épate	strate
frégate	toccate, n. f. pl.
hyperbate	tomate
lemniscate	vulgate
omoplate	

-ation   *Voir* **-on**

-aule

FÉMININ (7)

diaule	hydraule
épaule	piaule
gaule	taule ou tôle
gnaule, gn(i)ole,	
gn(i)ôle ou niôle	

MASCULIN (1)

saule

-aume

MASCULIN (5)

baume	psaume
chaume	royaume
guillaume	

FÉMININ (2)

agripaume
paume

-aune

MASCULIN (3)

aune* ou aulne	faune*
béjaune ou bec-jaune	

FÉMININ (3)

aune*	faune*
avifaune	

-aupe

FÉMININ (3)

gaupe	taupe
hypotaupe	

MASCULIN (0)

-auste

MASCULIN (2)

holocauste   hypocauste

FÉMININ (0)

-ave

FÉMININ (17)

architrave	épave
bave	étrave
betterave	goyave
cassave	grave*
cave*	lave
drave	octave
emblave	rave
enclave	rhingrave*
entrave	

MASCULIN (11)

after-shave	gave
agave ou agavé	grave*
Ave ou avé	landgrave
burgrave	rhingrave*
cave*	zouave
crave	

À l'exception d'*enclave*, les noms en *-clave* sont **masculins** : *angusticlave, autoclave, conclave, laticlave.*

-axe

FÉMININ (8)

détaxe	relaxe*
morphosyntaxe	surtaxe
parallaxe	syntaxe
parataxe	taxe

MASCULIN (6)

axe	névraxe
cylindraxe	saxe
entraxe	scramasaxe

-aze

MASCULIN (3)

blaze   naze ou nase
kamikaze

FÉMININ (3)

chalaze   topaze
gaze

-bole
-branche

Voir -ole
Voir -anche

-carde

MASCULIN (6)

anacarde	isocarde
endocarde	myocarde
hydropéricarde	péricarde

FÉMININ (3)

carde
cocarde
vénéricarde

-cèle
-céphale
-cère
-chère
-clave
-cole
-coque

Voir -èle
Voir -ale
Voir -ère
Voir -ère
Voir -ave
Voir -ole
Voir -oque

-corde

MASCULIN (6)

clavicorde	monocorde
hexacorde	pentacorde
manicorde	tétracorde

FÉMININ (5)

concorde	miséricorde
corde ou chorde	notocorde
discorde	

| -corne | *Voir -orne* |
| -cotylédone | *Voir -one* |

-couple

MASCULIN (2)		FÉMININ (2)	
couple*	thermocouple	accouple	couple*

| -croche | *Voir -oche* |

-cube

MASCULIN (4)		FÉMININ (1)
archicube	incube	succube, n. m. ou f.
cube	succube, n. m. ou f.	

| -cule | *Voir -ule* |

-cycle

MASCULIN (11)	FÉMININ (0)
ex. : épicycle	
péricycle	

| -cyte | *Voir -yte* |

-é

La plupart des noms en **-é** (plus de 1 100) sont **féminins** et décrivent le plus souvent une qualité (*fraternité, qualité, supériorité,* etc.). Voici quelques noms en **-é** sur lesquels on pourrait hésiter parfois :

Féminin		Masculin	
acné	mocheté	agavé ou agave	karité
alacrité	mousmé	aparté	narghilé, narguilé
bédé	prévôté	autodafé	ou narghileh
coré, corê ou korê	psyché	daphné	pongé ou pongée
épistémé,	vicomté	delphinidé	protomé
épistémè	zoé	diploé	tiaré
ou épistémê		épitomé	vespidé
maharané		hippophaé	
ou maharani		insermenté	

-è

FÉMININ (2)		MASCULIN (0)
épistémè, épistémé	koinè	
ou épistémê		

-ê

FÉMININ (4)		MASCULIN (0)
boulê	épistémê, épistémé	
corê, coré ou korê	ou épistémè	

Le genre et le nombre

-èbe

MASCULIN (3)

cubèbe   grèbe
éphèbe

FÉMININ (2)

glèbe
plèbe

-èche

FÉMININ (20)

ex. : bretèche
     ventrèche

MASCULIN (2)

chèche
flèche*

-ecte

MASCULIN (7)

ex. : analectes
     ou analecta,
     n. m. pl.
     eunecte
     idiolecte

FÉMININ (4)

collecte   pandectes, n. f. pl.
notonecte, n. m. ou f.   secte

-ectique

*Voir -**ique***

-ède

MASCULIN (14)

ex. : intermède
     samoyède

FÉMININ (4)

guède   tenthrède
pinède   tiède*

-èdre

MASCULIN (16)

ex. : icosaèdre
     tétraèdre

FÉMININ (2)

cathèdre
exèdre

-ée

FÉMININ (≈ 360)

ex. : almée
     chorée
     frisolée

MASCULIN (38)

androcée	lycée
antifumée	macchabée*
apogée	mausolée
athanée	musée
athénée	nymphée, n. m. ou f.
borée	périgée
caducée	périnée
camée	pongée ou pongé
cobée, n. m. ou f.,	propylée
ou cobæa, cobéa,	protée
n. m.	prytanée
conopée	pygmée
coryphée	romanée
dundée ou dundee	scarabée
écomusée	sigisbée
empyrée	spondée
gynécée	trochée*
hyménée ou hymen	trophée
hypogée	zée
lépidostée ou	
lépisostée	

Sont notamment **féminins** tous les noms en **-acée** (*acéracée, éricacée*, etc.),
-assée (*fricassée, tabassée*, etc.), **-phycée** (*chlorophycée, phéophycée*, etc.), et
-rrhée (*aménorrhée, leucorrhée*, etc.).

-ef

MASCULIN (12)
ex.: aéronef
     spationef

FÉMININ (3)
clef ou clé   nef
contreclef

-èfle

MASCULIN (1)
trèfle

FÉMININ (1)
nèfle

-ège

MASCULIN (16)
ex.: arpège
     florilège

FÉMININ (2)
allège
drège

-eigne

FÉMININ (4)
beigne*   enseigne*
empeigne   teigne

MASCULIN (3)
beigne*   peigne
enseigne*

-eil

MASCULIN (11)
ex.: méteil
     orteil

FÉMININ (0)

-eire

FÉMININ (2)
cheire
épeire

MASCULIN (1)
macrocheire

-èle

FÉMININ (19)
arantèle   parentèle
burèle ou burelle prèle ou prêle
carnèle   sittèle ou sittelle
cautèle   stèle
chrysomèle   triskèle, n. m. ou f.
cicindèle   vièle*
clientèle
orbitèle
parallèle*

MASCULIN (16)
allèle   péramèle
anophèle   protèle
asphodèle   sapropèle
atèle   ou sapropel
érésipèle ou   sphacèle
érysipèle   triskèle, n. m. ou f.
modèle   urodèle
obèle ou obel   zèle
parallèle*

Parmi les dérivés formés avec **-cèle** (signifiant «tumeur»), seul *sphacèle* est du **masculin**; *colpocèle*, *hépatocèle*, *hydrocèle* et *varicocèle* sont donc du **féminin**.

-elle

FÉMININ (≈ 225)
ex.: baselle
     camelle
     helvelle

MASCULIN (18)
aselle   nucelle
carpelle   ocelle
entelle   organelle, n. m. ou f.
flagelle   pédicelle
involucelle   polichinelle
isabelle   selle*
labelle   spinelle
libelle   vermicelle
nielle*   violoncelle

-ème

MASCULIN (≈ 60)

ex.: astroblème
enthymème
rhème

FÉMININ (10)

antépénultième	dixième*
birème	douzième
bohème*	pénultième
brème	quadrirème
crème*	trirème ou trière

Les noms se terminant par **-thème** sont tous **masculins** (*apothème*, *xéranthème*, etc.); seul **anathème** peut être féminin ou masculin lorsqu'il désigne une femme excommuniée.

-emme

FÉMININ (3)

femme	gemme
flemme	

MASCULIN (2)

dilemme
lemme

-en

MASCULIN (37)

ex.: albumen
cérumen

FÉMININ (2)

bigouden, n. m. ou f.	golden
ou bigoudène	

-ende

FÉMININ (8)

ex.: prébende
provende

MASCULIN (1)

dividende

-endre

FÉMININ (2)

cendre   scolopendre

MASCULIN (1)

gendre

-ène

MASCULIN (≈ 95)

ex.: amphisbène
higoumène
lépidosirène
naphtalène

FÉMININ (30)

alène ou alêne	hygiène
arène	lycène
bigoudène	molène
ou bigouden	morène
boulbène	murène
cadène	pantène
cantilène	ou pantenne
carène	patène
cène	phalène, n. m. ou f.
ébène	phlyctène
euglène	saphène
foène ou foëne	scène
galène	sciène
gangrène	scorpène
glène	sirène
hyène	sphyrène

Gène et les noms se terminant par -gène sont **masculins** (*collagène*, *phosgène*, etc.), à l'exception de deux noms **féminins**: **mélongène** (ou *mélongine*) et **zygène**.

-enne

FÉMININ (38)
ex.: empenne
    pantenne
    penne

MASCULIN (4)
chevenne   planipenne
garenne*   renne

-ente

FÉMININ (35)
ex.: fiente
    tarente

MASCULIN (3)
farniente   sirvente
parapente

-èpe

MASCULIN (1)
cèpe

FÉMININ (1)
nèpe

-èphe

MASCULIN (1)
acalèphe

FÉMININ (1)
synalèphe

-èque

FÉMININ (31)
ex.: diathèque
    pastèque

MASCULIN (10)
chèque   dérivés avec
métèque   *-pithèque*

-erche

FÉMININ (5)
écoperche   perche
étamperche ou   recherche
étemperche

MASCULIN (1)
derche, derge,
    ou dergeot

-erde

FÉMININ (4)
démerde   merde
emmerde   saperde

MASCULIN (0)

-ère

La plupart des noms en **-ère** (environ 70 %) sont du **féminin** : *colère*, *rapière*, etc.
De ceux qui ne sont caractérisés par aucune des finales qui suivront, voici les seuls
noms **masculins** :

MASCULIN (20)

arrière	cimetière	frère	phanère
aubère	confrère	gruyère	rastaquouère
belvédère	débarcadère	hère	réverbère
berbère	derrière	madère	tellière
cerbère	embarcadère	parère	trouvère

Le genre et le nombre

-ère ⇒

Lorsqu'on considère les lettres précédant la terminaison **-ère**, on remarque que le **féminin** est majoritaire dans les finales suivantes :

-chère

FÉMININ (8)
ex.: enchère
     jachère
     jonchère

MASCULIN (5)
dextrochère   senestrochère ou
phacochère   sénestrochère
potamochère

-sphère

FÉMININ (29)
ex.: atmosphère
     lithosphère
     ozonosphère

MASCULIN (2)
hémisphère
planisphère

Cependant, on retrouve surtout des noms **masculins** dans les finales suivantes :

-cère

MASCULIN (11)
ex.: brachycère
     ulcère
     viscère
tous les dérivés avec
-ocère :
     cladocère
     criocère
     nématocère

FÉMININ (1)
chélicère, n. m. ou f.

-fère

MASCULIN (11)
ex.: foraminifère
     mammifère
     rotifère

FÉMININ (4)
crucifère   ombellifère
cupulifère
guttifère
   ou guttiférale

-mère

MASCULIN (30)
ex.: métamère
     polymère
tous les dérivés avec
  -omère :
ex.: centromère
     élastomère

FÉMININ (5)
chimère   mémère
commère   mère
éphémère, n. m. ou f.

-père

MASCULIN (8)
ex.: ampère
     compère

FÉMININ (1)
vipère

⇒

-ère
-tère

MASCULIN (37)

ex.: mésentère
     quadrilatère
tous les dérivés avec
-ptère:
ex.: archiptère
     homoptère

FÉMININ (3)

artère   zostère
patère

-thère

MASCULIN (2)

œnothère   pinnothère
   ou œnothera

FÉMININ (2)

anthère
panthère

-erge

FÉMININ (12)

ex.: alberge
     flamberge
     serge

MASCULIN (4)

cierge   manuterge
derge, derche   sous-verge
   ou dergeot

-erme

MASCULIN (24)

ex.: épiderme
     héloderme
     synderme

FÉMININ (6)

angiosperme   gymnosperme
berme   isotherme
ferme   risberme

-erne

FÉMININ (16)

ex.: baderne
     galerne
     sterne

MASCULIN (9)

alaterne   postmoderne
cerne   quaterne
falerne   terne
lectisterne   verne
moderne

-erre

FÉMININ (9)

équerre   pierre
erre   resserre
fumeterre   serre*, n. m. ou f.
guéguerre   terre
guerre

MASCULIN (8)

cimeterre   sancerre
lierre   serre*, n. m. ou f.
paratonnerre   tonnerre
parterre   verre

-erse

FÉMININ (10)

ex.: obverse
     perse

MASCULIN (2)

autoreverse
inverse*

-erve

FÉMININ (6)

conferve   réserve
conserve   serve
minerve   verve

MASCULIN (0)

-ès

MASCULIN (38)
ex.: aspergès
kermès

FÉMININ (3)

cortès
  ou Cortes, n. f. pl.

fécès ou fèces, n. f. pl.
terfès

-èse

FÉMININ (109)
ex.: aphérèse
exégèse

MASCULIN (6)

archidiocèse
dièse
diocèse

ferromanganèse
jèse ou jèze
manganèse

-esse

FÉMININ (108)
ex.: abbesse
kermesse

MASCULIN (0)

-este

MASCULIN (14)
ex.: anapeste
bupreste
palimpseste

FÉMININ (6)

asbeste, n. m. ou f.
geste*
peste

sieste
soubreveste
veste

-ète

MASCULIN (38)
ex.: gamète
isoète
suffète

FÉMININ (22)

ammocète
arbalète
argyronète
arpète ou arpette
asyndète
cacahouète ou
cacahuète
comète
diète
épithète
fivète ou fivete
gnète
  ou gnetum, n. m.

guète ou guette
isohyète
népète
orcanète
  ou orcanette
planète
préfète
protoplanète
sarrète, sarrette,
  ou serrette
saynète
secrète

-ette

FÉMININ (≈ 495)
ex.: arpette
avocette
emplette
estafette

MASCULIN (15)

cornette*
gambette*
lette
magnétocassette
minicassette*
musette*
quartette

quintette
ristrette
squelette + dér.
tagette
transpalette
trompette*

-euille

MASCULIN (6)

chèvrefeuille
millefeuille ou
mille-feuille*

poiseuille
portefeuille
quintefeuille*

FÉMININ (6)

feuille
millefeuille ou
mille-feuille*

quartefeuille
quintefeuille*
tiercefeuille

-euste

MASCULIN (2)

dipneuste

entéropneuste

FÉMININ (0)

-èvre

FÉMININ (5)

balèvre — lèvre
chèvre* — plèvre
fièvre

MASCULIN (4)

bièvre — genièvre
chèvre* — lièvre

-exe

MASCULIN (4)

complexe — sexe
réflexe — simplexe

FÉMININ (2)

annexe
rétroflexe

-fère

*Voir **-ère***

-flamme

FÉMININ (2)

flamme — oriflamme

MASCULIN (0)

-flore
-forme
-game
-gène

*Voir **-ore***
*Voir **-orme***
*Voir **-ame***
*Voir **-ène***

-glosse

FÉMININ (3)

buglosse — isoglosse
cynoglosse

MASCULIN (2)

balanoglosse
ophioglosse

-gomme

MASCULIN (2)

bulgomme — rogomme

FÉMININ (1)

gomme

-gone
-grade

*Voir **-one***
*Voir **-ade***

-gramme

MASCULIN (74)

ex.: calligramme
histogramme

FÉMININ (2)

anagramme — épigramme*,
n. m. ou f.

-griffe

MASCULIN (2)

escogriffe — hippogriffe

FÉMININ (1)

griffe

-i

MASCULIN (≈ 400)

ex.: cagibi
halbi
millefiori

FÉMININ (21)

archi — merci*
brahmi — motoski
canzoni. n. f. pl. — nagari, n. m. ou f.
cuti — obi
déni, n. m. ou f. — quadri
devanagari, — rachi*
n. m. ou f. — rani
fourmi — sati*
hi-fi — simili*
houri — Tabaski
maharani — tati, tata ou tatie
ou maharané

-i

Les noms suivants peuvent désigner un homme ou une femme sans que leur terminaison en soit modifiée : *ashkenazi*, *bahreïni*, *bangladeshi* (ou *bangladais*, *e*), *bengali*, *ch'timi* (*chtimi* ou *chti*), *guarani*, *hadji*, *insti* (ou *instit*), *péri**, *rastafari* (ou *rasta*), *sefardi*, *tupi*.

-ibe

FÉMININ (3)		MASCULIN (1)
amibe	diatribe	scribe
bribe		

-ice

FÉMININ (46)		MASCULIN (34)	
ex. : adventice		appendice	hospice
épice		armistice	indice
hélice		artifice	interstice
immondice		aruspice	maléfice
		ou haruspice	office*, n. m. ou f.
		auspice (surtout au	orifice
		pluriel)	patrice
		bénéfice	practice
		calice	précipice
		caprice	préjudice
		cilice	sacrifice
		comice*	service
		dentifrice	solstice
		édifice	spadice
		exercice	statice
		factice	superbénéfice
		frontispice	supplice
		haruspice	vice
		ou aruspice	

Notez que *délice* est masculin singulier **ou** féminin pluriel.

-iche

FÉMININ (30)	MASCULIN (12)	
ex. : affiche	acrostiche	hémistiche
godiche	caliche	lagotriche
ouananiche	caniche	matabiche
	chiche	pastiche
	derviche	sporotriche
	fétiche	postiche

-icle

FÉMININ (3)		MASCULIN (3)	
bernicle ou bernique	sanicle ou sanicule	article	sicle
manicle ou manique		chicle ou chiclé	

-ide

MASCULIN (≈ 130)	FÉMININ (53)	
ex. : amide	abside	allergide
disaccharide	adonide	annélide,
hybride	agrostide ou agrostis	n. m. ou f.

-ide

MASCULIN

FÉMININ

anthyllide	hydatide
ou anthyllis	ibéride ou ibéris,
apside	n. m. ou f.
arachide	isoniazide, n. m. ou f.
baside	lychnide ou lychnis
bastide	néréide
bourride	ou néréis, n. m.
bride	nucléocapside
cantharide	océanide
capside	oxalide
cariatide	ou oxalis, n. m.
ou caryatide	parotide
carotide	pélamide
céphéide	ou pélamyde
chromatide	piéride
chrysalide	pyramide
cnémide	pyxide
cuspide	raphide, n. m. ou f.
cyanamide,	ride
n. m. ou f.	spermatide,
égide	n. m. ou f.
éphélide	sylphide
éphéméride	synergide
épulide,	syphilide
épulie ou épulis,	thalidomide
n. m. ou f.	trachéide
glycéride, n. m. ou f.	tuberculide
guide*	vaccinide
haliotide	

-ie

FÉMININ (≈ 2 525)

ex. : ambroisie
amnistie
dulie
effigie
gabegie

MASCULIN (39)

aérobie	kerrie, n. m. ou f.
amphibie	ou kerria, n. m.
anaérobie	lithobie
aphélie	malvoisie
boggie ou bogie	messie
boogie-woogie	microcurie
brie	ostéalgie
caddie, Caddie	parapluie
ou caddy	parélie ou parhélie
cookie	périhélie
coolie	scholie ou scolie*
curie*	sosie
dinghie ou dinghy	talkie-walkie
dixie ou dixieland	ou walkie-talkie
essuie	troglobie
génie	urémie
gobie	virginie
hématobie	zombie ou zombi
incendie	

-ife

MASCULIN (5)

anatife   pontife
calife ou khalife
nife (pron. [e])
   ou nifé

FÉMININ (0)

-ige

MASCULIN (10)

aurige   prodige
félibrige   quadrige
litige   vertige
pfennige   vestige
   (pl. de pfennig) zellige
prestige

FÉMININ (7)

grébige ou grébiche   tige
pige   volige
rémige   voltige
strige ou stryge

-igne

FÉMININ (8)

consigne   interligne*
érigne   ligne
grigne   pigne
guigne   vigne

MASCULIN (5)

insigne   rectiligne
interligne*   signe
intersigne

> Notez que parmi les noms en **-signe**, seul **consigne** est du **féminin**.

-ile

MASCULIN (45)

ex.: agrile
   aquamanile
   campanile
   nautile

FÉMININ (15)

argile   papamobile
atrabile   photopile
automobile   pile
bile   sébile
empile   tranchefile
file   tuile
huile   vigile*
locomobile

> Notez que les seuls noms **féminins** en **-phile** sont **ammophile**, **drosophile**, **gypsophile** et **halophile** (ou *halophyte*); les dix autres sont donc **masculins**: *géophile*, *hydrophile*, etc.

-ille

FÉMININ (≈ 95)

ex.: alchémille
   espadrille
   nille
   smille

MASCULIN (20)

arille   négrille
bacille   quadrille*,
codicille   n. m. ou f.
colibacille   spirille
drille*   streptobacille
gille ou gilles   trille
gorille   vérétille, n. m. ou f.
jonquille*   verticille
lactobacille   vexille
manille*   vieux-lille
mille

↳

-ille

> Bien que *ville* soit du **féminin**, les trois noms suivants sont **masculins**: *bidonville*, *decauville* et *vaudeville*.

-illon

Voir **-on**

-ime

FÉMININ (20)

ex.: escrime
maxime
oxime

MASCULIN (14)

centime	nonagésime
crime	pantomime*
décime*, n. m. ou f.	ragtime
généralissime	régime
grime	sublime
millésime	surrégime
monorime	toutime

-in

MASCULIN (≈ 390)

ex.: almandin
faquin
octavin

FÉMININ (3)

catin
fin*
saint-glinglin

-ine

FÉMININ (≈ 650)

ex.: aspirine
étamine
hermine
officine

MASCULIN (29)

chine*	pipeline ou pipe-line
encrine, n. m. ou f.	platine*
fanzine	portemine ou
fedayine	porte-mine
(pl. de fedaï)	protogine, n. m. ou f.
fistuline, n. m. ou f.	quine, n. m. ou f.
flamine	squatine, n. m. ou f.
magazine	ou squatina, n. m.
marine*	stylomine ou
microcline	Stylomine
moudjahidine	tachine, n. m. ou f.
(pl. de moudjahid)	ou tachina, n. m.
newsmagazine	tagine ou tajine
ou news	thylacine
ouarine	trampoline
pentacrine	violine, n. m. ou f.

-inge

FÉMININ (4)

leptoméninges,	sphinge
n. f. pl.	syringe
méninge	

MASCULIN (2)

linge
singe

-ion

Voir **-on**

-ipe

FÉMININ (7)

équipe	ripe
fripe	tripe
manipe ou manip	tulipe
pipe	

MASCULIN (5)

municipe	principe
œdipe	stipe
participe	

-ippe

FÉMININ (4)		MASCULIN (1)
grippe	lippe	cippe
klippe	nippe ou nippes	

-ique

Les noms en **-ique** sont nombreux, et il est difficile de dégager parmi eux un genre nettement majoritaire, à moins de regrouper les noms d'après les lettres précédant la finale *-ique*.

-astique

MASCULIN (7)		FÉMININ (5)	
drastique	plastique*	gymnastique	scolastique*
ecclésiastique	scolastique*	onomastique	stochastique
élastique	thermoplastique	plastique*	
fantastique			

-ectique

FÉMININ (3)		MASCULIN (1)
connectique	synectique	eupectique
dialectique		

-itique

MASCULIN (7)		FÉMININ (5)	
couchitique	proclitique	autocritique	politique*
diacritique	sémitique	critique*	sociocritique
enclitique	sidérolitique	géopolitique	
nummulitique			

-olique

FÉMININ (5)		MASCULIN (2)
bucolique	symbolique*	dolique ou dolic
colique		symbolique*
maïolique ou majolique		

-otique

FÉMININ (8)		MASCULIN (8)	
domotique	robotique	antibiotique	gotique ou gothique*
érotique	sclérotique	antimitotique	hypnotique
macrobiotique	sémiotique	antipsychotique	narcotique
novotique	zoosémiotique	démotique	thrombotique

-sonique

MASCULIN (2)		FÉMININ (0)
cortisonique	supersonique	

-statique

MASCULIN (6)		FÉMININ (6)	
antistatique	fongistatique	aérostatique	hydrostatique
bactériostatique	hémostatique*	électrostatique	magnétostatique
cytostatique	prostatique	hémostatique*	statique

-thermique

FÉMININ (1)	MASCULIN (1)
thermique	antithermique

-ique
-tonique

⇒

FÉMININ (6)

architectonique	néotectonique
détonique	tectonique
géotectonique	tonique*

MASCULIN (4)

brittonique	psychotonique
cardiotonique	tonique*

-ire

MASCULIN (14)

autogire	navire
cachemire	pire
ou cashmere	rire
délire	sbire
dire	sire
empire	sourire
leptospire	vampire
messire	

FÉMININ (12)

buire	satire
cire	spire
hégire	tire
ire	tirelire
lire	trévire
mire	vire

-is

MASCULIN (≈ 250)

ex. : adonis
ampélopsis
coréopsis
épyornis ou
æpyornis

FÉMININ (25)

agrostis ou agrostide	iritis
amaryllis	lexis
anthémis	mégalopolis,
anthyllis	mégalopole
ou anthyllide	ou mégapole
brebis	oasis, n. m. ou f.
catharsis	praxis
doris*	propolis
épistaxis	souris*
épulis, n. m. ou f.,	synopsis*
épulide ou épulie	syphilis
hérédosyphilis	tennis*, n. m. ou f.
hétérosis	trustis ou truste
hystérésis	vis
ibéris, n. m. ou f.	
ou ibéride, n. f.	

-ise

FÉMININ (≈ 75)

ex. : accise
enclise
trévise

MASCULIN (5)

cytise	pyrocorise
parebrise ou	ou pyrrhocoris
pare-brise	thomise

-isque

MASCULIN (11)

astérisque	obélisque
audiodisque	risque
damalisque	sphénisque
disque	trochisque
lentisque	vidéodisque
ménisque	

FÉMININ (6)

bisque	marisque
brisque	multirisque
francisque	odalisque

-isse

FÉMININ (≈ 30)

ex. : abscisse
clovisse
pythonisse

MASCULIN (6)

bisse*	narcisse
entrecuisse	réglisse*, n. m. ou f.
jocrisse	tchérémisse

-istre

MASCULIN (9)

ex.: cuistre
    registre

FÉMININ (0)

-it

MASCULIN (≈ 95)

ex.: accessit
    duit
    habit

FÉMININ (3)

chienlit*, n. m. ou f.   nuit
durit, Durit ou durite

-ite

FÉMININ (≈ 305)

ex.: aleurite
    ammonite
    dendrite
    manganite

MASCULIN (72)

anthracite	ophite
antimite(s)	opposite
antiparasite	organite
archimandrite	ou organelle,
arsénite	n. m. ou f.
azotite	palmite
barnabite	parasite
bisulfite	phosphite
cénobite	phragmite
cérite* ou cérithe	plébiscite
chlorite	pleurite*
composite	psammite
démérite	quartzite
ectoparasite	quirite
endoparasite	ratite
ermite	rhodite*
ferrite*	rhynchite
granite ou granit	rite
graphite	satellite
hématocrite	scaphite
hiéronymite	servite
hittite	sgraffite
hoplite	site
hypochlorite	sodomite
hypophosphite	soffite
hyposulfite	somite
implicite	sorite
leucite*	stellite ou Stellite
lévite*	sternite
lignite	stylite
luddite	sulfite
manganite*	tergite
mellite	termite
mérite	trilobite
météorite, n. m. ou f.	vélite
mutazilite	zeugite
nitrite	

-olite

FÉMININ (18)

alvéolite	chrysolite
amphibolite	ou chrysolithe
angiocholite	coccolite

MASCULIN (16)

aérolite ou aérolithe	catabolite
anabolite	cinéthéodolite
batholite	graptolite

▮▮▮➡

-ite				
-olite	**FÉMININ**		**MASCULIN**	

colite	rectocolite	laccolite, n. m.	oolite ou oolithe*
cryolite	rhyolite ou rhyolithe	ou laccolithe, n. f.	phonolite
ou cryolithe	sépiolite	lépidolite	ou phonolithe,
entérocolite	sidérolite	ou lépidolithe	n. m. ou f.
ophiolite	ou sidérolithe	métabolite	régolite
phonolite	tolite	métropolite	théodolite
ou phonolithe,	trémolite	microlite	zoolite
n. m. ou f.	zéolite ou zéolithe	ou microlithe	
pisolite ou pisolithe			

-onite

FÉMININ (16)	**MASCULIN (1)**
ex.: bonite	ébionite
ébonite	

-ithe

FÉMININ (12)		**MASCULIN (12)**	
chrysolithe	oolithe ou oolite*	aérolithe ou aérolite	monolithe
ou chrysolite	otolithe, n. m. ou f.	cérithe ou cérite	oolithe ou oolite*
cryolithe ou cryolite	oxylithe	coprolithe	otolithe, n. m. ou f.
galalithe	pisolithe	éolithe	phonolithe
ou Galalithe	rhyolithe ou rhyolite	lépidolithe	ou phonolite,
hydrolithe	sidérolithe	ou lépidolite	n. m. ou f.
laccolithe	ou sidérolite	mégalithe	podolithe
ou laccolite	zéolithe ou zéolite	microlithe	
		ou microlite	

-itique *Voir -ique*

-itre

MASCULIN (17)		**FÉMININ (3)**	
ex.: gyromitre		litre*	vitre
nitre		mitre	

-itte

FÉMININ (5)	**MASCULIN (1)**
ex.: fritte	palafitte

-ive

FÉMININ (53)		**MASCULIN (5)**	
ex.: alternative		détective	live (pron. [ajv])
censive		drive (pron. [ajv])	overdrive
cive		khédive	(pron. [ajv])

-ivre

MASCULIN (6)		**FÉMININ (3)**	
antigivre	givre	guivre	vouivre
cuivre	livre*	livre*	
délivre	vivre		

-ixe

MASCULIN (5)		**FÉMININ (4)**	
affixe*	préfixe	affixe*	nixe
fixe	suffixe	antéfixe	rixe
infixe			

Le genre et le nombre

-ize

Les noms en **-ize** sont tous **féminins** : *alize*, *brize*, *pezize* (ou *pézize*). Seul *mycorhize* peut prendre les deux genres.

-lame
-mère

Voir -ame
Voir -ère

-o

MASCULIN (≈ 450)

ex. : albugo
caraco
impétigo

FÉMININ (52)

alto*, n. m. ou f.	macro
auto*	magnéto*
chimio	météo
chromo*	ou météorologie
coco*	mezzo-soprano,
colo	n. m. ou f.
contralto*, n. m. ou f.	micro*
dactylo	mono*
ou dactylographie	moto
diapo ou diapositive	philo
disco*, n. m. ou f.	photo
dynamo	promo
enduro*, n. m. ou f.	Quasimodo
expo ou exposition	radio*
géo ou géographie	ronéo ou Ronéo
hélio	roto
ou héliogravure	sex-ratio
héro*	sono
hystéro	stéréo*
imago*, n. m. ou f.	téléradio ou
info	téléradiographie
intradermo	thalasso
ou intradermo-	tomo
réaction	ou tomographie
libido	torpédo
lino*	turbo*
litho	typo, n. m. ou f.
livedo ou livédo,	vidéo
n. m. ou f.	virago
loco	zydeco, n. m. ou f.

-obe

MASCULIN (10)

ex. : engobe
éplobe

FÉMININ (3)

arobe ou arrobe
robe

-oche

FÉMININ (36)

ex. : aristoloche
effiloche
encoche

MASCULIN (9)

cinoche	médianoche
cloche*	poche*
coche*	reproche
fantoche	tournebroche
gavroche	

Notez que les six noms en **-croche** sont **féminins** : *accroche*, *anicroche*, etc.

-ode

MASCULIN (58)

ex.: antipode
    épisode
    orobe

FÉMININ (22)

anode	mode*
anticathode	ode
cathode	pagode
commode	penthode ou pentode
custode	période*
diode	photocathode
électrode	photodiode
épode	photopériode
géode	tétrode
méthode	triode
microélectrode	

-oge

MASCULIN (7)

doge	martyrologe
éloge	ménologe
euchologe ou eucologe	nécrologe

FÉMININ (4)

épitoge	loge
horloge	toge

-ogue

MASCULIN (18)

ex.: apologue
    dogue
    épilogue

FÉMININ (7)

bogue*, n. m. ou f.	rogue
drogue	synagogue
églogue	vogue
pirogue	

-oïde

MASCULIN (57)

ex.: astéroïde
    ellipsoïde
    paraboloïde

FÉMININ (21)

allantoïde	hypocycloïde
arachnoïde	mastoïde
cardioïde	parathyroïde
chéloïde	paratyphoïde
choroïde	ptérygoïde
conchoïde	sarcoïde
coracoïde*	sinusoïde
cycloïde	thyroïde
épicycloïde	typhoïde
hémorroïde	vaccinoïde
héroïde	

-oie

FÉMININ (13)

ex.: baudroie
    groie

MASCULIN (2)

foie
multivoie

-oir

MASCULIN (239)

ex.: épissoir
    ostensoir

FÉMININ (1)

radio(-)trottoir,
    n. m. ou f.

-oire

Parmi les noms en **-oire**, on compte environ autant de noms masculins que de noms féminins. On en trouvera la liste complète dans le chapitre « Terminaisons » (T106).

-oise

FÉMININ (20)

ex.: armoise
    empoise

MASCULIN (2)

poise, n. m. ou f.
turquoise*

-ol

MASCULIN (124)

ex.: aérosol
    tarcol

FÉMININ (0)

-ole

FÉMININ (81)

ex.: azerole
    espingole
    microalvéole

MASCULIN (11)

alvéole, n. m. ou f.	nucléole
arole ou arolle,	ostiole
n. m. ou f.	pétiole
ou arol, n. m.	pétrole
centriole	pyrrole ou pyrrol
indole	samole
laguiole	

-bole

FÉMININ (8)

amphibole	hyperbole
carambole	obole
faribole	parabole
guibole	rocambole

MASCULIN (6)

collembole	péribole
discobole	symbole
embole ou embolus	taurobole

-cole

FÉMININ (5)

arénicole	caracole
auto(-)école	école
bricole	

MASCULIN (4)

cavernicole	protocole
monticole	rupicole

-pole

FÉMININ (10)

ex.: décapole
    métropole

MASCULIN (3)

duopole	oligopole
monopole	

-tole

FÉMININ (5)

diastole	pistole
étole	systole
extrasystole	

MASCULIN (3)

capitole	scatole ou scatol
pactole	

-zole

MASCULIN (3)

gazole	thiazole
imidazole	

FÉMININ (0)

-olique
-olite

Voir -ique
Voir -ite

-olle

FÉMININ (23)

ex.: chrysocolle
    girolle

MASCULIN (3)

arolle ou arole,	glycocolle
n. m. ou f.,	trolle*
arol, n. m.	

-ombe

FÉMININ (13)

ex.: combe
    hécatombe

MASCULIN (2)

rhombe
strombe

-ombre

MASCULIN (6)

concombre   nombre
encombre   ombre*
hombre   surnombre

FÉMININ (2)

ombre*
pénombre

-ome

MASCULIN (≈ 50)

ex.: amome
    cinnamome

FÉMININ (5)

autochrome   pentatome,
cardamome   n. m. ou f.
drome   tome*

-ompe

FÉMININ (7)

ex.: estompe
    pompe

MASCULIN (0)

-on

Lorsqu'on tient compte de tous les noms en **-on** (environ 3 400), on observe que la plupart sont féminins. Cependant, lorsqu'on divise ces mots selon les lettres précédant la finale -on, le masculin est parfois prédominant.

-ation

FÉMININ (≈ 1 660)

ex.: allocation
    équation

MASCULIN (2)

cation
himation

-tion

FÉMININ (≈ 455)

ex.: attention
    dévotion

MASCULIN (5)

antifriction   brution
antrustion   gâtion
bastion

-ion

FÉMININ (≈ 270)

ex.: alluvion
    illuvion

MASCULIN (86)

acromion   chalazion
agrion   champion
alérion   chorion
anion   collodion
apion   croupion
arpion   décurion
avion   dominion
billion   durion ou durian
brimborion   ectropion
brion   endymion
caladion   entropion
  ou caladium   fanion
camion   fermion
centurion   fion

-on
-ion

⟹ FÉMININ

MASCULIN

fourmilion ou	pion
fourmi-lion	plion ou pleyon
gabion	podion
galion	porion
ganglion	prion
giravion	psaltérion
grimpion	pyramidion
hélion	quadrillion
hipparion	ou quatrillion
histrion	quaternion
horion	quintillion
hydravion	saint-émilion
ilion	scion
ion	scorpion
ischion	septentrion
lampion	sextillion
lion	supion
lithopédion	tabellion
ludion	talion
manichordion	tartempion
ou manicorde	ténébrion
million	théridion
morion	ou theridium
morpion	trillion
némalion ou némale	trombidion
néphélion	troufion
opilion	trublion
oscabrion	turion
papion	vespertilion
phormion	vibrion
ou phormium	virion

-aison

FÉMININ (≈ 70)

ex.: inclinaison
    raison

MASCULIN (0)

-illon

MASCULIN (≈ 60)

ex.: aiguillon
    émérillon

FÉMININ (1)

cendrillon

Tous les noms (28) en *-aillon, -ayon, -eillon* et *-eyon* sont **masculins**. De même, la plupart des autres noms en *-on* non inclus dans les terminaisons précédentes sont du **masculin**. Voici donc quelques mots féminins sur lesquels on peut hésiter: *baston* (n. m. ou f.), *belon* (n. m. ou f.), *dondon, dugazon, goton, mousson, napoléon*, salisson, tenson, ton** (pron. [œn]).

-once

FÉMININ (12)

ex.: annonce
défonce
once
ponce

MASCULIN (4)

internonce   oponce ou opuntia
nonce   quinconce

-oncle

MASCULIN (3)

furoncle   pétoncle
oncle

FÉMININ (0)

-onde

FÉMININ (14)

ex.: arronde
onde
osmonde

MASCULIN (1)

monde

-one

Lorsqu'on inclut la totalité des noms en **-one**, il ressort que la plupart sont du **masculin**. Pour certaines finales plus spécifiques, le féminin est toutefois majoritaire.

-cotylédone

FÉMININ (2)

dicotylédone   monocotylédone

MASCULIN (0)

-gone

MASCULIN (18)

ex.: octogone
polygone

FÉMININ (3)

gorgone   tétragone
oogone

-phone

MASCULIN (25)

ex.: dictaphone
hygiaphone

FÉMININ (2)

Réunion-Téléphone
tréphone

-stérone

FÉMININ (4)

aldostérone   progestérone
androstérone   testostérone

MASCULIN (0)

Parmi les autres noms en **-one** non compris dans les terminaisons précédentes, le **féminin** est majoritaire.

FÉMININ (≈ 45)

ex.: allurone
ecdysone
silicone

MASCULIN (32)

aglycone, n. m. ou f.   clone
allochtone   cyclone
anticyclone   drone
axone   écotone
carbone   evzone
chlorofluorocarbone   hémione
cicérone

-one

FÉMININ

MASCULIN

icone ou icône*, n. m. ou f.	portelone
lazzarone (pron. aussi [e])	radiocarbone
	rhizoctone
lithopone	scone
minestrone	sissone ou sissonne, n. m. ou f.
monopsone	sone
motoneurone	sonotone
neurone	sulfone, n. m. ou f.
oligopsone	trombone
ozone	wishbone

-onge

FÉMININ (10)

ex.: allonge
axonge
éponge

MASCULIN (3)

conge   songe
mensonge

-onite

Voir -ite

-onne

Tous les noms en *-onne* (33) sont **féminins** (*chaconne*, *maldonne*, etc.); seul *sissonne* (ou *sissone*) peut prendre les deux genres.

-onyx

MASCULIN (2)

onyx   trionyx

FÉMININ (1)

sardonyx

-ope

MASCULIN (≈ 80)

ex.: canope
guiderope
interlope
isotope
lycope
oryctérope

FÉMININ (17)

antilope	galope
apocope	hysope
chope	lope ou lopette
chrysope	métope
clope, n. m. ou f.	ope, n. m. ou f.
dope*	salope
écope	syncope
escalope	varlope
estrope	

-ophe

FÉMININ (5)

strophe et les noms   antistrophe
en *-strophe*:   apostrophe
anastrophe   catastrophe

MASCULIN (3)

auxotrophe   rhinolophe
hétérotrophe

-oque

FÉMININ (13)

breloque	équivoque
cloque	loque
défroque	manoque
époque	moque

MASCULIN (13)

baroque	entroque
colloque	pébroque ou pébroc
croque	phoque
diadoque	psoque

-oque

FÉMININ		MASCULIN	
pendeloque	synecdoque	réciproque*,	thalassotoque
réciproque*,	toque	n. m. ou f.	troque, n. m. ou f.
n. m. ou f.	vioque	roque	ou troche, n. f.
		soliloque	

-coque

Cependant, des quinze noms en **-coque**, douze sont du **masculin** (*diplocoque*, *multicoque*, etc.) et trois du **féminin** : *bicoque*, *coque* et *salicoque*.

-orbe

FÉMININ (4)		MASCULIN (4)	
euphorbe	sanguisorbe	orbe	téorbe ou théorbe
planorbe	sorbe	spirorbe	

-orce

FÉMININ (3)		MASCULIN (1)
amorce	force	divorce
écorce		

-ore

MASCULIN (28)	FÉMININ (11)	
ex. : acore*	accore*, n. m. ou f.	massore
ellébore	aurore	ou massorah
ou hellébore	claymore	naucore
éphore	lécanore	pandore*
héliodore	mandore	pléthore
météore	mandragore	tortore
oxymore		
ou oxymoron		
tore		

-flore

Notez que des huit noms en **-flore**, seulement deux sont du **masculin** : *mirliflore* et *soliflore*.

-phore

MASCULIN (25)	FÉMININ (5)	
ex. : doryphore	amphore	métaphore
éphore	anaphore	trochophore
nécrophore	canéphore	ou trochosphère

-pore
-spore

Notez que *spore* et ses huit dérivés sont du **féminin**, alors que *pore* et ses cinq dérivés sont du **masculin**.

-orle

FÉMININ (1)	MASCULIN (1)
mandorle	orle

Le genre et le nombre

-orme

FÉMININ (2)		MASCULIN (2)	
corme	norme	orme	multinorme

-forme

MASCULIN (26)		FÉMININ (8)	
ex.: anguilliforme		antiforme	plateforme ou
ansériforme		forme	plate-forme
uniforme		méforme	réforme
		microforme	superforme

-orne

FÉMININ (6)		MASCULIN (4)	
bigorne	maritorne	cromorne	orne
caliorne	morne*	morne*	tadorne
litorne	viorne		

-corne

Si **corne** est **féminin**, tout comme *licorne* et *salicorne*, les autres noms présentant cette finale sont du **masculin**: *bicorne, capricorne, cavicorne, lamellicorne, longicorne, tricorne* et *unicorne*.

-os

MASCULIN (≈ 60)		FÉMININ (5)	
ex.: albatros		azygos	tholos
couros ou		bastos	
kouros		thermos ou Thermos,	
naos		n. m. ou f.	

-ose

FÉMININ (245)		MASCULIN (22)	
ex.: acidose		aldose	lévulose
alose		cétose*	maltose
ankylose		chose*	mannose
osmose		désoxyribose	orthose, n. m. ou f.
		dextrose	ose
		fructose	pentose
		galactose	ribose
		glucose	rose*
		hexose	saccharose
		isoglucose	tréhalose
		lactose	xylose

-ôse

MASCULIN (3)		FÉMININ (1)	
nivôse	ventôse	ptôse ou ptose	
pluviôse			

-ot

MASCULIN (210)		FÉMININ (3)	
ex.: aligot		dot	yeshivot
péridot		guyot*	(pl. de yeshiva)

-ote

FÉMININ (47)

ex.: aliquote
anecdocte
asymptote
créosote
échalote
épidote
pholiote
psalliote

MASCULIN (27)

agriote	pholidote
amniote	pilote
antidote	pleurote
aptérygote	procaryote
azote	progénote
bank-note, n. m. ou f.	prote
biote	ptérygote
cataphote ou	rhynchote
Cataphote	sclérote
coyote	stradiote, estradiot
despote	ou stradiot
eucaryote	symbiote
gymnote	vote
gyropilote	zygote

-ôte

FÉMININ (4)

côte	maltôte
entrecôte	Pentecôte

MASCULIN (1)

hôte

-otique

Voir -ique

-ou

MASCULIN (95)

ex.: amadou
iglou ou igloo

FÉMININ (2)

doudou
nounou

-ouge

MASCULIN (4)

bouge	rouge
infrarouge	vouge

FÉMININ (2)

carouge	gouge

-ouille

FÉMININ (40)

ex.: andouille
bafouille

MASCULIN (4)

antirouille	gribouille
crouille ou crouillat	touille, n. m. ou f.

-oule

FÉMININ (15)

ex.: ampoule
ciboule
farigoule
traboule

MASCULIN (9)

bougnoule	moule*
ou bougnol	roule
boule* ou boulle	spoule
joule	surmoule
kilojoule	vogoule ou vogoul

-oune

FÉMININ (3)

doudoune	scoumoune
guitoune	

MASCULIN (0)

-oupe

FÉMININ (14)

ex.: entourloupe
étoupe

MASCULIN (2)

groupe
intergroupe

-ouque

FÉMININ (5)		MASCULIN (2)
chibouque, n. m. ou f.	houque ou houlque	chibouque,
couque	touque	n. m. ou f.
felouque		clérouque

-ourde

FÉMININ (10)		MASCULIN (0)
bourde	lampourde	
esgourde	lourde	
falourde	palourde	
gourde	sourde	
lambourde	tourde	

-ourme

FÉMININ (3)		MASCULIN (0)
chiourme	gourme	
fourme		

-ouse
-ouze

FÉMININ (20)	MASCULIN (3)	
ex.: anacrouse	barbouze, n. m. ou f.	toungouse
arbouse	flouse ou flouze	ou toungouze
farlouse		
grouse		

-ouste

FÉMININ (3)		MASCULIN (0)
langouste	rouste	
mangouste		

-outre

FÉMININ (3)		MASCULIN (3)	
loutre	poutre	boutre	foutre
outre		coutre	

-ove

FÉMININ (1)	MASCULIN (1)
mangrove	ove

-père	*Voir* **-ère**
-pétale	*Voir* **-ale**
-phile	*Voir* **-ile**
-phone	*Voir* **-one**
-phore	*Voir* **-ore**
-phycée	*Voir* **-ée**
-phyte	*Voir* **-yte**
-place	*Voir* **-ace**
-pole	*Voir* **-ole**
-pore	*Voir* **-ore**

-porte

Si *porte* et *comporte* sont du **féminin**, *cloporte* est du **masculin**.

-poste

FÉMININ (3)		MASCULIN (2)
imposte	riposte	multiposte
poste*		poste*

-rrhée	*Voir* **-ée**
-signe	*Voir* **-igne**
-sonique	*Voir* **-ique**
-sphère	*Voir* **-ère**
-spore	*Voir* **-ore**
-statique	*Voir* **-ique**
-stérone	*Voir* **-one**
-syllabe	*Voir* **-abe**
-tère	*Voir* **-ère**
-thème	*Voir* **-ème**
-thère	*Voir* **-ère**
-tion	*Voir* **-on**
-tole	*Voir* **-ole**
-tonique	*Voir* **-ique**

-u

MASCULIN (68)

ex.: écu
    impromptu
    lulu
    merlu

FÉMININ (6)

bru	tribu
glu	vertu
sécu	visu

-uce

MASCULIN (3)

capuce	prépuce
puce*	

FÉMININ (2)

astuce
puce*

-uche

FÉMININ (20)

ex.: autruche
    pruche

MASCULIN (1)

bruche, n. m. ou f

-ucre

MASCULIN (3)

involucre	sucre
lucre	

FÉMININ (0)

-ucte

MASCULIN (1)

oviducte

FÉMININ (0)

-ude

FÉMININ (48)

ex.: altitude
    cistude
    hébétude

MASCULIN (4)

interlude	postlude
palude, palud	prélude
ou palus	

-ue

FÉMININ (46)

ex.: coquecigrue
    entrevue

MASCULIN (1)

barbecue

-ugle

MASCULIN (2)

bugle*	remugle

FÉMININ (1)

bugle*

Le genre et le nombre

-ule

FÉMININ (65)

ex.: anguillule
campanule
copule
fibule
filipendule
infule
inule
ligule
mandibule
serratule
spergule

MASCULIN (26)

bidule
capitule
conciliabule
ergastule
fuligule
globule
glomérule
granule*
hiérodule
iule
limule, n. m. ou f.
lobule
manipule

mergule
mérule, n. m. ou f.
micromodule
microtubule
module
nodule
ovule
pendule*
préambule
régule
scrupule
tubule
vestibule

-cule

MASCULIN (39)

abacule
adminicule
animalcule
anticorpuscule
calicule
canalicule
corpuscule
crépuscule
denticule
diverticule
édicule
fascicule
follicule
forficule, n. m. ou f.
funicule
groupuscule
hercule
homoncule ou
homuncule
matricule*

monticule
onguicule
opercule
opuscule
oscule
pannicule
pécule
pédicule
pédoncule
réticule
ridicule
saccule
spicule
tentacule
testicule
tubercule
utricule
véhicule
ventricule

FÉMININ (28)

antiparticule
auricule
bascule
canicule
caroncule
cicatricule
clavicule
cuticule
facule
fébricule
fécule
forficule, n. m. ou f.
lenticule
macromolécule

macule
majuscule
matricule*
minuscule
molécule
navicule
panicule
particule
pellicule
radicule
renoncule
sanicule ou sanicle
silicule
vésicule

-ulle

FÉMININ (2)

bulle*

cuculle

MASCULIN (2)

bulle*

tulle

-ulte

MASCULIN (4)

culte
jurisconsulte

sénatus-consulte
tumulte

FÉMININ (3)

catapulte
consulte

insulte

-ume

FÉMININ (10)

amertume
brume
coutume
écume
enclume

glume
grume
légume*
plume*
strume

MASCULIN (8)

agrume(s)
bitume
costume
covolume

légume*
plume*
rhume
volume

-une

FÉMININ (20)

ex. : pécune
     rune

MASCULIN (2)

lune*
portune

-upe

FÉMININ (5)

drupe	minijupe
dupe	pupe
jupe	

MASCULIN (1)

géotrupe

-uque

FÉMININ (7)

caduque	nuque
fétuque, n. m. ou f.	perruque
galéruque	sambuque
noctiluque	

MASCULIN (4)

eunuque	heiduque
fétuque, n. m. ou f.	ulluque

-ure

FÉMININ (≈ 490)

ex. : allure
    angusture
    aperture
    appog(g)iature
    arcature
    armature
    armure
    échancrure
    encolure
    injure
    ordure
    ossature

MASCULIN (22)

anomalure	lepture
augure	ménure
bure*	molure
cénure ou cœnure	murmure
dasyure	oxyure
galure ou galurin	pagure
joint-venture,	paliure
n. m. ou f. ou	saccharure
joint venture, n. f.	silure
lémure	ure ou urus
léonure	zonure

> Les neuf noms en **-ures** sont tous **féminins pluriels** (*balayures*, *peignures*, etc.).

> Notez que tous les sels et les termes de chimie (*mercure*, *tellure*, etc.) sont du **masculin** (36), sauf ces noms **féminins** : *aluminure*, *présure* et *salure*.

-urge

FÉMININ (2)

épurge	purge

MASCULIN (1)

démiurge

-urne

FÉMININ (3)

nocturne*	urne
thurne ou turne	

MASCULIN (3)

cothurne	saturne
nocturne*	

-use

FÉMININ (17)

ex : æthuse
    ou éthuse
    cambuse
    excuse

MASCULIN (0)

GI

-usque

MASCULIN (1)

mollusque

FÉMININ (1)

lambrusque

-uste

MASCULIN (4)

arbuste   buste
auguste ou Auguste

FÉMININ (3)

flibuste   truste ou trustis
locuste

-ustre

MASCULIN (3)

balustre   rustre
lustre

FÉMININ (1)

flustre

-ute

FÉMININ (14)

ex.: cuscute
     dispute

MASCULIN (2)

jute
parachute

-uve

MASCULIN (4)

effluve   pédiluve
interfluve   réduve

FÉMININ (2)

cuve   étuve

-valve

Si *valve* est **féminin**, tout comme *électrovalve* et *servovalve*, **bivalve** est du **masculin**.

-ville

Voir -ille

-volte

FÉMININ (4)

archivolte   virevolte
révolte   volte

MASCULIN (0)

-yle

MASCULIN (7)

ex.: épicondyle
     éolipyle
        ou éolipile

FÉMININ (2)

cotyle, n. m. ou f.
hydrocotyle

-ylle

FÉMININ (7)

ex.: centrophylle ou
     kentrophylle
     idylle
     sibylle

MASCULIN (3)

épiphylle   psylle*, n. m. ou f.
myriophylle,
   n. m. ou f.

-yne

MASCULIN (4)

aérodyne   girodyne
alcyne   superhétérodyne

FÉMININ (3)

dyne   hétérodyne
épigyne

Notez que, parmi les quatre dérivés formés avec *-dyne*, seul *hétérodyne* est féminin.

Le genre et le nombre   278

-ype

MASCULIN (19)

ex.: logotype
    lumitype ou
    Lumitype
    phototype
    télétype ou
    Télétype

FÉMININ (6)

linotype ou   monotype*
Linotype   sténotype
lumitype ou
Lumitype

-yre

MASCULIN (8)

collyre	martyre*		
hydrargyre	mélampyre		
lamprophyre	porphyre		
lampyre	satyre*		

FÉMININ (2)

lyre   spirogyre

-ys

MASCULIN (5)

chænichtys	koumys ou koumis
hendiadys	lys ou lis
ou hendiadyin	pays

FÉMININ (2)

oaristys   ophrys, n. m. ou f.

-yse

Les quarante noms en **-yse** sont **féminins** : *dialyse, épiphyse, hémolyse*, etc.

-ysse

FÉMININ (1)
alysse ou alysson

MASCULIN (1)
abysse

-yte

MASCULIN (9)

acolyte	pélodyte
alyte	scolyte
ampholyte	trachyte
byte	troglodyte
électrolyte	

FÉMININ (2)

ammodyte   baryte

Les 27 dérivés formés avec **-cyte** sont **masculins** : *granulocyte, leucocyte*, etc.

-phyte

MASCULIN (12)

charophyte	ptéridophyte
cormophyte	saprophyte
épiphyte	spermaphyte
gamétophyte	spermatophyte
ostéophyte	sporophyte
protophyte, n. m. ou f.	zoophyte

FÉMININ (9)

bryophyte	protophyte,
cryptophyte	n. m. ou f.
cyanophyte	pyrophyte
ou cyanophycée	thallophyte
halophyte	trachéophyte
ou halophile	xérophyte

-zole

Voir **-ole**

Liste complète des mots qui se terminent par la plupart des finales traitées précédemment : voir le chapitre « Terminaisons »

Autres noms au genre difficile

Voici divers noms sur le genre desquels on hésite souvent :

Féminin G2

alcôve
alerte
algèbre
améthyste
anacoluthe
andrinople
aorte
apocalypse
arche
arme
aspre
auge
bistorte
boësse
câpre
coulpe
dartre
deb
dégonfle
désalpe
dextre
éclipse
ellipse
embûche
enclenche
énigme
ensouple
épingle
épître
esbroufe
escadre
faîne ou faine
foène, foëne ou fouëne
glasnost
gonfle
guêtre
guimpe
hampe

herbe
herpe
hièble ou yèble
hyacinthe
hydre
hypne
impatiens ou
impatiente
intox
iourte ou yourte
isobathe
isohypse
jacinthe
jam ou jam-session
jeep ou Jeep
joubarbe
jubarte
litharge
massorah ou massore
matriarche
merguez
mob ou mobylette
nymphe
panorpe
patenôtre
pellagre
prolepse
rosse
santiag
sexte
slikke
superbe
surboum
syllepse
synapse
synopse
syrah
tchatche
truble ou trouble
ulve
vaigre

verste
volve
yèble ou hièble
yourte ou iourte

Masculin G3

ageratum ou agérate
albâtre
alkékenge
ambre
apartheid
aphte
apocryphe
apophtegme
arôme ou arome
aspe ou asple
asthme
astre
âtre
autobus
automne
baby
badge
baffle
belître ou bélître
bob ou bobsleigh
bostryche
celluloïd ou Celluloïd
cirse
cogne
comble
contre
coprah ou copra
échiffre
élytre
époisses
équinoxe
essart
exorde

félibre
fusible
girofle
guinche
gypse
hadith, n. m. ou m. pl.
halicte
haliple
hydne
inde
jaspe
job
jodhpur
labre
lambic
landtag
laniste
lepte
liberty ou Liberty
lloyd
lougre
myrte
naphte
omble
opprobre
palpe
pampre
pédipalpe
penalty ou pénalty
périf ou périph
poulpe
ramdam
reprint
rouble
rouvre
sahel
sarcopte
scirpe
séquestre
sesterce
sinople

MASCULIN ➡

slip	symbionte	térébinthe	trirègne
smalt	syntagme	thyrse	urètre
sparte ou spart	tag	toast	vichy
strongle ou strongyle	tarbouch ou tarbouche	tridacne	yard
surcontre	team	trigle	

Au choix

On peut choisir d'utiliser les mots suivants au masculin ou au féminin, soit parce que les dictionnaires divergent quant à leur genre, soit parce que l'un des dictionnaires (ou les deux) présente les deux possibilités. Cette liste ne comprend pas tous les noms que l'on peut employer au masculin ou au féminin sans en changer l'orthographe, selon que l'on veut désigner une femme ou un homme (*ministre*, *violoniste*, etc.). Les mots suivis d'une définition ne peuvent prendre les deux genres que dans ce sens bien précis; dans les autres sens, ils ont un genre spécifique. Par exemple, quand *accore* signifie « contour d'un écueil », il est toujours du masculin, alors que dans le sens de «bois de soutien», il peut *aussi* être féminin.

Si d'autres graphies sont possibles, elles ne prennent les deux genres que lorsqu'elles ne sont pas entre parenthèses; quand une graphie secondaire n'a qu'un genre, celui-ci est toujours spécifié. Par exemple, «arolle ou arole» indique que les deux genres sont permis pour chaque forme; mais «(ou arol, n. m.)» signale que seul le masculin est utilisé avec cette dernière graphie.

Féminin ou masculin

accore
  (bois de soutien d'un navire)
acmé
aérobic
aglycone
althæa
  (plante du genre des guimauves)
alto (voix ou instrumentiste)
alvéole
annélide
antienzyme
antique (œuvre d'art antique)
apoenzyme
après-guerre
après-midi
aréna
arnica
arolle ou arole (ou arol, n. m.)
arrière-main
  (partie postérieure du cheval)

asbeste
autoroute
avant-guerre
avant-main
  (partie antérieure du cheval)
avant-midi
bank-note
barbouze
basket (chaussure)
baston
bay-window, n. f.
  (ou bow-window, n. m.)
belon
bogue (erreur informatique)
bretzel
bruche
carcel (lampe à l'huile)
carpocapse
cent, n. m. (pron. **sèn-t**),
  n. f. (pron. comme *cène*)
chaintre
chapska ou schapska
chélicère

chibouk ou chibouque
chienlit (masque de carnaval)
chistéra ou chistera
chromo (chromolithographie)
clope
cobée (ou cobæa, cobéa, n. m.)
coca
  (arbuste produisant la cocaïne)
coenzyme
cola ou kola
  (graine de cola, produit tonique,
  boisson)
contralto (chanteuse)
cotyle
country
cryptogame
cyanamide
décime (taxe)
déni
devanagari ou nagari
disco (style de musique)
disparate
émule

     Le genre et le nombre

encrine

entre-deux-guerres

enzyme

éphémère

épigramme (pièce de viande)

épulis (ou épulide, épulie, n. f.)

étale

fétuque

fistuline

forficule

glycéride

goulache, goulasch ou goulash

grotesque
   (figures fantasques, ornements)

hadji

happy end

harissa

harmonique

haut fonctionnaire

H. L. M.

holding

hymne (chant religieux)

hyphe

ibéris (ou ibéride, n. f.)

imago (insecte)

interview

isoniazide

jaque (justaucorps)

jet set ou jet-set

jogger (ou joggeur, n. m.)

joint-venture (ou joint venture, n. f.)

kalachnikov

kerrie (ou kerria, n. f.)

laccolite, n. m. (ou laccolithe, n. f.)

laque (vernis, bois ainsi verni)

limule

livedo ou livédo

manganin, n. m. ou
Manganine, n. f., n. d.

manse

manzanilla

mérule

métaldéhyde

météorite

mezzo-soprano

mirepoix

moufle
   (assemblage de poulies, four)

mycorhize

myriophylle

nagari ou devanagari

nasique (serpent)

némerte

non-stop (processus ininterrompu)

nonpareille (oiseau, œillet)

notonecte

nymphée

oasis

office
   (pièce pour préparer le service
   de la table)

oolite ou oolithe

ope

ophrys

ordonnance (militaire)

organelle

orthose

otolithe

palabre

pamplemousse

Pâques (n. m. ou n. f. pl.)

parka

pentatome

perce-neige

péri

phalène

phanérogame

phonolithe (ou phonolite, n. f.)

poiscaille

poise

poliste

pop (ou pop music, n. f.)

protogine

protophyte

psylle (cigale)

quadrille (troupe de cavaliers)

quatre-épices

quatre-quatre (automobile)

quine

radio(-)trottoir

raphide

réglisse (racine)

relâche
   (interruption dans le travail,
   au théâtre)

rocaille
   (tendance des arts décoratifs)

sacoléva ou sacolève

sandre (poisson)

schappe (bourre de soie)

schapska ou chapska

serre (crête étroite)

sex-shop

sissone ou sissonne

sitcom

solfatare

soul ou soul music
   (musique noire américaine)

spermatide

squatine (ou squatina, n. m.)

stadia

starting-gate

stout

succube

sulfone

syrinx

tachine (ou tachina, n. m.)

tanagra

tennis, n. m., n. m. pl. ou n. f.
   (chaussure)

tête-de-clou

teuf-teuf

thermos (ou Thermos, n. f.)

tonka (ou tonca, n. m.)

touille

township

trial (moto de course)

triskèle

troque (ou troche, n. f.)

vérétille

veuglaire

victoria (plante)

violine

wateringue

winchester

zénana

zwanze

zydeco

*Définitions des mots qui prennent les deux
genres seulement dans un sens particulier :
voir le chapitre « Homonymes »*

Le nombre

Formes plurielles particulières

La formation du pluriel pour les noms et les adjectifs est relativement aisée, puisqu'elle se résume habituellement à l'addition d'un *s* ou d'un *x* à la forme du singulier. On trouve cependant des exceptions à cette règle, notamment pour les mots en *-al*, *-ail*, *-au*, *-eu* et *-ou*, ainsi que dans quelques autres cas. L'astérisque qui accompagne certains mots indique que la forme plurielle varie avec le sens.

-al NI

En général

-aux

Les mots en **-al** font leur pluriel en **-aux** : un *général*, des *généraux* ; *national*, *nationaux*, etc.

Mais

-als

Pour les mots suivants , il suffit d'ajouter un *s* ; plusieurs proviennent de langues étrangères (notamment de l'anglais), où le pluriel d'origine consiste en l'addition d'un *s* (*musical*, *spiritual*, etc.).

acétal : acétals
aéronaval, e : aéronaval(e)s
ammonal : ammonals
anténatal, e : anténatal(e)s
aval : avals
bal : bals
bancal, e : bancal(e)s
barbital : barbitals
cal : cals
cantal : cantals
captal : captals
caracal : caracals
carnaval : carnavals
cérémonial : cérémonials
chacal : chacals
chloral : chlorals
choral (n. m.) * : chorals
contre-pal : contre-pals

copal : copals
corral : corrals
emmenthal ou emmental :
    emment(h)als
éthanal : éthanals
fatal, e : fatal(e)s
festival : festivals
final (n. m.) * : finals
floréal : floréals
foiral ou foirail : foirals
    ou foirails
foutral, e : foutral(e)s
fractal, e : fractal(e)s
furfural : furfurals
futal : futals
gal : gals
galgal : galgals
gardénal : gardénals

gavial : gavials
gayal : gayals
germinal (n. m.)* : germinals
hectopascal : hectopascals
kraal : kraals
marshal : marshals
matorral : matorrals
méthanal : méthanals
metical : meticals
minerval : minervals
mistral : mistrals
morfal, e : morfal(e)s
mural (n. m.)* : murals
musical (n. m.)* : musicals
narval : narvals
natal, e : natal(e)s
naval, e : naval(e)s
negro(-) spiritual : negro(-) spirituals

néonatal, e : néonatal(e)s
nopal : nopals
pal (n. m.) * : pals
pascal (n. m.) * : pascals
penthiobarbital : penthiobarbitals
penthotal ou pentothal : penthotals
phénobarbital : phénobarbitals
pipéronal : pipéronals
prairial : prairials
pyridoxal : pyridoxals
quetzal* : quetzal(e)s
raval : ravals
récital : récitals

régal : régals
rétinal : rétinals
revival : revivals
rial : rials
rital, e : rital(e)s
riyal : riyals
rorqual : rorquals
roseval : rosevals
sal : sals
santal : santals (sauf dans poudre
    des trois santaux)
saroual : sarouals
serial : serials

serval : servals
sial : sials
sisal : sisals
sonal : sonals
spiritual : spirituals
tagal : tagals
tergal ou Tergal : tergals
thiopental : thiopentals
tincal : tincals
trial : trials
tonal, e : tonal(e)s
véronal : véronals
virginal (n. m.) * : virginals

Attention

-als

-aux

N2

On peut choisir de former le masculin pluriel
des mots suivants en *-als* ou en *-aux* :

atonal, e : atonal(e)s, atonaux
austral, e : austral(e)s, austraux
banal, e* : banal(e)s, banaux
bitonal, e : bitonal(e)s, bitonaux
causal, e : causal(e)s, causaux
choral, e* : choral(e)s, choraux
dual, e : dual(e)s, duaux
étal : étals, étaux
final, e* : final(e)s, finaux

glacial, e : glacial(e)s, glaciaux
idéal, e : idéal(e)s, idéaux
intertribal, e : intertribal(e)s,
    intertribaux
marial, e : marial(e)s, mariaux
nymphal, e : nymphal(e)s,
    nymphaux
pascal, e * : pascal(e)s, pascaux

périnatal, e : périnatal(e)s,
    périnataux
pluricausal, e : pluricausal(e)s,
    pluricausaux
postnatal, e : postnatal(e)s,
    postnataux
prénatal, e : prénatal(e)s,
    prénataux
tombal, e : tombal(e)s, tombaux
tribal, e : tribal(e)s, tribaux
val : vals ou vaux

*Mots en **-al** : voir le tableau T73*

-ail N3

En général

-ails

Les mots en *-ail* prennent un *s* au pluriel : un
détail, des *détails* ; un *poitrail*, des *poitrails*, etc.

Mais

-aux

Les mots suivants font leur pluriel en *-aux* :

bail : baux
corail : coraux
émail* : émails ou émaux
fermail : fermaux
gemmail : gemmaux

soupirail : soupiraux
surtravail : surtravaux
télétravail : télétravaux
travail* : travails ou travaux
vantail : vantaux

ventail : ventaux
vitrail : vitraux

*Mots en **-ail** : voir le tableau T59*

-au et -eu

En général

-aux

-eux

Les mots en **-au** et en **-eu** prennent un *x* au pluriel : un *bau*, des *baux* ; un *carreau*, des *carreaux* ; un *jeu*, des *jeux* ; un *vœu*, des *vœux*, etc.

Mais

-aus

-eus

Voici des mots qui prennent un *s* plutôt qu'un *x* au pluriel :

grau : graus
landau : landaus
sarrau : sarraus
senau : senaus
unau : unaus

bleu : bleus
camaïeu : camaïeus ou camaïeux
émeu ou émou : émeus
   ou émous
emposieu : emposieus
enfeu : enfeus
feu* : feus ou feux
lieu* : lieus ou lieux

pneu : pneus
richelieu : richelieus
  ou richelieu(x)
schleu, e ou chleuh, e :
   schleu(e)s ou chleuhs, es

*Mots en **-au**, **-eau**, **-eu** :
voir les tableaux T17, 23 et 24*

-ou

En général

-ous

Les mots en **-ou** prennent un *s* au pluriel : un *fou*, des *fous* ; un *matou*, des *matous*, etc.

Mais

-oux

Ces mots se terminent par un *x* au pluriel :

bijou : bijoux
caillou : cailloux
chou : choux

genou : genoux
hibou : hiboux
joujou : joujoux

pou : poux
ripou : ripous ou ripoux

*Mots en **-oux** : voir le tableau T22*

Le genre et le nombre

Les mots suivants ont un pluriel inhabituel :

aïeul* : aïeuls ou aïeux
ail : ails ou aulx
bonhomme : bonhommes (adj.)
   ou bonshommes (n.)
ciel* : ciels ou cieux
gentilhomme : gentilshommes

icelui, icelle : iceux, icelles
listel : listeaux ou listels
madame : mesdames
mademoiselle : mesdemoiselles
monseigneur : messeigneurs
   ou nosseigneurs

monsieur : messieurs
œil : yeux

*Mots surmontés d'un astérisque :
voir les tableaux H2 et 4*

Noms propres devenus noms communs

Certains noms propres se sont introduits tels quels dans la langue, en perdant toutefois leur lettre majuscule initiale et en devenant dans plusieurs cas variables en nombre. Qu'il s'agisse de personnages légendaires (*Sosie*), de villes (*Chihuahua*) ou d'inventeurs (*Poubelle*), ils sont parfois plus connus comme noms communs que comme noms propres, n'en déplaise à leurs illustres origines… Les tableaux qui suivent présentent certains de ces mots, classés selon leur nature et leur forme plurielle. L'astérisque y indique que le sens du mot dépend de son genre. Notez que des noms propres modifiés et transformés en noms communs (*fuchsia*, du nom du botaniste *Fuchs*, par exemple) figurent aussi dans le chapitre «Mots étrangers».

Noms masculins variables N7

alexandra
alicante
alsace
ampère
amphitryon, onne
appenzell
armagnac
asclépiade (n. m.)*
asti
ay
balthasar
banon
beaufort
berthon
bessemer
bloomer
boston

bourbon
bourgogne
bourgueil
brie
bristol
cachemire ou cashmere
camembert
cantal
capharnaüm
cardigan
carpaccio
carragheen
carter
césar
chadburn
chambertin
champagne

chasource
charleston
  (n. m., adj. inv.)
chateaubriand ou
châteaubriant
cheddar
chester
chianti
chihuahua
chippendale
  (n. m., adj. inv.)
christiania
cicéro
cognac
comté
corton
curaçao

debye
devon ou dévon
diesel ou diésel
dundee ou dundée
durham (n., adj.)
édam
emmental ou emmenthal
épigone
fermi
fontainebleau
fribourg
frontignan
gallup
gamay
geyser
gille ou gilles
gorgonzola

gouda
gray
grœnendael
gruyère
guelfe
harpagon
havane
henry
hollande
isabelle (n. m., adj. inv.)
jacquard (n. m., adj. inv.)
jéroboam
jodhpur ou jodhpurs
jumel
jurançon
karman
karst
kelvin
kir
laguiole
landau
landernau ou landerneau
larsen
livarot
lloyd
lovelace
luger
macassar
macfarlane
machaon
machiavel
mackintosh
mâcon
madapolam
madère
magenta (n. m., adj. inv.)
malabar
malaga
malvoisie
maranta
marathon

marengo
  (n. m., adj. inv.)
marsala
maryland
matamore
mathurin
mathusalem
mauser
mazagran
médoc
mentor
mercure
mercurey
meursault
mindel
moïse
moka
moloch
montrachet
morbier
mormon, e
munster
myrmidon ou mirmidon
nabuchodonosor
nankin (n. m., adj. inv.)
narcisse
neufchâtel
newton
niolo
œdipe
œrsted
ogham
ohm
oka
olivet
Olympe
oscar
ostiak ou ostyak
oxford
padou ou padoue
palémon

palmer
panama
pandore
pantalon
pascal
pégase
pékin
phaéton
pluton
pomerol
pommard
portland
porto
pouilly
poulbot
protée
pullman
quinquet
raglan (n. m., adj. inv.)
ramponeau ou
ramponneau
réhoboam
rioja
robert
rodomont
romanée
roquefort
rugby
salmanazar
sancerre
sarrancolin
saturne
saxe
schiedam
sedan
septmoncel
sherpa
shetland
shrapnel ou shrapnell
sievert
silène

sisal
sosie
spencer
stentor
suède
tampico
tantale
tartarin
tartufe ou tartuffe
tarzan
tavel
télémark
tesla
titan
tokaj
tokay
topinambour
trudgeon
tulle
valençay
valpolicella
venturi
vichy
virginie
volnay
voltaire
vouvray
vulcain
watt
weber
wehnelt
wergeld
würm
york
yorkshire
zaïre
zanzibar ou zanzi
zeppelin
zoïle

Noms féminins variables   N8

bérézina
berthe
boskoop ou boscop
cassandre
  (ou Cassandre, inv.)
dôle
houdan
jacqueline ou jaqueline

leghorn
lolita
madeleine
matthiole
odyssée
pavie
perse
poubelle

psyché
pythie
roquelaure
rossinante
sibylle
silhouette
tequila ou téquila
topaze (n. f., adj. inv.)

uranie
valencia ou valence
varappe
véronique
wyandotte

Noms masculins sans pluriel particulier · N9

banyuls	damas	juliénas	sauternes
beaujolais	époisses	labadens	sax
bordeaux	fez	madras	semtex
box	gauss	margaux	sèvres
cahors	gilles ou gille	maroilles	siemens
calvados ou calva	graves	olibrius	stokes
Celsius (degré)	günz	paros	stradivarius
chablis	hertz	pithiviers	stras ou strass
chasselas	jacques	riss	xérès ou jerez
corbières	jerez ou xérès	ruolz	
coulommiers	jodhpurs ou jodhpur	salers	

Noms féminins sans pluriel particulier · N10

doris*	valenciennes	vénus	williams

Noms masculins invariables · N11

brillat-savarin	Gram	poto-poto	vieux-lille
côtes-du-rhône	pompadour	rorschach	*Autres noms invariables :*
Fahrenheit (degré)	pont-l'évêque	(test de Rorschach)	*voir le tableau N24*

Adjectifs invariables · N12

dum-dum	Melba	*Autres adjectifs invariables :*
marconi	pompadour	*voir le tableau N25*

Cas particuliers · N13

Les mots suivants ont plusieurs formes plurielles :

canada*, n. f. : canada(s)
derby, n. m. : derbies ou derbys
guppy, n. m. : guppies ou guppys

montmorency, n. f. :
  montmorency(s)
paris-brest : paris-brest(s)

richelieu, n. m. : richelieus,
  richelieu(x)
sandwich, n. m. : sandwich(e)s

| Les mots suivants ont deux genres : |

carcel (n. m. ou f., adj. inv.)*   napoléon*
chantilly ou Chantilly (inv.) *   tanagra   *Mots dérivés de noms propres : voir les tableaux É60 et 61*
guyot*   victoria*   *Sens des mots surmontés d'un astérisque : voir le tableau H3*

Marques déposées

Comme quelques noms propres, des marques déposées se sont aussi greffées à la langue, et il nous arrive souvent d'en oublier l'origine : *klaxon*, par exemple, que l'on doit prononcer « **clac-sonne** », est bel et bien un nom enregistré légalement. Selon la plupart des grammairiens, lorsque le nom déposé s'écrit avec une minuscule, il doit être traité comme un nom commun et prend alors la marque habituelle du pluriel : un *bikini*, des *bikinis* ; lorsqu'il a conservé sa lettre majuscule, il est considéré comme un nom propre et demeure invariable : un *Bikini*, des *Bikini*. Les noms déposés répertoriés dans les dictionnaires seront divisés en quatre tableaux : ceux qui sont variables parce qu'ils commencent par une minuscule ; ceux qui peuvent être variables ou invariables, selon qu'ils s'écrivent avec une minuscule ou une majuscule ; ceux qui ne prennent aucune forme plurielle particulière ; et enfin, ceux qui sont invariables puisqu'ils débutent généralement par une majuscule. Une courte définition suit les mots qui prennent un sens différent lorsqu'ils sont des noms déposés.

Variables   N14

alphapage
ambiophonie
benzédrine
brick ou brique
   (emballage)
bulgomme
caninette
carboglace
colt

cottage (fromage)
delta(-)plane
   (pl. delta(-)planes)
digicode
gardénal
goménol
gramophone
granito
halon

isorel
médiamat
must
nidange ou nid d'ange
penthotal ou pentothal
pianola
quick
sonotone
supermalloy

tabloïd(e)
thyratron
ticket(-) restaurant (pl.
   tickets(-) restaurant ▲)
véronal
zamak

Variables ou invariables   N15

aérographe ou Aérographe
aérotrain ou Aérotrain
alcootest ou Alcotest

audimat (pl. audimat(s)) ou
   Audimat
bakélite ou Bakélite

bénédictine ou
Bénédictine (liqueur)
bic ou Bic

bikini ou Bikini
bottin ou Bottin
brumisateur ou Brumisateur
brushing ou Brushing
buna ou Buna
bureautique ou Bureautique
caddie ou Caddie
caméscope ou Caméscope
canadair ou Canadair
carborundum ou Carborundum
carterie ou Carterie
cataphote ou Cataphote
cellophane ou Cellophane
celluloïd ou Celluloïd
chris(-)craft (pl. chris-craft
    ou chriscrafts) ou Chris-Craft
cinémascope ou
CinémaScope
cinérama ou Cinérama
cocotte-minute (pl. cocottes-
    minute) ou Cocotte-Minute
collargol ou Collargol
compact-disc (pl. compact-discs ▲) ou
Compact Disc
coton-tige (pl. cotons-tiges) ou
Coton-Tige
cubitainer ou Cubitainer
dacron ou Dacron
déchetterie ou Déchetterie
delco ou Delco
dictaphone ou Dictaphone
dolby ou Dolby
duralumin ou Duralumin
durit(e) ou Durit
escalator ou Escalator
esquimau ou Esquimau (glace)
fenestron ou Fenestron
fibranne ou Fibranne
fibrociment ou Fibrociment
finn ou Finn
formica ou Formica
fréon ou Fréon
frigidaire ou Frigidaire

frisbee ou Frisbee
galalithe ou Galalithe
gomina ou Gomina
hygiaphone ou Hygiaphone
infographie ou Infographie
interphone ou Interphone
invar ou Invar
jacuzzi ou Jacuzzi
jardinerie ou Jardinerie
jeep ou Jeep
kevlar ou Kevlar
klaxon ou Klaxon
linotype ou Linotype
lumitype ou Lumitype
lycra ou Lycra
maïzena ou Maïzena
manganin ou Manganine
martini ou Martini
meccano ou Meccano
mercurochrome ou
Mercurochrome
méta ou Méta
minicassette ou Minicassette
minitel ou Minitel
mobylette ou Mobylette
modulor ou Modulor
monel ou Monel
monétique ou Monétique
monotype ou Monotype
moulinette ou Moulinette
moviola ou Moviola
mystère ou Mystère (dessert)
nanoréseau ou Nanoréseau
naviplane ou Naviplane
néoprène ou Néoprène
nescafé ou Nescafé
nichrome ou Nichrome
nylon ou Nylon
orlon ou Orlon
ozalid ou Ozalid
parkérisation ou Parkérisation
pédalo ou Pédalo
photomaton ou Photomaton

placoplâtre ou Placoplâtre
polaroïd ou Polaroid
polythène ou Polythène
publiphone ou Publiphone
restoroute, restauroute ou
Restoroute
rhodia ou Rhodia
rhodoïd ou Rhodoïd
rhovyl ou Rhovyl
rimmel ou Rimmel
ripolin ou Ripolin
ronéo ou Ronéo
rustine ou Rustine
sandow ou Sandow
sanisette ou Sanisette
scialytique ou Scialytique
scotch ou Scotch (ruban)
scrabble ou Scrabble
sécurit ou Securit
silentbloc ou Silentbloc
silionne ou Silionne
skaï ou Skaï
stellite ou Stellite
stretch ou Stretch
stylomine ou Stylomine
sucrette ou Sucrette
taxiphone ou Taxiphone
technicolor ou Technicolor
téflon ou Téflon
télécarte ou Télécarte
télétype ou Télétype
tergal ou Tergal
toboggan ou Toboggan (viaduc)
vaurien ou Vaurien (voilier)
velcro ou Velcro
vespa ou Vespa
vinylite ou Vinylite
volucompteur ou Volucompteur
walkman ou Walkman
xérographie ou Xérographie
yo(-)yo (pl. yoyos ou yo-yo) ou
Yo-Yo
zip ou Zip

Sans forme plurielle particulière   N16

abribus ou Abribus
airbus ou Airbus
altuglas ou Altuglas
bicross
goretex ou Gore-Tex
inox ou Inox

kleenex ou Kleenex
lastex ou Lastex
lurex ou Lurex
pataugas ou Pataugas
plexiglas ou Plexiglas
pyrex ou Pyrex

solex ou Solex
téléfax ou Téléfax
télétex ou Télétex
thermos ou Thermos
triplex ou Triplex
vidéotex

Air Bag
Anacroisés (n. m. pl.)
Azt ou AZT
B. C. G.
Bige
Bimétal
Byrrh
camping-gaz ou Camping-Gaz
coca-cola ou Coca-Cola
Cocoon
corail (adj. ; train)
Crésyl
Cromalin
Diester
Dow Jones (indice)
Dralon

Ektachrome
enveloppe Soleau
   (pl. enveloppes Soleau)
fermeture éclair ou Éclair
   (pl. fermetures éclair ou Éclair)
Inconel
Infusette
Junior Entreprise
K-way
Kodak
Lego
liberty ou Liberty
Minaudière (boîte)
Monopoly
Nikkei (indice)
Opinel

péritel ou Péritel (prise)
port-salut ou Port-Salut
Réunion-Téléphone
Rigollot
Rilsan
Sanforisage
Téléboutique
Télétel
Terlenka
Térylène
Tricouni
Windsurf
Xérocopie
Zicral
Zodiac

Mots invariables

Parmi les mots invariables les plus connus, on retrouve les adverbes et les prépositions, ainsi que tous les mots employés comme tels (par exemple : jouer *serré*, sentir *bon*, *excepté* les clauses, etc., où les adjectifs *serré* et *bon* jouent le rôle d'adverbes, et où le participe *excepté* est utilisé comme une préposition). Les interjections, de même que certains sigles, acronymes et apocopes, quelques noms et quelques adjectifs sont aussi invariables ; d'autres mots enfin sont tantôt variables, tantôt invariables selon leur nature. Les tableaux qui suivent reprendront ces cas, sans toutefois traiter les mots composés ou les mots à consonance étrangère.

Si les interjections sont par définition invariables, certains de ces mots peuvent également être des noms ou des adjectifs (comparez l'exclamation *Flûte !* et *une flûte* ; de même, l'expression *Mince alors !* et l'adjectif *mince*). Lorsqu'il n'est fait aucune mention de l'invariabilité de ces noms ou de ces adjectifs, on devrait par déduction leur faire prendre la marque habituelle du pluriel. Cela ne fait aucun doute dans plusieurs cas (des *attentions*, des *minutes*, etc.), mais l'usage semble être flottant pour les onomatopées, car on trouve dans les dictionnaires des *chuts*, mais des *ah* et des *ha*. Les autres catégories grammaticales possibles sont inscrites entre parenthèses.

adieu (n. m.)
ah (n. m.)
aïe
allo ou allô

areu
atchoum (n. m.)
attention (n. f.)
badaboum

bah
bang (n. m. ou n. m. inv.)
baste
berk ou beurk

bernique
bigre (n. m.)
bing (n. m.)
bis (n. m.)

bof
bougre (n. m.)
boum (n. m.)
broum
brrr
çà
chic (adj. inv. g.,
     adj. inv. ou n. m.)
chiche (adj. ou n. m.)
chouette (adj. ou n. f.)
chut (n. m.)
clac
clic
corbleu
couic
crac
crénom
cric (n. m.)
da ou oui-da
dame (n. f.)
debout (adj. inv. ou adv.)
dia
diantre
ding
drelin
dring
eh
euh
évoé ou évohé
fi
fichtre
fixe (adj. ou n. m.)
flac
floc (n. m.)
flop (n. m.)
flûte (n. f.)
foin (n. m.)
fouchtra
foutre (n. m. ou v.)

gare (n. f.)
grâce (n. f.)
gué (n. m.)
ha (n. m.)
hallali (n. m.)
han (n. m. ou n. m. inv.)
hardi (adj.)
haro (n. m. ou n. m. inv.)
hé
hein
hélas
hem
hep
heu (n. m. inv.)
hi
hip
hisse (ho ou oh)
ho
holà (n. m. inv.)
hop
hou
houp
hourra ou hurrah (n. m.)
hue
hum
jarnicoton
jésus (n. m.)
kss kss
lala
las
mâtin (adj. ou n.)
mazette (n. f.)
merde (n. f.)
meuh (n. m.)
miam ou miam-miam
     (n. m. inv.)
miaou (n. m.)
miel (n. m.)
mince (adj.)

minute (n. f.)
miséricorde (n. f.)
morbleu
morgué, morguenne ou
morguienne
na (n. m.)
ô
oh (n. m. inv.)
ohé
O. K. (adj. inv., adv.)
ouah
ouais (adv.)
ouf (n. m. inv.)
ouïe ou ouille
oust(e)
paf (adj., adj. inv.
     ou n. m. inv.)
palsambleu
pan (n. m.)
panpan
parbleu
pardi
pardieu
patapouf (n. m.)
patati, patata
patatras
pcht, pschit, pschitt
     ou pscht (n. m.)
pécaïre
pechère ou peuchère
peuh
pff, pfft ou pfut
pif (n. m.)
ploc
plouf (n.)
pouah
pouce (n. m.)
pouf (n. m.)
prout (n. m.)

psitt, psst ou pst
rantanplan ou rataplan
rebelote
sacrebleu ou sacredieu
sacrédié
sacristi ou sapristi
salut (n. m.)
saperlipopette
scrogneugneu (n. m.)
tac (n. m.)
tacatac
taïaut ou tayaut
taratata
ta, ta, ta
té (n. m.)
tintin (n. m.)
toc (adj. inv., n. m.)
tonnerre (n. m.)
tudieu
turlututu
va
ventrebleu
vertubleu,
vertuchou ou vertudieu
vivat (n. m.)
vive (vive(nt) avec
     nom pluriel)
v'là
vlan ou v'lan
vroom ou vroum
youp
youpi ou youppie
zeste (n. m.)
zou
zut
zzzz…

Sigles, acronymes et apocopes N19

Un **sigle** est formé par les **initiales** des mots qu'il représente, et se lit en prononçant le nom de **chaque lettre** (par exemple, *CD* pour *Compact(-) Disc, T. S. F.* pour *Télégraphie Sans Fil*). Comme les sigles sont formés de lettres majuscules, séparées ou non par des points, ils ne devraient pas prendre la marque du pluriel, même si les dictionnaires ne mentionnent pas toujours l'invariabilité.

Un **acronyme** est un **sigle** qui s'écrit en minuscules ou en majuscules, avec ou sans ponctuation selon les cas, et qui se lit comme **tout autre nom commun** (*ovni*, *cégep*, etc.). On rencontre souvent des exemples d'acronymes prenant la marque habituelle du pluriel :
une *A. F. A. T.* ou *afat*, des *afats*
un *incoterm*, des *incoterms*
Les dictionnaires ne mentionnant pas l'invariabilité des acronymes suivants, on devrait pouvoir leur faire prendre la forme plurielle appropriée :

adac	asdic	eprom	modem	rom

Certains acronymes sont identifiés clairement comme invariables, en tout temps ou seulement dans certains cas ; l'astérisque indique que le mot est variable ou non selon son sens.

Invariables N20

agétac ▲	LAV ou L. A. V.
arc	lisp ▲
asa	loran ▲
ASIC	matif ▲
AZERTY	mirv
basic ▲	NAP
din	paf (n. m.)
fivete ou fivètes ▲	prolog ▲
fob, FOB ou F. O. B.	QWERTY
fortran ▲	ram
gift ▲	SAMU ou S. A. M. U.
iso	sicav ou S. I. C. A. V.
kerma ▲	tec

Variables ou invariables N21

gaba	stol
secam ou Secam	tep

Noms masculins variables, mais adjectifs invariables N22

laser
pal*

N23

La majorité des **apocopes** (ces mots desquels on a **retranché** des lettres par souci de rapidité) prend quant à elle la marque habituelle du pluriel lorsque le sens le permet (des *photos*, des *fortifs*, etc.). Quelques-unes sont toutefois **invariables** :

déco	mono	postdoc
fluo	panchro	sensa, sensas ou sensass

Noms invariables

On compte notamment parmi ces noms quelques adverbes employés substantivement et demeurant alors invariables (des *comment*, des *pourquoi*, etc.) :

boule ou boulle	Gram	pompadour	suet
ça	kalé	pour	sur(-)moi
combien	moi	pourquoi	toi
comment	non	ra	visu
Fahrenheit (degré)	ou	rorschach	yaka ou y-a-qu'à
fla	oui	soi	

À ces mots, on peut ajouter les noms des notes de la gamme (*do*, *ré*, *mi*, *fa*, *sol*, *la*, *si*) ainsi que les points cardinaux (*nord*, *sud*, *est*, *ouest*) pouvant être employés comme noms ou adjectifs invariables.

Les noms **archal** et **bétail** sont toujours singuliers.

Adjectifs invariables

On peut ajouter à cette liste tous les adjectifs numéraux cardinaux (*deux*, *trois*, *trente*, etc.).

afro	craspec	Melba	rikiki ou riquiqui
audio	debout	oxo	rosat
bath	dextrorse ou dextrorsum	parisis	tournois
bicourant	époxy	pompadour	tricourant
cracra	marconi	raplapla	

Variables comme noms, invariables comme adjectifs

Lorsqu'ils sont employés adjectivement (souvent pour désigner une couleur), ces noms demeurent invariables ; par exemple, *des robes abricot*, *des talons bottier*, etc.
Les seuls noms de couleurs devenus des adjectifs variables sont : **écarlate**, **fauve**, **incarnat**, **mauve**, **pourpre** et **rose**.

abricot	amont	argent	avoine
acajou	andrinople	arrière	azur
amarante	anthracite	aubergine	barbeau
ambre	arc-en-ciel	aurore	bateau
améthyste	ardoise	avant	bidon

bien	coq de roche	mat	prune
bitume	coquelicot	maxi (aussi adv.)	puce
bœuf	crème	météo	raglan
bottier	crevette	mimi	régence
bouton-d'or	cyan	mini (aussi adv.)	Renaissance
braille	dada	mousseline	réséda
brique	disco	moutarde	rétro
bronze	ébène	nacarat	rive gauche
bulle	émeraude	nacre	rocaille
caca d'oie	filasse	nankin	rococo
cachou	fraise	nature	rom*
café	framboise	noisette	rouille
canari	froment	ocre	sable
cannelle	fuchsia	olive	safran
capot	garance	opéra	saphir
caramel	gnangnan	or	saumon
carcel	grenat	orange	sépia
carmin	groseille	paille	serin
carotte	havane	pal ou Pal	soufre
cathédrale	indigo	panthère	sport
céladon	isabelle	parme	super
cerise	jacquard	pastel	tabac
chamois	jojo	pastèque	tango
champagne	jonquille	pat	taupe
charleston	kaki	pêche	tilleul
châtaigne	lavande	pervenche	toc
chippendale	lilas	photo	topaze
chocolat	magenta	pistache	turbo
chou	marengo	platine	turquoise
citron	mastic	ponceau	vermillon
cognac	mastoc	popote	vidéo

Cas particuliers N27

Les mots qui suivent peuvent être à la fois variables dans une catégorie grammaticale donnée, et invariables dans une autre, ou parfois variables ou invariables (au choix) dans une même catégorie. On écrira par exemple *haro!*, l'interjection, invariable, mais le nom pluriel *des haro* ou *des haros*. Ces possibilités multiples sont dues au fait que les dictionnaires ne s'entendent pas toujours quant à la nature et à la variabilité des mots, ou permettent à la fois la variabilité et l'invariabilité pour le même mot. Le tableau qui suit indique pour quelle catégorie grammaticale chaque mot peut être variable, invariable, ou encore variable ou invariable au choix. L'astérisque marque que le mot sera variable ou invariable selon le sens.

Mot	Variable	Invariable	Au choix
anar	n. m.		adj.
bio	n. f.		adj.
bistre	n. m.		adj.
chic	n. m.	interj.	adj. inv. ou inv. en genre
corail		adj.	n. m. (lorsque couleur)

Le genre et le nombre

Mot	Variable	Invariable	Au choix
craché			adj. (dans l'expression « tout craché »)
cucu ou cucul			adj.
der			n.
extra		adj.	n. m.
flagada			adj.
folklo			adj.
gay	n.		adj.
han		adj., interj.	n. m.
haro		interj.	n. m.
joual, e			adj. (en genre), n. m. (si pl. : jouals)
marine	n. m. ou f.		adj.
marron	n. m.		adj. *
monobloc	n. m.		adj.
monorail	n. m.		adj.
nickel	n. m.		adj.
outremer	n. m.		adj.
paf		interj., n. m.	adj.
pie	n. f.		adj. *
poche	n. f.		n. m.
princesse	n. f.		adj.
psy		adj.	n.
raide			adv. : tomber raide(s) mort, e(s)
rasoir	n. m.		adj.
record	n. m.		adj.
réglo			adj.
seizième	n., adj. num.	adj. (B. C. B. G.)	
standard	n. m.		adj.
stéréo	n.	adj.	
tabou, e	n. m.		adj.
tarte	n. f.		adj.
ultra			adj., n.
vaudou, e	n. m.		adj.
zazou, e	n. m.		adj. (en genre)
zinzin	n.		adj.
zinzolin	n. m.		adj.

Mots en apposition invariables : voir les tableaux M50, 51 et 53

Mots composés invariables : voir le chapitre « Mots composés »

Mots étrangers invariables : voir le chapitre « Mots étrangers »

Mots surmontés d'un astérisque : voir le tableau H4

Mots pluriels

Certains mots ne peuvent être employés qu'au pluriel : c'est le cas, par exemple, de plusieurs cérémonies à caractère religieux (*épousailles*, *funérailles*, etc.). On en a d'abord groupé quelques-uns par terminaison, et on a divisé les autres selon leur genre. Suivent enfin les mots que certains ouvrages de référence donnent toujours pluriels, mais pour lesquels d'autres acceptent aussi le singulier ; nous en donnons la graphie plurielle, puisque c'est généralement la plus utilisée. C'est le cas, notamment, de plusieurs termes de botanique et de zoologie, qui se retrouvent au pluriel dans le Robert et au singulier dans le Larousse. Les mots composés et les mots étrangers ont été traités dans leurs chapitres respectifs.

-ailles

FÉMININ

accordailles
entrailles
épousailles
fiançailles
funérailles
relevailles
semailles

-ants et -ents

MASCULIN

agissements
appointements
comourants
errements
ossements

-ées

FÉMININ

césalpinées
composacées
graminacées
labiacées
miscellanées
panathénées

-elles

FÉMININ

animelles
brucelles
écrouelles

-ens

MASCULIN

choanichtyens
lacertiens
néméens
ostéichtyens
thériens

-és

MASCULIN

Anacroisés
aphidés
céphalocordés
dinoflagellés
quadruplés(ées)
quintuplés(ées)
sextuplés(ées)
vécés

-ets

MASCULIN

aguets
honchets
tricotets

-ettes

FÉMININ

castagnettes
clopinettes
cuissettes
pépettes ou pépètes
poucettes
rillettes
roupettes

-ies

FÉMININ

armoiries
complies
courreries
dionysies
eubactéries
féralies
floralies
gémonies
latomies
lochies
nénies
parentalies ou parentales
pierreries
scénopégies
thesmophories
vestalies

-ons

MASCULIN

grattons
greubons
picaillons
retirons
rillons
roustons

FÉMININ

rogations

-ures

FÉMININ

balayures
baquetures
battitures
peignures
râtelures

-x

MASCULIN

affûtiaux
apparaux
préjudiciaux (adj.)
tripoux ou tripous
universaux

Le genre et le nombre

Noms masculins pluriels N29

achards
agrès
analecta ou analectes
appas
arrérages
confins
décombres
dépens
diplopodes
ébats
falconiformes
fonts
gogs, goguenots ou gogues
gravats ou gravois
hominoïdes
lods

mamours
mânes
N. P. I. (nouveaux pays industrialisés)
pénates
phénicoptères
prolégomènes
pyrénomycètes
quat'zarts
rétroactes
sévices
stéréospondyles
strigiformes
struthioniformes
thermes
uropyges
ventis

Noms masculins ou féminins pluriels N31

lombes
taurides (**mais** perséides, f.)

Noms féminins pluriels N30

affres
ambages
archives
arrhes
atellanes
badigoinces
besicles ou bésicles
biosciences
braies
calendes
chocottes
cisoires
condoléances
cytokines
émondes
épreintes
fardoches
fargues
fortifs
frusques
grègues
hyades
institutes
latrines
laudes
leptoméninges

lupercales
matines
menstrues
mœurs
neurosciences
nilles (articulations)
obsèques
opimes (adj.)
pandectes
pandèmes
parentales ou parentalies
perséides (**mais** taurides, m. ou f.)
phalliques
pluches
pouilles
prémices
roubignoles
scyphoméduses
septembrisades
silves
ténèbres
tricoises
vêpres
vulcanales

Mots dont l'entrée est au pluriel ou au singulier, selon la source N32

MASCULIN

agrumes
atours
auspices
bordages
corticoïdes
corticostéroïdes
déboires*
équidés
essarts
fritons
narcodollars
pénitentiaux (adj.)

pétrodollars
pourparlers
pythiques (adj. m. pl., adj. ou n. f.)
quadrijumeaux
rotoplots
salamalecs
sanitaires
sapientiaux (adj.)
T. U. C. (m. pl.) ou tuc (n.)
U. V. (ultraviolets)

FÉMININ

accointances
armilles
babines
branchies
catacombes
choanes ou choane (m.)
congratulations
démêlures
entrefaites
félicitations
fringues
fripes

gammaglobulines
immondices
impenses
mathématiques ou maths
mirettes
nippes
représailles
retrouvailles
syrtes
tribulations
vapes

Mots composés toujours pluriels : voir le chapitre « Mots composés »

Mots étrangers toujours pluriels : voir le chapitre « Mots étrangers »

Mots qui prennent un sens particulier au pluriel : voir le tableau H2

*L*es mots composés

On reproche souvent à la langue française ses illogismes et ses incongruités. Et pour justifier cet argument, rien n'est plus éloquent que le lexique des mots composés... La définition même d'un mot composé suscite la controverse tant chez les linguistes et les grammairiens que chez les profanes. Si les mots s'écrivant avec un trait d'union sont facilement identifiables comme tels, les mots soudés ou ceux dont les éléments sont séparés entraînent plus de points d'interrogation. Généralement, on considère comme mots composés les locutions qui forment une unité en elles-mêmes : dans *pomme de terre*, l'élément *terre* ne fait pas que compléter *pomme*, il en change littéralement le sens. *Pomme de terre*, comme *chemin de fer*, *lune de miel* et bien d'autres, est donc un mot composé.

De même, lorsque des éléments existant isolément ont été soudés en un seul mot (comme *entrecouper* ou *contrebalancer*), on peut qualifier le mot de composé. Quoi qu'il en soit, notre intention n'étant pas de distinguer de manière précise et catégorique les mots composés des mots simples, nous avons pris comme point de départ de notre analyse *tous* les mots avec trait d'union, et nous les avons comparés à des locutions sans trait d'union ou à des mots soudés, qu'ils soient ou non identifiés comme composés. Le chapitre «Locutions et expressions» viendra d'ailleurs compléter celui-ci, en y empruntant quelques mots.

La première question que l'on devrait se poser avant d'écrire un mot composé porte sur la nature de ses éléments : il est évident que là

Les aide-mémoire et les pense-bêtes empêcheront sûrement les mots de s'entremêler dans votre esprit: placez-les vis-à-vis, côte à côte ou face à face, notez-les à la queue leu leu sur du papier de brouillon ou à l'écran de votre micro-ordinateur. Et ne laissez surtout pas les mots composés, ces pince-sans-rire antitout, vous contrecarrer outre mesure.

comme ailleurs, les verbes et les noms, les adverbes et les adjectifs, pour ne mentionner que ceux-là, ne se comportent pas de la même façon. Les sections sont établies selon la nature du premier élément : préfixes et éléments savants (M1 à 7), noms (M8 à 25), adjectifs (M26 à 32), verbes (M33 à 37), adverbes, articles, prépositions et pronoms (M38 à 41), onomatopées, apocopes et syllabes semblables (M42 à 47). Les dernières sections sont consacrées aux mots placés en apposition (M48 à 54), aux mots composés ayant une préposition ou un article intercalé (M55 à 61), et au genre des mots composés (M62 à 68). Lorsque des comparaisons éloquentes se révélaient possibles, nous avons groupé, dans le dernier tableau de chaque section, les mots ayant leur premier élément en commun ; les mots restants se retrouvent en début de section, divisés selon qu'ils s'écrivent avec un trait d'union, séparés ou soudés; des tableaux thématiques ont aussi été préparés à quelques reprises. Quand un mot appartient à plus d'une catégorie grammaticale (*aide*, par exemple, qui peut être nom ou verbe), nous l'avons classé dans le tableau où les comparaisons avec d'autres mots de même type sont les plus pertinentes ; de toute façon, les renvois appropriés d'une section à l'autre faciliteront la recherche. Remarquez que les mots pouvant être considérés comme adjectifs et comme noms (*chrétien*, par exemple) ont été classés dans cette dernière catégorie.

La deuxième question porte sur l'emploi du trait d'union. Dans les débuts de sections comme dans les regroupements par élément, on divisera les mots selon qu'ils s'écrivent avec trait d'union, séparés, soudés, avec trait d'union ou séparés, avec trait d'union ou soudés, et séparés ou soudés. Précisons que certains des mots simples que nous avons relevés n'ont aucune origine « composée » proprement dite (*potamot*, *portelone* ou *verboquet*, entre autres); mais si on ne les connaît pas, il est facile de les confondre avec de véritables mots composés. De tels mots simples seront suivis d'un carré (■), pour bien marquer leur origine différente.

La troisième question, enfin, concerne la formation du pluriel. Là encore, on subdivisera les mots selon que leurs deux éléments sont variables, que l'un des deux est invariable, que les deux sont invariables, qu'ils ont deux formes au pluriel ou deux formes au singulier. À l'intérieur de chaque regroupement, l'usage des caractères gras dans le premier mot d'une forme donnée indiquera de quelle façon il se distingue de la règle générale énoncée en début de section (quand les deux éléments sont des noms, par exemple, ils devraient tous deux varier, alors que quand le premier élément est un verbe et le second un nom, seul ce dernier devrait prendre la marque du pluriel). Malheureusement, les dictionnaires ne pèchent pas par excès de clarté en ce qui a trait au pluriel des mots composés. Ainsi, lorsque seul le *Larousse* ou seul le *Robert* indique une forme plurielle, cette dernière sera suivie par la lettre *L* ou *R* entre parenthèses. Lorsque aucun dictionnaire ne se prononce quant au pluriel, nous en avons proposé un, en nous fondant sur des cas semblables ou en tranchant pour la solution nous paraissant la plus logique. Les noms propres (*Ancien Testament*, *Empire byzantin*), de même que les expressions que l'on emploie presque uniquement au singulier (*bon sens*, *côté jardin*, *veau marengo*, etc.) ont été considérés comme invariables; toutes ces formes et recommandations ne provenant pas de nos ouvrages de référence sont suivies d'un triangle (▲). Enfin, les mots dont la forme demeure inchangée au pluriel (*bras*, *gris*, *nez*, etc.) ont été classés indifféremment comme variables ou invariables, de façon à ce qu'ils se retrouvent autant que possible groupés avec d'autres mots de l'une ou l'autre catégorie.

En plus des parallèles mentionnés immédiatement à côté des mots, les corrélats renvoient à des sous-groupes du même tableau, à d'autres tableaux, ainsi qu'à certains éléments du chapitre « Locutions et expressions ». Ici, encore plus qu'ailleurs, les associations d'idées se révèlent capitales lors de l'apprentissage ; aussi, si vous remarquez des liens ou des contrastes, tant sémantiques qu'orthographiques, qui n'auraient pas été soulignés, de grâce empressez-vous de les indiquer à l'endroit concerné: ils ne pourront que vous faciliter la tâche !

Notez que toutes les locutions choisies ont été tirées telles quelles des dictionnaires et répondent à une définition spécifique (par exemple, les *quatre mendiants* ne désignent pas de pauvres malheureux, mais bien un dessert!). Enfin, certains mots identifiés par un astérisque revêtent un sens différent lorsqu'ils s'écrivent avec un trait d'union (un *cordon-bleu*, par exemple, est une cuisinière habile, à ne pas confondre avec le *cordon bleu*, un insigne d'honneur); le tableau H1 du chapitre « Homonymes » précisera toutes ces nuances.

Plan du chapitre

Mots composés dont le premier élément est un préfixe ou un élément savant

Ces particules latines ou grecques qu'on appelle **préfixes**, ou ces éléments formés à partir d'autres mots français, souvent scientifiques, et baptisés **éléments savants**, se révèlent extrêmement utiles des points de vue tant orthographique que sémantique. Ils nous aident en effet à comprendre et à écrire des mots inconnus à première vue, mais que l'on peut rapidement démystifier grâce à une décomposition judicieuse de leurs éléments; quand on sait, par exemple, que *bathy-* signifie « profond » et que *miso-* veut dire « haïr », on peut en déduire que la *bathymétrie* est la mesure des profondeurs marines, et que le *misonéisme* est l'aversion pour la nouveauté. À cet effet, il s'avérerait sûrement profitable de consulter les dictionnaires quand la signification d'un de ces préfixes vous est inconnue. Par ailleurs, recenser tous les préfixes employés en français s'avère une tâche quasi infinie; le corpus que nous vous présentons n'est donc pas exhaustif, et libre à vous de le compléter au fil de vos découvertes.

Certains préfixes et éléments se soudent au suffixe ou au deuxième élément, alors que d'autres se joignent à lui par un trait d'union. En général, on remarque que ce dernier est utilisé lorsque le suffixe ou mot suivant débute par une voyelle: *péri-informatique*, *socio-éducatif*, etc. Mais on trouve aussi des cas où deux voyelles se suivent (*thromboembolique*, *mésoéconomie*) et où on emploie le trait d'union devant une consonne (*gallo-romain*, *acido-basique*). Le pluriel de ces mots est généralement facile à former: seul le dernier élément en prend la marque.

Les préfixes ont été divisés selon qu'ils se soudent au deuxième élément ou qu'ils s'y joignent par un trait d'union, et sont accompagnés d'un exemple de mots qu'ils servent à former. Dans chaque cas on aura une première liste de préfixes pour lesquels tous les mots touchés suivent la règle, et une seconde liste de préfixes pour lesquels seuls quelques composés font exception; il faudra porter à ceux-ci une attention toute particulière. Suivront des mots avec trait d'union ou soudés, et l'analyse détaillée de certains préfixes présentant des caractéristiques particulières ou des formes variées. Dans ces derniers tableaux, les mots entrant dans la règle générale ne seront pas énumérés; les exceptions seront pour leur part divisées selon leur variabilité, puis subdivisées selon qu'elles s'écrivent soudées, avec trait d'union, séparées ou au choix.

Préfixes et éléments savants toujours soudés

	Exemples		Exemples
acro	acrocéphale	calci(o)	calciothermie
actino	actinomycète	calli	calligramme
adip(o)	adipocyte	calor(i)	caloriporteur
allo	allogreffe	cancéro	cancérogenèse
alpha	alphanumérique	carb(o, u)	carburéacteur
alto	altocumulus	carcino	carcinogenèse
alumino	aluminosilicate	caryo	caryotype
ambi	ambidextre	cata	catadioptrique
ambly	amblystome	caul(i)	caulescent, e
amino	aminoacide	centi	centiare
amph(i)	amphiarthrose	centro	centrosphère
an	anorexie	chalco	chalcopyrite
ana	analogie	chimio	chimiorésistance
anatomo	anatomopathologie	chir(o)	chiromancie
andro	androcéphale	chlor(o)	chlorofluorocarbure
anémo	anémomètre	chol(é)	cholécystographie
angi(o)	angiocardiographie	chondr(o)	chondrocalcinose
anté	antéislamique	chromat(o)	chromatogramme
anthropo	anthropomorphisme	chromo	chromolithographie
aqu(a, i)	aquatubulaire	chron(o)	chronophotographie
arbor(i)	arboriculture	chrys(o)	chrysomonadale
arch(i)	architectonique	circum	circumambulation
archéo	archéomagnétisme	clino	clinorhombique
argyr(o)	argyraspide	co(m, n)	coassocié, e
artéri(o)	artériosclérose	colo	colorectal, e
arthr(o)	arthrogrypose	compo	compogravure
astro	astrobiologie	contra	contraception
auriculo	auriculothérapie	convulsivo	convulsivothérapie
bactéri(o)	bactériochlorophylle	copro	coproculture
baro	barotraumatisme	cordi	cordiforme
bary	barycentre	cortico	corticosurrénal, e
bathy	bathypélagique	cosmo	cosmographique
benz(o)	benzodiazépine	crani(o)	craniopharyngiome
bêta	bêtabloquant, e	créno	crénothérapie
bi	bidimensionnel, elle	cristallo	cristallochimie
biblio	bibliobus	crosso	crossoptérygien
biélo	biélorusse	cruci	cruciverbiste
bis	bisannuel, elle	cryo	cryoconservation
blast(o)	blastomycète	crypto	cryptocommuniste
blenno	blennorragie	cupr(i, o)	cuproalliage
brachi	brachiocéphalique	curv(i)	curviligne
brachy	brachydactyle	cyan(o)	cyanoacrylate
câblo	câblodistributeur	cyn(o)	cynodrome

	Exemples		Exemples
cysto	cystographie	fulmi	fulmicoton
cyt(o)	cytodiagnostic	gala	galalithe ou Galalithe
dactylo	dactylographe	galact(o)	galactosidase
dé, des, dés	décentrer	galvano	galvanoplastie
décem	décemvir	gamma	gammaglobuline(s)
dendro	dendrochronologie	gastéro	gastéromycète
derm(o)	dermopharmacie	géo	géocentrisme
dermato	dermatoglyphe	géront(o)	gérontocratie
désoxy	désoxyribose	gir(o)	giravion
deutér(o)	deutérocanonique	glomérulo	glomérulonéphrite
dextr(o)	dextrocardie	gluc(o)	glucocorticoïde
di	dicotylédone	glyco	glycoprotéine
dia	diaphyse	glypto	glyptothèque
dicéto	dicétone	gonado	gonadostimuline
dichlor(o)	dichlorétane	gonio	goniométrie
digit(i, o)	digitopuncture	grapho	graphomanie
diméthyl	diméthylbenzène	gymn(o)	gymnosophiste
dipl(o)	diploblastique	gynandro	gynandromorphisme
dis	discréditer	gynéco	gynécogénétique
disco	discographie	gyr(o)	gyrocompas
docu	docudrame	handi	handisport
dodéca	dodécasyllabe	haplo	haplobionte
dolicho	dolichocôlon	héli(o)	héliogravure
dorso	dorsolombaire	hém(a, o), hémato	hématopoïèse
dynam(o)	dynamoélectrique	hémi	hémicycle
dys	dysboulie	hendéca	hendécasyllabe
éco	écomusée	hépat(o)	hépatopancréas
ecto	ectoparasite	hepta	heptasyllabe
électrono	électronogramme	hérédo	hérédosyphilis
embryo	embryogénie	hétér(o)	hétérogreffe
empirio	empiriocriticisme	hexa	hexafluorure
en, em	encabaner	hidro(s)	hidrosadénite
endo	endocrânien, enne	hiér(o)	hiérogrammate
entomo	entomologie	hipp(o)	hippocastanacée
épi	épicondyle	hist(o)	histocompatibilité
équi	équipartition	holo	holocristallin, e
ergo	ergostérol	homéo	homéogreffe
érythr(o)	érythrodermie	homo	homomorphisme
esthésio	esthésiogène	hormono	hormonothérapie
ethno	ethnopsychologie	horo	horokilométrique
éthylo	éthylotest	humidi	humidimètre
eu	euphonie	hyal(o)	hyaloïde
évapo	évapotranspiration	hygro	hygromètre
exo	exobiologie	hyl(é, o)	hylozoïsme
ferro	ferroalliage	hymén(o)	hyménomycète
fibro	fibrociment ou	hypn(o)	hypnopompique
	Fibrociment	hypo	hypoallergique
flor(i)	floribondité	hypso	hypsomètre
fluo	fluotournage	hystér(o)	hystérographie
for	forlancer	iatr(o)	iatrogène
forci	forcipressure	ichthy(o), ichty(o)	ichtyocolle

▪▪▪➡

idéo	idéomoteur	musico	musicothérapie
idio	idiosyncrasie	my(o)	myorelaxation
igni	ignifugation	myc(o)	mycobactérie
immuno	immunodéficience	myél(o)	myélomatose
impari	imparidigité, e	myi	myiase
insulino	insulinodépendance	myri(a, o)	myriophylle
inter	interaction	myrmé(co)	myrmécophile
intro	introspection	mytho	mythologie
ir	irréel, elle	mytil(i, o)	mytiliculture
is(o)	isogreffe	nécr(o)	nécrophage
juxta	juxtalinéaire	némat(o)	nématocyste
kérat(o)	kératocône	néphr(o)	néphropathie
kinési	kinésithérapie	neur(o)	neurobiochimie
lact(o)	lactosérum	névr(o)	névrodermite
lalo	lalomanie	nigr(i, o)	nigritique
lamelli	lamellibranche	nitro	nitroglycérine
laryng(o)	laryngologie	nomo	nomothète
latér(o)	latérisation	noso	nosoconiose
lenti	lentivirus	noto	notocorde
lépido	lépidosirène	nuclé(o)	nucléoprotéine
lipo	lipoprotéine	oct(a, i, o)	octocoralliaire
litho	lithothamnium	oculo	oculomoteur, trice
loco	locotracteur	odo	odomètre
logico	logicomathématique	odont(o)	odontostomatologie
logo	logomachie	œn	œnométrie
longi	longicorne	olé(i, o)	oléopneumatique
luso	lusophone	oligo	oligoélément
lymph(o)	lymphogranulomatose	olo, holo	olographe, holographe
malaco	malacoptérygien	omni	omnibus
mano	manocontact	oniro	onirothérapie
maxi	maximiser	onto	ontologie
mé, més	mésaventure	onycho	onychophagie
mécano	mécanorécepteur	oo	oosphère
médullo	médullosurrénal, e	ophi(o)	ophioglosse
mélan(o)	mélanostimuline	ophtalm(o)	ophtalmomètre
mélo	mélodrame	opistho	opisthodome
méno	ménopause	opo	opothérapie
mercuro	mercurochrome ou	opto	optoélectronique
	Mercurochrome	organo	organométallique
méro	mérostome	ornitho	ornithomancie
mét(a)	métalangage	oro	orographie
métallo	métallogénie	orth(o)	orthochromatique
métro	métrologie	ostéo	ostéochondrose
milli	milliampère	ostréi	ostréiculture
mis(o)	misonéisme	ov(i, o)	ovogonie
mnémo	mnémotechnie	ox	oxhydrique
mon(o)	monocorde	oxydo	oxydoréduction
morph(o)	morphopsychologie	oxygéno	oxygénothérapie
morti	mortinatalité	paléo	paléobotanique
multi	multirisque	pali(n)	palingénésie

Exemples

Exemples

palmi	palmipède	pyro	pyroélectricité
pan	panhellénique	quadr	quadrilatère
pant(o)	pantomètre	quinqu(a)	quinquagénaire
para	paratonnerre	quint	quintupler
patho	pathogénie	rachi	rachianesthésie
pauci	pauciflore	re, ré, r	revoici
pédi	pédicule	rect(i)	rectiligne
pédo	pédopsychiatre	resto	restoroute ou Restoroute
pelvi	pelvipéritonite	rétro	rétroactivité
pénicillino	pénicillinorésistant, e	rhéo	rhéotropisme
pent(a)	pentathlon	rhizo	rhizotome
per	peracide	rhod(o)	rhododendron
pétro	pétrodollar(s)	rhomb(o)	rhomboèdre
pharmaco	pharmacodépendant, e	rhynch(o)	rhynchonelle
pharyngo	pharyngolaryngite	ribo	ribonucléique
phéno	phénobarbital	sacchar(o)	saccharose
phényl	phénylalanine	salping(o)	salpingite
phil(o)	philhellène	sapro	saprophage
phléb(o)	phlébotomie	sarco	sarcoplasme
phon(o)	phonographe	saxi	saxifrage
phospho	phosphorescence	scaph(o)	scaphandrier
phyco	phycologie	scato	scatophage
phyl	phylogenèse	schizo	schizonéphrose
phyll(o)	phyllie	sclér(o)	scléroprotéine
physio	physiopathologie	scyph(o)	scyphozoaire(s)
phyt(o)	phytoécologie	séism(o), sism(o)	s(é)ismographe
picr(o)	picrique	sélén(o)	sélénographie
pisci	pisciculture	séma	sémaphore
placo	placoplâtre ou	séméio, sémio	sém(é)iologie
	Placoplâtre	sénestr(o)	sénestrochère
plani	planisphère	ou senestr(o)	ou senestrochère
plasmo	plasmolyse	sérici	sériciculture
platy	platyrhinien(s)	séro	séropositif, ive
pleuro	pleuropneumonie	servo	servofrein
plouto	ploutocratie	sesqui	sesquiterpène
pluri	pluripartisme	sidér(o)	sidéroxylon
pluvio	pluvionival, e	silico	silicone
pneumat(o)	pneumatophore	somato	somatotrope
polari	polariscope	sono	sonothèque
poli	poliorcétique	spectro	spectroscopie
polio	poliomyélite	spéléo	spéléologie
poly	polyglotte	spermat(o), spermo	spermatogonie
pom(i, o)	pomiculture	sphygmo	sphygmomanomètre
proct(o)	proctologie	stato	statoréacteur
prot(o)	protonotaire	stéat(o)	stéatopyge
psych(o)	psychodrame	stégo	stégosaure
ptér(o)	ptérodactyle	sténo	sténodactylo
pulso	pulsoréacteur	stétho	stéthoscope
py(o)	pyorrhée	stilli	stilligoutte
pyél(o)	pyélonéphrite	stomat(o)	stomatologie

	Exemples		Exemples
strepto	streptocoque	tubul	tubuliflore
strobo	strobophotographie	typh(o)	typhobacillose
sub	subkilotonnique	typhl	typhlite
sulf(o)	sulfocarbonate	typo	typographie
supra	supranational, e	typto	typtologie
sylv	sylviculture	tyr(o)	tyrothricine
sym, syn	sympathomimétique	unci	unciforme
syring(o)	syringomyélie	undéc(i)	undécennal, e
tachéo	tachéomètre	ungu(i)	unguifère
tachy	tachycardie	uni	unidirectionnel, elle
tauto	tautologie	urano	uranoplastie
techno	technobureaucratique	uric(o)	uricotélique
tectono	tectonophysique	urtic(a)	urticant, e
téléo	téléosaure	vapo	vapocraquage
tensio	tensioactif, ive	vario	variomètre
téra	téragone	vaso	vasodilatation
térato	tératologie	vermi	vermicide
tétra	tétradactyle	vibro	vibromasseur
thalasso	thalassothérapie	vini	vinification
thanato	thanatopraxie	vir	viril
théâtro	théâtrothérapie	visco	viscoélasticité
théo	théologie	visio	visioconférence
thorac(o)	thoracoplastie	viti	vitivinicole
thromb(o)	thromboembolique	vitro	vitrocéramique
thymo	thymoanaleptique	vivi	vivisection
thyréo, thyro	thyréotrope	volu	volucompteur ou
toco	tocophérol		Volucompteur
tomo	tomodensitométrie	xantho	xanthophylle
toxico	toxicodermie	xén(o)	xénodevise
tracto	tractopelle	xér(o)	xérophtalmie
tri	triporteur	xipho	xiphophore
tribo	triboélectrique	xyl(o)	xylographie
trich	trichophyton	zoo	zoogéographie
tropho	trophonévrose	zygo	zygopétale
tropo	tropopause	zym(o)	zymotique
tubi	tubipore		

M2

inter**armées**	intercours	inter**groupe(s)**	multipoint(s)
interarmes	interentreprises	interzones(s)	multisalle(s)
interclubs	omnisports	multifonction(s)	

	Pluriel (n. m.)	Pluriel (adj.)
multinorme	multinormes	multi**norme(s)**
multistandard	multistandards	multi**standard(s)**

Préfixes et éléments savants généralement soudés

Ces préfixes servant à composer des unités de mesure (*atto-*, *déca-*, *exa-*, *femto-*, *giga-*, *hecto-*, *kilo-*, *méga-*, *nano-*, *peta-*, *pico-*) se soudent au suffixe ou au mot qui leur est adjoint lorsque celui-ci débute par une consonne (*attoseconde*, *hectopascal*, *mégacycle*), mais ces préfixes sont accompagnés d'un trait d'union lorsque le deuxième élément commence par une voyelle (*méga-octet*).

	Exemples	*Sauf*
acid	acidocétose	acido-alcalimétrie
		acido-basique
aéro	aérodynamique	aéro(-)club
agr(i, o)	agroalimentaire	agro-industrie
audi(o)	audimutité, audiovisuel	audio-oral, e
bio	biotechnologie	bio-industrie
broncho	bronchoscopie	broncho(-)pneumonie
		broncho-pneumopathie
cardio	cardiotonique	cardio-pulmonaire
		cardio(-)respiratoire
		cardio(-)vasculaire
céphal(o)	céphalothorax	céphalo(-)rachidien, enne
ciné	cinétir	ciné(-)club
		ciné(-)parc
		ciné(-)shop
cis	cisjuran, e	cis-trans
cumulo	cumulovolcan (le seul)	cumulo-dôme
		cumulo(-)nimbus
		cumulo(-)stratus
cyclo	cyclomoteur	cyclo(-)cross
		cyclo(-)pousse (var. ou inv.)
dacry(o)	dacryocystite (le seul)	dacryo-adénite ou dacryadénite
entér(o)	entérobactérie	entéro(-)rénal, e
eur(o)	eurodevise	euro-obligation
fœto	fœtologie	fœto-maternel, elle
gastr(o)	gastromycète	gastro(-)entérite
		gastro(-)entérologie
		gastro(-)entérologue
		gastro-intestinal, e
gloss(o)	glossolalie	glosso(-)pharyngien, enne
hydr(o)	hydrogel	hydro(-)électricité
		hydro(-)électrique
infra	infraliminaire	infra(-)son
		infra(-)sonore
interro	interrogateur, trice	interro-négatif, ive
intra	intracellulaire	intra-atomique
		intra-muros (inv.)
		intra-utérin, e

Exemples   *Sauf*

iod	iodhydrique	iodo-ioduré, e
lacrymo	lacrymogène	lacrymo-nasal
leuc(o)	leucocyte	leuco-encéphalite
lomb(o)	lombosciatique	lombo(-)sacré, e
macr(o)	macroéconomie	macro(-)instruction
magnéto	magnétopause	magnéto-optique
médi(o)	médiocratie	médio-palatal, e
méningo	méningocoque	méningo-encéphalite
méso	mésoéconomie	méso-américain, e
mini	minijupe	mini-ordinateur
moto	motoski	moto(-)cross (inv.)
narco	narcotrafiquant, e	narco(-)analyse
oto	otospongiose	oto-rhino-laryngologiste, gie, gique
péri	périnatal, e	péri-informatique
physico	physicothéologique	physico(-)chimie
		physico(-)chimique
		physico-chimiste
		physico(-)mathématique
piézo	piézographe	piézo(-)électricité
		piézo(-)électrique
pilo	pilosisme	pilo(-)sébacé, e
pneum(o)	pneumogastrique	pneumo-phtisiologie
		pneumo-phtisiologue
post	postindustriel, elle	post-partum (inv.)
		post-scriptum (inv.)
		post-traumatique
pré	préavis	pré(-)adolescent, e
primo	primogéniture	primo-infection
pro	propharmacien, enne	pro forma (inv.)
		pro-occidental, e
publi	publipostage	publi-information
réticulo	réticulocyte	réticulo(-)endothélial, e
		réticulo-endothéliose
rhéto	rhétorique	rhéto-roman, e
rhino	rhinolaryngite	rhino(-)pharyngé, e
		rhino(-)pharyngien, enne
		rhino(-)pharyngite
		rhino(-)pharynx
sado	sadomasochisme	sado(-)maso
sensori	sensorimétrie	sensori(-)moteur, trice
simili	similicuir	simili(-)gravure
		simili(-)marbre
socio	sociopolitique	socio(-)économique
		socio-éducatif, ive
spatio	spationef	spatio(-)temporel, elle
stéréo	stéréocomparateur	stéréo-isomère
		stéréo-isomérie
strato	stratoforteresse	strato(-)cumulus

Ⅲ➡

Exemples   *Sauf*

sur	surestimer	sur(-) mesure
		sur(-)moi
		sur(-)place
thio	thioalcool	thio-urée
topo	topographie	topo(-)guide
toxi	toxicité	toxi-infectieux, euse
		toxi-infection
trachéo	trachéotomie	trachéo(-)bronchite
uro	urobiline	uro(-)génital, e
vidéo	vidéocommunication	vidéo(-)clip

Voir M7

VARIABLES

Préfixes et éléments savants toujours joints par un trait d'union

M4

Exemples   *Exemples*

adiposo-	adiposo-génital, e		judéo-	judéo-allemand, e	
afro-	afro-américain, e		latino-	latino-américain, e	
américano-	américano-soviétique		malayo-	malayo-polynésien, enne	
aspiro-	aspiro-batteur		maxillo-	maxillo-facial, e	
chamito-	chamito-sémitique		militaro-	militaro-industriel, elle	
chorio-	chorio-épithéliome		musculo-	musculo-membraneux, euse	
dento-	dento-facial, e		nævo-	nævo-carcinome	
exsanguino-	exsanguino-transfusion		négro-	négro-africain, e	
fémoro-	fémoro-cutané, e		nigéro-	nigéro-congolais, e	
finno-	finno-ougrien, enne		nippo-	nippo-américain, e	
freudo-	freudo-marxisme		ouralo-	ouralo-altaïque	
fuso-	fuso-spirillaire		politico-	politico-économique	
gallo-	gallo-romain, e		sacro-	sacro-saint, e	
génito-	génito-urinaire		sadico-	sadico-anal, e	
gréco-	gréco-romain, e		serbo-	serbo-croate	
historico-	historico-critique		staturo-	staturo-pondéral, e	
hospitalo-	hospitalo-universitaire		sterno-	sterno-cléido-mastoïdien	
huméro-	huméro-métacarpien, enne		technico-	technico-commercial, e	
intradermo-	intradermo-réaction		vasculo-	vasculo-nerveux, euse	
jéjuno-	jéjuno-iléon				

Préfixes et éléments savants généralement joints par un trait d'union

Lorsque l'élément savant indique une nationalité, une religion ou une région, il se joint par un trait d'union au nom ou à l'adjectif qui l'accompagne : *gréco-romain*, *franco-américain*, *rhéto-roman*, etc. Les deux éléments sont soudés quand le second est un suffixe tel que *-phile*, *-phobe*, *-phone*, etc. Comparons par exemple *turco-mongol* et *turcophile*, *hispano-américain* et *hispanophone*, etc. Attention toutefois à ***européocentrisme*** et à ***indochinois***, ainsi qu'au préfixe ***euro-***, qui ne prend un trait d'union que dans ***euro-obligation***.

	Exemples	*Sauf*
anglo-	anglo-arabe anglo-saxon, onne	anglomanie + dér. anglophilie + dér. anglophobie + dér. anglophone
arabo-	arabo-dollar arabo-islamique	arabophone
franco-	franco-canadien, enne	francophilie + dér. francophobie + dér. francophonie + dér.
germano-	germano-soviétique	germanophile + dér. germanophobe + dér. germanophone
hispan(o)-	hispano-américain, e	hispanophone
indo-	indo-aryen, enne indo-européen, enne	indochinois, e indonésien, enne
médico-	médico-sportif, ive médico-pédagogique	médicochirurgical, e médico(-)légal, e médico(-)social, e
russo-	russo-américain, e	russophile russophobe russophone
sino-	sino-tibétain, e	sinologie sinologue
turco-	turco-mongol, e	turcophile turcophone

Préfixes et éléments savants joints par un trait d'union ou soudés

alcalino(-)terreux, euse
anarcho(-)syndicalisme
anarcho(-)syndicaliste
bucco(-)dentaire
bucco(-)génital, e
cérébro(-)spinal, e
cirro(-)cumulus
cirro(-)stratus

cuti(-)réaction
cypho(-)scoliose
fluvio(-)glaciaire
gélatino(-)bromure
gélatino(-)chlorure
héroï(-)comique
hypothético(-)
   déductif, ive

iléo(-)cæcal, e
libéro(-)ligneux, euse
luni(-)solaire
maniaco(-)dépressif, ive
nimbo(-)stratus
nivo(-)glaciaire
nivo(-)pluvial, e
recto(-)colite

scapulo(-)huméral, e
spatio(-)temporel, elle
surdi(-)mutité
tragi(-)comédie
tragi(-)comique

Autres préfixes particuliers

anti

En général, les composés de **anti-** sont soudés et variables : *une antichambre, des antichambres.*

Sauf

VARIABLES

anti-impérialisme
anti-impérialiste
anti-inflammatoire

anti(-)bourgeois, e

anti-inflationniste
anti-sous-marin, e

INVARIABLES

anti**bruit**
anticellulite
anticorrosion
antidouleur
antidrogue
antidumping
antiengin
antigivre
antiglisse

anti**hausse**
antilacet
antiparti
antipersonnel
antipoison
antipollution
antisida
antitabac
antitout

Attention !

anti**casseurs**

anti-**âge**
anti-g

Les mots composés

VARIABLES OU INVARIABLES	Pluriel			Pluriel
antiblocage	anti**blocage**(s)	antimite(s)		anti**mite**(s)
antibrouillard	antibrouillard(s)	antiride(s)		antirides
anticalcaire	anticalcaire(s)			
antidopage	antidopage(s)	antigang		n. m. antigangs
antidoping	antidoping(s)			adj. anti**gang**(s)
antifriction	antifriction(s)			
antifumée	antifumée(s)	antivol		n. m. antivols
antigel	antigel(s)			adj. anti**vol**
antigrève	antigrève(s)			
antihalo	antihalo(s)			
antimissile	antimissile(s)			
antiparasite	antiparasite(s)			
antiradar	antiradar(s)			
antiradiation	antiradiation(s)			
antireflet	antireflet(s)			
antirouille	antirouille(s)			
antisatellite	antisatellite(s)			
antitrust	antitrust(s)			

auto

> Lorsque le mot auquel on ajoute le préfixe **auto-** commence par une consonne, le composé est soudé; lorsque le mot commence par une voyelle, le trait d'union s'impose. Dans les deux cas, le pluriel est régulier: *une autoneige, des autoneiges; une auto-intoxication, des auto-intoxications.*

VARIABLES		VARIABLES OU INVARIABLES	
autoaccusateur, trice	autoanalyse	autoradio	n. m. autoradios
autoaccusation	autoélévateur, trice		adj. auto**radio**
autoadhésif, ive	autoérotique		
autoalarme	autoérotisme	autoreverse	n. m. autoreverses
autoallumage	autoexcitateur, trice		adj. auto**reverse**(s)
autoamorçage			

Dans les cas suivants, *auto* est employé comme nom:

VARIABLES		INVARIABLES
auto(-)école	auto(-)écoles	auto-**stop** (L) ou autostop
auto(-)stoppeur, euse	auto(-)stoppeurs, euses	
auto(-)caravane	autocaravanes	auto**couchette**(s) ou **autos-couchettes**
	ou **autos**-caravanes	*Voir électro, micro, photo, radio, télé, thermo*

électro

Lorsque le mot auquel on ajoute le préfixe **électro-** commence par une consonne, le composé est soudé; lorsque le mot commence par une voyelle, le trait d'union devient nécessaire: *électrocardiogramme*, mais *électro-osmose*; tous sont variables.

 Sauf

VARIABLES

électroacoustique + dér.
électroaffinité
électroérosion

électro(-)aimant
électro(-)choc
électro(-)encéphalogramme
électro(-)encéphalographie

*Voir **auto**, **micro**, **photo**, **radio**,
télé, **thermo***

ex

Le préfixe **ex-** peut se joindre à un nom par un trait d'union pour signifier « antérieurement », « passé »; le nom en question demeure variable: *un ex-champion, des ex-champions*; *son ex-femme, ses ex-femmes*, etc.

 Sauf

INVARIABLES

ex-libris
ex-voto

ex abrupto
ex æquo
ex ante
ex cathedra

ex nihilo
ex post
ex professo
ex vivo

*Voir **in** ; tableaux É79
et 80*

extra

Les composés formés avec **extra-** s'écrivent généralement en un seul mot et sont variables: *extraordinaire, extrasystole, extrascolaire*, etc.

 Sauf

VARIABLES

extra-courant
extra-utérin, e

extra(-)conjugal, e
extra(-)fin, e
extra(-)fort, e

extra(-)légal, e
extra(-)lucide
extra(-)territorialité

INVARIABLES

extra-dry
extra-muros

*Voir **ultra***

hyper

Les mots commençant par le préfixe *hyper-* sont tous **soudés** lorsqu'ils sont joints à des éléments n'existant pas séparément : *hyperacousie, hyperbole*, etc. ; ce sont d'ailleurs surtout des mots scientifiques. Cependant, dans le langage familier, on peut ajouter *hyper-* à des noms ou à des adjectifs pour exprimer l'exagération. Ces mots s'écrivent alors avec un **trait d'union**, et seul le deuxième élément est variable : *hyper-cher, hyper-sympa*, etc. Voici les composés soudés variables de *hyper-* apparaissant dans les dictionnaires et formés à partir de mots existant isolément ; à tous les autres, il faudra donc mettre un trait d'union.

hyperacidité	hyperémotif, ive + dér.	hypermarché	hypertension + dér.
hyperactivité + dér.	hyperespace	hypermètre	hypertexte
hyperalgie + dér.	hyperesthésie	hypernerveux, euse	hyperthermie
hyperazotémie	hyperfocal, e	hyperplan	hypertonique + dér.
hypercalcémie	hyperfonctionnement	hyperréalisme + dér.	hypertrophie + dér.
hypercholestérolémie + dér.	hyperfréquence	hypersécrétion	
	hypergenèse	hypersensibilité + dér.	*Voir pseudo, super ;*
hyperchrome + dér.	hyperglycémie + dér.	hypersonique	*quasi, tableau M41*
hypercorrect, e + dér.	hyperkaliémie	hyperstatique	
hyperdulie	hyperlipidémie	hypersustentation + dér.	

in

On retrouve surtout le préfixe *in-* (prononcé « **ine** ») dans des locutions ou des mots composés d'origine latine. Certains ont un trait d'union, d'autres s'écrivent séparément.

VARIABLES OU INVARIABLES	Pluriel	INVARIABLES	
in-folio	in-**folio(s)**	in-bord (L)	in-seize
in-octavo	in-octavo(s)	in-dix-huit	in-trente-deux
in-plano	in-plano(s)	in-douze	in-vingt-quatre
in-quarto	in-quarto(s)		
		in absentia	in petto
		in abstracto	in situ
		in extenso	in utero
		in extremis	in vitro
		in fine	in vivo
		in partibus	
		in(-) pace	*Voir ex; tableaux É79 et 80*

mi, semi

Les composés de *mi-*, comme ceux de *semi-*, s'écrivent avec un trait d'union, et seul le deuxième élément prend la marque du pluriel lorsque le sens le permet : *la mi-carême, des mi-carêmes.*

Sauf

INVARIABLES

à mi-bois	à mi-course	à mi-jambe	*Voir **demi**, tableau M32*
à mi-chemin	à mi-fer	à mi-temps	
à mi-corps	mi-figue, mi-raisin	à mi-voix	
à mi-côte	mi-fil, mi-coton		

micro

Les composés de *micro-* sont généralement soudés et variables : *microclimat, microsillon*, etc.

Sauf

VARIABLES

micro-informatique
micro-injecter (v.)
micro-injection
micro-instruction
micro-intervalle
micro-onde* (n. f.)

micro(-)ordinateur
micro(-)organisme

INVARIABLE

micro-**ondes*** (n. m.)

Micro peut aussi être employé comme nom ; il est alors *variable* :

	Pluriel
micro-cravate	**micros**-cravates
micro-trottoir	micros-trottoirs
micro baladeur	**micros** baladeurs

*Voir **auto**, **électro**, **photo**, **radio**, **télé**, **thermo***

néo

Les composés de *néo-* sont généralement soudés et variables : *néolithique, néoprotectionnisme*, etc.

Sauf

VARIABLES

néo-calédonien, enne	néo-impressionniste
néo-hébridais, e	néo-indien, enne
néo-impressionnisme	néo-zélandais, e

Certains grammairiens (dont Thomas) préconisent l'usage du trait d'union dans tous les composés de **néo-**.

photo

Lorsque le mot auquel on ajoute le préfixe *photo-* commence par une consonne, le composé est soudé et variable : *photochimie*, *photopile*, etc. Lorsque le mot commence par une voyelle, un trait d'union devrait être inséré ; on trouve toutefois :

VARIABLES

photoélasticimétrie   photoélectricité + dér.
photoélasticité   photoémetteur, trice

Dans les cas suivants, *photo* est employé comme nom ; il est donc *variable* :

	Pluriel
photo-interprétation	**photos**-interprétations
photo-robot	photos-robots
photo-roman	photos-romans
photo-finish	**photos-finish**

*Voir **auto**, **électro**, **micro**, **radio**, **télé**, **thermo***

pseudo

Pseudo- est soudé aux suffixes qui lui sont joints (*pseudopode*, *pseudonyme*), mais il est lié par un trait d'union aux noms existant isolément pour signifier « faux » : *pseudo-président*, *pseudo-écrivain*, etc. Le deuxième élément est toujours variable. On trouve cependant :

VARIABLES

pseudarthrose   pseudopériodique
pseudobulbaire   pseudoscience
pseudomembrane   pseudotumeur
pseudomembraneux, euse

*Voir **hyper**, **super** ; **quasi**, tableau M41*

radio

Lorsque le préfixe *radio-* a le sens de «radius», il est toujours suivi d'un trait d'union (*radio-cubital*). Dans les autres cas, les composés sont généralement soudés et variables : *radioamateur*, *radioélectrique*, etc.

Sauf

VARIABLES

radio-immunologie
radio-isotope

⫸

Dans certains cas, *radio* est employé comme nom ; il est alors variable comme premier élément du composé, mais invariable comme apposition (*des messages radio*).

	Pluriel			Pluriel
radio-taxi	**radios**-taxis ou radio-taxis	radio(-)réveil		radioréveils ou **radios**-réveils
radio pirate	**radios** pirates	radio(-)trottoir		radiotrottoirs ou **radios**-trottoirs

*Voir **auto**, **électro**, **micro**, **photo**, **télé**, **thermo***

re, ré

Le préfixe *re-* ou *ré-* est toujours soudé à l'élément qu'il précède. Il est intéressant d'observer les cas où il faut employer *ré-* plutôt que *re-* ; en voici quelques-uns pour lesquels la prononciation ou les mots de même famille peuvent prêter à confusion, ainsi que quelques autres où deux orthographes sont possibles.

réanimer ou ranimer + dér.
réapprendre ou rapprendre
réassortir ou rassortir + dér.
rébellion **mais** se rebeller
récession + dér.
réchauffer + dér.
récognition + dér.
récollection
récréance
récrier (se)
rédintégration
réduplication + dér.
rééchelonnement
réécouter
réécrire ou récrire + dér.
réédifier + dér.
rééditer + dér.

rééduquer + dér.
réélire + dér.
réembaucher ou rembaucher
réémetteur
réemployer ou remployer + dér.
réemprunter ou remprunter
réengager ou rengager + dér.
réenregistrer
réensemencer + dér.
réentendre
rééquilibrer + dér.
réescompter + dér.
réessayer ou ressayer + dér.
réétudier
réévaluer + dér.
réexaminer + dér.
réexpédier + dér.

réexporter + dér.
réfaction
référer + dér.
réfracter + dér.
régénérer + dér.
réhabiliter + dér.
réhabituer
réhydrater
réimperméabiliser + dér.
réimplanter + dér.
réimporter + dér.
réimposer + dér.
réimprimer + dér.
réincarcérer + dér.
réincarner (se) + dér.
réincorporer
réinfecter + dér.
réinjecter
réinscrire + dér.
réinsérer + dér.
réinstaller + dér.
réintégrer + dér.

réinterpréter
réintroduire + dér.
réinventer + dér.
réinvestir
réinviter
réitérer + dér.
réjouir + dér.
rélargir
rénover + dér.
réoccuper + dér.
réopérer
réorchestrer + dér.
réordination
réorganiser + dér.
réorienter + dér.
réouverture **mais** rouvrir
répréhension + dér.
résurgence + dér.
mais res(s)urgir
rétracter + dér.
réviser + dér.

Ré- ou *re-* au choix :

réchampi(s) ou rechampi
réchampir ou rechampir

réchampissage ou rechampissage

réfréner ou refréner + dér.
rétreindre ou retreindre

rétreinte ou retreinte
mais rétreint

semi

*Voir **mi***

super

Les mots formés à partir du préfixe *super-* et d'un élément n'existant pas isolément s'écrivent généralement en un seul mot : *superfétatoire*, *superficiel*, etc. Lorsque *super-* est utilisé pour renforcer une idée (surtout dans le langage familier), on doit le joindre au mot qu'il accompagne par un trait d'union : *super-chouette*, *super-chic*, etc. Dans tous les cas, on ajoute la marque du pluriel au dernier élément : *des super-complications*, *des super-préfets*, etc. Pour éviter la confusion, notons les composés de *super-* qui apparaissent soudés dans les dictionnaires, et qui sont formés à partir de noms ou d'adjectifs déjà existants ; tous les autres s'écriront donc avec trait d'union.

VARIABLES

superalliage
superamas
superbénéfice
superbombe
supercalculateur
supercarburant
superchampion, onne
superciment
superclasse
supercritique
superfamille
superfécondation
superfin, e
superfinition

superfluidité + dér.
superforme
superforteresse
supergrand
superhétérodyne
superintendant
superman
supermarché
supernova
   (pl. supernovæ)
superordre
superphosphate
superplasticité + dér.
superposer + dér.

superproduction
superprofit
superpuissance
superréaction
supersonique
superstar
superstructure
supertanker
superviser + dér.
superwelter
superwoman

super(-)léger

INVARIABLE

super-huit

Voir *hyper*, *pseudo* ;
quasi, tableau M41

télé

Les composés de *télé-* sont généralement soudés et variables : *téléacheteur*, *téléécriture*, *téléimpression*, *téléobjectif*, *téléradio*, etc.

 Sauf

VARIABLES	**INVARIABLES**	**VARIABLE OU INVARIABLE**	**Pluriel**
télé(-)achat	Téléboutique	Télécarte ou télécarte	**Télécarte** ou télécartes
télé(-)enseignement	Téléfax ou téléfax		

Voir *auto*, *électro*, *micro*,
photo, *radio*, *thermo*

thermo, turbo

Lorsque l'élément auquel on ajoute le préfixe ***thermo-*** commence par une consonne, le composé s'écrit généralement sans trait d'union : *thermonucléaire*, *thermorésistant* ; lorsque cet élément commence par une voyelle, le trait d'union devient nécessaire ; tous sont variables. Il en va de même pour le préfixe ***turbo-***. On trouve cependant :

VARIABLES

thermoacidophile
thermoélectricité
thermoélectrique
thermoélectronique
thermoïonique

turboalternateur

Voir ***auto***, ***électro***, ***micro***, ***photo***, ***radio***, ***télé***

trans

Le préfixe ***trans-*** est presque toujours soudé au mot qu'il accompagne et qui demeure variable : *transalpin*, *transandin*, *transuranien*, *transylvain*, *transylvanien*, etc. Les mots suivants s'écrivent avec deux *s* puisque le préfixe ***trans-*** est ajouté à un nom ou à un adjectif commençant par un *s* :

transsaharien, enne
transsexualisme + dér.
transsibérien, enne
transsonique
transstockeur
transsubstantiation
transsuder + dér.

Sauf

VARIABLE	Pluriel
trans-avant-garde	trans-**avant-gardes**

INVARIABLES

transhorizon
transmanche

turbo

Voir ***thermo***

ultra

Le préfixe ***ultra-*** se soude à des noms ou à des adjectifs pour exprimer l'exagération : *ultracourt*, *ultramoderne*, *ultrasecret*, *ultraviolet*, etc. Ces composés sont variables.

Sauf

INVARIABLE

ultra-petita (L)

Voir ***extra***

Thomas recommande néanmoins d'écrire avec un trait d'union les adjectifs composés de **ultra-** ne dérivant pas d'un nom : ***ultra-court, ultra-royaliste,*** mais **ultramontain**. Font selon lui exception **ultra-son** et **ultraviolet**.

Employé seul, comme nom ou comme adjectif, ***ultra*** peut demeurer invariable ou prendre un *s* au pluriel : ***des ultra(s), des militants ultra(s).***

vice

> **Vice-** se place devant un nom, auquel il se joint par un trait d'union, et signifie « adjoint », « à la place de ». Seul le deuxième élément prend la marque du pluriel : *un vice-amiral, des vice-amiraux ; un vice-roi, des vice-rois*, etc.

Sauf   *Attention !*

INVARIABLE   **VARIABLES**

vice(-) versa   vicelard, e ■   *Genre des noms dont le premier élément est un*
                          vicennal, e ■   *préfixe : voir le tableau M64*

Mots composés dont le premier élément est un nom

Ces mots constituent non seulement la portion la plus importante de l'ensemble des mots composés, mais aussi celle que la logique et la rationalité ont le plus souvent délaissée… La formation de leur pluriel est relativement aisée : noms et adjectifs prennent le plus souvent la marque du pluriel, alors que verbes, adverbes et mots de liaison demeurent invariables. Le principal problème réside dans l'emploi du trait d'union : généralement, lorsque le mot composé est formé de deux noms, ceux-ci sont liés par un trait d'union (*un bateau-mouche, un chou-fleur*), alors que le nom et l'adjectif qui constituent un tout s'écrivent séparément (*un casier judiciaire, une étoile filante*). Mais nombreuses sont les exceptions à cette règle (*un pin parasol, un poids plume, l'amour-propre, une forêt-noire*), et la nature de certains mots se révèle même parfois difficile à déterminer.

Voici d'abord des mots composés et des locutions débutant par un nom, divisés selon qu'ils s'écrivent avec trait d'union, séparés, soudés, ou de deux façons, puis subdivisés selon leur forme plurielle. Deux tableaux présenteront des noms de métiers et d'appareils, et des mots composés de prénoms de femmes. Viendront enfin des mots et locutions ayant leur premier élément en commun, analysés suivant le même modèle.

Les mots suivis d'un astérisque prennent un sens différent quand ils s'écrivent avec un trait d'union ; on les retrouve dans le chapitre « Homonymes ». On pourra compléter cette étude par la section des mots en apposition, qui classera les mots par leur dernier plutôt que par leur premier élément, et par la section des mots composés avec une préposition ou un article intercalé, dont le premier élément est aussi un nom.

**DEUX ÉLÉMENTS
VARIABLES**

	Pluriel		Pluriel
accord-cadre	accords-cadres	carton-feutre	cartons-feutres
agar-agar	agars-agars	carton-paille	cartons-pailles
aigue-marine	aigues-marines	carton-pâte	cartons-pâtes
amiante-ciment	amiantes-ciments	carton-pierre	cartons-pierres
animal-machine **mais**	animaux-machines	céleri-rave	céleris-raves
langage machine		cerf-volant	cerfs-volants
araignée-crabe **mais**	araignées-crabes	chaise-support	chaises-supports
crabe araignée		chaland-citerne	chalands-citernes
atome-gramme	atomes-grammes	charte-partie	chartes-parties
aveugle-né, e	aveugles-né(e)s	chat-huant	chats-huants
aye-aye	ayes-ayes	chat-tigre	chats-tigres
balai-brosse	balais-brosses	chemise-veste	chemises-vestes
ballet-pantomime	ballets-pantomimes	chrétien(ne)-démocrate	chrétien(ne)s-
ballon-sonde	ballons-sondes		démocrates
banc-titre	bancs-titres		
barrage-poids	barrages-poids	christe-marine	christes-marines
barrage-réservoir	barrages-réservoirs	ou criste-marine	ou cristes-marines
barrage-voûte	barrages-voûtes	cœur-poumon artificiel	cœurs-poumons
bielle-manivelle	bielles-manivelles ▲		artificiels
(système)	(systèmes)	coffre-fort	coffres-forts
bouillon-blanc	bouillons-blancs	compère-loriot	compères-loriots
boulangerie-pâtisserie	boulangeries-pâtisseries	conférence-débat	conférences-débats
mais boulanger		copain-copain	copains-copains
pâtissier		cordon-bleu*	cordons-bleus
bout-dehors, boute-hors	bouts-dehors	coton-poudre	cotons-poudres
bout-rimé	bouts-rimés	cou-rouge	cous-rouges
bracelet-montre	bracelets-montres	cou-tors	cous-tors
brick-goélette	bricks-goélettes	couche-culotte	couches-culottes
briquet-tempête **mais**	briquets-tempêtes ▲	course-croisière	courses-croisières
lampe(-) tempête		course-poursuite	courses-poursuites
brochet-lance	brochets-lances	couteau-éplucheur	couteaux-éplucheurs
buisson-ardent	buissons-ardents	couteau-scie	couteaux-scies
caisse-outre	caisses-outres	décret-loi	décrets-lois
caméra-stylo	caméras-stylos	délai-congé	délais-congés
camion-citerne	camions-citernes	démarrage-freinage	démarrages-freinages ▲
canapé-lit	canapés-lits	dépôt-vente	dépôts-ventes
canne-béquille	cannes-béquilles	député-maire	députés-maires
canne-épée	cannes-épées	devise-titre	devises-titres
canne-siège	cannes-sièges	dîner-colloque	dîners-colloques
canoë-kayak	canoës-kayaks	dîner-concert	dîners-concerts
capsule-congé	capsules-congés	dîner-débat	dîners-débats
carême-prenant	carêmes-prenants	dîner-spectacle	dîners-spectacles
carré-éponge	carrés-éponges	discours-programme	discours-programmes
		donation-partage	donations-partages

Les mots composés

DEUX ÉLÉMENTS VARIABLES ⇒	Pluriel		Pluriel
dos-nu	dos-nus	molécule-gramme	molécules-grammes
drap-housse	draps-housses	montre-bracelet	montres-bracelets
droguerie-quincaillerie	drogueries-quincailleries	moteur-fusée	moteurs-fusées
duché-pairie	duchés-pairies	newton-mètre	newtons-mètres
église-halle	églises-halles	nitrate-fuel	nitrates-fuels
espace-temps	espaces-temps	ohm-mètre*	ohms-mètres
étau-limeur	étaux-limeurs	oiseau-mouche	oiseaux-mouches
éther-sel	éthers-sels	oiseau-trompette	oiseaux-trompettes
facture-congé	factures-congés	orang-outan(g)	orangs-outan(g)s
fer-blanc	fers-blancs	page-écran	pages-écrans
filtre-presse	filtres-presses	pan-bagnat	pans-bagnats
flanc-garde	flancs-gardes	panier-repas	paniers-repas
foire-exposition	foires-expositions	peau-rouge ou	peaux-rouges ou
fourgon-pompe	fourgons-pompes	Peau-Rouge	Peaux-Rouges
fusée-détonateur	fusées-détonateurs	pêche-abricot	pêches-abricots
fusée-sonde	fusées-sondes	personne-ressource	personnes-ressources
gaine-culotte	gaines-culottes	pic-vert	pics-verts
gomme-gutte	gommes-guttes	pistolet-mitrailleur **mais**	pistolets-mitrailleurs
gomme-laque	gommes-laques	fusilier mitrailleur,	
gomme-résine	gommes-résines	fusil(-) mitrailleur	
gras-double	gras-doubles	planche-contact	planches-contacts
guet-apens	guets-apens	plaque-modèle	plaques-modèles
halte-garderie	haltes-garderies	plateau-repas	plateaux-repas
huilier-vinaigrier	huiliers-vinaigriers	pointe-sèche*	pointes-sèches
jalon-mire	jalons-mires	politique-fiction	politiques-fictions
jour-amende	jours-amendes	ponton-grue	pontons-grues
jupe-veste (ensemble)	jupes-vestes	porc-épic	porcs-épics
	(ensembles) ▲	portrait-charge	portraits-charges
kangourou-rat	kangourous-rats	portrait-robot	portraits-robots
ligne-bloc	lignes-blocs	pouce-pied*	pouces-pieds
limande-sole	limandes-soles	poussette-canne	poussettes-cannes
location-accession	locations-accessions	prêt-relais	prêts-relais
location-gérance	locations-gérances	prêtre-ouvrier	prêtres-ouvriers
location-vente	locations-ventes	procès-verbal	procès-verbaux
loi-cadre	lois-cadres	quart-monde	quarts-mondes
loi-programme	lois-programmes	quote-part	quotes-parts
lord-maire	lords-maires	recherche-action	recherches-actions
machine-outil	machines-outils	recherche-	recherches-
machine-transfert	machines-transferts	développement	développements
manœuvre-balai	manœuvres-balais	réveil-radio	réveils-radios
martin-chasseur	martins-chasseurs	rôle-titre	rôles-titres
martin-pêcheur **mais**	martins-pêcheurs	roman-feuilleton	romans-feuilletons
bateau pêcheur,		roman-fleuve	romans-fleuves
marin pêcheur		roman-photo	romans-photos
marxiste-léniniste	marxistes-léninistes	roseau-massue	roseaux-massues
médicament-missile	médicaments-missiles ▲	roue-pelle	roues-pelles

||▶

DEUX ÉLÉMENTS VARIABLES ⟹

	Pluriel
safari-photo **mais** magazine photo	safaris-photos
salon-bibliothèque	salons-bibliothèques
salon-salle à manger	salons-salles à manger
satellite-espion	satellites-espions
satellite-observatoire	satellites-observatoires
satellite-relais	satellites-relais
savane-parc	savanes-parcs
science-fiction	sciences-fictions
secret-défense	secrets-défenses ▲
secteur-témoin	secteurs-témoins
sellerie-bourrellerie	selleries-bourrelleries
sellerie-garnissage	selleries-garnissages
sellerie-maroquinerie	selleries-maroquineries
sénatus-consulte **mais** juriconsulte	sénatus-consultes
sorgho-grain	sorghos-grains ▲
souvenir-écran	souvenirs-écrans
squille-mante	squilles-mantes

	Pluriel
statue-colonne	statues-colonnes
support-chaussette	supports-chaussettes
tailleur-pantalon	tailleurs-pantalons
taupe-grillon	taupes-grillons
tente-abri	tentes-abris
tétras-lyre **mais** oiseau(-) lyre	tétras-lyres
tiroir-caisse	tiroirs-caisses
toiture-terrasse	toitures-terrasses
trachée-artère	trachées-artères
tranchée-abri	tranchées-abris
travers-banc	travers-bancs
traversée-jonction	traversées-jonctions
valence-gramme	valences-grammes
valse-hésitation	valses-hésitations
vers-librisme	vers-librismes
vers-libriste	vers-libristes
voyageur-kilomètre	voyageurs-kilomètres

1ER ÉLÉMENT VARIABLE, 2^E ÉLÉMENT SINGULIER M9

année-lumière	années-**lumière**
bar-tabac	bars-tabac ▲
bébé-bulle	bébés-bulle
bébé-éprouvette	bébés-éprouvette
complet-veston	complets-veston
coqueron-arrière	coquerons-arrière
coqueron-avant	coquerons-avant
coupon-réponse	coupons-réponse
Fête-Dieu	Fêtes-Dieu
jambon-beurre **mais** haricot beurre	jambons-beurre ▲

malle-cabine	malles-**cabine** ▲
malle-poste	malles-poste
panneau-réclame **mais** objet(-) réclame	panneaux-réclame **mais** objets(-) réclame(s)
pascal-seconde	pascals-seconde
plateau-télé	plateaux-télé ▲
titre-restaurant **mais** ticket(-) restaurant	titres-restaurant

1ER ÉLÉMENT SINGULIER, 2^E ÉLÉMENT VARIABLE M10

cab-signal	**cab**-signaux
est-allemand, e	est-allemand(e)s
indole-acétique	indole-acétiques
jean-doré	jean-dorés ▲
louis-philippard, e	louis-philippard(e)s
nord-africain, e	nord-africain(e)s
nord-américain, e	nord-américain(e)s
nord-coréen, enne	nord-coréen(ne)s

nord-vietnamien, enne	**nord**-vietnamien(ne)s
ouest-allemand, e	ouest-allemand(e)s
pH-mètre	pH-mètres
Q-mètre	Q-mètres
sud-africain, e	sud-africain(e)s
sud-américain, e	sud-américain(e)s
sud-coréen, enne	sud-coréen(ne)s
sud-vietnamien, enne	sud-vietnamien(ne)s

Les mots composés

INVARIABLES MII

air-air	coca-cola ou Coca-Cola	mer-sol ▲	sol-air
air-sol	costume-cravate (en) ▲	moitié-moitié	sol-sol
béni-oui-oui	Croissant-Rouge	nord-est	sud-est
beurre-frais (couleur)	Croix-Rouge*	nord-ouest	sud-ouest
brèche-dent	feuille-morte (couleur)	potron-jacquet (dès)	tom-pouce
bridge-contrat ▲	français-banane ▲	potron-minet (dès)	vau-l'eau (à)
bridge-plafond ▲	halte-là	pouilly-fuissé	vau-vent (à)
brillat-savarin	jean-foutre	Réunion-Téléphone	
camping-gaz ou	L-dopa ▲	riz-pain-sel	
Camping-gaz	marxisme-léninisme (L)	service-service ▲	

M12

dommages-intérêts

	Pluriel			Pluriel
bulletin-réponse	bulletins-**réponse(s)**	paris-brest		**paris-brest(s)**
expérience-limite	expériences-limite(s)			
soutien-gorge	soutiens-gorge(s)			

Séparés

DEUX ÉLÉMENTS VARIABLES

agent voyer **mais** architecte-voyer	Casque bleu	conseil supérieur	épeire diadème
alcyon pie ▲	chaîne cryptée	copie conforme	épingle anglaise
âme sœur **mais** cellule-sœur	chambre basse	coq faisan	épingle double
âne bâté	chambre forte	coq héron	érable faux platane
ange gardien	chambre noire	coq phénix	escalier mécanique
angle mort	champ opératoire	cordon bleu*	escalier roulant
apprenti matelot, sorcier, etc.	château fort	coup bas	été indien
banane plantain	chenille arpenteuse	coup monté	étoile filante
bélier mérinos	cheville ouvrière	cousin germain	faucon pèlerin
blé épeautre ▲	chignon banane **mais** fiche(-) banane	crabe araignée **mais** araignée-crabe	fauteuil club ▲
boa constricteur ou constrictor	circuit imprimé	crème anglaise	feu follet
bouc émissaire	circuit intégré	croix rouge*	feu roulant
bureau ministre	classe verte	croûte rouge	fibre optique
Canadien français (n.)	collet monté	cuir chevelu	fièvre tierce, quarte
canot major	colonne montante	degré centigrade	figue caque
cargo minéralier	colonne vertébrale	dessin animé	filet mignon
casier judiciaire	comptable agréé	dragon volant	flûte traversière
	conseil général	écureuil volant	foie gras
	conseil juridique	éminence grise	fonds dominant
	conseil municipal	ensemble pantalon ▲	fonds servant
			gare terminus

gril costal
grive litorne
gueuse ou
gueuze lambic ▲
habit vert
hareng guai
hareng saur
héron bihoreau
héron crabier
hommage lige
huis clos
île flottante
jeudi saint
langue verte
lichen plan ▲
lis turban
magasin général
magazine photo **mais**
   safari-photo
manière noire
mante religieuse
marais salant
mardi gras ou Mardi gras
marin pêcheur comme
   bateau pêcheur,
   mais martin-pêcheur

marque déposée
matière première
melon sucrin
membre résidant
   (d'une académie)
messe basse
messe noire
ministre résidant
   ou résident
mise bas
modèle réduit
mouton noir
nature morte
nœud gordien
nœud papillon ▲
noix muscade
nom déposé
ombre chevalier **mais**
   omble(-) chevalier
papa poule ▲
patate douce
pelote basque
perche goujonnière
peuplier tremble
pièce montée
pierre ponce

pigeon ramier
pigeon voyageur
pin cembro
pin parasol
pin pignon
place forte
poids mort
poil follet
pointe sèche*
poire conférence ▲
police secours
poule faisane
poule sultane
prix plafond
prix plancher
propriétaire éleveur
punaise tigre
punch planteur
quinte flush ▲
raison sociale
raton laveur
rive gauche
   (n. f. , adj. inv.)
rouget barbet
rouget grondin
rubis balais

rubis spinelle
samedi saint
saule marsault
saule pleureur
saxhorn contrebasse
scie égoïne
scie musicale
semaine sainte
siège social
soucoupe volante
sucre candi
système expert
table ronde
tampon buvard
temps mort
thé dansant
vendredi saint
vente flash ▲
voie ferrée
voie lactée
voie sacrée

M14
**1ER ÉLÉMENT VARIABLE,
2E ÉLÉMENT SINGULIER**

	Pluriel			Pluriel
aile delta	ailes **delta**	poids coq		poids **coq** ▲
amanite panthère	amanites panthère	poids mouche		poids mouche ▲
bas résille	bas résille	poids plume		poids plume ▲
cocktail Molotov	cocktails Molotov	rayon alpha, bêta,		rayons alpha, bêta,
colonne Morris	colonnes Morris	delta, gamma		delta, gamma
coquille Saint-Jacques	coquilles Saint-Jacques	sauce béchamel,		sauces béchamel,
cordeau Bickford	cordeaux Bickford	Béchamel ou		Béchamel ou
crème Chantilly ou	crèmes Chantilly	à la Béchamel		à la Béchamel
chantilly		sauce matelote		sauces matelote ▲
degré Celsius	degrés Celsius	sauce Mornay ou		sauces Mornay ou
degré Fahrenheit	degrés Fahrenheit	à la Mornay		à la Mornay
entrecôte minute **mais**	entrecôtes minute ▲	sauce tomate		sauces tomate ▲
cocotte-minute		serpent corail		serpents corail
feu Saint-Elme	feux Saint-Elme	sucre glace		sucres glace ▲
four Martin	fours Martin	sucre semoule		sucres semoule ▲
haricot beurre **mais**	haricots beurre	toile émeri		toiles émeri ▲
jambon-beurre		veau écaille		veaux écaille ▲
langage machine **mais**	langages machine	vecteur vitesse		vecteurs vitesse ▲
animal-machine		vent coulis		vents coulis
maman gâteau	mamans gâteau	vent debout		vents debout
mante prie-Dieu	mantes prie-Dieu	vin primeur		vins primeur ▲
papa gâteau	papas gâteau			

Attention ! M15

	Pluriel		Pluriel
table haricot	tables **haricot(s)** ▲	sri lankais, e **mais** hongkongais, e vietnamien, enne	**sri** lankais(e)s
Art(s) déco	Arts **déco**		
double **dames, messieurs**	doubles dames, messieurs		

INVARIABLES M16

cabernet sauvignon ▲
caoutchouc mousse ou Caoutchouc mousse ▲
choléra morbus ▲
choléra nostras ▲
côté cour ▲
côté jardin ▲
Dow Jones (indice)
Empire byzantin
étoile polaire ou Polaire ▲
gaz moutarde ▲
gaz naturel ▲
nain jaune ▲
respect humain ▲
sécurité sociale ▲
sel gemme ▲
typhus murin ▲
veau marengo ▲

Soudés

M17

VARIABLES

abrivent
asiadollar
bancroche ■
banqueroute ■
banqueroutier, ère ■
bidonville
bouleverser (v.) ■
bourgmestre
calbombe ou calebombe ■
calebasse ■
champlever
chattemite
coquecigrue ■
débirentier, ère
débitmètre
électronvolt
fidéicommis
fréquencemètre
grisoumètre
handballeur, euse
havresac ■
hongkongais, e **mais** sri lankais, e
jurisconsulte ■ **mais** sénatus-consulte
luxmètre
maillechort ■
mappemonde ■
marchepied
maréchaussée ■
marémoteur, trice
massepain ■
micaschiste
ohmmètre*
ondemètre
patenôtre
quartefeuille
quintefeuille **mais** mille(-)feuille
radarastronomie
salsepareille ■ comme nonpareille
sérumalbumine
tiercefeuille
trucmuche
varheure comme wattheure
vertugadin ■
vespertilion ■ **mais** fourmi(-)lion
vietnamien, enne **mais** sri lankais, e
voltampère
voltmètre
wattmètre

INVARIABLES

abribus ou Abribus (n. d.)
airbus ou Airbus (n. d.)
cinémascope ■ ou CinémaScope (n. d.)
vertubleu
vertuchou
vertugadin

Trait d'union, séparés ou soudés

M18

DEUX ÉLÉMENTS VARIABLES

	Pluriel		Pluriel
appartement(-) témoin	appartements(-) témoins	bal(-) musette	bals(-) musettes
arrêt(-) buffet **mais** déjeuner buffet	arrêts(-) buffets	butte(-) témoin	buttes(-) témoins

DEUX ÉLÉMENTS VARIABLES ⟹

	Pluriel		Pluriel
diesel(-) électrique	diesels(-) électriques	oiseau(-) lyre **mais**	oiseaux(-) lyres
écart(-) type	écarts(-) types ▲	tétras-lyre	
fiche(-) banane **mais**	fiches(-) bananes ▲	omble(-) chevalier **mais**	ombles(-) chevaliers
chignon banane		ombre chevalier	
fille(-) mère	filles(-) mères ▲	parti(-) pris	partis(-) pris
fusil(-) mitrailleur **mais**	fusils(-) mitrailleurs	récif(-) barrière	récifs(-) barrières
fusilier mitrailleur		subrogé, e(-) tuteur, trice	subrogés(-) tuteurs,
monoamine(-) oxydase	monoamines(-) oxydases		subrogées(-) tutrices
		tortue(-) luth	tortues(-) luths ▲

Attention ! **M19**

		INVARIABLES
mission(-) suicide	missions(-) **suicide** (R)	
pause(-) café	pauses(-) café	bœuf(-) **mode** ▲
poche(-) revolver	poches(-) revolver ▲	Esprit saint ou
		Esprit(-) Saint
kilowatt**(-)**heure **mais**	kilowattheures	étalon(-) or ▲
ampère-heure	ou kilowatts-heures	**mais** étalon lingot or
		nègre(-) blanc (adj.)
delta(-)plane	**delta**(-)planes	
		Gore-Tex ou goretex
bette rave, blette rave ou	bettes raves, blettes raves	
betterave	ou betteraves	

Plusieurs orthographes et formes plurielles

	Pluriel		Pluriel
appui-bras ou	appuis-bras ou	objet(-) réclame **mais**	objets(-) **réclame(s)**
appuie-bras	appuie-bras	panneau-réclame	
appui-main	appuis-**main**	rail-route ou	n. m. rails-routes,
ou appuie-main	ou appuie-**main(s)**	railroute	adj. **rail-route**
appui-tête ou appuie-tête	appuis-**tête**		n. m. railroutes
	ou appuie-**tête(s)**		adj. railroute
cocotte-minute ou	cocottes-**minute** ou	sac(-) poubelle	sacs(-) **poubelle(s)**
Cocotte-Minute	**Cocotte-Minute**	serviette(-) éponge	serviettes-éponges ou
code-**barre(s)**	codes-barres		serviettes **éponge**
ou code à **barres**	ou codes à barres	sexe-symbole ou	sexes-symboles ou
coton-tige ou	cotons-tiges ou	sex-symbol	**sex**-symbols
Coton-Tige	**Coton-Tige**	surprise-partie ou	surprises-parties ou
nouvelle(-) éclair	nouvelles **éclair** (L)	surprise-party	**surprise**-partys
	ou nouvelles-éclairs		

Métiers et appareils

Voici des noms de métiers ou d'appareils qu'il est souvent facile de confondre, non parce qu'ils ont un élément en commun (comme *architecte-voyer* et *architecte paysagiste*), mais parce qu'ils sont construits sur un modèle semblable (comparons *miroitier-vitrier* et *huissier audiencier*, par exemple). Tous ont leurs deux éléments variables.

TRAIT D'UNION M21	Pluriel		Pluriel
ajusteur-mécanicien	ajusteurs-mécaniciens	infirmière-major	infirmières-majors
ajusteur-monteur	ajusteurs-monteurs	informaticien-analyste	informaticiens-analystes
ajusteur-outilleur	ajusteurs-outilleurs	**mais** chimiste,	
aléseur-perceur	aléseurs-perceurs	mathématicien	
aléseuse-fraiseuse	aléseuses-fraiseuses	analyste	
analyste-programmeur, euse	analystes-programmeurs, euses	libraire-éditeur	libraires-éditeurs
archiviste-paléographe	archivistes-paléographes	malaxeur-broyeur	malaxeurs-broyeurs
ascenseur-descenseur	ascenseurs-descenseurs	maréchal-ferrant	maréchaux-ferrants
baratte-malaxeur	barattes-malaxeurs	mécanicien-dentiste **mais**	mécaniciens-dentistes
batteur-éplucheur	batteurs-éplucheurs	chirurgien(-) dentiste	
batteur-étaleur	batteurs-étaleurs	minéralier-pétrolier	minéraliers-pétroliers
brigadier-chef	brigadiers-chefs	miroitier-vitrier	miroitiers-vitriers
capitaine-expert	capitaines-experts	moissonneuse-batteuse	moissonneuses-batteuses
caporal-chef	caporaux-chefs	moissonneuse-lieuse	moissonneuses-lieuses
commissaire-priseur	commissaires-priseurs	mouleur-figuriste	mouleurs-figuristes
concepteur-projeteur	concepteurs-projeteurs	orfèvre-bijoutier	orfèvres-bijoutiers
concepteur-rédacteur	concepteurs-rédacteurs	orfèvre-joaillier	orfèvres-joailliers
conjoncteur-disjoncteur	conjoncteurs-disjoncteurs	organisateur-conseil **mais**	organisateurs-conseils
débroussailleuse-broyeuse	débroussailleuses-broyeuses	ingénieur(-) conseil	
émetteur-récepteur	émetteurs-récepteurs	perceur-taraudeur	perceurs-taraudeurs
ferblantier-zingueur **mais**	ferblantiers-zingueurs	prospecteur-placier	prospecteurs-placiers
plombier(-) zingueur		ramasseuse-presse	ramasseuses-presses
fondeur-mouleur	fondeurs-mouleurs	répondeur-enregistreur	répondeurs-enregistreurs
fraiseur-outilleur	fraiseurs-outilleurs	sapeur-pompier	sapeurs-pompiers
graveur-imprimeur	graveurs-imprimeurs	satineur-calandreur	satineurs-calandreurs
grenadier-voltigeur	grenadiers-voltigeurs	sergent-chef	sergents-chefs
imprimeur-éditeur	imprimeurs-éditeurs	sergent-fourrier	sergents-fourriers
imprimeur-libraire	imprimeurs-libraires	sergent-major	sergents-majors
		survolteur-dévolteur	survolteurs-dévolteurs

SÉPARÉS M22			
artiste peintre	artistes peintres	boulier compteur	bouliers compteurs
banquier cambiste	banquiers cambistes	cargo minéralier	cargos minéraliers
banquier escompteur	banquiers escompteurs	chalutier congélateur	chalutiers congélateurs
boulanger pâtissier	boulangers pâtissiers		

SÉPARÉS ⟹	Pluriel		Pluriel
chimiste analyste **mais** informaticien-analyste	chimistes analystes	mathématicien analyste **mais** informaticien-analyste	mathématiciens analystes
commissionnaire exportateur	commissionnaires exportateurs	plâtrier peintre	plâtriers peintres
commissionnaire importateur	commissionnaires importateurs	président-directeur général	présidents-directeurs généraux
directeur général	directeurs généraux	rouleau compresseur	rouleaux compresseurs
éclaireur skieur	éclaireurs skieurs	rouleau émotteur	rouleaux émotteurs
gouverneur général	gouverneurs généraux	rouleau encreur	rouleaux encreurs
huissier appariteur	huissiers appariteurs	rouleau herseur	rouleaux herseurs
huissier audiencier	huissiers audienciers	sculpteur ornemaniste	sculpteurs ornemanistes
jardinier paysagiste	jardiniers paysagistes	trésorier-payeur général	trésoriers-payeurs généraux
major général	majors généraux		

TRAIT D'UNION OU SÉPARÉS M23

arpenteur(-) géomètre	arpenteurs(-) géomètres	tapissier(-) décorateur **mais** peintre décorateur	tapissiers(-) décorateurs
charcutier(-) traiteur	charcutiers(-) traiteurs		
croiseur(-) cuirassé	croiseurs(-) cuirassés		
mandataire(-) liquidateur	mandataires(-) liquidateurs		

Voir **architecte, chasseur, chef, chirurgien, commis, dessinateur, expert, fusilier, ingénieur, juge, lieutenant, maître, médecin, peintre, plombier, reporter, secrétaire,** *tableau M25 ;* **major, mécanicien,** *tableau M53*

Mots composés de prénoms de femmes

Notez ces composés dont l'un des éléments (ou les deux) est un prénom de femme ; le plus souvent, ces noms propres employés comme noms communs sont variables.

	Pluriel	*Attention !*	
dame-jeanne	dames-jeannes	bain-marie	bains-**marie**
louise-bonne	louises-bonnes		
marie-louise	maries-louises	**INVARIABLE**	
marie-salope	maries-salopes		
reine-claude	reines-claudes	marie-jeanne (L)	
reine-marguerite	reines-marguerites		

Les mots composés

Autres noms particuliers

aide	Pluriel
aide-comptable	aides-comptables
aide-maçon	aides-maçons
aide-major	aides-majors
aide-soignant, e	aides-soignant(e)s
aide(-) ménagère	aides(-) ménagères

Aide est ici un verbe : c'est pourquoi il demeure invariable.

aide-mémoire	inv.

*Voir **major**, tableau M53*

amour	
amour-passion	amours-passions
amour-propre	amours-propres
amour blanc	amours blancs

ampère	
ampère-heure	ampères-heures
ampère-tour	ampères-tours
ampèremètre	ampèremètres

*Voir **ampère**, tableau M54*

arbre	
arbre moteur	arbres moteurs
arbre(-) manivelle	arbres(-) manivelles

arc	Pluriel
arc-boutement	arcs-boutements
arc-doubleau	arcs-doubleaux
arc réflexe	arcs réflexes
arc(-) rampant	arcs(-) rampants
arc(-)boutant	arcboutants ou arcs-boutants *à conjuguer*
arc(-)bouter (v.)	

architecte	
architecte-voyer	architectes-voyers
architecte naval, e	architectes naval(e)s
architecte paysagiste	architectes paysagistes

Voir M21 à 23

assurance	
assurance-crédit	assurances-crédits
assurance automobile	assurances automobiles
assurance chômage	assurances **chômage** ▲
assurance invalidité	assurances invalidité ▲
assurance maternité	assurances maternité ▲
assurance vie	assurances vie ▲
assurance **tous risques**	assurances tous risques
assurance **multirisque(s)**	assurances multirisques
n'existe pas	assurances sociales
assurance(-) maladie	assurances(-) **maladie**

*Voir **capital**, **crédit***

avant

Pluriel
Voir M41

avion

	Pluriel
avion-cargo	avions-cargos
avion-cible	avions-cibles
avion-citerne	avions-citernes
avion-école	avions-écoles
avion-fusée	avions-fusées
avion-robot	avions-robots
avion-suicide	avions-suicides ▲
avion-taxi	avions-taxis
	Voir *bateau, navire*

bande

bande-amorce	bandes-amorces
bande-annonce	bandes-annonces
bande-son	bandes-**son**
bande dessinée	bandes dessinées
bande(-) vidéo	bandes(-) **vidéo**
	Voir *vidéo*, tableau M53

bateau

bateau-citerne	bateaux-citernes
bateau-feu	bateaux-feux
bateau-lavoir	bateaux-lavoirs
bateau-mouche	bateaux-mouches
mais poids mouche	
bateau-phare	bateaux-phares
bateau-pilote	bateaux-pilotes
bateau-pompe	bateaux-pompes
bateau-porte	bateaux-portes
bateau-remorqueur	bateaux-remorqueurs
bateau pêcheur	bateaux pêcheurs
	Voir *avion, navire*

bec

	Pluriel
bec-croisé	becs-croisés
bec-fin	becs-fins
bec-jaune	becs-jaunes
becfigue	becfigues
	Voir *bec*, tableau M61

bien

Pluriel
Voir M41

bleu

Lorsque deux **adjectifs** de couleur sont réunis pour qualifier un nom, on les lie par un trait d'union et ils demeurent invariables : *des eaux bleu-vert.*
Lorsque pour désigner une couleur le nom est qualifié à la fois par un **adjectif** et par un **substantif**, ces mots désignant la couleur sont une fois de plus invariables, mais s'écrivent cette fois sans trait d'union : *des murs bleu ciel.*
Cependant, lorsqu'on parle de la couleur elle-même (lorsqu'elle est employée nominalement plutôt qu'adjectivement), seul l'**adjectif** de couleur devenu substantif est variable : *des bleus ciel.*
Voici des noms de couleurs formés à partir de *bleu* et d'un autre nom :

bleu ardoise	bleu pervenche
bleu canard	bleu pétrole
bleu ciel	bleu roi
bleu horizon	bleu turquoise
bleu lavande	
bleu marine	Voir *gris, rose ; vert*,
bleu Nattier	tableau M32

bloc

	Pluriel
bloc-diagramme	blocs-diagrammes
bloc-évier	blocs-éviers
bloc-porte	blocs-portes
bloc-système	blocs-systèmes
bloc-eau	blocs-**eau**
bloc-**cylindres**	blocs-cylindres
bloc-notes	blocs-notes
bloc-**sièges**	inv.
bloc opératoire	blocs opératoires
bloc(-) cuisine	blocs(-) cuisines
bloc(-) moteur	blocs(-) moteurs

borne

borne-fontaine	bornes-fontaines
borne repère	bornes repères
	Voir poteau

bouton

bouton-poussoir	boutons-poussoirs
bouton-pression **mais** bière pression	boutons-**pression mais** bières pression ▲
	Voir argent, or, tableau M61

café

café-bar	cafés-bars
café-concert	cafés-concerts
café-restaurant	cafés-restaurants
café-théâtre	cafés-théâtres
café-tabac	cafés-**tabac** ▲
acafé(-) chantant	cafés(-) chantants ▲
café(-) filtre	cafés(-) filtres ▲

café ▪▶

	Pluriel
café(-) crème	cafés(-) **crème**
	Voir restaurant, tableau M53

cale

	Voir M37

cap

cap-hornier **mais** cap Horn	**cap**-horniers
capverdien, enne **mais** Cap-Vert	capverdien(ne)s

capital

capital-décès	inv. ▲
capital-risque	inv. (L)
capital social	inv. ▲
	Voir assurance, crédit, épargne

carte

carte-lettre	cartes-lettres
carte-vue	cartes-vues
carte-réponse	cartes-**réponse(s)**
	Voir enveloppe, lettre ; réponse, tableau M53

cellule

cellule-sœur **mais** âme sœur	cellules-sœurs
cellule(-) mère	cellules(-) mères
	Voir mère, tableau M53

centre

	Pluriel
centre-avant	centres-avants
centre-ville	centres-villes
centre moteur	centres moteurs
centre serveur	centres serveurs
centrafricain, e	centrafricain(e)s
centraméricain, e	centraméricain(e)s

chasse

Voir M37

chasseur

chasseur-cueilleur	chasseurs-cueilleurs
chasseur(-) bombardier	chasseurs(-) bombardiers

Voir M21 à 23

châssis

châssis-presse	châssis-presses
châssis dormant	châssis dormants

chef

chef-garde	chefs-gardes
chef-lieu	chefs-lieux
chef cuisinier	chefs cuisiniers
chef limonadier	chefs limonadiers
chef mécanicien	chefs mécaniciens
chef navigateur	chefs navigateurs
chef pilote	chefs pilotes
chef réviseur	chefs réviseurs
chef(-) correcteur	chefs(-) correcteurs
chef(-) opérateur	chefs(-) opérateurs

Voir M21 à 23 ;
mécanicien, *tableau*
M53 ; **chef,** *tableaux*
M61 et L2 ;

chemise

	Pluriel
chemise-veste	chemises-vestes
n'existe pas	chemises brunes
n'existe pas	chemises noires
n'existe pas	chemises rouges

chêne

chêne-liège	chênes-lièges
chêne kermès	chênes kermès
chêne quercitron	chênes quercitrons
chêne rouvre	chênes rouvres
chêne vert	chênes verts

Voir **laurier**

chèque

chèque-essence	chèques-**essence**
chèque-restaurant	chèques-restaurant
chèque certifié	chèques certifiés

Voir **restaurant,** *tableau*
M53

cheval, chevau

cheval-vapeur	chevaux-**vapeur**
chevau-léger	**chevau**-légers
cheval fiscal	chevaux fiscaux
cheval-arçons	**cheval**-arçons,
cheval(-)d'arçons	**cheval**(-)d'arçons ou
cheval-d'arçons	chevaux-d'arçons

Voir **cheval,** *tableau*
M61

chèvre

	Pluriel
chèvre-pied	**chèvre**-pieds
chèvrefeuille ■	chèvrefeuilles

chien

chien-assis	chiens-assis
chien-chien	chiens-chiens
chien-dauphin	chiens-dauphins
chien-loup	chiens-loups
chien couchant	chiens couchants
chiendent ■	chiendents
chienlit ■	chienlits
	Voir loup, rat, singe

chirurgien

chirurgien-barbier	chirurgiens-barbiers
chirurgien(-) dentiste	chirurgiens(-) dentistes
mais mécanicien-dentiste	*Voir M21 à 23*

chou

chou-fleur	choux-fleurs
chou-navet	choux-navets
chou-rave	choux-raves
chou cabus	choux cabus
chou marin	choux marins
chou(-) palmiste	choux(-) palmistes
	Voir pois, rat

cité

	Pluriel
cité-jardin	cités-jardins
mais côté jardin	
cité-satellite	cités-satellites
cité universitaire	cités universitaires
cité(-) dortoir	cités(-) dortoirs
	Voir ville, village

coin

coin-coin	inv.
coin fenêtre	coins fenêtres ▲
coin(-) cuisine	coins(-) cuisines

col

col-bleu*	cols-bleus
col blanc	cols blancs
col bleu*	cols bleus
col boule	cols **boule** ▲
col châle	cols châle ▲
col cheminée	cols cheminée ▲
col chemisier	cols chemisier ▲
col Claudine	cols Claudine
col Mao	cols Mao
col mousquetaire	cols mousquetaire
col officier	cols officier ▲
colvert	colverts
	Voir jupe, robe

colin

colin-tampon	colins-tampons
colin-maillard	**colin**-maillards

comédie

	Pluriel
comédie-ballet comme opéra-ballet	comédies-ballets
Comédie-Française	inv.
comédie musicale	comédies musicales *Voir opéra*

commis

commis-greffier	commis-greffiers
commis voyageur comme pigeon voyageur	commis voyageurs *Voir M21 à 23*

compte

	Voir M37

contrat

contrat social	contrats sociaux ▲
contrat(-) type	contrats(-) types *Voir type, tableau M53*

corps

corps-mort	corps-morts
corps diplomatique corps franc	corps diplomatiques corps francs

crapaud

crapaud-buffle	crapauds-buffles
crapaud accoucheur	crapauds accoucheurs

crayon

	Pluriel
crayon fusain crayon optique	crayons fusains crayons optiques
crayon bille ou crayon à bille crayon Conté	crayons **bille** ou crayons à bille crayons Conté
crayon(-) feutre	crayons-feutres ou crayons **feutre(s)** *Voir stylo*

crédit

crédit-bail	crédits-**bails** (**et non** baux)
crédit-épargne	crédits-épargnes ▲
crédit croisé	crédits croisés ▲
crédit municipal	inv. ▲
crédirentier, ère	crédirentiers, ères
crédit(-) relais	crédits(-) relais ▲ *Voir assurance, capital, épargne*

cul

cul-bénit cul-blanc cul-doré cul-rouge cul-terreux	culs-bénits culs-blancs culs-dorés culs-rouges culs-terreux
cul sec	inv. *Voir cul, tableau M61*

cylindre

cylindre-sceau	cylindres-sceaux
cylindre concasseur	cylindres concasseurs

déjeuner	Pluriel
déjeuner-débat comme dîner-débat	déjeuners-débats
déjeuner buffet **mais** arrêt(-) buffet	déjeuners buffets

demi	
	Voir M32

dessinateur	

dessinateur, trice-
  cartographe
	dessinateurs, trices-
	  cartographes

dessinateur illustrateur	dessinateurs illustrateurs
dessinateur maquettiste	dessinateurs maquettistes
	Voir M21 à 23

disque	
disque-jockey ou disc-jockey	disques-jockeys
disque compact	disques compacts
disque laser	disques **laser**

don	
don Juan	don Juan, dons Juans ou don Juans

don Quichotte	don Quichotte,
	  dons Quichottes
	  ou don Quichottes

donjuanesque	donjuanesques
donjuanisme	donjuanismes

don quichottisme ou
  donquichottisme
	don quichottismes ▲ ou
	  donquichottismes

eau	Pluriel
eau-forte	eaux-fortes
n'existe pas	eaux-vannes
eau mère	eaux mères
eau lourde	inv. ▲
eau régale	inv. ▲
n'existe pas	eaux usées
	*Voir **eau**, tableaux M61, L2 et 3*

enveloppe	
enveloppe-réponse	enveloppes-réponses
enveloppe Soleau	enveloppes **Soleau**
	*Voir **carte**, **lettre**; **réponse**, tableau M53*

épargne	
épargne-prévoyance	inv. ▲
épargne-réserve	inv. ▲
épargne(-) logement	inv. ▲
épargne(-) retraite	inv. ▲
	*Voir **assurance**, **capital**, **crédit***

épine	
épine-vinette	épines-vinettes
épine dorsale	épines dorsales

état

	Pluriel
état-major	états-majors
État-patron	États-patrons
état civil	états civils
État membre	États membres
état tampon	états tampons
n'existe pas	états généraux
État(-) providence	États(-) providences
étasunien, enne ou	étasuniens, ennes ou
états-unien, enne	états-uniens, ennes

expert

expert-comptable	experts-comptables
expert-économiste	experts-économistes
expert-géographe	experts-géographes
expert judiciaire	experts judiciaires
	Voir M21 à 23

fait

fait-diversier	faits-diversiers
fait(-) divers	faits(-) divers

> **Fait** est ici un verbe, ce qui explique son invariabilité.

fait-tout ou faitout	**fait-tout** ou faitouts

femme

femme-enfant	femmes-enfants
femme-objet	femmes-objets
femme ingénieur	femmes ingénieurs
femme médecin	femmes médecins
	Voir **homme**, **mère**

fermeture

	Pluriel
fermeture contact **mais** planche-contact	fermetures contacts ▲
fermeture éclair ou fermeture Éclair	fermetures **éclair** ou fermetures Éclair

forêt

forêt-galerie	forêts-galeries
forêt-noire	forêts-noires
forêt vierge	forêts vierges

fourmi

fourmi maçonne	fourmis maçonnes
fourmi(-)lion	fourmilions, fourmis-lions

fusilier

fusilier mitrailleur **mais** fusil(-) mitrailleur	fusiliers mitrailleurs
fusilier(-) marin	fusiliers(-) marins
	Voir M21 à 23

garde

Voir M37

grille

Voir M37

Les mots composés

gris

	Pluriel
gris souris	inv.
gris(-) fer	inv.
gris(-) perle	inv.
	Voir **bleu**, **rose** ; **vert**, *tableau M32*

homme

	Pluriel
homme-grenouille	hommes-grenouilles
homme-loup	hommes-loups
homme-orchestre	hommes-orchestres
homme-sandwich	hommes-sandwichs
homme lige	hommes liges
	Voir **femme**

hôtel

	Pluriel
hôtel-restaurant	hôtels-restaurants
hôtel-Dieu	hôtels-**Dieu**
Hôtel-Dieu (à Paris)	inv.
	Voir **restaurant,** *tableau M53*

idée

	Pluriel
idée-force	idées-**force(s)**
idée fixe	idées fixes
idée mère	idées mères
	Voir **mère,** *tableau M53*

ingénieur

	Pluriel
ingénieur agronome	ingénieurs agronomes
ingénieur constructeur	ingénieurs constructeurs
ingénieur militaire	ingénieurs militaires
ingénieur système	ingénieurs systèmes ▲
ingénieur(-) conseil **mais** organisateur-conseil	ingénieurs **conseil** ou ingénieurs-conseils
	Voir M21 à 23

jeu

	Pluriel
jeu-concours	jeux-concours
jeu vidéo	jeux **vidéo**
	Voir **vidéo,** *tableau M53 ;* **jeu,** *tableau L3*

juge

	Pluriel
juge-arbitre	juges-arbitres
juge-commissaire	juges-commissaires
juge rapporteur	juges rapporteurs
	Voir M21 à 23

jupe

	Pluriel
jupe-culotte	jupes-culottes
jupe(-) portefeuille	jupes(-) **portefeuille** ▲
	Voir **col, robe**

lampe

	Pluriel
lampe témoin	lampes témoins
lampe carcel ou Carcel	lampes **carcel** ou Carcel
lampe(-) tempête **mais** briquet-tempête	lampes(-) tempêtes ▲

*Voir **témoin**, tableau M53*

laurier

laurier-cerise	lauriers-cerises
laurier-tin	lauriers-tins
laurier-sauce	lauriers-**sauce**
laurier tulipier	lauriers tulipiers
laurier(-) rose	lauriers(-) roses

*Voir **chêne***

lecteur

lecteur-enregistreur	lecteurs-enregisteurs
lecteur perforateur de bandes	lecteurs perforateurs de bandes
lecteur laser	lecteurs **laser**

lettre

lettre-transfert	lettres-transferts
lettre dimissoriale	lettres dimissoriales
lettre ouverte	lettres ouvertes

*Voir **carte**, **enveloppe** ; **lettre**, tableau L2*

lieu

	Pluriel
lieu commun	lieux communs
lieu saint comme saint lieu	lieux saints
lieu(-) dit ou lieudit	lieux(-) dits ou lieudits

lieutenant

lieutenant-colonel comme médecin-colonel lieutenant-gouverneur	lieutenants-colonels lieutenants-gouverneurs
lieutenant général	lieutenants généraux

Voir M21 à 23

lit

lit-cage	lits-cages
lit clos	lits clos
lit bateau	lits bateau ▲
n'existe pas	lits gigognes
n'existe pas	lits jumeaux

*Voir **lit**, tableau M61*

livre

livre-cassette (livre est du masculin)	livres-cassettes
livre parisis	livres parisis
livre sterling	livres **sterling**
livre tournois (livre est du féminin)	livres tournois

loup

loup-cervier	loups-cerviers
loup-garou	loups-garous
loup peint	loups peints

*Voir **chien**, **rat**, **singe***

main

	Pluriel
main-forte **mais** forte tête	inv.
main courante	mains courantes
mainlevée	mainlevées
mainmise	mainmises
mainmortable	mainmortables
mainmorte (en droit)	mainmortes ▲

maison

	Pluriel
Maison-Blanche	inv. ▲
maison mère	maisons mères
	Voir ***mère***, *tableau M53*

maître, maîtresse

	Pluriel
maître-autel	maîtres-autels
maître-chien	maîtres-chiens
maître-cylindre	maîtres-cylindres
maître-penseur	maîtres-penseurs
maître-esclave	inv. ▲
maître bau	maîtres baux
maître chanteur	maîtres chanteurs
maître écailler	maîtres écaillers
maître flotteur	maîtres flotteurs
maître fruitier	maîtres fruitiers
maître imprimeur	maîtres imprimeurs
maître Jacques	maîtres Jacques
maître nageur	maîtres nageurs
maître queux	maîtres queux
maître sonneur	maîtres sonneurs
maître tailleur	maîtres tailleurs
maîtresse femme	maîtresses femmes
mais sage-femme	
maîtresse poutre	maîtresses poutres

maître, ➠ maîtresse

	Pluriel
maître(-) assistant, e	maîtres(-) assistant(e)s
maître(-) coq	maîtres(-) coqs
maître(-) couple	maîtres(-) couples
maître(-) draveur	maîtres(-) draveurs
maître(-) mot	maîtres(-) mots
	Voir M21 à 23 ; ***maître****, tableaux M53, 61 et L2*

mal

	Pluriel
	Voir M41

mandat

	Pluriel
mandat-carte	mandats-cartes
mandat-lettre	mandats-lettres
mandat-poste	mandats-**poste**
mandat-**contributions**	mandats-contributions
	Voir ***paquet***

marché

	Pluriel
marché-gare	marchés-gares
marché commun	marchés communs
marché noir	marchés noirs

marteau

	Pluriel
marteau-pilon	marteaux-pilons
marteau-piolet	marteaux-piolets
marteau pneumatique	marteaux pneumatiques
marteau(-) perforateur **mais** lecteur perforateur de bandes	marteaux(-) perforateurs
marteau(-) piqueur	marteaux(-) piqueurs
	Voir ***pelle***

médecin

	Pluriel
médecin-colonel comme lieutenant-colonel	médecins-colonels
médecin-conseil	médecins-conseils
médecin-lieutenant	médecins-lieutenants
médecin-major	médecins-majors
médecin expert	médecins experts
médecin généraliste	médecins généralistes
médecin inspecteur	médecins inspecteurs
médecin légiste	médecins légistes
médecin spécialiste	médecins spécialistes

Voir M21 à 23 ; major, tableau M53

mère

	Pluriel
mère-grand	mères-**grand**
mère patrie	mères patries
mère porteuse	mères porteuses
mère poule	mères poules

Voir femme ; mère, tableau M53

mont

	Pluriel
mont-blanc	monts-blancs
mont-joie	monts-**joie**
montalbanais, e ■	montalbanais(e)s
montbéliarde ■	montbéliardes
montgolfière ■	montgolfières
montmartrois, e ■	montmartrois(e)s
montmorillonite ■	montmorillonites
montpelliérain, e ■	montpelliérain(e)s
montréalais, e ■	montréalais(e)s
montmorency	**montmorency(s)**

mot

	Pluriel
mot-phrase	mots-phrases
mot-valise	mots-valises
mots-croisiste	mots-croisistes
mot composé	mots composés
mot souche	mots souches
n'existe pas	mots croisés
mot(-) clé, clef	mots(-) clés, clefs

mur

	Pluriel
mur-rideau	murs-rideaux
mur gouttereau	murs gouttereaux
mur porteur	murs porteurs

navire

	Pluriel
navire-citerne	navires-citernes
navire-école	navires-écoles
navire-hôpital	navires-hôpitaux
navire-jumeau	navires-jumeaux
navire-usine	navires-usines
navire amiral	navires amiraux
navire escorteur	navires escorteurs
navire transbordeur	navires transbordeurs

Voir avion, bateau

opéra

	Pluriel
opéra-ballet comme comédie-ballet	opéras-ballets
opéra-comique	opéras-comiques
opéra bouffe	opéras bouffes
opéra rock	opéras **rock**

Voir comédie

Les mots composés

papier

	Pluriel
papier-cuir	papiers-cuirs (rare)
papier-filtre	papiers-filtres
papier-monnaie	papiers-monnaies
papier-parchemin	papiers-parchemins (rare)
papier-tenture	papiers-tentures (rare)
papier-toile	papiers-**toile** ▲
papier carbone	papiers carbones (rare)
papier couché	papiers couchés
papier écolier	papiers écoliers ▲
papier japon	papiers japons ▲
papier jésus	papiers jésus
papier joseph	papiers josephs (rare)
papier journal	papiers journaux
papier kraft	papiers krafts ▲
papier mâché	papiers mâchés
papier ministre	papiers ministres
papier peint	papiers peints
papier pelure	papiers pelures (rare)
papier sensible	papiers sensibles
papier tellière	papiers tellières ▲
papier vélin	papiers vélins (rare)
papier alu	papiers **alu** ▲
papier bible	papiers bible ▲
papier chiffon	papiers chiffon ▲
papier crépon	papiers crépon ▲
papier cristal	papiers cristal ▲
papier paille	papiers paille ▲
papier(-) calque	papiers-**calque** (L)
papier(-) émeri	papiers-émeri (L)
papier(-) toilette	papiers(-) toilette ▲
papier(-) torchon	papiers(-) torchon ▲

paquet

paquet-cadeau	paquets-cadeaux
paquet-poste	paquets-**poste**

Voir **mandat**

pâtissier, pâtisserie

	Pluriel
pâtissier-glacier	pâtissiers-glaciers
pâtissier confiseur	pâtissiers confiseurs
pâtisserie(-) confiserie	pâtisseries(-) confiseries

patte

patte-mâchoire	pattes-mâchoires
patte-nageoire	pattes-nageoires
pattemouille	pattemouilles

Voir **patte**, *tableau M61*

peintre, peinture

peintre-graveur	peintres-graveurs
peinture-émulsion	peintures-émulsions
peintre décorateur	peintres décorateurs

Voir M21 à 23

pelle

pelle-bêche	pelles-bêches
pelle-pioche	pelles-pioches
pelle mécanique	pelles mécaniques
pelle ramasseuse	pelles ramasseuses

Voir **marteau**

photo

Voir M7

piano

	Pluriel
piano-bar	pianos-bars
piano crapaud	pianos crapauds ▲
piano-forte ou pianoforte	pianos-**forte** ou **pianoforte**

pie

pie-grièche	pies-grièches
pie-mère	pies-mères
pie(-) rouge	inv.

*Voir **mère**, tableau M53*

pied

pied-bot*	pieds-bots
pied-noir	pieds-noirs
pied-plat*	pieds-plats
pied bot valgus	pieds bots valgus
pied bot varus	pieds bots varus
pied talus	pieds talus
pied plat*	pieds plats
piédestal ■	piédestaux
piédouche ■	piédouches
piémont ou piedmont	piémonts ou piedmonts
pied-droit ou piédroit	pieds-droits ou piédroits
pied-fort ou piéfort	pieds-forts ou piéforts

*Voir **pied**, tableau M61*

pince

Voir M37

plan

	Pluriel
plan-calcul	plans-calculs
plan-masse	plans-masses
plan-relief	plans-reliefs
plan-séquence	plans-séquences ▲
plan-concave (adj.)	**plan**-concaves
plan-convexe (adj.)	**plan**-convexes
plan américain	plans américains
plan **média(s)**	plans médias
plan moyen	plans moyens
plan rapproché	plans rapprochés

plombier

plombier-couvreur	plombiers-couvreurs
plombier(-) zingueur **mais** ferblantier-zingueur	plombiers(-) zingueurs

Voir M21 à 23

point

point-image	points-images ▲
point-source	points-sources ▲
point-virgule	points-virgules
point mort	points morts
point mousse	inv. ▲
poinsettia ■	poinsettias

pois

pois chiche	pois chiches
pois goulu	pois goulus
pois gourmand **mais** petit(-) pois	pois gourmands
pois mange-tout	inv.

*Voir **chou***

poisson

	Pluriel
poisson-chat	poissons-chats
poisson-épée	poissons-épées
poisson-globe	poissons-globes
poisson-perroquet	poissons-perroquets
poisson coffre	poissons coffres
poisson rouge	poissons rouges
poisson torpille	poissons torpilles
poisson volant	poissons volants
poisson(-) lune	poissons(-) lunes
poisson(-) pilote	poissons(-) pilotes
poisson(-) scie	poissons(-) scies
	Voir **requin**

pomme

	Pluriel
pomme cannelle	pommes **cannelle** ▲
pomme **chips**	pommes chips
(on dit aussi une chips)	
n'existe pas	pommes **dauphine**
n'existe pas	pommes mousseline
n'existe pas	pommes paille
n'existe pas	pommes purée
n'existe pas	pommes vapeur
n'existe pas	**pommes allumettes**
n'existe pas	**pommes boulangère(s)**

pont

	Pluriel
pont-bascule	ponts-bascules
pont-canal	ponts-canaux
pont-garage	ponts-garages
pont-levis	ponts-levis
pont-rail	ponts-rails
pont-route	ponts-routes
pont-l'évêque	inv.

pont ⟹

	Pluriel
pont basculant	ponts basculants
pont élévateur	ponts élévateurs
pont levant	ponts levants
pont mobile	ponts mobiles
pontuseau ■	pontuseaux
pont(-) promenade	ponts-**promenade(s)** (L)

port

	Pluriel
port-salut ou Port-Salut	inv.
port franc	ports francs

porte

	Pluriel
	Voir M37

poste

	Pluriel
poste émetteur	postes émetteurs
poste(-) frontière	postes(-) **frontière(s)**

pot

	Pluriel
pot-bouille	pots-bouilles ▲
pot-pourri	pots-pourris
potamochère ■	potamochères
potamot ■	potamots
	Voir **pot**, *tableau M61*

poteau

	Pluriel
poteau-frontière	poteaux-**frontière(s)**
poteau indicateur	poteaux indicateurs
	Voir **borne**

	Pluriel		Pluriel

pré

	Pluriel
pré-salé	prés-salés
pré carré	prés carrés
	Voir **prés**, *tableau M61*

prince

prince-président (futur Napoléon III)	inv.
prince consort	princes consorts
	Voir **reine**, **roi**

quartier

quartier-maître	quartiers-maîtres
quartier général	quartiers généraux
	Voir **maître**, *tableau M53*

rat

rat-taupe	rats-taupes
rat musqué rat palmiste	rats musqués rats palmistes
	Voir **chien**, **chou**, **loup**, **singe** ; **rat**, *tableau M61*

reine

reine-claude reine-marguerite	reines-claudes reines-marguerites
reine mère	reines mères
	Voir **prince**, **roi** ; *tableau M24*

reporter

	Pluriel
reporter-cameraman ou -caméraman	reporters-cameramans, -cameramen
reporter photographe **mais** radioreporter	reporters photographes
	Voir M21 à 23

requin

requin pèlerin	requins pèlerins
requin(-) marteau	requins(-) marteaux
	Voir **poisson**

robe

robe-manteau robe-tablier	robes-manteaux robes-tabliers
robe chasuble robe chemisier	robes chasubles robes chemisiers
robe sac	robes **sac** ▲
	Voir **col**, **jupe**

roche

roche-magasin roche-réservoir	roches-magasins roches-réservoirs
roche(-) mère	roches(-) mères
	Voir **mère**, *tableau M53*

roi

Roi-Soleil	inv.
n'existe pas	**Rois mages**
	Voir **prince**, **reine**

Les mots composés

rose

	Pluriel
rose-croix	inv.
rose-thé*	roses-**thé**
rose trémière	roses trémières
rose bonbon (couleur)	roses **bonbon**
rose pompon (fleur)	roses pompon
rose thé*	roses thé
	*Voir **bleu, gris ; vert**, tableau M32 ; **rose**, tableau M61*

sabre

	Pluriel
sabre-baïonnette	sabres-baïonnettes
sabre-briquet	sabres-briquets
sabretache ∎	sabretaches

saisie

	Pluriel
saisie-arrêt	saisies-arrêts
saisie-brandon	saisies-brandons
saisie-exécution	saisies-exécutions
saisie-gagerie	saisies-gageries
saisie-revendication	saisies-revendications
saisie foraine	saisies foraines

sang

	Pluriel
sang-dragon ou sang-de-dragon	inv.
sang-froid	inv.
sang-mêlé	inv.
sangsue	sangsues
sanguisorbe	sanguisorbes

secrétaire, secrétariat

	Pluriel
secrétaire-greffier comme commis-greffier	secrétaires-greffiers
secrétaire-trésorier	secrétaires-trésoriers
secrétariat-greffe	secrétariats-greffes
secrétaire comptable	secrétaires comptables
	Voir M21 à 23

singe

	Pluriel
singe-araignée comme araignée-crabe **mais** crabe araignée	singes-araignées
singe hurleur	singes hurleurs
	*Voir **chien, loup, rat***

société

	Pluriel
société-écran	sociétés-écrans
société mère	sociétés mères
	*Voir **mère**, tableau M53*

station

	Pluriel
station-aval	stations-**aval**
station-service	stations-**service(s)**
station radar	stations radar ▲

stock

	Pluriel
stock-outil	stocks-outils
stock-car	**stock**-cars
stock-option	stock-options
stock-shot	stock-shots

stylo	Pluriel
stylo-feutre	stylos-feutres
stylo correcteur	stylos correcteurs
stylo plume, stylo à plume	stylos **plume**, stylos à plume
stylomine ou Stylomine	stylomines ou **Stylomine**
stylo(-) bille, stylo à bille	stylos(-) **bille**, stylos à bille
	Voir crayon

taille	
	Voir M37

talon	
talon aiguille	talons aiguilles
talon bobine	talons bobines
talon rouge	talons rouges
talon bottier	talons **bottier**
	Voir chemise, col

tambour	
tambour-major	tambours-majors
tambour battant	inv.
	Voir major, tableau M53

tapis	
tapis-brosse	tapis-brosses
tapis diplodocus	tapis diplodocus
tapis roulant	tapis roulants
tapis surface-griffe	inv. ▲

taxi	Pluriel
taxi-brousse	taxis-**brousse** (L)
taxi aérien	taxis aériens
taxidermie ■	taxidermies
taxiphone ou Taxiphone	taxiphones ou **Taxiphone**

terre	
terre-neuvien, enne	**terre**-neuvienn(ne)s
terre-neuvier	terre-neuviers (L)
terre-plein	terre-pleins
terre-neuvas	inv.
terre-neuve	inv.
terre cuite	terres cuites
terre glaise	terres glaises
terre promise	terres promises
terre sainte	terres saintes
Terre promise (n. pr.)	inv.
Terre sainte (n. pr.)	inv.
	Voir terre, tableau M61

tête	
tête-bêche	inv.
tête nue comme forte tête **mais** nu-pieds	inv.
	Voir tête, tableau M61

ticket	
ticket-repas	tickets-repas
ticket modérateur	tickets modérateurs
ticket(-) restaurant	tickets(-) **restaurant** ▲

timbre

	Pluriel
timbre-amende	timbres-amendes
timbre-quittance	timbres-quittances
timbre-taxe	timbres-taxes
timbre-poste	timbres-**poste**
timbre dateur	timbres dateurs
	Voir **poste**, *tableau M53*

tissu

tissu-pagne	tissus-pagnes
tissu(-) éponge	tissus-éponges (L)
	Voir **éponge**, *tableau M53*

tour

tour-opérateur	**tour**-opérateurs
tour lanterne	tours lanternes

trou

trou-madame	trous-**madame**
trou normand	trous normands

vélo

vélocross	vélocross
vélodrome	vélodromes
vélomoteur	vélomoteurs
véloski	véloskis
vélo(-)pousse comme cyclo(-)pousse **mais** pousse-pousse	vélo-**pousse** ou vélopousses **mais** cyclo(-)**pousse(s)** ou cyclopousses, **pousse-pousse**

ventre

	Pluriel
ventre-saint-gris	inv.
ventrebleu	inv.

ver

ver-coquin	vers-coquins
ver luisant	vers luisants
verboquet ■	verboquets
vergobret ■	vergobrets
	Voir **ver**, *tableau M61*

village

village-satellite	villages-satellites
village-**vacances**	villages-vacances
village(-) club	villages(-) clubs
	Voir **cité**, **ville**

ville

ville forte	villes fortes
Ville éternelle	inv.
Ville lumière	inv.
villafranchien, enne	villafranchien(ne)s
ville(-) champignon	villes(-) champignons
ville(-) dortoir	villes(-) dortoirs
ville(-) satellite	villes(-) satellites
	Voir **cité**, **village**

voiture	Pluriel	wagon	Pluriel
voiture-balai	voitures-balais	wagon-bar	wagons-bars
voiture-bar	voitures-bars	wagon-citerne	wagons-citernes
voiture-école	voitures-écoles	wagon-foudre	wagons-foudres
voiture-lit	voitures-lits	wagon-kangourou	wagons-kangourous
voiture-restaurant	voitures-restaurants	wagon-lit	wagons-lits
voiture-salon	voitures-salons	wagon-réservoir	wagons-réservoirs
		wagon-restaurant	wagons-restaurants
voiture-poste	voitures-**poste**	wagon-salon	wagons-salons
		wagon-tombereau	wagons-tombereaux
	*Voir **wagon** ; **poste**,*	wagon-trémie	wagons-trémies
	***restaurant**, tableau M53*	wagon-vanne	wagons-vannes
		wagon-poste	wagons-**poste**
			*Voir **voiture** ; **poste**,*
			***restaurant**, tableau M53*

*Genre des noms composés dont le premier élément
est un nom : voir le tableau M63*

Mots composés dont le premier élément est un adjectif

En général, les mots composés constitués d'un adjectif et d'un nom ou de deux adjectifs forment leur pluriel en ajoutant la marque habituelle à chacun des deux éléments. Mais certains adjectifs sont trompeurs : employés comme adverbes, ils demeurent invariables (*des haut-parleurs, des filles court-vêtues*, etc.). Reste de plus à déterminer s'il s'agit d'un mot composé avec trait d'union, d'une locution sans trait d'union, ou d'un mot simple ayant des apparences de mot composé.

Voici d'abord des mots composés et des locutions débutant par un adjectif, divisés selon qu'ils s'écrivent avec trait d'union, séparés, soudés, ou de deux façons, puis subdivisés selon leur forme plurielle. Viendront ensuite des mots et locutions ayant leur premier élément en commun, analysés suivant le même modèle.

Les mots suivis d'un astérisque prennent un sens différent quand ils s'écrivent avec un trait d'union ; on les retrouve dans le chapitre « Homonymes ».

Trait d'union

VARIABLES	Pluriel		Pluriel
aigre-doux, douce	aigres-doux, douces	droit-fil	droits-fils
blanc-bec	blancs-becs	dure-mère	dures-mères
blanc-estoc ou	blancs-estocs ou	juste-milieu*	justes-milieux ▲
blanc-étoc	blancs-étocs	lamellé-collé	lamellés-collés
blanc-manger	blancs-mangers	menu-vair	menus-vairs
blanc-seing	blancs-seings	national-socialiste,	nationaux-socialistes,
chaud-froid	chauds-froids	national(e)-socialiste (f.)	**national(es)**-socialistes
chaude-pisse	chaudes-pisses	radical-socialiste,	radicaux-socialistes,
chauve-souris	chauves-souris	radical(e)-socialiste (f.)	**radical(es)**-socialistes
claire-voie	claires-voies	rond-point	ronds-points
clair-obscur	clairs-obscurs	rouge-gorge	rouges-gorges
démocrate-chrétien, enne	démocrates-chrétien(ne)s	rouge-queue	rouges-queues
dernier-né, dernière-née	derniers-nés, dernières-nées	sage-femme	sages-femmes
		sourd(e)-muet, muette	sourd(e)s-muet(te)s
doux-amer, douce-amère	doux-amers, douces-amères	vive-eau	vives-eaux

Attention !

cent-garde	**cent**-gardes	proche-oriental, e	**proche**-orientaux, ales
cent-suisse	cent-suisses	quarante-huitard, e	quarante-huitard(e)s
new-yorkais, e	new-yorkais(es)	soixante-huitard, e	soixante-huitard(e)s

INVARIABLES

AU SINGULIER M27

Attention !

		AU PLURIEL	
cinq-dix-quinze	radical-socialisme ▲	huit-**reflets**	vif-argent
clopin-clopant	Sacré-Cœur	Quinze-Vingts	(pl. **vif(s)-argent(s)**)
douze-huit	six-huit	six-chevaux	
national-populisme ▲	six-quatre-deux (à la)	**mais** deux(-) chevaux,	
national-socialisme (L)	vingt-et-un*	quatre chevaux	
Notre-Dame		six-jours*	

On ajoute à cette catégorie les adjectifs numéraux cardinaux inférieurs à cent, qui ne contiennent pas le mot «*et*» (*trente-trois*, *soixante-neuf*, etc.).

Séparés

VARIABLES

écorché vif
fou rire
gai luron

ivre mort, e
triple croche
    mais double(-) croche

INVARIABLES

Ancien Testament
Céleste Empire
dernier cri ▲
deuxième pompe
divin enfant ▲
ferme propos ▲
folle avoine ▲

Junior Entreprise
juste milieu* ▲
légitime défense ▲
m'amie
mauvaise foi ▲
mauvais vouloir ▲

Attention !

fines herbes
trente-trois tours

Soudés

VARIABLES

chaufour
chaufournier
courbaril ■
millépore
quattrocentiste
quartefeuille
    mais mille(-)feuille
tiercefeuille
vilebrequin ■

INVARIABLES

sacrebleu
sacrédié
sacredieu

Attention !

gentilhomme **mais**
    bonhomme

mêlécasse, mêlé-cass,
    mêlé-casse ou
    mêlé-cassis

Pluriel
gentilshommes
n. bonshommes
adj. bonhommes
mêlécasses, **mêlé**-cass,
mêlé-casse (L) ou
mêlé-cassis

Trait d'union ou séparés

VARIABLES M30

alterne(-) externe
sadique(-) anal, e
second(-) maître
vrai(-) faux, vraie-fausse

alternes(-) externes
sadiques(-) anaux, ales
seconds(-) maîtres
vrais(-) faux,
    vraies-fausses

INVARIABLES

six(-) cylindres
Six(-) Jours (guerre des)*

      Les mots composés

Ces mots s'écrivent avec un **trait d'union** lorsqu'ils sont employés **substantivement** (*un haut-relief, un libre-service*), mais sont **séparés** quand ils ont une valeur d'**adverbe**, d'**adjectif** ou d'**apposition** (*en haut relief, restaurant libre service*).

	Pluriel	*Mais*		Pluriel
un bas-relief	des bas-reliefs	en bas(-) relief		en bas relief ou en bas-reliefs
buffet deux-corps	buffets deux-corps	buffet à deux corps		des buffets à deux corps
un dix(-) cors	des dix(-) cors	un cerf dix cors		des cerfs dix cors
fausse-route*	fausses-routes	faire fausse route*		
franc-jeu*	francs-jeux	jouer franc jeu*		
un haut-relief	des hauts-reliefs	en haut relief		
un libre-service	des libres-services	un restaurant libre service		des restaurants libre service ▲
un plein(-) temps (n. m., adj. inv.)	des pleins-temps	à plein temps, à temps plein		
un pur-sang	des **pur-sang** ou des purs-sangs	un cheval (de) pur sang ou pur-sang		des chevaux (de) pur sang
une ronde-bosse	des rondes-bosses	en ronde(-) bosse		

Autres adjectifs particuliers

bas, basse	Pluriel	bas, basse ⇒	Pluriel
bas-côté	bas-côtés	bas clergé	bas clergés
bas-fond	bas-fonds		
bas-jointé, e	bas-jointé(e)s	bas monde	inv.
bas-relief	bas-reliefs	**mais** quart-monde, tiers(-) monde	
bas-ventre	bas-ventres	basse lice ou lisse (métiers de)	inv.
basse-fosse	basses-fosses		
basse-taille	basses-tailles		
		bas(-) mât	bas(-) mâts
		basse(-) licier ou basse(-) lissier	**basse**(-) liciers ou basse(-) lissiers

Notons que ***bas-bleu***, où *bas* est un nom, varie de la même façon : *des bas-bleus*.

Bas-Empire **mais** Céleste Empire, Empire byzantin	inv.

bas, basse ⇒⇒

	Pluriel
basse(-)cour	basses-cours ou bassecours
en bas(-) relief	en bas relief ou en bas-reliefs
	Voir **haut** *; bas, tableau* *M61*

beau, belle

	Pluriel
beau-dab	beaux-dabs
beau-fils	beaux-fils
beau-frère	beaux-frères
beau-père	beaux-pères
beau-petit-fils	beaux-petits-fils
belle-dame	belles-dames
belle-doche	belles-doches
belle-famille	belles-familles
belle-fille	belles-filles
belle-mère	belles-mères
belle-petite-fille	belles-petites-filles
belle-sœur	belles-sœurs
n'existe pas	**beaux-arts**
n'existe pas	beaux-enfants
n'existe pas	beaux-parents
n'existe pas	belles-lettres
beau joueur	beaux joueurs
beau parleur	beaux parleurs
	Voir **grand**

bleu

Voir M25

bon, bonne

	Pluriel
bon-chrétien	bons-chrétiens
bon-papa	bons-papas
bonne-maman **mais** bonne femme	bonnes-mamans
bon vivant	bons vivants
bon Dieu ou Bon Dieu	inv.
bon enfant (adj.)	inv.
bon marché (adj.)	inv.
bon sens	inv. ▲
bon vouloir	inv. ▲
bonne foi	inv. ▲
bonne grâce	inv. ▲
bonne femme	n. f. bonnes femmes app. bonne femme
bonhomme	adj. bonhommes n. **bonshommes**

court, courte

court-bouillon	courts-bouillons
court-circuit	courts-circuits
court-circuitage	courts-circuitages
court-jus	courts-jus

Notons que **court**, ci-dessous, est pris adverbialement ; c'est pourquoi il reste **invariable**. *Court* demeure aussi invariable dans la conjugaison de ***court-circuiter***.

court-courrier	**court**-courriers comme
	    long-courriers,
	    moyen-courriers

court-jointé, e	court-jointé(e)s
court-vêtu, e	court-vêtu(e)s
courtepointe	courtepointes
court(-) métrage	courts(-) métrages
	Voir **long**, **moyen**

demi

Les composés de **demi** s'écrivent tous avec un trait d'union, et seul le deuxième élément prend la marque du pluriel quand le sens le permet : *un demi-dieu, des demi-dieux ; une demi-heure, des demi-heures.* Remarquez d'ailleurs que **demi** reste invariable en genre comme en nombre (on écrira par contre *une heure et demie*).

Attention !

	Pluriel
demi-fond (L)	inv.
à demi-mot	inv.
à demi-voix	inv.
demi-jour	demi-**jour(s)**
demi-lune	n. f. demi-lunes
	adj. demi-lune
demi-sang	demi-sang(s)
demi-sel	demi-sel(s)
demi-solde*	demi-solde(s)

Demi peut aussi être un nom variable :

demi défensif	**demis défensifs**
demi panaché	demis panachés
demi(-) centre	**demis(-) centres**
	Voir mi, tableau M7

deux

Lorsque l'adjectif numéral cardinal s'écrit avec un trait d'union, l'adjectif ordinal correspondant fait de même : *vingt-quatre jours, le vingt-quatrième jour.* Quand l'adjectif cardinal n'a pas de trait d'union, l'adjectif ordinal n'en a pas non plus, sauf s'il est employé comme nom : *deux cents citoyens, le deux centième citoyen*, mais *un deux-centième de la population.*

	Pluriel
deux-centième (nom)	deux-centièmes
deux-mâts	inv.
deux-pièces	inv.
deux-points*	inv.
deux-ponts	inv.
deux-roues	inv.
deux-temps	inv.
à deux-deux	**inv.**
à deux-huit	**inv.**
deux-quatre	**inv.**
à deux-seize	**inv.**
deux étoiles (nom ou app.) **mais** trois(-) étoiles, quatre(-) étoiles	inv.
deux points*	inv.
deux portes (nom) comme quatre portes	inv.
deux(-) chevaux **mais** six-chevaux, quatre chevaux	inv.
	Voir quatre, trente, trois

double

	Pluriel
double-crème	doubles-crèmes
double-fenêtre	doubles-fenêtres
double-scull	**double**-sculls ▲
double dièse	doubles dièses
double(-) as	doubles(-) as
double(-) croche	doubles(-) croches
double(-) six	doubles(-) six
double(-) aveugle	inv. ▲

Double est un nom dans les deux locutions suivantes :

double **dames**	doubles dames
double messieurs	doubles messieurs

extrême

extrême-onction	extrêmes-onctions
extrême-oriental, e	**extrême**-orientaux, ales
extrême droite	inv. ▲
extrême gauche	inv. ▲

faux, fausse

faux-bord	faux-bords
faux-bourdon*	faux-bourdons
faux-filet	faux-filets
faux-fuyant	faux-fuyants
faux-pont	faux-ponts
faux-semblant	faux-semblants
faux-sens	faux-sens
fausse-route*	fausses-routes
faux bourdon*	faux bourdons
faux col	faux cols
faux cul	faux culs
faux dévot	faux dévots
faux frais	faux frais
faux frère	faux frères
faux jeton	faux jetons

faux, fausse ▪▶

	Pluriel
faux jour	faux jours
faux ménage	faux ménages
faux mouvement	faux mouvements
faux pas	faux pas
faux plafond	faux plafonds
faux plancher	faux planchers
faux platane	faux platanes
faux prophète	faux prophètes
faux saunage	faux saunages
faux saunier	faux sauniers
faux témoignage	faux témoignages
fausse couche	fausses couches
fausse monnaie	fausses monnaies
fausse queue	fausses queues
fausse route* (faire)	inv.
faux(-) monnayeur	faux(-) monnayeurs

franc

Franc varie dans les mots masculins, mais reste invariable devant un adjectif ou un nom féminin.

	Pluriel
franc-alleu	francs-alleux
franc-bord	francs-bords
franc-bourgeois	francs-bourgeois
franc-comtois	francs-comtois
franc-fief	francs-fiefs
franc-jeu*	francs-jeux
franc-maçon	francs-maçons
franc-parler	francs-parlers
franc-quartier	francs-quartiers
franc-tireur	francs-tireurs
franc-comtoise	**franc**-comtoises
franc-maçonne	franc-maçonnes
franc-maçonnerie	franc-maçonneries
franc-maçonnique	franc-maçonniques
franc archer	francs archers
franc jeu* (jouer)	inv.

*Voir **grand***

Les mots composés

grand, grande	Pluriel	grand, grande ➡	Pluriel

Comme *franc* dans ses composés, ***grand*** reste généralement invariable quand il précède un nom ou un adjectif féminin.

grand mât **mais**	grands mâts
bas(-) mât	
grand officier	grands officiers
grand prêtre	grands prêtres
grand prix	grands prix
grand public	grands publics
Grand Turc	Grands Turcs ▲
grand vizir	grands vizirs
grande hune	grandes hunes
grande roue	grandes roues

grand-angle	grands-angles
grand-angulaire	grands-angulaires
grand-croix* (n. m.)	grands-croix
grand-dab	grands-dabs
grand-duc*	grands-ducs
grand-ducal	grands-ducaux
grand-duché	grands-duchés
grand-oncle	grands-oncles
grand-papa	grands-papas
grand-père	grands-pères
grande-duchesse	**grandes**-duchesses

grand œuvre	inv. ▲

grand(-) livre	grands(-) livres

grand-rue ou grand'rue	**grand**-rues ou **grand'rues**

grand-maman	**grand(s)**-mamans
grand-mère	grand(s)-mères
grand-messe	grand(s)-messes
grand-tante	grand(s)-tantes
grand-voile	grand(s)-voiles

à grand-peine ou **grand'peine**	inv.
grand-peur ou grand'peur	inv.

*Voir **beau**, **franc**, **petit***

grand-chambre	**grand**-chambres
grand-ducale	grand-ducales
grand-guignolesque	grand-guignolesques
grand-route	grand-routes
ou grande route	ou grandes routes
grand-salle	grand-salles
grand-vergue	grand-vergues

gris	*Voir M25*

gros	

grand-chose	inv.
grand-croix* (n. f.)	inv.
avoir grand-faim	inv.
en grand-hâte	inv.
faire grand-pitié	inv.
avoir grand-soif	inv.

gros-bec	gros-becs
gros-cul	gros-culs
gros-grain	gros-grains
gros-plant	gros-plants

n'existe pas	**grands-parents**

Gros-Jean comme devant	inv.

gros œuvre	gros œuvres ▲
gros plan	gros plans

grand conseil	grands conseils
grand couturier	grands couturiers
grand duc*	grands ducs
grand écart	grands écarts
grand ensemble	grands ensembles
grand lama	grands lamas
Grand Louvetier	Grands Louvetiers ▲
grand magasin	grands magasins

bœuf gros sel	inv. ▲

gros(-) porteur	gros(-) porteurs

*Voir **faux**, **grand** ; **plan**, tableau M25*

haut, haute

	Pluriel
haut-commissaire	hauts-commissaires
haut-commissariat	hauts-commissariats
haut-fond	hauts-fonds
haut-relief (n. m.)	hauts-reliefs
haute-fidélité	hautes-fidélités
haute-forme	hautes-formes
haute-contre	**hautes-contre**

> *Haut* est invariable dans *haut-parleur* parce qu'il est pris adverbialement (dans le sens de parler haut).

haut-parleur	**haut**-parleurs
haut fait	hauts faits
haut fonctionnaire	hauts fonctionnaires
haut lieu	hauts lieux
en haut lieu	inv.
haut mal	inv. ▲
haut moyen Âge	inv.
en haut relief	inv.
haute coiffure	inv. ▲
haute couture	inv. ▲
haute époque	inv.
métiers de haute lice ou lisse	inv.
haute mer	inv. ▲
hautbois	hautbois
haut(-) fourneau	hauts(-) fourneaux
haute(-) licier ou haute(-) lissier	**haute(-)** liciers ou haute(-) lissiers
	Voir bas ; haut, tableau M61

jeune

	Pluriel
jeune femme	jeunes femmes
jeune homme	jeunes hommes
jeune premier, ère	jeunes premiers, ères

jeune ⋙➡

	Pluriel
jeune(-) turc, turque*	jeunes(-) turcs, turques
n'existe pas	**Jeunes(-) Turcs***

libre

	Pluriel
libre-service	libres-services **mais** self-services, stations-service(s)
libre-cours	**inv. ▲**
libre-échangisme	**libre-échangismes**
libre-échangiste	**libre(s)**-échangistes
libre-échange	**libre(s)-échange(s)**
libre arbitre **mais** tiers(-) arbitre	libres arbitres (inus.)
libre concurrence	libres concurrences ▲
libre entreprise	libres entreprises ▲
libre examen	libres examens ▲
restaurant libre service	restaurants **libre service** ▲
libre(-) pensée	libres-pensées (L)
libre(-) penseur, euse	libres(-) penseurs, euses

long, longue

	Pluriel
longue-vue	longues-vues

> Dans les deux mots suivants, *long* est invariable parce qu'il est pris adverbialement.

long-courrier	**long-**courriers comme court-courriers, moyen-courriers
long-jointé, e	long-jointé(e)s
long(-) métrage	longs(-) métrages
	Voir court, moyen

mille

	Pluriel

> *Mille*, adjectif numéral, est invariable. Il peut aussi être considéré comme nom (unité de mesure); il devient alors variable et ne prend pas de trait d'union: *un mille marin*, *des milles marins.*

mille-**fleurs**	inv.
mille-pattes	inv.
millerandage ■	millerandages
millerandé, e ■	millerandé(e)s
mille(-)feuille	**mille**(-)feuilles
mille(-)pertuis	inv.
mille(-)raies	inv.

mort, morte

mort-bois	morts-bois
mort-gage	morts-gages
morte-eau	mortes-eaux
morte-saison*	mortes-saisons
mort-né, e	**mort**-né(e)s
morte saison*	mortes saisons

*Voir **né**, tableau M53*

moyen

moyen-courrier	**moyen**-courriers comme court-courriers, long-courriers
moyen-oriental, e comme Moyen-Orient	moyen-orientaux, ales
moyenâgeux, euse	moyenâgeux, euses
moyen(-) métrage	moyens(-) métrages

moyen �III➡

	Pluriel
Moyen(-) Âge ou moyen(-) âge	inv.

*Voir **court**, **long***

nouveau

nouveau-né, e	**nouveau**-né(e)s
nouveau marié	nouveaux mariés
nouveau venu	nouveaux venus
Nouveau Testament	inv.

*Voir **né**, tableau M53*

nu

nu, e-propriétaire	nu(e)s-propriétaires
nue-propriété	nues-propriétés
nu-**pied(s)***	**nu**-pieds
mais pieds nus	
nu-tête	inv.
nu-jambes	inv.
nu-pieds*	inv.

petit, petite

petit-bois	petits-bois
petit-bourgeois, petite-bourgeoise	petits-bourgeois, petites-bourgeoises
petit-fils, petite-fille	petits-fils, petites-filles
petit-gris	petits-gris
petit-lait	petits-laits
petit-maître*, petite-maîtresse	petits-maîtres, petites-maîtresses
petit-neveu, petite-nièce	petits-neveux, petites-nièces
petit-suisse	petits-suisses

III➡

petit, petite ▬▶	Pluriel
petit-beurre	petits-**beurre**
petit-déj'	petits-déj' ▲
petit-nègre	inv. (L)

> *Petit* demeure invariable dans la conjugaison de *petit-déjeuner*.

	Pluriel
n'existe pas	**petits-enfants**
petit duc	petits ducs
petit écran	petits écrans
petit juif	petits juifs ▲
petit lard	petits lards ▲
petit maître*	petits maîtres
petit noir	petits noirs
petit salé	petits salés ▲
petite bourgeoisie	petites bourgeoisies ▲
petite main	petites mains
petit mal	inv. ▲
n'existe pas	**petits chevaux** (jeu)
petit(-) déjeuner (nom)	petits(-) déjeuners
petit(-) four	petits(-) fours
petit(-) pois	petits(-) pois
	Voir **grand**

plain

plain-chant	plains-chants
de plain-pied	inv.
	Voir **plein**

plat, plate

plat-bord	plats-bords
n'existe pas	**plates côtes**

plat, plate ▬▶	Pluriel
plate(-)bande	platebandes ou plates-bandes
plate(-)forme	plateformes ou plates-formes
plate(-)longe	platelonges ou plates-longes

plein, pleine

	Pluriel
plein-vent	pleins-vents
plein-temps (adj.)	inv.
plein cintre	pleins cintres
pleine lune	pleines lunes
à plein temps	inv.
à temps plein	inv.
n'existe pas	**pleins** gaz
n'existe pas	pleins pouvoirs
n'existe pas	à **plein(s) tube(s)**
plein(-) temps (n. m.)	pleins-temps (L)
plein(-) emploi	inv. (L)
	Voir **plain**

premier, première

	Pluriel
premier-né, e	premiers-nés, premières-nées
premier ministre	premiers ministres
premier venu, première venue	premiers venus, premières venues
premier(-) maître	premiers(-) maîtres
	Voir **né**, *tableau M53*

prud'
(pour preux)

	Pluriel
prudhommerie	prudhommeries
prudhommesque	prudhommesques
prud'homal, e	prud'homaux, ales
ou prudhommal, e	ou prudhommaux, ales
prud'homie	prud'homies
ou prudhommie	ou prudhommies
prud'homme	prud'hommes
ou prudhomme	ou prudhommes

quatre

	Pluriel
quatre-cent-vingt-et-un	inv.
quatre-huit	inv.
quatre-quatre	inv.
quatre-vingt (pour 80e :	inv.
page quatre-vingt)	
quatre-vingt-et-un	inv.
quatre-**épices**	inv.
quatre-feuilles	inv.
quatre-heures	inv.
quatre-mâts	inv.
quatre-quarts	inv.
quatre-vingts	inv.
quatre chevaux **mais**	inv.
deux(-) chevaux,	
six-chevaux	
quatre mendiants	inv.
quatre places	inv.
quatre portes comme	inv.
deux portes	
quat'zarts	inv.
quatre(-) **étoiles** comme	inv.
trois(-) étoiles,	
mais deux étoiles	
quatre(-) saisons	inv.
quatre(-) temps	inv.

*Voir **deux, trente, trois** ;
quatre, tableau M61*

quelque

	Pluriel
quelqu'un, une	quelques-un(e)s
quelque chose	inv.
quelque part	inv.
quelquefois	inv.

saint, sainte

On remarquera généralement que ***saint*** (ou ***sainte***) varie lorsque le deuxième élément qu'il accompagne est bel et bien la personne sainte ou l'objet saint, et non une personne ou un objet nommé en l'honneur d'un saint ou d'une sainte. Par exemple, le *saint-synode* désigne un synode, une assemblée d'ecclésiastiques, que l'on dit saint : on aura donc *des saints-synodes*. Par contre, un *saint-cyrien* est un élève de l'école de Saint-Cyr, et non un élève saint : par conséquent, *des saint-cyriens*. Enfin, le *saint-honoré* est un gâteau nommé en l'honneur de saint Honoré, et non une pâtisserie sanctifiée (même si le goût peut en être divin…) : on trouvera *des saint-honoré* ou *des saint-honorés*.

	Pluriel
saint-père ou Saint-Père	saints-pères
saint-synode	saints-synodes
sainte-barbe	saintes-barbes
sainte-paye	saintes-payes ▲
saint-cyrien, enne	**saint**-cyrien(ne)s
saint-simonien, enne	saint-simonien(ne)s
saint-simonisme	saint-simonismes (inus.)
saint-sulpicien, enne	saint-sulpicien(ne)s
saint-amour	inv.
Saint-Esprit	inv.
saint-florentin	inv.
saint-frusquin (L)	inv.
à la saint-glinglin	inv.

saint, sainte ▬➡	Pluriel
danse de Saint-Guy	inv.
Saint-Office	inv. (L)
Saint-Sépulcre*	inv.
Saint-Siège	inv. (L)
Sainte-Alliance	inv.
sainte-maure	inv.
saint-bernard	**saint-bernard(s)**
saint-crépin	saint-crépin(s)
saint-émilion	saint-émilion(s)
saint-honoré	saint-honoré(s)
saint-marcellin	saint-marcellin(s)
saint-nectaire	saint-nectaire(s)
saint-paulin	saint-paulin(s)
saint-pierre	saint-pierre(s)
saint chrême	saints chrêmes ▲
saint ciboire	saints ciboires
saint lieu	saints lieux
saint sacrifice ou	saints sacrifices ou
Saint Sacrifice	Saints Sacrifices ▲
sainte ampoule	saintes ampoules ▲
sainte messe	saintes messes
sainte table	saintes tables
Saint Sépulcre*	inv.
sainte Bible ou	inv.
Sainte Bible	inv.
sainte Croix	inv.
sainte Famille ou	inv.
Sainte Famille	inv.
Sainte Vierge	inv.
n'existe pas	**saints apôtres** ou
n'existe pas	saints Apôtres
n'existe pas	Saintes Écritures
n'existe pas	saintes femmes
n'existe pas	saintes huiles
n'existe pas	saintes reliques
sainbois ■	sainbois
saindoux ■	saindoux
sainfoin ■	sainfoins
saintongeais, e	saintongeais(e)s
saintpaulia	saintpaulias
saint(-) sacrement	saints(-) sacrements ▲
sainte(-) nitouche	saintes(-) nitouches
sainte(-) touche	saintes(-) touches ▲

saint, sainte ▬➡	Pluriel
Saint(-) Empire romain germanique	inv.
sainte Trinité ou	inv.
Sainte-Trinité	inv.

social

social, e-chrétien, enne	sociaux-chrétiens, sociales-chrétiennes
social, e-démocrate ou social-démocrate (R)	sociaux-démocrates, sociales-démocrates (L)
social, e-révolutionnaire	sociaux-révolutionnaires, sociales-révolutionnaires
social-démocratie	**social**-démocraties
social-impérialisme	inv.

tiers

tiers-mondisation	tiers-mondisations
tiers-mondisme	tiers-mondismes
tiers-mondiste	tiers-mondistes
tiers-point	tiers-points
tiers ordre	tiers ordres
tiers parti	tiers partis
tiers(-) arbitre **mais** libre arbitre	tiers(-) arbitres
Tiers-Monde ou tiers(-) monde	tiers(-) mondes
Tiers-État ou tiers état	inv. ▲

tout, toute

toute-bonne	toutes-bonnes
toute-épice	toutes-épices
toute-puissante	toutes-puissantes

▬➡

tout, toute ⯈

	Pluriel
tout-fou	**tout**-fous
tout-petit	tout-petits
tout-puissant	tout-puissants
tout-terrain (nom)	tout-terrains
Tout-Paris	inv.
Tout-Puissant	inv.
tout-venant **mais**	inv.
à tout (tous) venant(s)	
toute-puissance	**toute(s)-puissance(s)**
tout dernier (n.m.)	**tout** derniers ▲
tout fait (n.m.)	tout faits ▲
toutefois	inv.
à tout(-) va	inv.
véhicule tout(-) terrain	véhicules **tout terrain** ou véhicules **tout-**terrains

*Voir **tout**, tableaux M61 et L2*

trente

Ces noms ont été relevés parce qu'ils ne désignent pas seulement un adjectif numéral.

trente-et-quarante	inv.
trente-six	inv.
trente et un	inv.

*Voir **deux, quatre, trois***

trois

trois-deux	inv.
trois-huit	inv.
trois-quatre	inv.
trois-six	inv.

trois ⯈

	Pluriel
trois-**mâts**	inv.
trois-points* ou	inv.
Trois-points	inv.
trois-ponts	inv.
trois-quarts*	inv.
trois **points***	inv.
manteau trois quarts*	inv.
trois quarts*	inv.
trois(-) **étoiles** comme quatre(-) étoiles, **mais** deux étoiles	inv.

*Voir **deux, quatre, trente***

vert

le Vert-Galant*	inv.
vert galant*	**verts galants**

Vert est ici un nom et désigne la couleur elle-même ; pour la règle d'accord des mots de couleur, voir *bleu*.

vert wagon	verts **wagon**

*Voir **bleu, gris, rose**, tableau M25*

vieil, vieille, vieux

vieux-, vieille-catholique	vieux-, vieilles-catholiques
vieux-croyant	vieux-croyants
vieux-lille	inv.
vieille fille	vieilles filles
vieil or	inv.
vieux jeu	inv.
vieux rose	inv.

Genre des noms composés dont le premier élément est un adjectif: voir le tableau M65

Mots composés dont le premier élément est un verbe

Les mots composés dont le premier élément est un verbe s'écrivent presque toujours avec un trait d'union. Certains sont soudés ; on retrouve quelques locutions sans trait d'union, et de rares verbes avec une apostrophe. La question avec de tels mots porte principalement sur le nombre du deuxième élément : doit-on l'écrire au singulier ou au pluriel ? Là comme ailleurs, les verbes conjugués, les infinitifs et les adverbes demeurent généralement invariables, alors que seuls les noms, les adjectifs et les participes peuvent prendre la marque du pluriel.

Quand le mot composé est formé de deux verbes ou d'un verbe et d'un adverbe, tous deux restent invariables. Quand le mot est formé d'un verbe conjugué et d'un nom liés par un trait d'union, le verbe demeure encore invariable et seul le sens commun permet de déterminer si le deuxième élément est variable ou invariable, singulier ou pluriel. Hélas ! notre bon sens est souvent contrecarré par les caprices de la langue… Si on a *des casse-croûte* et *un remue-méninges* parce qu'on casse *la* croûte et qu'on se remue *les* méninges, on trouve aussi *un porte-paquet* et *un porte-bagages*, *des pare-soleil* et *des pare-fumées*, etc.

Voici d'abord des mots composés et des locutions débutant par un verbe, divisés selon qu'ils s'écrivent avec trait d'union, séparés, ou soudés, puis subdivisés selon leur forme plurielle. Viendront ensuite des mots et locutions ayant leur premier élément en commun, analysés suivant le même modèle. Les mots suivis d'un astérisque prennent un sens différent quand ils s'écrivent avec un trait d'union ; on les retrouve dans le chapitre « Homonymes ».

Trait d'union

DEUX ÉLÉMENTS VARIABLES **M33**	Pluriel		Pluriel
chassé-croisé	**chassés-croisés**	roulé-boulé	**roulés-boulés**
épaulé-jeté	épaulés-jetés		
2ᴱ ÉLÉMENT VARIABLE			
chausse-pied	chausse-pieds	hausse-col	hausse-cols
chausse-trap(p)e	chausse-trap(p)es	hausse-pied	hausse-pieds
croche-patte	croche-pattes	marque-page	marque-pages
croche-pied	croche-pieds	pense-bête	pense-bêtes
démonte-pneu	démonte-pneus	prête-nom	prête-noms
écrase-merde	écrase-merdes	remonte-pente	remonte-pentes
fesse-mathieu	fesse-mathieux	tête-chèvre	tête-chèvres
fixe-chaussette	fixe-chaussettes		
fouette-queue	fouette-queues	*Attention !*	
fouille-merde	fouille-merdes		
frotte-manche	frotte-manches	tape(-)cul	tape(-)culs
guide-âne	guide-ânes	torche(-)cul	torche(-)culs

Les mots composés

INVARIABLES M34

LE 2^E ÉLÉMENT EST UN ADVERBE
OU UN ADJECTIF EMPLOYÉ ADVERBIALEMENT

branle-bas	pisse-froid
couche-tard	rentre-dedans
couche-tôt	risque-tout
être-là	songe-creux
fourre-tout	trotte-menu
mêle-tout	va-tout
pète-sec	à la va-vite

LE 2^E ÉLÉMENT EST UN VERBE

faire-valoir	savoir-faire
ouï-dire	savoir-vivre
payer-prendre	soit-communiqué
pêle-mêle	à touche-touche
peut-être	

LE 2^E ÉLÉMENT EST UN NOM PLURIEL

capte-**suies**	tord-boyaux

MODE IMPÉRATIF ET EXPRESSIONS
AVEC PLUS DE DEUX ÉLÉMENTS

décrochez-moi-ça	suivez-moi-jeune-homme
m'as-tu-vu	va-et-vient
qu'en-dira-t-on	va-nu-pieds
rendez-vous	va-t-en-guerre
revenez-y	y-a-qu'à
sauve-qui-peut	

Voir M55 à 60

LE 2^E ÉLÉMENT EST UN NOM SINGULIER

bat-flanc	rabat-joie
à cloche-pied	à rebrousse-poil
dompte-venin	réveille-matin
à l'emporte-pièce (loc.)	souffre-douleur
faire-part	taste-vin ou tâte-vin
gâte-bois	tord-nez
pisse-vinaigre	touche-pipi
pleure-misère	volte-face
prie-Dieu	

VARIABLES OU INVARIABLES M35

	Pluriel
abaisse-langue	abaisse-**langue(s)**
accroche-cœur	accroche-cœur(s)
accroche-plat	accroche-plat(s)
amuse-bouche	amuse-bouche(s)
amuse-gueule	amuse-gueule(s)
arrête-bœuf	arrête-bœuf(s)
emporte-pièce (n. m.)	emporte-pièce(s)
étouffe-chrétien	étouffe-chrétien(s)

	Pluriel
fume-cigare	fume-**cigare(s)**
fume-cigarette	fume-cigarette(s)
gâte-papier	gâte-papier(s)
gâte-sauce	gâte-sauce(s)
grippe-sou	grippe-sou(s)
guide-fil	guide-fil(s)
lèse-majesté	lèse-majesté(s)
trouble-fête	trouble-fête(s)

Attention !

épluche-**légume(s)**	épluche-légumes
gobe-mouche(s)	gobe-mouches

Séparés

VARIABLES **M36**

ayant cause
ayant droit

Pluriel
ayants cause
ayants droit

Soudés

VARIABLES

avoirdupoi(d)s
baisemain
chantefable
chantepleure
guiderope
hochepot
hochequeue
mâchefer

matefaim
sucepin
torcol
torcou
virevoltant, e
virevolte
virevolter (v.)

Autres verbes particuliers

M37

abat

	Pluriel
abat-jour	inv.
abat-voix	inv.
abat-vent	abat-**vent(s)**
abat-**son(s)**	abat-sons
abajoue ■	abajoues

aide

Voir M25

allume

allume-gaz	inv.
allume-feu	allume-**feu(x)**
allume-**cigare(s)**	allume-cigares

appuie

On peut écrire ces mots soit à partir du verbe *appuie*, soit à partir du nom *appui*. Plusieurs graphies sont donc possibles, au singulier comme au pluriel :

	Pluriel
appuie-bras ou appui-bras	appuie-bras ou appuis-bras
appuie-main ou appui-main	appuie-**main(s)** ou appuis-**main**
appuie-tête ou appui-tête	appuie-tête(s) ou appuis-tête

arrache

arrache-clou arrache-racine	arrache-clous arrache-racines
d'arrache-pied	inv.

attrape

attrape-couillon attrape-nigaud attrape-vilain	attrape-couillons attrape-nigauds attrape-vilains

|||➡

	Pluriel		Pluriel

attrape ▪▪▶

attrape-science	inv.
attrape-tout	inv.
attrape-**mouche(s)**	attrape-mouches

bouche

bouche-trou	bouche-trous
bouche-**pores**	inv.

boute

boute-hors	boute-hors
ou bout-dehors	ou bouts-dehors
boute-selle	boute-**selle(s)**
boutefas ▪	boutefas
boutefeu	boutefeux
bouterolle	bouterolles
bouteroue	bouteroues

brise

brise-vue	brise-vues
brise-béton	inv.
brise-bise	inv.
brise-cou	inv.
brise-fer	inv.
brise-soleil	inv.
brise-tout	inv.
brise-**copeaux**	inv.
brise-jet	brise-**jet(s)**
brise-vent	brise-vent(s)
brise-**lame(s)**	brise-lames
brise-motte(s)	brise-mottes
brise-**glace(s)**	brise-**glace(s)**

brûle

brûle-bout	inv.
à brûle-pourpoint	inv.
brûle-tout	inv.
brûle-gueule	brûle-**gueule(s)**
brûle-**parfum(s)**	brûle-parfums

cache

cache-cœur	cache-cœurs
cache-cache	inv.
cache-misère	inv.
cache-nez	inv.
cache-brassière	cache-**brassière(s)**
cache-col	cache-col(s)
cache-corset	cache-corset(s)
cache-entrée	cache-entrée(s)
cache-flamme	cache-flamme(s)
cache-pot	cache-pot(s)
cache-poussière	cache-poussière(s)
cache-prise	cache-prise(s)
cache-radiateur	cache-radiateur(s)
cache-sexe	cache-sexe(s)
cache-tampon	cache-tampon(s)

caille

caille-lait	inv.
caillebotis ou caillebottis	caillebotis ou caillebottis
caillebotte	caillebottes

cale

	Pluriel
cale-pied	cale-pieds
calebombe ou calbombes ▪	calebombes ou calbombes
calebasse ▪	calebasses

> Dans **cale-étalon**, *cale* est un nom plutôt qu'un verbe ; c'est pourquoi il prend la marque du pluriel : *des cales-étalons.*

casse

	Pluriel
casse-cœur	inv.
casse-croûte	inv.
casse-cul	inv.
casse-graine	inv.
casse-gueule	inv.
casse-noix	inv.
casse-vitesse	inv.
casse-cou	n. casse-**cou(s)** adj. casse-cou
casse-dalle	casse-dalle(s)
casse-tête	casse-tête(s)
casse-**noisette(s)**	casse-noisettes
casse-patte(s)	casse-pattes
casse-pied(s)	casse-pieds
casse-**pierre(s)**	casse-**pierre(s)**
casse-pipe(s)	casse-pipe(s)

chasse

	Pluriel
chasse-clou	chasse-clous
chasse-coin	chasse-coins
chasse-fusée	chasse-fusées
chasse-goupille	chasse-goupilles
chasse-poignée	chasse-poignées
chasse-pommeau	chasse-pommeaux
chasse-rivet	chasse-rivets
chasse-roue	chasse-roues
chasse-tampon	chasse-tampons
chasse-**abeilles**	inv.

chasse ▮▮➡

	Pluriel
chasse-avant	inv.
chasse-marée	inv.
chasse-neige	chasse-**neige(s)**
chasse-**mouche(s)**	chasse-mouches
chasse-pierre(s)	chasse-pierres
chasselas ▪	chasselas
chassepot ▪	chassepots

> Dans **chasse gardée**, *chasse* est un nom, et varie donc : *des chasses gardées.*

chauffe

	Pluriel
chauffe-bain	chauffe-bains
chauffe-biberon	chauffe-biberons
chauffe-plat	chauffe-plats
chauffe-eau	inv.
chauffe-**pieds**	inv.
chauffe-**assiette(s)**	chauffe-assiettes

compte

	Pluriel
compte-**fils**	inv.
compte-gouttes	inv.
compte-pas	inv.
compte-tours	inv.

> Comme dans les mots suivants **compte** est un nom, il prend la marque du pluriel.

	Pluriel
compte courant	comptes courants
compte(-) rendu	comptes(-) rendus
compte(-) **chèques**	comptes(-) chèques

	Pluriel		Pluriel

coupe

		couvre ⇒	
coupe-bourgeon	coupe-bourgeons	couvre-livre	couvre-livres
coupe-bourse	coupe-bourses	couvre-nuque	couvre-nuques
coupe-cercle	coupe-cercles	couvre-objet	couvre-objets
coupe-jarret	coupe-jarrets	couvre-plat	couvre-plats
coupe-air	inv.	couvre-**pied(s)**	couvre-pieds
coupe-coupe	inv.		
coupe-foin	inv.		
coupe-gazon	inv.	## crève	
coupe-jambon	inv.		
coupe-paille	inv.		
coupe-passepoil	inv.		
coupe-pâte	inv.	crève-cœur	crève-**cœur(s)**
coupe-queue	inv.	crève-vessie	crève-vessie(s)
coupe-sève	inv.		
coupe-sucre	inv.		
coupe-tête	inv.	## croque	
coupe-tige	inv.		
coupe-**collets**	inv.	croque-lardon	inv.
coupe-cors	inv.	croque-madame	inv.
coupe-oreilles	inv.	croque-monsieur	inv.
coupe-circuit	coupe-**circuit(s)**	croquembouche	croquembouches
coupe-faim	coupe-faim(s)	croquenot ■	croquenots
coupe-feu	coupe-feu(x)		
coupe-file	coupe-file(s)	croque(-)mitaine	croque(-)mitaines
coupe-gorge	coupe-gorge(s)	croque(-)mort	croque(-)morts
coupe-papier	coupe-papier(s)		
coupe-vent	coupe-vent(s)	## cure	
coupe-**chou(x)**	coupe-choux		
coupe-cigare(s)	coupe-cigares	cure-môle	cure-môles
coupe-légume(s)	coupe-légumes	cure-pied	cure-pieds
coupe-ongle(s)	coupe-ongles		
coupe-racine(s)	coupe-racines	cure-**dent(s)**	cure-dents
		cure-ongle(s)	cure-ongles
couperose ■	couperoses	cure-oreille(s)	cure-oreilles
		cure-pipe(s)	cure-pipes

couvre

couvre-chef	couvre-chefs
couvre-feu	couvre-feux
couvre-joint	couvre-joints
couvre-lit	couvre-lits

essuie

	Pluriel
essuie-glace	essuie-glaces
essuie-tout	inv.
essuie-**meuble(s)**	essuie-meubles
essuie-phare(s)	essuie-phares
essuie-pied(s)	essuie-pieds
essuie-verre(s)	essuie-verres
essuie-**main(s)**	essuie-**main(s)**
essuie-plume(s)	essuie-plume(s)

fait

Voir M25

gagne

gagne-denier	gagne-deniers
gagne-pain	inv.
gagne-petit	inv.

garde

Lorsque *garde* indique l'action de garder plutôt que la personne qui garde (le mot désigne alors souvent un objet : *garde-fou*), *garde* est pris comme verbe, et reste donc **invariable**.

garde-fou	garde-fous
garde-robe	garde-robes
garde-boue	inv.
garde-corps	inv.
garde-manger	inv.
garde-pêche*	inv.
garde-temps	inv.
garde-vue	inv.

garde ⟼

	Pluriel
garde-**notes**	inv.
garde-reins	inv.
garde-bœuf	garde-**bœuf(s)**
garde-feu	garde-feu(x)
garde-place	garde-place(s)
garde-**meuble(s)**	garde-meubles

Lorsque *garde* désigne une personne, il devient un nom, au sens de gardien, et prend un s au pluriel : *un garde-malade, des gardes-malade(s)*.

garde-française* (n. m.)	gardes-françaises
garde-marine	gardes-**marine**
garde-pêche*	gardes-pêche
garde-**scellés**	gardes-scellés
garde-barrière	gardes-**barrière(s)**
garde-chasse	gardes-chasse(s)
garde-chiourme	gardes-chiourme(s)
garde-magasin	gardes-magasin(s)
garde-malade	gardes-malade(s)
garde-port	gardes-port(s)
garde-rivière	gardes-rivière(s)
garde-voie	gardes-voie(s)
garde-**mite(s)**	gardes-mites

On peut ici considérer *garde* comme verbe ou comme nom :

garde-**côte(s)**	garde(s)-côtes

Quand *garde* est employé nominalement et qu'il est suivi d'un **adjectif**, ce dernier ne lui est **pas** lié par un trait d'union, et tous deux sont **variables**.

⟼

Les mots composés

garde ⇒	Pluriel
garde champêtre	gardes champêtres
garde forestier	gardes forestiers
garde national	gardes nationaux
n'existe pas	**gardes françaises***
	Voir garde, tableau M61

gratte	
gratte-dos	inv.
gratte-ciel	gratte-**ciel(s)**
gratte-cul	gratte-cul(s)
gratte-papier	gratte-papier(s)
gratte-**pied(s)**	gratte-pieds

grille	
grille-pain	inv.

> *Grille* est employé comme nom dans
> *grille-écran* ; il est donc variable :
> *des grilles-écrans.*

hache	
hache-paille	inv.
hache-viande	inv.
hache-**légume(s)**	hache-légumes

laisser, laissez	
laisser-aller	inv.
laisser-faire	inv.
laissez-passer	inv.

laisser, laissez ⇒	Pluriel
laisser-courre ou laissé-courre	laisser-courre ou **laissés**-courre

lance	
lance-**engins**	inv.
lance-amarre	lance-**amarre(s)**
lance-**bombe(s)**	lance-bombes
lance-flamme(s)	lance-flammes
lance-fusée(s)	lance-fusées
lance-grenade(s)	lance-grenades
lance-missile(s)	lance-missiles
lance-pierre(s)	lance-pierres
lance-roquette(s)	lance-roquettes
lance-torpille(s)	lance-torpilles

lave	
lave-auto	**lave-autos**
lave-glace	**lave-glaces**
lave-pont	**lave-ponts**
lave-mains	inv.
lave-dos	inv.
lave-linge	inv.
lave-tête	inv.
lave-vaisselle	inv.

lèche	
lèche-cul	n. lèche-culs
	adj. lèche-cul
lèche-**botte(s)**	lèche-bottes
lèche-vitrine(s)	lèche-vitrines
lèchefrite ∎	lèchefrites

lève

	Pluriel
lève-glace	lève-glaces
lève-vitre	lève-vitres
lève-tard	inv.
lève-tôt	inv.

mange

mange-disque	mange-disques
mange-mil	inv.
mange(-)tout	inv.

mire

mire-**œuf(s)**	mire-œufs
mirepoix ■	inv.

monte

monte-charge	monte-**charge(s)**
monte-**plat(s)**	monte-plats
monte-sac(s)	monte-sacs

ouvre

ouvre-**boîte(s)**	ouvre-boîtes
ouvre-bouteille(s)	ouvre-bouteilles
ouvre-huître(s)	ouvre-huîtres

pare

pare-boue	inv.
pare-soleil	inv.

pare ▮▶

	Pluriel
pare-**balles**	inv.
pare-éclats	inv.
pare-étincelles	inv.
pare-douche	pare-**douche(s)**
pare-feu	pare-feu(x)
pare-fumée	pare-fumée(s)
paravalanche ou pare-**avalanches**	paravalanches ou pare-avalanches
parebrise ou pare-brise	parebrises ou pare-**brise**
parechoc ou pare-**chocs**	parechocs ou pare-chocs

passe

passe-droit	passe-droits
passe-fleur	passe-fleurs
passe-lacet	passe-lacets
passe-montagne	passe-montagnes
passe-pied	passe-pieds
passe-pierre	passe-pierres
passe-plat	passe-plats
passe-volant	passe-volants
passe-vue	passe-vues
passe-bande	inv.
passe-bas	inv.
passe-debout	inv.
passe-haut	inv.
passe-partout	inv.
passe-passe	inv.
passe-temps	inv.
passe-thé	inv.
passe-tout-grain	inv.
passe-velours	inv.
passe-crassane	passe-**crassane(s)**
passe-**boule(s)**	passe-boules
passe(-)rose **mais** couperose	passe(-)roses

passe Ⅲ➡

	Pluriel
passavant	passavants
passementer (v.)	*à conjuguer*
passementerie	passementeries
passementier, ère	passementiers, ères
passepoil	passepoils
passepoilé, e	passepoilé(e)s
passepoiler (v.)	*à conjuguer*
passeport	passeports
passerage	passerages
passereau	passereaux
passerelle	passerelles
passerine	passerines
passerinette	passerinettes

peigne

peigne-zizi	peigne-zizis
peigne-cul	peigne-**cul(s)**

perce

perce-muraille	perce-murailles
perce-oreille	perce-oreilles
perce-pierre	perce-pierres
perce-neige	perce-**neige(s)**

pèse

pèse-acide	pèse-**acide(s)**
pèse-alcool	pèse-alcool(s)
pèse-bébé	pèse-bébé(s)
pèse-esprit	pèse-esprit(s)
pèse-lait	pèse-lait(s)
pèse-lettre	pèse-lettre(s)
pèse-liqueur	pèse-liqueur(s)
pèse-moût	pèse-moût(s)
pèse-personne	pèse-personne(s)
pèse-sel	pèse-sel(s)
pèse-sirop	pèse-sirop(s)
pèse-vin	pèse-vin(s)

pince

	Pluriel
pince-jupe	pince-jupes
pince-nez	inv.
pince-sans-rire	inv.
pince-**fesses**	inv.
pince-**oreille(s)**	pince-oreilles

> Dans *pince-monseigneur*, *pince* est un nom et varie donc au pluriel : *des pinces-monseigneur.*

pique

pique-assiette	pique-**assiette(s)**
pique-bœuf	pique-**bœuf(s)**
pique-feu	pique-feu(x)
pique-**fleur(s)**	pique-fleurs
pique-note(s)	pique-notes
pique(-)nique	piqueniques, pique-niques
pique(-)niquer (v.)	*à conjuguer*
pique(-)niqueur, euse	piqueniqueurs, euses ou pique-niqueurs, euses
piquepoul ou picpoul ■	piquepouls ou picpouls

porte

porte-chéquier	porte-chéquiers
porte-coton	porte-cotons
porte-étrier	porte-étriers
porte-jupe	porte-jupes
porte-paquet	porte-paquets
porte-balai*	inv.
porte-bonheur	inv.
porte-carnier	inv.
porte-croix	inv.
porte-enseigne	inv.

ⅢⅢ➡

porte ⇒	Pluriel	porte ⇒	Pluriel
porte-fort	inv.	porte-papier	porte-**papier(s)**
porte-hache	inv.	porte-plume	porte-plume(s)
porte-malheur	inv.	porte-queue	porte-queue(s)
porte-monnaie	inv.	porte-savon	porte-savon(s)
porte-mors	inv.	porte-vent	porte-vent(s)
porte-mousqueton	inv.		
porte-musc	inv.	porte-**affiche(s)**	porte-affiches
porte-musique	inv.	porte-billet(s)	porte-billets
porte-parole	inv.	porte-bouteille(s)	porte-bouteilles
porte-serviette*	inv.	porte-carte(s)	porte-cartes
porte-voix	inv.	porte-cigare(s)	porte-cigares
		porte-cigarette(s)	porte-cigarettes
porte-**aéronefs**	inv.	porte-document(s)	porte-documents
porte-allumettes	inv.	porte-hauban(s)	porte-haubans
porte-autos	inv.	porte-serviette(s)*	porte-serviettes
porte-avions	inv.		
porte-bagages	inv.	porte-**aiguille(s)***	porte-aiguille(s)
porte-chapeaux	inv.	porte-balai(s)*	porte-balai(s)
porte-clefs, clés	inv.	porte-parapluie(s)	porte-parapluie(s)
porte-conteneurs	inv.		
porte-hélicoptères	inv.	porteballe	porteballes
porte-jarretelles	inv.	portechape	portechapes
porte-liqueurs	inv.	portefeuille	portefeuilles
porte-revues	inv.	portelone ■	portelones
porte-aiguille*	porte-**aiguille(s)**	**portechoux**	inv.
porte-amarre	porte-amarre(s)		
porte-bannière	porte-bannière(s)	**porte(-)faix**	**porte(-)faix**
porte-barge	porte-barge(s)	**porte-folio ou portfolio**	**portfolios**
porte-bébé	porte-bébé(s)	**porte(-)manteau**	**porte(-)manteaux**
porte-bouquet	porte-bouquet(s)		
porte-brancard	porte-brancard(s)	**porte(-)mine**	**porte-mine(s)**
porte-copie	porte-copie(s)		ou portemines
porte-couteau	porte-couteau(x)		
porte-crayon	porte-crayon(s)		
porte-crosse	porte-crosse(s)		
porte-drapeau	porte-drapeau(x)		
porte-épée	porte-épée(s)		
porte-étendard	porte-étendard(s)		
porte-étrivière	porte-étrivière(s)		
porte-fanion	porte-fanion(s)		
porte-glaive	porte-glaive(s)		
porte-greffe	porte-greffe(s)		
porte-lame	porte-lame(s)		
porte-menu	porte-menu(s)		
porte-montre	porte-montre(s)		
porte-objet	porte-objet(s)		
porte-outil	porte-outil(s)		

Dans ***porte-fenêtre***, *porte* est un nom et les deux éléments prennent la marque du pluriel : *des portes-fenêtres.*

Voir **porte**, *tableau M61*

pousse	Pluriel
pousse-café	inv.
pousse-pousse	inv.
pousse-pied*	pousse-**pied(s)**
pousse-toc	pousse-toc(s)

presse	
presse-bouton	inv.
presse-étoffe	inv.
presse-garniture	inv.
presse-purée	inv.
presse-viande	inv.
presse-**fruits**	inv.
presse-papiers	inv.
presse-citron	presse-**citron(s)**
presse-étoupe	presse-étoupe(s)
presse-raquette	presse-raquette(s)
presse-**agrume(s)**	presse-agrumes

protège	
protège-cahier	protège-cahiers
protège-parapluie	protège-parapluies
protège-slip	protège-slips
protège-tibia	protège-tibias
protège-bas	inv.
protège-nez	inv.
protège-**dents**	inv.

ramasse	
ramasse-**miettes**	inv.
ramasse-poussière	ramasse-**poussière(s)**

rase	Pluriel
rase-pet	rase-pets
rase-**mottes**	inv.

remue	
remue-ménage	inv.
remue-**méninges**	inv.

repose	
repose-bras	inv.
repose-tête	repose-**tête(s)**
repose-**pied(s)**	repose-pieds

rince	
rince-**doigts**	inv.
rince-bouche	rince-**bouche(s)**
rince-**bouteille(s)**	rince-bouteilles

saute	
saute-mouton	inv. (L)
saute-ruisseau	saute-**ruisseau(x)**

sèche	
sèche-linge	inv.
sèche-**cheveux**	inv.
sèche-mains	inv.

serre	Pluriel	tire	Pluriel
serre-file	serre-files	tire-balle	tire-balles
		tire-bonde	tire-bondes
serre-bosse	inv.	tire-botte	tire-bottes
serre-bouchon	inv.	tire-clou	tire-clous
serre-écrou	inv.	tire-filet	tire-filets
serre-feu	inv.	tire-ligne	tire-lignes
serre-gouttière	inv.	tire-nerf	tire-nerfs
serre-nez	inv.	tire-pavé	tire-pavés
serre-nœud	inv.	tire-pied	tire-pieds
serre-tube	inv.	tire-veine	tire-veines
serre-**bijoux**	inv.	tire-bourre	inv.
serre-fils	inv.	tire-cendre	inv.
serre-livres	inv.	à tire-d'aile	inv.
serre-papiers	inv.	tire-feu	inv.
serre-points	inv.	tire-foin	inv.
		tire-jus	inv.
serre-frein	serre-**frein(s)**	tire-laine	inv.
serre-joint	serre-joint(s)	à tire-larigot	inv.
serre-rail	serre-rail(s)	tire-moelle	inv.
serre-tête	serre-tête(s)	tire-plomb	inv.
		tire-sève	inv.
		tire-terre	inv.
		tire-vieille	inv.
taille			
		tire-**crins**	inv.
taille-haie	taille-haies	tire-fesses	inv.
taille-mer	inv.	tire-braise	tire-**braise(s)**
taille-pain	inv.	tire-fond	tire-fond(s)
taille-plume	inv.	tire-lait	tire-lait(s)
taille-soupe	inv.	tire-veille	tire-veille(s)
taille-vent	inv.		
		tire(-)bouchon	tire(-)bouchons
taille-**buissons**	inv.	tire(-)bouchonner (v.)	*à conjuguer*
taille-légumes	inv.		
taille-racines	inv.	tirelire ▪	tirelires
		tiretaine ▪	tiretaines
taille-crayon	taille-**crayon(s)**		
			*Voir **tire**, tableau M61*

Dans **taille-douce**, *taille* est un nom et prend donc la marque du pluriel : *des tailles-douces*. On écrit par ailleurs *en taille(-) douce*.

tourne	Pluriel
tourne-disque	tourne-disques
tourne-pierre	tourne-pierres
tourne-pouce	tourne-pouces

▪▪▶

tourne ⏵	Pluriel
tourne-fil	inv.
tourne-oreille	inv.
tourne-soc	inv.
tourne-vent	inv.
tourne-**gants**	inv.
tournebouler (v.)	*à conjuguer*
tournebroche	tournebroches
tournedos	tournedos
tournesol	tournesols
tournevis	tournevis
en un tournemain	inv.

traîne	
traîne-bûche	traîne-bûches
traîne-misère	inv.
traîne-buisson	traîne-**buisson(s)**
traîne-**savate(s)**	traîne-savates
traîne-semelle(s)	traîne-semelles

tranche	
tranche-montagne	tranche-montagnes
tranchefile	tranchefiles
tranchefiler (v.)	*à conjuguer*

trique (de l'ancien français)	
trique-madame ou tripe-madame	trique-**madame(s)** (**et non** mesdames)
triqueballe ou trinqueballe	triqueballes ou trinqueballes

trousse	Pluriel
trousse-galant	trousse-galants
trousse-pet	trousse-pets
trousse-pied	trousse-**pied(s)**
trousse-queue	trousse-queue(s)
troussequin ■	troussequins

tue	
à tue-tête	inv.
tue-chien	tue-**chien(s)**
tue-diable	tue-diable(s)
tue-loup	tue-loup(s)
tue-**mouche(s)**	tue-mouches
tudieu ■	inv.

vide	
vide-tourie	vide-touries
vide-vite	inv.
vide-**ordures**	inv.
vide-cave	vide-**cave(s)**
vide-pomme	vide-pomme(s)
vide-**bouteille(s)**	vide-bouteilles
vide-poche(s)	vide-poches

Genre des noms composés dont le premier élément est un verbe : voir le tableau M62

Mots composés dont le premier élément est un adverbe, un article, une préposition ou un pronom

Les adverbes, les articles et les prépositions demeurent invariables lorsqu'ils forment le premier élément de mots composés, et seuls les adjectifs, les participes et les noms qui les accompagnent sont susceptibles de prendre la marque du pluriel. Pour ce type de mots composés et de locutions, la difficulté consiste surtout à déterminer s'ils doivent ou non s'écrire avec un trait d'union (*bien-disant*, mais *bien vivant* ou *bienséant*, par exemple). On remarque que le trait d'union sert souvent à distinguer le nom de la locution adverbiale correspondante : comparons *un à-côté* (point accessoire) et l'expression *l'un à côté de l'autre* ; cette règle ne s'applique cependant pas partout.

Voici d'abord des mots composés et des locutions débutant par un adverbe, un article, une préposition ou un pronom, divisés selon qu'ils s'écrivent avec trait d'union, soudés, séparés ou de deux façons, puis subdivisés selon leur forme plurielle. Viendront ensuite des mots et locutions ayant leur premier élément en commun, analysés suivant le même modèle. Lorsqu'il sera possible de dégager une règle générale quant à l'emploi du trait d'union et à la variabilité des composés d'un élément, seules les exceptions seront mentionnées exhaustivement.

Notez que les verbes, qui ne sont par définition ni variables ni invariables, ont été groupés uniquement sur le critère de l'emploi du trait d'union. Les mots surmontés d'un astérisque prennent un sens différent quand ils s'écrivent avec un trait d'union ; on les retrouve dans le chapitre « Homonymes ».

Trait d'union M38

VARIABLES	Pluriel	INVARIABLES	
celui-ci, celle-ci	ceux-ci, celles-ci	cahin-caha	ici-bas
celui-là, celle-là	ceux-là, celles-là	chez-moi,	jusque-là
		chez-toi, etc. (n. m.)	on-dit
jusqu'au-boutisme	jusqu'**au**-boutismes	couci-couça	pis-aller (n. m.)
jusqu'au-boutiste	jusqu'**au**-boutistes	de-ci, de-là	plus-que-parfait ▲
moins-disant, e	moins-disant(e)s	**mais** deçà delà	soi-disant
moins-perçu	moins-perçus		
moins-value	moins-values		
plus-value	plus-values		
sauf-conduit	sauf-conduits		
tôt-fait	tôt-faits		
trop-perçu	trop-perçus		
trop-plein	trop-pleins		

Attention !

je(-) m'en(-) fichisme	je(-) m'en(-) fichismes
je(-) m'en(-) fichiste	je(-) m'en(-) fichistes
je(-) m'en(-) foutisme	je(-) m'en(-) foutismes
je(-) m'en(-) foutiste	je(-) m'en(-) foutistes

Soudés	M39	Séparés	M40

VARIABLES

	Pluriel
audit, à ladite	auxdit(e)s
dudit, de ladite	desdit(e)s
justaucorps	justaucorps
ledit, ladite	lesdit(e)s
sempervirent, e	sempervirent(e)s
susdit, e	susdit(e)s

Attention !

presqu'île	presqu'îles

INVARIABLES

au pis aller
deçà delà ou deçà et delà
   mais de-ci, de-là

Attention !

INVARIABLES

déjà(-) vu (L)
je(-) ne(-) sais(-) quoi
ne(-) m'oubliez(-) pas
qui(-) vive*

Autres adverbes, articles ou prépositions particuliers

à	Pluriel	à ➡	Pluriel
à-côté (n. m.)	à-côtés	apriorique	aprioriques
à-coup	à-coups	apriorisme	apriorismes
à-propos (n. m.)	à-propos	aprioriste	aprioristes
		apriorité	apriorités
à-valoir	inv.	aprioritique	aprioritiques
à-**fonds*** (n. m. pl.)	inv.	à(-) Dieu(-) va(t)	inv.
		à(-) peu(-) près (n. m.)	inv.
à-pic* (n. m.)	à-**pic(s)**		
		à-plat ou aplat (n. m.)	à-plats ou aplats
à côté (loc. adv.)	inv.		
à fond* (loc. adv.)	inv.		*Voir **au**, tableau L1*
à peu près (loc. adv.)	inv.		
à pic (loc. adv.)	inv.		
à plat (loc. adv.)	inv.		
a priori	inv.		
à propos (loc. adv.)	inv.		

après

	Pluriel
après-coup (n. m.)	après-coups
après-dîner	après-dîners
après-guerre	après-guerres
après-shampo(o)ing	après-shampo(o)ings
après-soleil	après-soleils
après-demain	inv.
après-midi	inv.
après-vente	inv.
après-rasage	n. m. après-rasages
	adj. après-**rasage(s)**
après-ski	après-ski(s)
	*Voir **arrière**, **avant***

au

	Pluriel
au-deçà de	inv.
au-dessous	inv.
au-dessus	inv.
au-devant	inv.
au-delà (n. m.)	au-**delà(s)**
au revoir	inv.
audit, à ladite	auxdit(e)s
aujourd'hui	inv.
au(-) dedans	inv.
au(-) dehors	inv.
au(-) delà (loc. adv.)	inv.
	*Voir **à**, **en**, **par***

arrière

Tous les composés de ***arrière*** s'écrivent avec un trait d'union, et, dans la plupart des cas, le deuxième élément prend la marque du pluriel alors que *arrière* demeure invariable : *une arrière-boutique, des arrière-boutiques* ; *un arrière- fond, des arrière-fonds*, etc. Cette règle s'applique même aux mots composés de trois éléments :

	Pluriel
arrière-grand-oncle	arrière-grands-oncles
arrière-grand-père	arrière-grands-pères
arrière-petit-fils	arrière-petits-fils
arrière-petit-neveu	arrière-petits-neveux
arrière-petite-fille	arrière-petites-filles
arrière-petite-nièce	arrière-petites-nièces
arrière-grand-mère	arrière-**grand(s)**-mères
arrière-grand-tante	arrière-grand(s)-tantes
n'existe pas	arrière-**grands-parents**
n'existe pas	arrière-petits-enfants
	*Voir **après**, **avant***

avant

Tous les composés de ***avant*** s'écrivent avec un trait d'union, et, dans la plupart des cas, le deuxième élément prend la marque du pluriel alors que *avant* demeure invariable : *un avant-goût, des avant-goûts* ; *une avant-scène, des avant-scènes*, etc.

Sauf

avant-hier	inv.
avant-midi	inv.
	*Voir **après**, **arrière***

Dans ***avant-centre***, *avant* est un nom, et prend donc la marque du pluriel : *des avants-centres.*

Les mots composés

bien	Pluriel

bien-aimé, e	bien-aimé(e)s
bien-disant	bien-disants
bien-fondé	bien-fondés
bien-jugé	bien-jugés
bien-dire	inv.
bien-être	inv.
bien portant, e	bien portant(e)s
bien vivant	bien vivants
bienfaisance + dér.	bienfaisances + dér.
bienfait + dér.	bienfaits + dér.
bienheureux, euse	bienheureux, euses
bienséance + dér.	bienséances + dér.
bienveillance + dér.	bienveillances + dér.
bienvenir (v.)	*à conjuguer*
bienvenue	bienvenues
bientôt	inv.
bien(-) pensant, e	bien(-) pensant(e)s
	Voir **mal**

Dans **bien-fonds**, *bien* est un nom, et prend donc la marque du pluriel: *des biens-fonds*.

ci	

ci-gît	ci-gisent
ci-inclus, e	ci-inclus, uses
ci-joint, e	ci-joint(e)s
ci-présent, e	ci-présent(e)s
ci-après	inv.
ci-contre	inv.
ci-dessous	inv.
ci-dessus	inv.
ci-devant (n., loc.)	inv.

contre	Pluriel

Les dérivés de ***contre*** s'écrivent généralement avec un trait d'union, et seul le deuxième élément prend la marque du pluriel: *une contre-attaque, des contre-attaques*; *un contre-courant, des contre-courants*, etc.

Sauf

à contre-courant	inv.
en contre-haut	inv.
à contre-pied	inv.
mais contre(-)pied	
à contre-poil	inv.
à contre-voie	inv.
contre-fer	contre-**fer(s)**
contre-jour	contre-jour(s)
contre-ut	contre-ut(s)
contrebalancer (v.)	*à conjuguer*
contrebande	contrebandes
contrebandier, ère	contrebandiers, ères
contrebasse	contrebasses
contrebassiste	contrebassistes
contrebasson	contrebassons
contrebatterie	contrebatteries
contrebattre (v.)	*à conjuguer*
contrebutement	contrebutements
contrebuter (v.)	*à conjuguer*
contrecarrer (v.)	*à conjuguer*
contrechamp	contrechamps
contreclef	contreclefs
contrecœur	contrecœurs
contrecollé, e	contrecollé(e)s
contrecoup	contrecoups
contredanse	contredanses
contredire (v.)	*à conjuguer*
contredit	contredits
contrefaçon	contrefaçons
contrefacteur, trice	contrefacteurs, trices
contrefaire (v.)	*à conjuguer*
contrefait, e	contrefait(e)s
contreficher (se) (v.)	*à conjuguer*
mais contre(-)fiche	
contrefort	contreforts

➡

contre ⫸	Pluriel
contrefoutre (se) (v.)	*à conjuguer*
contremaître, esse	contremaîtres, esses
contremandement	contremandements
contremander (v.)	*à conjuguer*
contremarche	contremarches
contremarque	contremarques
contremarquer (v.)	*à conjuguer*
contrepartie	contreparties
contrepartiste	contrepartistes
contrepet	contrepets
contrepèterie	contrepèteries
contreplacage	contreplacages
contreplaqué	contreplaqués
contreplaquer (v.)	*à conjuguer*
contrepoids	contrepoids
contrepoint	contrepoints
contrepointiste	contrepointistes
contrepoison	contrepoisons
contreseing	contreseings
contresens	contresens
contresignataire	contresignataires
contresigner (v.)	*à conjuguer*
contretemps	contretemps
contretype	contretypes
contretyper (v.)	*à conjuguer*
contrevallation	contrevallations
contrevenant, e	contrevenant(e)s
contrevenir (v.)	*à conjuguer*
contrevent	contrevents
contreventement	contreventements
contreventer (v.)	*à conjuguer*

VARIABLES

contradicteur	contravention
contradiction	contravis
contradictoire	**contr**escarpe
contralto	**contro**latéral, e
contrapontique	contrordre
ou contrapuntique	controversable
contrapontiste	controverse
contrapuntiste	controverser (v.)
contrarotatif, ive	controversiste
en contrebas	inv.
à contrecœur	inv.

contre ⫸	Pluriel
contre(-)braquer (v.)	*à conjuguer*
contre(-)chant	contre(-)chants
contre(-)châssis	contre(-)châssis
contre(-)choc	contre(-)chocs
contre(-)fiche	contre(-)fiches
mais contreficher(se)	
contre(-)fil	contre(-)fils
contre(-)pente	contre(-)pentes
contre(-)pied	contre(-)pieds
mais à contre-pied	
contre(-)projet	contre(-)projets
contre(-)proposition	contre(-)propositions
contre(-)sujet	contre(-)sujets
contre(-)vérité	contre(-)vérités
	*Voir **entre***

court	*Voir M32*

demi	*Voir M32*

en	Pluriel
en-tête	en-têtes
en-avant (n. m.)	inv.
en-but	inv.
en-dehors (n. m.)	inv.
en-soi (n. m.)	inv.
en deçà de	inv.
en dedans	inv.
en dehors de (loc. prép.)	inv.
en dessous de	inv.
en dessus de	inv.
entroque ■	entroques
endéans	inv.
en(-)cas (n. m.)	inv.
en(-)cours (n. m.)	inv.
	*Voir **au**, **par***

entre	Pluriel

Les composés de *entre* s'écrivent générale-ment en un seul mot, et prennent la marque habituelle du pluriel : *une entrecôte, des entrecôtes.*

Sauf

entre-bande	entre-bandes
entre-ligne	entre-lignes
entre-nœud	entre-nœuds
entre-rail	entre-rails
entre-**nerf(s)**	entre-nerfs
entre-deux	inv.
entre-deux-guerres	inv.
entre-donner (s') (v.)	*à conjuguer*
entre-frapper (s') (v.)	*à conjuguer*
entre-haïr (s') (v.)	*à conjuguer*
entre-heurter (s') (v.)	*à conjuguer*
entre-soutenir (s') (v.)	*à conjuguer*
entre-suivre (s') (v.)	*à conjuguer*
entre-temps (adv.)	inv.
entre-tisser (v.)	*à conjuguer*
entraccuser (s') (v.)	*à conjuguer*
entracte	entractes
entradmirer (s') (v.)	*à conjuguer*
entraide	entraides
entraider (s') (v.)	*à conjuguer*
entraxe	entraxes
entrouvert, e	entrouvert(e)s
entrouvrir (v.)	*à conjuguer*
entre(-)voie	entre(-)voies
entre(-)déchirer (s') (v.)	*à conjuguer*
entre(-)détruire (s') (v.)	*à conjuguer*
entre(-)dévorer (s') (v.)	*à conjuguer*
entre(-)manger (s') (v.)	*à conjuguer*
entre(-)nuire (s') (v.)	*à conjuguer*
entre(-)regarder (s') (v.)	*à conjuguer*
entre(-)temps (n. m.)	inv.
entre(-)tuer (s') (v.)	*à conjuguer*

entre ▐▐➡	Pluriel
entr'aimer (s') (v.)	*à conjuguer*
entr'appeler (s') (v.)	*à conjuguer*
entr'avertir (s') (v.)	*à conjuguer*
entr'apercevoir ou **entra**percevoir (v.)	*à conjuguer*
entr'égorger (s') ou **entre**-égorger (s') (v.)	*à conjuguer*
	Voir **contre**

haut	
	Voir M32

hors	

Le plus souvent, les composés formés avec *hors* s'écrivent avec un trait d'union quand ils sont pris substantivement, et sans trait d'union lorsqu'ils ont une valeur d'adverbe ou d'adjectif.

hors-bord	inv.
hors-concours (n. m.)	inv.
hors-cote (n. m.)	inv.
hors-jeu (n. m.)	inv.
hors-ligne (n. m.)	inv.
hors-sol (n. m., adj.)	inv.
hors-statut (n., adj.)	inv.
hors-texte (n. m.)	inv.
hors-**piste(s)** (n. m.)	inv.
hors circuit	inv.
hors classe	inv.
hors concours (adj., adv.)	inv.
hors jeu (adj.)	inv.
hors ligne (adj.)	inv.
hors pair	inv.
hors rang	inv.

hors ⏵

	Pluriel
hors série	inv.
hors service (adj.)	inv.
hors statut (adj.)	inv.
hors texte (adj.)	inv.
hors tout (adj.)	inv.
hors **taxes**	inv.
hors **cadre(s)**	inv.
hors(-) champ (n. m.)	inv. ▲
hors(-) cote (adj.)	inv.
hors(-) saison	inv.

*Voir **hors**, tableau M61*

là

	Pluriel
là-bas	inv.
là-dedans	inv.
là-dessous	inv.
là-dessus	inv.
là-haut	inv.
là(-) contre	inv.

mal

	Pluriel
mal-baisé, e	mal-baisé(e)s
mal-jugé	mal-jugés
mal-logé, e	mal-logé(e)s
mal-nourri, e	mal-nourri(e)s
mal-être	inv.
mal-vivre	inv.
mal né, e	mal né(e)s
mal pensant, e	mal pensant(e)s
mal portant, e	mal portant(e)s
mal vivant, e	mal vivant(e)s

mal ⏵

VARIABLES

malabsorption	malheur + dér.
maladresse	malhonnête
maladroit, e	malhonnêteté
malaise	malintentionné, e
malaisé, e	malmener
malappris, e	malnutrition
malavisé, e	malocclusion
malbâti, e	malodorant, e
malchance	malpeigné, e
malchanceux, euse	malpoli, e
malcommode	malposition
maldonne	malpropre
malencontreux, euse	malpropreté
malentendant, e	malsain, e
malentendu	malséant, e
malfaçon	malsonnant, e
malfaisance + dér.	maltraiter (v.) + dér.
malfaiteur	malveillance + dér.
malformation	malversation
malgracieux, euse	malvoyant, e
malhabile	

	Pluriel
mal famé, e ou malfamé, e	mal famé(e)s ou malfamé(e)s
mal venu, e ou malvenu, e	mal venu(e)s ou malvenu(e)s
mal(-) aimé, e ou malaimé, e	mal(-) aimé(e)s ou malaimé(e)s
	*Voir **bien***

mieux

	Pluriel
mieux-disant, e	mieux-disant(e)s
mieux-être	inv.

mi

Voir M7

non

Lorsque l'adverbe **non** sert à former un nom, la règle veut qu'on le joigne au mot qui le suit par un trait d'union ; lorsqu'il forme un adjectif, il demeure séparé du mot qu'il précède : *un non-inscrit*, mais *un participant non inscrit*. L'adjectif et le nom prennent la marque usuelle du pluriel.

Notons toutefois les composés suivants, qui peuvent être utilisés comme adjectifs, et que les dictionnaires écrivent avec un trait d'union :

non-accompli, e	non-figuratif, ive
non-aligné, e	non-initié, e
non-belligérant, e	non-inscrit, e
non-combattant, e	non-interventionniste
non-comparant, e	non-linéaire
non-conformiste	non-marchand, e
non-croyant, e	non-résident, e
non-directif, ive	non-spécialiste
non-engagé, e	non-viable
non-euclidien, enne	non-violent, e

	Pluriel
non-cumul	inv. ▲
non-être	inv.
non-moi	inv.
non-recevoir	inv. (R)
non-sens (n. et adj.)	inv.
non-stop (n. et adj.)	inv.
n'existe pas	non-fumeurs (app.)
nonchalance ■	nonchalances
nonchalant, e	nonchalant(e)s
nonchaloir	nonchaloirs
nonpareil, eille	nonpareil(le)s

outre

outre-Atlantique	inv.
outre-Manche	inv.
outre-mer*	inv.
outre-Rhin	inv.
d'outre-tombe	inv.
outre mesure	inv.
outrecuidance	**outrecuidances**
outrecuidant, e	**outrecuidant(e)s**
outremer*	**outremers**
outrepassé, e	**outrepassé(e)s**
outrepasser (v.)	*à conjuguer*

par

par-ci, par-là	inv.
par-deçà	inv.
par-dedans	inv.
par-dehors	inv.
par-derrière	inv.
par-dessous	inv.
par-dessus*	inv.
par-devant	inv.
par-devers	inv.
par ici, par là	inv.
par terre*	inv.
parterre*	parterres
parbleu	inv.
pardessus*	inv.
pardieu	inv.
par(-) delà	inv.

Voir au, en

pour

pour-cent (n. m.)	inv.
pour-soi (n. m.)	inv.

Pluriel

Ⅲ➡

pour ▐▌➡

	Pluriel
pour quoi (pron. interr.)	inv.
pourcentage	pourcentages
pourtour	pourtours
pourvoi	pourvois
pourvoir (v.)	*à conjuguer*
pourquoi (n. m., adv., conj.)	inv.

quasi

Quand *quasi* précède un adjectif, les deux mots s'écrivent séparément : *quasi réussi*, *quasi terminé*, etc. Quand il précède un nom, *quasi* est joint à ce dernier par un trait d'union :

quasi-contrat	quasi-contrats
quasi-délit	quasi-délits
quasi-monnaie	quasi-monnaies
quasi-usufruit	quasi-usufruits
	*Voir **hyper**, **pseudo**, **super**, tableau M7*

sans

Notez que tous les mots qui suivent sont des noms.

sans-culotte	sans-culottes
sans-filiste	sans-filistes
sans-abri	inv.
sans-cœur (n., adj.)	inv. (L)
sans-emploi	inv.
sans-façon (n. m.)*	inv. (L)
sans-fil	inv.
sans-gêne (n., adj.)	inv.
sans-logis	inv.

sans ▐▌➡

	Pluriel
sans-parti	inv.
sans-patrie	inv.
sans-souci* (n., adj.)	inv.
sans-**papiers**	inv.
sans-grade	sans-**grade(s)**
sans domicile fixe (n.)	inv.
sans **façon(s)** (loc.)*	sans façon(s)
sans souci(s) (loc.)*	sans souci(s)
sansevière ■	sansevières
sansonnet ■	sansonnets
sans(-) façon (adj.)*	inv.
sans(-) faute (n. m.)*	inv.

SOUS

En général, les composés de *sous* s'écrivent avec trait d'union, et le deuxième élément prend la marque du pluriel : *un sous-chef*, *des sous-chefs* ; *un sous-entendu*, *des sous-entendus*, etc.

Sauf

	Pluriel
sous-main (n. m.)	inv.
en sous-œuvre	inv.
en sous-ordre	inv.
en sous-palan	inv.
sous-gorge	sous-**gorge(s)**
sous-seing	sous-**seing(s)**
sous-verge	sous-**verge(s)**
sous-verre	sous-**verre(s)**
agir sous main	inv.
en sous(-) main	inv.

▐▌➡

SOUS ⟩⟩➡

VARIABLES

soubassement	soupeser (v.)
soubise ■	soussigné, e
soubresaut ■	soustraction + dér. ■
soubrette ■	soutache + dér. ■
soubreveste ■	soutane ■
soulever (v.) + dér.	soutanelle ■
souligner (v.) + dér.	soutenir (v.) + dér. ■
soumaintrain ■	souterrain, e + dér.
soumettre (v.) + dér.	soutirer (v.) + dér.
soupape	souvenir + dér. ■
soupente ■	

	Pluriel
sous-tasse ou soutasse	sous-tasses ou soutasses
	Voir **sus**

sur

La plupart des composés formés avec *sur* s'écrivent en un seul mot et sont variables : *surestimer*, *surfin*, *surlendemain*, etc.

sur mesure (loc.)	inv.
sur place (loc.)	inv.

sur ⟩⟩➡

sur(-) mesure (n. m.)	inv.
sur(-)moi	inv.
sur(-)place (n. m.)	inv.

SUS

sus-dénommé, e	sus-dénommé(e)s
sus-dominante	sus-dominantes
sus-hépatique	sus-hépatiques
sus-jacent, e	sus-jacent(e)s
sus-maxillaire	sus-maxillaires
sus-tonique	sus-toniques
susdit, e	susdit(e)s
susmentionné, e	susmentionné(e)s
susnommé, e	susnommé(e)s
susvisé, e	susvisé(e)s
	Voir **sous**

Pluriel

Genre des noms composés dont le premier élément est un adverbe ou une préposition : voir les tableaux M66 et 67

Mots composés dont les éléments sont des onomatopées, des apocopes ou des syllabes semblables

Aucune règle n'intervient dans l'emploi du trait d'union ou la formation du pluriel de ces mots constitués de plus d'une onomatopée, d'une apocope ou d'une syllabe semblable. Ils sont présentés ici selon le modèle suivi jusqu'à maintenant, bien qu'ils s'y conforment plus ou moins. Faute de les mémoriser tous, essayons au moins de nous en égayer…

Trait d'union

Trait d'union

VARIABLES **M42**

	Pluriel
bip-bip	bips-bips
fana-mili	fanas-milis
fute-fute	futes-futes ▲
gîte-gîte	gîtes-gîtes ▲
import-export	imports-exports

Attention !

méli-mélo	**méli(s)-mélo(s)**
teuf-teuf	teuf(s)-teuf(s)
tam-tam	**tam-tam(s)**
trou-trou	**trou(s)-trou(s)**
	ou **trou**-trous

INVARIABLES **M43**

agit-prop	hi-han
b. a. -ba ou B. A. -Ba ou	miam-miam ou miam
b a -ba	ni-ni ▲
cha-cha-cha (L)	oui-da
clic-clac (n. m.)	pili-pili
coin-coin	pin-pon
craw-craw ou	plan-plan
crow-crow	poto-poto
cric-crac (n. m.)	prêchi-prêcha
cui-cui	ric-rac
dare-dare	tchin-tchin (L)
dum-dum	tohu-bohu
flic-flac (n. m.)	tom-tom
fric-frac	à touche-touche
frotti-frotta	tsé-tsé
gouzi-gouzi	tsoin-tsoin
guili-guili	tss-tss

Soudés

M44

béribéri	béribéris
chichi	chichis
cramcram	cramcrams
crincrin	crincrins
flonflon	flonflons
glouglou	glouglous
gnangnan (n.)	gnangnans
micmac	micmacs
pioupiou	pioupious
pitpit ou pipit	pitpits
ronron	ronrons
trictrac	trictracs
youyou	youyous
zigzag	zigzags

Séparés

M46

INVARIABLES

flic flac (interj.)
ta, ta, ta
toc toc

Attention !

clic(-) clac (interj.)
cric(-) crac (interj.)
tic(-) tac

INVARIABLES **M45**

cracra	rataplan ▲
gnangnan (adj.)	tacatac ▲
panpan ▲	tralala ▲
rantanplan ▲	turlututu ▲
raplapla	

Attention !

bla(-)bla ou	train(-)train
bla(-)bla(-)bla(L)	tran(-)tran
kif(-)kif	

Les mots composés

Trait d'union ou soudés   M47

	Pluriel			Pluriel
boui(-)boui	bouis-bouis ou bouibouis	cri(-)cri	**cri-cri** ou cricris	
gri(-)gri ou gris-gris	gris-gris ou grigris	rad(-)soc	rad-soc (R) ou radsocs ▲	
frou(-)frou	**frou(s)**-frous ou froufrous	yé(-)yé	n. yé-yé ou yéyés adj. yé-yé ou yéyé	
		yo(-)yo ou Yo-Yo	yo-yo, Yo-Yo ou yoyos	
		fla(-)fla	**fla-fla(s)** ou flaflas	

Genre de ces noms: voir le tableau M68
Interjections et autres onomatopées: voir le tableau N18

Mots en apposition

Vous êtes amateurs de mots composés ? Qu'à cela ne tienne ! Vous pouvez en créer vous-mêmes grâce aux mots en apposition.

Une apposition est un nom (ou un groupe nominal) placé après un autre nom (ou groupe) pour lui servir d'attribut, un peu à la manière d'un adjectif : *une femme médecin*, *un homme-grenouille*, etc. Les règles entourant les appositions sont à peu près inexistantes : tantôt on les écrit avec un trait d'union, tantôt séparément ; tantôt les mots en apposition sont invariables, tantôt on les fait accorder ; souvent également, les ouvrages de référence permettent deux possibilités, divergent entre eux, ou se contredisent parfois eux-mêmes d'un article à un autre !

Pour tenter de simplifier les choses, à moins que les dictionnaires ne se prononcent clairement sur l'emploi du trait d'union, nous pouvons supposer que le mot en apposition suit le nom sans y être joint par un trait d'union, et qu'il est variable lorsque le sens le permet. Cependant il arrive, par exemple, qu'un mot dit en apposition (donc s'écrivant séparément) se retrouve aussi dans un mot composé avec trait d'union : c'est le cas de *mère*, que l'on écrit avec trait d'union notamment dans *grand-mère*, mais que l'on peut mettre en apposition, séparément, à d'autres noms (*langue mère*, *société mère*, etc.). Nous avons relevé ces cas d'exception, ainsi que quelques contradictions ou doubles possibilités à l'intérieur des dictionnaires. Les pages qui suivent présentent des mots que l'on peut employer en apposition, divisés selon qu'on doit ou non les écrire avec trait d'union, et selon qu'on peut ou non les faire varier. Des exemples d'utilisation au singulier et au pluriel sont donnés pour chacun ; les exceptions, s'il en est, sont inscrites directement à côté des exemples. Les cas où ces exceptions s'avèrent plus nombreuses feront l'objet d'un traitement particulier, à la suite des premiers tableaux. On trouvera enfin un tableau portant sur les unités de mesure.

Notez que **seuls les mots en apposition** sont concernés par les mentions « variable » ou « invariable », et que nous n'avons retenu que les mots composés dont le premier élément est un nom (*hache-paille* ou *péricentre* ne sont donc pas analysés dans les appositions *paille* et *centre*). Bien sûr, nous n'avons pu imaginer toutes les combinaisons possibles, mais les mêmes règles s'appliqueront aux mots construits de façon similaire : sachant que *fleuve* en apposition est variable et se joint au nom par un trait d'union, et voyant l'exemple « un roman-fleuve, des romans-fleuves », on saura aussi écrire *un discours-fleuve*, *des discours-fleuves*, etc. Dans les tableaux des « appositions particulières », le modèle à suivre sera identifié par « etc. ». À vous de laisser travailler votre créativité… à moins que ces quelques mises en garde ne vous l'aient déjà ralentie…

Trait d'union, variables

M48

	Exemples	Pluriel
-chef	caporal-chef, maréchal des logis-chef	caporaux-chefs, maréchaux des logis-chefs
-citerne	bateau-citerne	bateaux-citernes
-conseil	médecin-conseil **sauf** ingénieur(-) conseil	médecins-conseils, ingénieurs-conseils ou ingénieurs conseil (R)
-débat	déjeuner-débat	déjeuners-débats
-école	voiture-école **mais** auto(-)école	voitures-écoles
-éplucheur	couteau-éplucheur	couteaux-éplucheurs
-fiction	politique-fiction	politiques-fictions
-fleuve	roman-fleuve	romans-fleuves
-réclame	vente-réclame **sauf** panneau-réclame, objet(-) réclame	ventes-réclames ▲, panneaux-réclame, objets(-) réclame(s)
-repas	plateau-repas	plateaux-repas
-test	zone-test	zones-tests
-vedette	coureur-vedette	coureurs-vedettes ▲

Séparés, variables

M49

	Exemples	Pluriel
adjoint(e)	maire adjoint	maires adjoints
analyste	chimiste analyste **sauf** informaticien-analyste	chimistes analystes, informaticiens-analystes
centre	idée centre **sauf** avant-centre, demi(-) centre	idées centres, avants-centres, demis(-) centres
cible	atome cible **sauf** avion-cible	atomes cibles, avions-cibles
cloche	chapeau cloche	chapeaux cloches **mais** chapeaux melon
consultant	médecin consultant	médecins consultants
crapaud	fauteuil crapaud	fauteuils crapauds ▲
doseur	bouchon doseur	bouchons doseurs
électricien	ouvrier, ingénieur électricien	ouvriers électriciens
éleveur	propriétaire éleveur	propriétaires éleveurs
étoile	danseur étoile	danseurs étoiles ▲
expert	architecte expert **sauf** capitaine-expert	architectes experts, capitaines-experts
fantoche	gouvernement fantoche	gouvernements fantoches
fantôme	gouvernement fantôme	gouvernements fantômes
fée	doigt fée	doigts fées

Exemples

	Exemples	Pluriel
fliquesse	femme flic ou fliquesse	femmes fliquesses
fourreau	jupe fourreau	jupes fourreaux ▲
fuseau	pantalon fuseau	pantalons fuseaux ▲

général	major général,
	    président-directeur général
		majors généraux,
		    présidents-directeurs généraux

gigogne	table gigogne	tables gigognes

imprimeur	ouvrier imprimeur
	    sauf graveur-imprimeur
		ouvriers imprimeurs,
		    graveurs-imprimeurs

limite	date limite **sauf** expérience-limite	dates limites, expériences-limite(s)
moteur	arbre moteur **sauf** bloc(-) moteur	arbres moteurs, blocs(-) moteurs
pèlerin	faucon pèlerin	faucons pèlerins
pirate	vaisseau pirate	vaisseaux pirates
poule	papa poule	papas poules ▲
prodige	enfant prodige	enfants prodiges
recruteur	sergent recruteur	sergents recruteurs
refuge	valeur refuge	valeurs refuges
repère	borne repère	bornes repères ▲

sandwich	structure sandwich
	    sauf homme-sandwich
		structures sandwichs,
		    hommes-sandwichs

tampon	solution tampon
	    sauf colin-tampon
		solutions tampons,
		    colins-tampons

terminus	gare terminus	gares terminus

Séparés, invariables

Exemples

	Exemples	Pluriel
arlequin	bas arlequin	bas **arlequin**
arrière	feu arrière **sauf** coqueron-arrière	feux arrière, coquerons-arrière
bateau	encolure bateau	encolures bateau
bidon	élection bidon	élections bidon
bonne femme	rideau bonne femme	rideaux bonne femme
boule	col boule	cols boule ▲
boulle, Boulle ou boule	meuble boulle, Boulle ou boule	meubles boulle, Boulle ou boule
châle	col châle	cols châle ▲

chasseur	poulet chasseur
	    sauf martin-chasseur
		poulets chasseur,
		    martins-chasseurs

chauve-souris	manche chauve-souris	manches chauve-souris ▲
dauphine	pommes dauphine	pommes dauphine
dentelle	crêpe dentelle	crêpes dentelle
design	meuble design	meubles design
deux étoiles	hôtel deux étoiles	hôtels deux étoiles
Directoire	commode, style Directoire	commodes Directoire

Exemples

		Pluriel
duchesse	poire duchesse	poires **duchesse**
Empire	commode Empire	commodes Empire
fantaisie	bijou fantaisie	bijoux fantaisie
financière	vol-au-vent financière	vol-au-vent financière
fourre-tout	question fourre-tout	questions fourre-tout
gaine	pied gaine d'une table, etc.	pieds gaine
gâteau	papa, maman gâteau	papas, mamans gâteau
		mais papas poules ▲
gigot	manche (à) gigot	manches (à) gigot
golden	pomme golden	pommes golden
gros sel	bœuf gros sel	bœuf gros sel ▲
hors-piste	ski hors-piste	ski hors-piste
	mais du hors-piste(s)	
kimono	manche kimono	manches kimono
maison	tarte maison	tartes maison
marinière	moule marinière	moules marinière
massue	argument massue, raison massue	arguments massue **mais** raisons
	sauf roseau-massue	massues, roseaux-massues
melon	chapeau melon	chapeaux melon
		mais chapeaux cloches
mimosa	œuf mimosa	œufs mimosa
minute	entrecôte minute	entrecôtes minute ▲,
	sauf cocotte-minute	cocottes-minute
	ou Cocotte-Minute	ou Cocotte-Minute
miroir	œuf miroir	œufs miroir
mousquetaire	col mousquetaire	cols mousquetaire
mousse	vert mousse	verts mousse
mousseline	sauce mousseline	sauces mousseline
nature	fraise nature	fraises nature
non-fumeurs	voiture **non-fumeurs**	voitures non-fumeurs
paille	pommes paille **sauf** carton-paille	pommes paille, cartons-pailles
poivrade	artichaut poivrade	artichauts poivrade
pompon	rose pompon	roses pompon (R)
porte(s) ouverte(s)	journée **porte(s) ouverte(s)**	journées porte(s) ouverte(s)
pression	bière pression	bières pression ▲,
	sauf bouton-pression	boutons-pression
purée	pommes purée	pommes purée
quatre(-) étoiles	restaurant quatre(-) étoiles	restaurants quatre(-) étoiles
radar	écran radar **sauf** contrôle(-) radar	écrans radar, contrôles(-) radar ▲
radio	message radio **sauf** réveil-radio	messages radio
Régence	fauteuil Régence	fauteuils Régence
rémoulade	céleri rémoulade	céleris rémoulade ▲
Renaissance	meuble Renaissance	meubles Renaissance
résille	bas résille	bas résille
retard	effet retard	effets retard (L)
sac	robe sac	robes sac ▲
soleil	plissé soleil **sauf** Roi-Soleil	plissés soleil ▲
sport	chaussure sport	chaussures sport
télé	feuilleton télé **sauf** plateau-télé	feuilletons télé, plateaux-télé ▲
tête-de-mort	sphinx tête-de-mort	sphinx tête-de-mort ▲
trois(-) étoiles	hôtel trois(-) étoiles	hôtels trois(-) étoiles
trois quarts*	manteau trois quarts	manteaux trois quarts
Vichy	carotte Vichy	carottes Vichy
vinaigrette	poireau vinaigrette	poireaux vinaigrette

Séparés, variables ou invariables

Exemples

		Pluriel
éclair	voyage éclair **sauf** nouvelle(-) éclair	voyages éclair(s), nouvelles(-) éclair(s)
miracle	solution miracle	solutions miracle(s)
polka	pain polka	pains polka(s)
princesse	haricot, amande princesse	haricots princesse(s)
record	temps record	temps record(s)
standard	condition standard	conditions standard(s)
tarte	blouson tarte	blousons tarte(s)

Noms variables devenant invariables comme adjectifs :
voir les tableaux N26 et 27

Trait d'union ou séparés, variables

Exemples

		Pluriel
(-) choc	photo(-) choc (inv. en genre)	photos(-) chocs
(-) clef, clé	mot(-) clef, clé	mots(-) clefs, clés
(-) culte	livre(-) culte	livres(-) cultes
(-) dortoir	cité(-) dortoir	cités(-) dortoirs
(-) étalon	mètre(-) étalon **sauf** cale-étalon	mètres(-) étalons, cales-étalons
(-) phare	pensée phare **sauf** bateau-phare, radiophare	pensées phares, bateaux-phares, radiophares
(-) piège	question(-) piège	questions(-) pièges
(-) pilote	classe(-) pilote **mais** bateau-pilote	classes(-) pilotes, bateaux-pilotes
(-) surprise	attaque(-) surprise **mais** pochette-surprise	attaques(-) surprises, pochettes-surprises
(-) traiteur	charcutier(-) traiteur	charcutiers(-) traiteurs

Attention !

(-) frontière	poste(-) frontière, **sauf** poteau-frontière	**postes(-) frontière(s)**

Autres appositions particulières

avant

	Pluriel
centre-avant	centres-**avants**
coqueron-avant	coquerons-**avant**
roue avant traction avant etc.	roues **avant** tractions avant

club

fan-club	fans-clubs
night-club yacht-club	**night**-clubs yacht-clubs
cravate club fauteuil club etc.	cravates clubs ▲ fauteuils clubs ▲
vidéoclub	vidéoclubs
inter**clubs**	inv.
village(-) club	villages(-) clubs
aéro(-)club ciné(-)club	aéro(-)clubs ciné(-)clubs

éponge

carré-éponge	carrés-éponges
serviette(-) éponge	serviettes-éponges ou serviettes **éponge**
tissu(-) éponge	tissus-éponges (L)

feutre

	Pluriel
carton-feutre stylo-feutre	cartons-feutres stylos-feutres
crayon(-) feutre	crayons-feutres ou crayons **feutre(s)**

maître, maîtresse

petit-maître,
   petite-maîtresse*
quartier-maître
sous-maître
	petits-maîtres,
	   petites-maîtresses
	quartiers-maîtres
	sous-maîtres

atout maître petit maître* pièce maîtresse etc.	atouts maîtres petits maîtres pièces maîtresses
premier(-) maître second(-) maître	premiers(-) maîtres seconds(-) maîtres

Voir **maître**, *tableaux M25 et 61*

major

adjudant-major aide-major état-major infirmière-major médecin-major sergent-major tambour-major	adjudants-majors aides-majors états-majors infirmières-majors médecins-majors sergents-majors tambours-majors
canot major	canots majors

Voir M21 à 23

Les mots composés

mécanicien

	Pluriel
ajusteur-mécanicien	ajusteurs-mécaniciens
chef mécanicien	chefs mécaniciens
constructeur mécanicien	constructeurs mécaniciens
officier mécanicien de l'air	officiers mécaniciens de l'air
ouvrier mécanicien	ouvriers mécaniciens
électromécanicien, enne	électromécanicien(ne)s
télémécanicien	télémécaniciens

Voir M21 à 23

mère

	Pluriel
arrière-grand-mère	**arrière-grand(s)**-mères
belle-mère	belles-mères
dure-mère	dures-mères
grand-mère	**grand(s)**-mères
pie-mère	pies-mères
branche mère	branches mères
eau mère	eaux mères
idée mère	idées mères
langue mère	langues mères
liqueur mère	liqueurs mères
maison mère	maisons mères
reine mère	reines mères
société mère	sociétés mères
vis mère	vis mères
etc.	
cellule(-) mère	cellules(-) mères
fille(-) mère	filles(-) mères
roche(-) mère	roches(-) mères

né, e

	Pluriel
artiste-né, e	artistes-né(e)s
aveugle-né, e	aveugles-né(e)s
dernier-né, dernière-née	derniers-nés, dernières-nées
premier-né, première-née	premiers-nés, premières-nées
etc.	

né, e ⇒

	Pluriel
mort-né, e	**mort**-né(e)s
nouveau-né, e	nouveau-né(e)s
bien né, e	**bien** né(e)s
mal né, e	mal né(e)s
peintre(-) né	peintres(-) nés

photo

	Pluriel
roman-photo	romans-photos
safari-photo	safaris-photos
magazine photo	magazines photos ▲
appareil photo	appareils **photo**

poste

	Pluriel
malle-poste	malles-**poste**
mandat-poste	mandats-poste
paquet-poste	paquets-poste
timbre-poste	timbres-poste
voiture-poste	voitures-poste
wagon-poste	wagons-poste
multiposte (poste nom masculin)	multipostes

réponse

	Pluriel
enveloppe-réponse	enveloppes-réponses
coupon-réponse	coupons-**réponse**
bulletin-réponse	bulletins-**réponse(s)**
carte-réponse	cartes-réponse(s)

restaurant

	Pluriel
café-restaurant	cafés-restaurants
hôtel-restaurant	hôtels-restaurants
voiture-restaurant	voitures-restaurants
wagon-restaurant	wagons-restaurants
etc.	
chèque-restaurant	chèques-**restaurant**
titre-restaurant	titres-restaurant
ticket(-) restaurant	tickets(-) **restaurant** ▲

*Voir **hôtel**, tableau M25*

satellite

cité-satellite	cités-satellites
village-satellite	villages-satellites
pays satellite	pays satellites
veine satellite	veines satellites
etc.	
ville(-) satellite	villes(-) satellites

stop

cargo-stop	inv. ▲
chameau-stop	inv. ▲
non-stop	inv. ▲
etc.	
feu stop	feux **stop**
auto(-)stop	inv. (L)

suicide

	Pluriel
avion-suicide	avions-suicides ▲
opération suicide	opérations suicides (L)
etc.	
mission(-) suicide	missions(-) **suicide** (R)

témoin

secteur-témoin (R)	secteurs-témoins
lampe témoin	lampes témoins
etc.	
appartement(-) témoin	appartements(-) témoins
butte(-) témoin	buttes(-) témoins

type

budget type	budgets types
objet type	objets types
contrat(-) type	contrats(-) types
écart(-) type	écarts(-) types
etc.	

vidéo

clip vidéo	clips **vidéo**
jeu vidéo	jeux vidéo
etc.	
bande(-) vidéo	bandes(-) **vidéo**

*Voir **bande**, tableau M25*

Unités de mesure et appareils

ampère	Pluriel	mètre ⇒	Pluriel
voltampère etc.	voltampères *Voir **ampère**, tableau M25*	ampèremètre machmètre ohmmètre* etc.	ampèremètres machmètres ohmmètres

heure		seconde	
ampère-heure	ampères-heures	pascal-seconde	pascals-**seconde** (L)
varheure wattheure	varheures wattheures		
kilowatt(-)heure	kilowatts-heures ou kilowattheures	volt	
		électronvolt kilovolt etc.	électronvolts kilovolts

mètre			
newton-mètre ohm-mètre* pH-mètre Q-mètre	newtons-mètres ohms-mètres **pH**-mètres Q-mètres		

Noms pouvant être employés comme adjectifs invariables : voir le tableau N26

Analyse de ces mots en considérant le premier élément plutôt que l'apposition : voir les tableaux M8 à 25

Mots composés avec une préposition ou un article intercalé

On hésite souvent avant de déterminer si certains groupes de mots contenant une préposition et désignant une seule réalité s'écrivent avec un trait d'union. En effet, rien dans le sens ou la logique ne permet d'expliquer pourquoi on écrit *arc-en-ciel* mais *pomme de terre*, par exemple. Le pluriel, heureusement, est assez simple à former : généralement, seuls les noms tenant lieu de premier élément peuvent en prendre la marque : *un bonheur-du-jour, des bonheurs-du-jour*.

Pour ce type de mots tout spécialement, les liens et les parallèles se révèlent d'une grande importance. Pour les faire ressortir, nous avons pris comme point de départ les mots avec trait d'union, et nous les avons regroupés avec d'autres mots et locutions ayant un élément en commun (et, autant que possible, la préposition ou l'article central), mais s'écrivant sans trait d'union ou ayant une forme plurielle différente : *langue-de-bœuf* et *langue de bois* ; *langue-de-bœuf* et *nerf de bœuf*, par exemple. Quelques mots composés ou locutions présentant des différences ou des similarités dignes d'intérêt ont été inscrits à côté de certains mots (*arc-en-ciel* et *ciel de lit*). Les corrélats indiquent sous quelles rubriques retrouver un mot qui a été comparé sous ses deux éléments (*étoile de mer*, notamment, que l'on rencontre sous *étoile* et sous *mer*), de même que d'autres rubriques que le sens permet de comparer (*argent* et *or, pied* et *patte*, etc.). On notera enfin des renvois à des sections précédentes, pour certains noms, adjectifs et prépositions qui peuvent aussi entrer dans des mots composés à deux éléments (pour comparer *reine-des-prés* et *reine-marguerite*, par exemple). De plus, les locutions sans trait d'union se trouvent aussi dans le chapitre « Locutions et expressions ».

Voici d'abord les mots qui n'ont pas été mis en parallèle plus loin, groupés selon la préposition qu'ils contiennent ; suivront deux tableaux de locutions regroupées d'après leur sens et leur ressemblance morphologique, et enfin des mots groupés par élément commun. Chaque tableau sera divisé selon que les locutions s'écrivent avec ou sans trait d'union, et selon qu'elles sont variables ou invariables. L'astérisque indique que le mot prend un sens différent quand il s'écrit avec trait d'union ; on en trouvera la définition dans le chapitre « Homonymes ».

à, au, aux   M55

VARIABLES	Pluriel	INVARIABLES	
acquit-à-caution	acquits-à-caution	bric-à-brac	quant-à-soi
bourse-à-pasteur	bourses-à-pasteur	c'est-à-dire	tape-à-l'œil
prêt-à-coudre	prêts-à-coudre	Monte-à-regret	touche-à-tout
prêt-à-manger	prêts-à-manger	mort-aux-rats	tourne-à-gauche
prêt-à-monter	prêts-à-monter	moulin-à-vent*	vol-au-vent
prêt-à-porter	prêts-à-porter	pousse-au-crime	

fier-à-bras	**fier(s)**-à-bras

Les mots composés

de, du   M56

| | Pluriel | |
| VARIABLES | | INVARIABLES |

VARIABLES	Pluriel	INVARIABLES
belle-de-jour	belles-de-jour	côtes-du-rhône
belle-de-nuit	belles-de-nuit	gorge-de-pigeon **mais**
boule-de-neige	boules-de-neige	cœur(-) de(-) pigeon (var.)
coin-de-feu	coins-de-feu	meurt-de-faim
crête-de-coq*	crêtes-de-coq	ventre-de-biche
dent-de-lion	dents-de-lion	
dent-de-loup	dents-de-loup	
duc-d'Albe	ducs-d'Albe	
gueule-de-loup	gueules-de-loup	
monnaie-du-pape	monnaies-du-pape	
mont-de-piété	monts-de-piété	
paon-de-nuit	paons-de-nuit	
pet-de-nonne	pets-de-nonne	
comme pet-en-l'air	(inv.)	
rai-de-cœur	rais-de-cœur	
ruine-de-Rome	ruines-de-Rome	
stil-de-grain	stils-de-grain	

Attention ! M57   *Attention !*

bain de soleil	bains de soleil	caca d'oie
peau de chagrin	peaux de chagrin ▲	
puits d'amour	puits d'amour	
bonnet(-) de(-) prêtre	bonnets(-) de(-) prêtre	prince(-) de(-) galles
esprit(-) de(-) bois	esprits(-) de(-) bois	
esprit(-) de(-) sel	esprits(-) de(-) sel	
esprit(-) de(-) vin	esprits(-) de(-) vin	
oreille(-) de(-) mer	oreilles(-) de(-) mer	
oreille(-) de(-) souris	oreilles(-) de(-) souris	
paon(-) de(-) jour	paons(-) de(-) jour	
paon(-) de(-) nuit	paons(-) de(-) nuit	
sceau(-) de(-) Salomon	sceaux(-) de(-) Salomon	
sortie(-) de(-) bain	sorties(-) de(-) bain	
sortie(-) de(-) bal	sorties(-) de(-) bal	

en   M58

INVARIABLE

amour(-) en(-) cage	amours(-) en(-) cage	baise-en-ville

le, la, l'

INVARIABLES

baise-la-piastre	cessez-le-feu	jean-le-blanc	sur-le-champ
bernard-l'ermite ou	contre-la-montre	sans-le-sou	à vau-l'eau
bernard-l'hermite	crève-la-faim	sot-l'y-laisse	

pour, sans, sous

VARIABLES	Pluriel	**INVARIABLES**
abri-sous-roche	abris-sous-roche	boit-sans-soif
		pince-sans-rire
anti-sous-marin, e	anti-sous-marin(e)s	
Attention !		
laissé, e(-) pour(-) compte	laissé(e)s(-) pour(-) compte	

M59	Locutions désignant des individus	Locutions désignant des mouvements, des manières, des attitudes	M60

Portons une attention particulière à la nature des mots : c'est elle qui détermine souvent l'emploi du trait d'union.

	Pluriel	**INVARIABLES**	
bon, bonne à rien	bons, bonnes à rien	goutte-à-goutte (n. m.)	tête-à-tête (n. m.)
dur, e à cuire	durs, dures à cuire	joue-à-joue (n. m.)	vis-à-vis (adv., n. m.)
rien du tout	rien(s) du tout	tête-à-queue (n. m.)	
moins que rien	inv.	cœur à cœur	pas à pas
rien qui vaille	inv.	corps à corps (loc., n. m.)	petit à petit
		côte à côte	peu à peu
propre(-) à(-) rien	propres(-) à(-) rien	coude à coude (loc. adv.)	pièce à pièce
		dos à dos	pied à pied
pas(-) grand-chose (n.)	inv.	face à face (loc. adv.)	seul, e à seul, e
mais pas grand-chose		goutte à goutte (loc. adv.)	tac au tac
(loc. adv.)		joue à joue (loc. adv.)	tête à queue (loc. adv.)
		main à main	tour à tour
		mot à mot (loc. adv.)	III➡

INVARIABLES

coude(-) à(-) coude (n. m.)
face(-) à(-) face (n. m.)
mot(-) à(-) mot (n. m.)

terre(-) à(-) terre (loc. adv.)
tête(-) à(-) tête (loc. adv.)

Attention !

face-à-main

Pluriel
faces-à-main

Groupements autour d'un élément

M61

air	Pluriel
monte-en-l'air	inv.
pet-en-l'air	inv.
comme pet-de-nonne	(var.)
chambre à air	chambres à air
manche à air	manches à air
	*Voir **air**, tableau L2*

aller	
va-et-vient	inv.
va-t-en-guerre	inv.
allée et venue	**allées et venues**
aller et retour	**aller(s) et retour(s)**

âne	
bec-d'âne	becs-d'âne
pas-d'âne	inv.
concombre d'âne	concombres d'âne
peau d'âne	peaux d'âne ▲
pont aux ânes	ponts aux ânes ▲
mais coq-à-l'âne (n. m.)	(inv.)
dos(-) d'âne	inv.
	*Voir **bec**, **veau***

arc	Pluriel
arc-en-ciel (n. m.)	arcs-en-ciel
mais ciel de lit	
arc de triomphe	arcs de triomphe

argent	Pluriel
bouton-d'argent	boutons-d'argent
comme bouton-d'or	(var. et inv.)
corbeille(-) d'argent	corbeilles(-) d'argent
mais corbeille d'or	
étoile(-) d'argent	étoiles(-) d'argent
	*Voir **étoile**, **or***

bain	
salle de **bain(s)**	salles de **bains**
n'existe pas	sels de **bain**
sortie(-) de(-) bain	sorties(-) de(-) bain
comme sortie(-) de(-) bal	

barbe	
barbe-de-capucin	barbes-de-capucin

▮▮➡

barbe ➠	Pluriel
barbe à papa	barbes à papa
	Voir **poil**

bas

bas-de-**chausses**	inv.
bas de gamme comme haut de gamme	inv.
bas(-) de(-) casse*	inv.
	Voir **haut** ; **bas**, *tableau* **M32**

bec

bec-d'âne	becs-d'âne
bec-de-cane	becs-de-cane
bec-de-corbeau	becs-de-corbeau
bec-de-corbin (n. m.)	becs-de-corbin
bec-de-lièvre	becs-de-lièvre
bec-de-perroquet	becs-de-perroquet
bec de cygne	becs de cygne
en bec de corbin (loc.)	inv.
	Voir **âne, cœur, cul, cygne, langue, œil, patte, pied, queue, tête** ; **bec**, *tableau* **M25**

bœuf

foie-de-bœuf	foies-de-bœuf
langue-de-bœuf	langues-de-bœuf
œil-de-bœuf	œils-de-bœuf
nerf de bœuf	nerfs de bœuf
	Voir **œil**

bois

	Pluriel
bois-de-fer	inv.
bois de cœur	inv.
bois de fil	inv.
bois de grume	inv.
bois de refend	inv.
bois de rose	inv.
bois de santal	inv.
bois d'œuvre	inv.
	Voir **œuvre, paille**

bouche, bouchée

bouchée à la reine	bouchées à la reine
bouche à oreille (n. m.)	inv.
bouche(-) à(-) bouche (n. m.)	inv.

bout, boute

boute-en-train	inv.
bout de chou	bouts de chou

bras

à bras-le-corps
   comme fier-à-bras,
   mais corps à corps
	inv.
	   (var. ou inv.)

bras de fer	inv.
bras de mer	inv.
n'existe pas	à bras **raccourcis**

chef

	Pluriel
chef-d'œuvre	chefs-d'œuvre
chef d'accusation	chefs d'accusation
chef de chœur	chefs de chœur
chef de corps	chefs de corps
chef d'**escadron(s)***	chefs d'**escadron(s)**
chef d'État	chefs d'État
chef de file	chefs de file
chef de gare	chefs de gare
	Voir œuvre ; chef, tableau M25

cheval

	Pluriel
cheval de course	chevaux de course
cheval de frise	chevaux de frise
cheval (de) pur sang	chevaux (de) pur sang
cheval(-) d'arçons ou cheval-arçons	**cheval(-)** d'arçons ou chevaux-d'arçons, **cheval**-arçons
	Voir cheval, tableau M25

cheveu

	Pluriel
cheveu-de-la-Vierge	cheveux-de-la-Vierge
cheveu-de-Vénus	cheveux-de-Vénus
cheveu d'ange	cheveux d'ange
	Voir Vénus, Vierge

cœur

	Pluriel
cœur-de-Jeannette	cœurs-de-Jeannette
cœur-de-Marie	cœurs-de-Marie
cœur(-) de(-) pigeon **mais** gorge-de-pigeon	cœurs(-) de(-) pigeon (inv.)
	Voir bec, cul, langue, œil, patte, pied, queue, tête

coq

	Pluriel
coq-à-l'âne (n. m.) comme pied-de-coq **mais** pont aux ânes	inv. (var.) (var.)
coq d'Inde	coqs d'Inde
coq de bruyère	coqs de bruyère
coq de marais	coqs de marais
coq de roche comme eau de roche	n. m. coqs de roche adj. coq de roche
coq en pâte	coqs en pâte ▲
passer du coq à l'âne	inv.
coq au vin	inv. ▲
	Voir vin

cou, coup

	Pluriel
cou-de-pied* (n. m.) comme ras-du-cou	**cous**-de-pied
coup-de-poing*	coups-de-poing
cou de cygne	cous de cygne
coup d'envoi	coups d'envoi
coup d'essai	coups d'essai
coup d'État	coups d'État
coup de fil	coups de fil
coup de foudre	coups de foudre
coup de Jarnac	coups de Jarnac
coup de main	coups de main
coup d'œil	coups d'œil
coup de pied*	coups de pied
coup de poing*	coups de poing
coup de pouce	coups de pouce
coup de soleil	coups de soleil
coup de tête	coups de tête
coup de théâtre	coups de théâtre
coup de vieux	coups de vieux
etc.	
coup de **dés**	coups de dés
coup de reins	coups de reins
	Voir pied, tête

croc, croque

	Pluriel
croc-en-jambe	crocs-en-jambe
croquembouche	croquembouches
à la croque(-) au(-) sel	inv.

cuisse

cuisse-de-nymphe (adj.)	inv.
cuisse de nymphe émue (loc. adj.)	inv.

cul

cul-de-basse-fosse	culs-de-basse-fosse
cul-de-four	culs-de-four
cul-de-jatte	culs-de-jatte
cul-de-lampe	culs-de-lampe
cul-de-porc	culs-de-porc
cul-de-sac	culs-de-sac
en cul(-) de(-) poule	inv.

Voir bec, cœur, langue, œil, patte, pied, queue, tête ; cul, tableau M25

cygne

bec de cygne	becs de cygne
cou de cygne	cous de cygne
en col de cygne (loc.)	inv.
col(-) de(-) cygne (n. m.)	cols(-) de(-) cygne

Voir bec

dame

	Pluriel
dame-d'onze-heures	dames-d'onze-heures
dame d'atour	dames d'atour
dame de compagnie	dames de compagnie
dame d'honneur	dames d'honneur
dame d'**œuvres**	dames d'œuvres

Voir œuvre

dessous, dessus

dessous-de-bouteille	inv.
dessous-de-bras	inv.
dessous-de-plat	inv.
dessous-de-table	inv.
dessus(-) de(-) lit	inv.
dessus(-) de(-) plat	inv.
dessus(-) de(-) porte	inv.
etc.	

Voir lit

eau

eau-de-vie	eaux-de-vie
eau de Cologne	eaux de Cologne
eau de Javel	eaux de Javel
eau de lavande	eaux de lavande
eau de roche comme coq de roche	eaux de roche (var. et inv.)
eau de rose	eaux de rose
eau de **chaux**	inv. ▲
eau de **fleur(s)** d'oranger	eaux de **fleur(s)** d'oranger
eau de **noyau(x)**	eaux de **noyau(x)**

Voir eau, tableaux M25, L2 et 3

étoile	Pluriel
étoile de mer	étoiles de mer
étoile(-) d'argent comme corbeille(-) d'argent	étoiles(-) d'argent
	Voir **argent**, **mer**

fil	
fil-à-fil	inv.
fil à plomb	fils à plomb
fil de fer	fils de fer
fil-de-fériste ou fildefériste	fil(s)-de-féristes ou fildeféristes

fleur	
fleur de lis (lys)	fleurs de lis (lys)
fleurdelisé, e	fleurdelisé(e)s

garde	
garde-à-vous	inv.
garde à vue	gardes à vue ▲
garde d'honneur	gardes d'honneur
garde du corps	gardes du corps
	Voir **garde**, *tableau M37*

haut	
haut-de-forme (n. m.)	hauts-de-forme
haut-de-**chausse(s)**	hauts-de-**chausse(s)**
haut-le-cœur	inv.
haut-le-corps	inv.
haut-le-pied (n.)	inv.

haut ⟹	Pluriel
chapeau haut de forme (adj.)	chapeaux hauts de forme
haut, e en couleur	haut(e)s en couleur
haut de gamme (R) comme bas de gamme	inv.
haut la main (loc. adv.)	inv.
haut le pied (adj.)	inv.
	Voir **bas**, **ras** ; **haut**, *tableau M32*

herbe	
herbe-**aux-juifs**	herbes-aux-juifs
herbe de Saint-Jean	herbes de Saint-Jean
herbe **aux écrouelles**	herbes aux écrouelles
herbe aux écus	herbes aux écus
herbe aux gueux	herbes aux gueux
herbe aux perles	herbes aux perles
herbe aux poux	herbes aux poux
herbe aux sorcières	herbes aux sorcières
herbe **au(x) chantre(s)**	herbes **au(x) chantre(s)**
herbe(-) **aux(-) chats**	herbes(-) **aux(-) chats**

hors	
hors-la-loi (n.)	inv.
hors-d'œuvre* (n. m.)	inv.
être hors la loi	inv.
hors d'affaire	inv.
hors d'usage	inv.
hors de combat	inv.
hors de mesure	inv.
hors de question	inv.
hors de soi	inv.
en hors(-) d'œuvre* ou hors œuvre	inv.
	Voir **œuvre** ; **hors**, *tableau M41*

jour

	Pluriel
bonheur-du-jour	bonheurs-du-jour
mise à jour	mises à jour
ordre du jour	ordres du jour
paon(-) de(-) jour comme paon(-) de(-) nuit	paons(-) de(-) jour

langue

langue-d'agneau	langues-d'agneau
langue-de-bœuf	langues-de-bœuf
langue de bois	langues de bois ▲
langue de feu	langues de feu
langue de moineau	langues de moineau
langue(-) de(-) serpent	langues(-) de(-) serpent
langue(-) de(-) chat	langues(-) de(-) chat

*Voir **bec**, **cœur**, **cul**, **œil**,
patte, **pied**, **queue**, **tête***

larme

larme-de-Job	larmes-de-Job
larme-du-Christ	larmes-du-Christ
n'existe pas	**larmes** de crocodile

lit

saut-de-lit	sauts-de-lit
ciel de lit **mais** arc-en-ciel	ciels de lit
descente de lit	descentes de lit
jeté de lit	jetés de lit
dessus(-) de(-) lit	inv.

*Voir **dessus**, **saut** ; **lit**,
tableau M25*

maître

	Pluriel
maître-à-danser*	maîtres-à-danser
maître à danser*	maîtres à danser
maître à penser	maîtres à penser

*Voir **maître**, tableaux
M25 et 53*

mal

mal à propos	inv.
mal en cour	inv.
mal(-) en(-) point	inv.

mer

bêche-de-mer	bêches-de-mer
amande de mer	amandes de mer
araignée de mer	araignées de mer
chien de mer	chiens de mer
cigale de mer	cigales de mer
cochon de mer	cochons de mer
crapaud de mer	crapauds de mer
éléphant de mer	éléphants de mer
escargot de mer	escargots de mer
étoile de mer	étoiles de mer
figue de mer	figues de mer
hirondelle de mer	hirondelles de mer
lion de mer	lions de mer
lis de mer	lis de mer
loup de mer	loups de mer
mais patte-de-loup, pied-de-loup	
lune de mer	lunes de mer
orgue de mer	orgues de mer
papillon de mer	papillons de mer
perche de mer	perches de mer
perdrix de mer	perdrix de mer
puce de mer	puces de mer
raisin de mer	raisins de mer
trompette de mer	trompettes de mer

mer ▪▶	Pluriel
écume de mer	inv. ▲
mal de mer	inv.
n'existe pas	**fruits** de mer
n'existe pas	gens de mer
oreille(-) de(-) mer	oreilles(-) de(-) mer
	Voir **étoile**

nid	
nid-de-pie	nids-de-pie
nid-de-poule	nids-de-poule
nid d'hirondelle	nids d'hirondelle
nid(-) d'**abeilles***	nids(-) d'abeilles
nid d'ange ou nidange	inv.
	Voir **nid**, tableau L2

œil	
œil-de-bœuf	œils-de-bœuf
œil-de-perdrix	œils-de-perdrix
œil-de-pie	œils-de-pie
œil-de-tigre	œils-de-tigre
œil de verre	**yeux** de verre
œil(-) de(-) chat	œils(-) de(-) chat
	Voir **bec, bœuf, cœur, cul, langue, patte, pied, queue, tête**

œuvre	
chef-d'œuvre	chefs-d'œuvre
main-d'œuvre	mains-d'œuvre
hors-d'œuvre	inv.

œuvre ▪▶	Pluriel
banc d'œuvre	bancs d'œuvre
bois d'œuvre	bois d'œuvre
maître d'œuvre	maîtres d'œuvre
mise en œuvre	mises en œuvre
dame **d'œuvres**	dames d'œuvres
à pied d'œuvre	inv.
	Voir **bois, chef, dame, hors**

onze heures	
dame-d'onze-heures	dames-d'onze-heures
bouillon d'onze heures	bouillons d'onze heures

or	
bouton-d'or comme bouton-d'argent	n. m. boutons-d'or adj. bouton-d'or
mont-d'or comme mont-de-piété	monts-d'or
corbeille d'or **mais** corbeille(-) d'argent	corbeilles d'or
	Voir **argent**

paille	
paille-en-cul	pailles-en-cul
paille-en-queue	pailles-en-queue
paille de fer	pailles de fer
	Voir **bois**

pas

	Pluriel
pas-d'âne	inv.
Pas-de-Calais*	inv.
pas-de-géant*	inv.
pas à pas	inv.
pas de Calais*	inv.
pas de charge	inv.
pas de chasseur	inv.
pas de clerc	inv.
pas de course	inv.
pas de deux	inv.
pas de la porte*	inv.
pas de progression	inv.
pas de route	inv.
pas de tir	inv.
pas de volée	inv.
pas(-) de(-) porte*	inv.

patte

	Pluriel

patte-de-loup
   comme pied-de,
   saut-de, tête-de,
   vesse-de-loup
	pattes-de-loup

patte-d'oie*	pattes-d'oie
faire **patte** de velours	inv.
n'existe pas	**pattes** de lapin
n'existe pas	pattes de lièvre
patte(-) d'oie*	pattes(-) d'oie

*Voir cœur, cul, langue,
œil, pied, queue, tête ;
patte, tableau M25*

pied

	Pluriel
pied-d'alouette	pieds-d'alouette
pied-d'oiseau	pieds-d'oiseau
pied-de-biche	pieds-de-biche
pied-de-cheval **mais** queue(-) de(-) cheval	pieds-de-cheval
pied-de-chèvre	pieds-de-chèvre

pied ▪▪▶

	Pluriel

pied-de-coq
   comme coq-à-l'âne
	pieds-de-coq
	   (inv.)

pied-de-lion	pieds-de-lion

pied-de-loup
   comme patte-de,
   saut-de, tête-de,
   vesse-de-loup
	pieds-de-loup

pied-de-mouton	pieds-de-mouton
pied-de-poule	n. m. pieds-de-poule adj. pied-de-poule (L)
pied-de-roi	pieds-de-roi
pied-de-veau	pieds-de-veau
pied-à-terre	inv.
pied à coulisse	pieds à coulisse
pied de fer	pieds de fer
pied de griffon	pieds de griffon
pied de nez	pieds de nez
pied à pied	inv.

*Voir cœur, cul, langue,
œil, patte, queue, tête,
veau ; pied, tableau M25*

poil

	Pluriel
poil-de-carotte	inv.
poil de chameau	inv. ▲

Voir barbe

porte

	Pluriel
porte-à-faux (n. m.)	inv.
porte à porte (loc. adv.)	inv.
dessus(-) de(-) porte	inv.
pas(-) de(-) porte*	inv.
en porte(-) à(-) faux	inv.
porte(-) à(-) porte (n. m.)	inv.

*Voir dessus, pas ; porte,
tableau M37*

pot

	Pluriel
pot-de-vin	pots-de-vin
pot-au-feu	inv.
pot à eau	pots à eau
pot à feu	pots à feu
pot de chambre	pots de chambre
pot au noir	inv. ▲
pot aux roses	inv. ▲

*Voir **vin** ; **pot**, tableau M25*

pou

	Pluriel
pou de San José	poux de San José
pou(-) de(-) soie ou pou(l)t-de-soie	**pous(poux)**(-) de(-) soie ou pou(l)ts-de-soie

*Voir **soie***

prés

	Pluriel
reine-des-prés	reines-des-prés
rosé-des-prés	rosés-des-prés
cresson des prés	cressons des prés ▲
cumin des prés	cumins des prés ▲

*Voir **reine**, **rosé** ; **pré**, tableau M25*

quart

	Pluriel
quart-de-pouce	quarts-de-pouce
quart-de-rond	quarts-de-rond
quart de finale	quarts de finale
quart de soupir	quarts de soupir
quart d'heure	quarts d'heure

quatre, cinq

	Pluriel
quatre-de-chiffre	inv.
cinq à sept	inv.
quatre à quatre	inv.

*Voir **quatre**, tableau M32*

queue

	Pluriel
queue-d'aronde (n. f.)	queues-d'aronde
queue-de-cochon	queues-de-cochon
queue-de-pie	queues-de-pie
queue de cheval*	queues de cheval
queue de poisson (n. f.)	queues de poisson
queue de rat*	queues de rat
à ou en queue d'aronde	inv.
à queue de morue	inv.
queue(-) de(-) cheval* **mais** pied-de-cheval	queues(-) de(-) cheval
queue(-) de(-) morue	queues(-) de(-) morue
queue(-) de(-) rat* comme rat(-) de(-) cave	queues(-) de(-) rat
queue(-) de(-) renard	queues(-) de(-) renard

*Voir **cœur**, **cul**, **langue**, **œil**, **patte**, **pied**, **rat**, **tête***

ras

	Pluriel
ras-le-bol (n. m. et interj.)	inv.
ras-du-cou (n. m.) comme cou-de-pied	inv. (var.)
ras le bol (loc.)	inv.
au ras du cou (loc.) ou ras du cou (app.)	inv.

*Voir **haut***

	Pluriel
rat	
rat de bibliothèque	rats de bibliothèque ▲
rat d'hôtel	rats d'hôtel ▲
rat(-) de(-) cave comme queue(-) de(-) rat	rats(-) de(-) cave
	Voir **queue** ; **rat**, *tableau M25*
raz, rez	
rez-de-chaussée	inv.
rez-de-jardin	inv.
raz(-) de(-) marée	inv.
reine	
reine-des-prés	reines-des-prés
reine de sauveté	reines de sauveté
reine des reinettes	reines des reinettes
	Voir **prés** ; **reine**, *tableau M25*
rond	
rond-de-cuir	ronds-de-cuir
rond de jambe	ronds de jambe
rond de sorcière	ronds de sorcière
rose, rosé	
rosé-des-prés	rosés-des-prés
rose de Noël	roses de Noël
rose d'Inde	roses d'Inde
rose des vents	roses des vents
rose de(s) sable(s)	roses de(s) sable(s)
	Voir **prés**; **rose**, *tableau M25*

	Pluriel
sabot	
sabot-de-Vénus	sabots-de-Vénus
sabot de Denver	sabots de Denver
	Voir **Vénus**
saut	
saut-de-lit	sauts-de-lit
saut-de-loup comme patte-de, pied-de, tête-de, vesse-de-loup	sauts-de-loup
saut-de-mouton	sauts-de-mouton
saut de carpe	sauts de carpe
saut de chat	sauts de chat
saut de **haies**	sauts de haies
	Voir **lit**
soie	
pou(-) de(-) soie ou pou(l)t-de-soie	**pous(poux)**(-) de(-) soie ou pou(l)ts-de-soie
papier de soie	papiers de soie
ver à soie	vers à soie
	Voir **pou**
terre	
terre à foulon	terres à foulon
terre(-) à(-) terre	inv.
	Voir **terre**, *tableau M25*

tête, têt	Pluriel
tête-de-clou	têtes-de-clou
tête-de-loup	têtes-de-loup
comme patte-de,	
pied-de, saut-de,	
vesse-de-loup	
tête-de-Maure*	têtes-de-Maure
tête-de-mort*	têtes-de-mort
tête-de-nègre*	têtes-de-nègre
tête-à-queue (n. m.)	inv.
tête-à-tête (n. m.)	inv.
tête-de-Maure*	inv.
tête-de-nègre*	inv.
têt à gaz	têts à gaz
têt à rôtir	têts à rôtir
tête de linotte	têtes de linotte
tête de Maure*	têtes de Maure
tête de moineau	têtes de moineau ▲
tête de mort*	têtes de mort
tête de pioche	têtes de pioche
tête de série	têtes de série
tête de Turc	têtes de Turc
tête à **claques**	têtes à claques
tête à queue (virer)	inv.
tête(-) à(-) tête (loc. adv.)	inv.
	Voir cœur, cul, langue,
	œil, patte, pied, queue;
	tête, tableau M25

tir, tire, tiré, tirer	Pluriel
tire-au-cul	inv.
tire-au-flanc	inv.
tire-d'aile (à)	inv.
tir à l'arc	tirs à l'arc
tir au but	tirs au but
tir au jeter	tirs au jeter
tir au jugé ou au juger	tirs au jugé ou au juger
tir au pigeon	tirs au pigeon
tiré à part	tirés à part

tir, tire, tiré, tirer ⤳	Pluriel
tirer au cul	*à conjuguer*
tirer au flanc	*à conjuguer*
	*Voir **tire**, tableau M37*

tout	Pluriel
tout-à-l'égout	inv.
tout à coup	inv.
tout à fait	inv.
tout à l'heure	inv.
tout à loisir	inv.
tout à trac	inv.
tout de go	inv.
tout de même	inv.
tout de suite	inv.
	*Voir **tout**, tableaux M32 et L2*

trompe	Pluriel
trompe-la-mort	inv.
trompe-l'œil (n. m.)	inv.
trompe de Fallope	trompes de Fallope
trompe d'Eustache	trompes d'Eustache
en trompe(-) l'œil	inv.

trompette	Pluriel
trompette-de-la-mort	trompettes-de-la-mort
trompette-des-morts	trompettes-des-morts
trompette de mer	trompettes de mer

veau

	Pluriel
pied-de-veau	pieds-de-veau
noix de veau	inv.
	Voir **pied**

Vénus

cheveu-de-Vénus	cheveux-de-Vénus
sabot-de-Vénus	sabots-de-Vénus
peigne de Vénus	peignes de Vénus
	Voir **cheveu, sabot**

ver, vert

vert-de-grisé, e	**vert-de-grisé(e)s**
vert-de-gris	inv.
ver à soie	vers à soie
ver d'eau	vers d'eau
ver de terre	vers de terre
	Voir **ver**, *tableau M25*

vesce, vesse

vesse-de-loup comme patte-de, pied-de, saut-de, tête-de-loup	vesses-de-loup

vesce, vesse ▪▪▪➡

	Pluriel
vesce des haies	vesces des haies

Vierge

cheveu-de-la-Vierge	cheveux-de-la-Vierge
doigt de la Vierge	doigts de la Vierge
	Voir **cheveu**

vin

pot-de-vin	pots-de-vin
sac à vin	sacs à vin ▲
coq au vin	inv. ▲
marchand de **vin(s)***	marchands de vin(s)
esprit(-) de(-) vin comme esprit(-) de(-) bois, esprit(-) de(-) sel	esprits(-) de(-) vin
lie(-) de(-) vin	inv.
	Voir **coq, pot**

Genre des noms composés dont le premier élément est un nom ou un adjectif : voir les tableaux M63 et 65

Genre des noms composés

Contrairement à l'emploi du trait d'union et à la formation du pluriel, le genre des noms composés s'avère plutôt facile à analyser. Il est en effet possible de dégager des règles à partir de la nature du premier élément de chaque mot. Les noms pour lesquels il est difficile de déterminer s'ils sont composés ou non (ceux qui sont soudés, comme *boutefeu*) ont aussi été traités comme les mots simples dans le chapitre « Genre et nombre ».

▪▪▪➡

Les tableaux qui suivent présentent les règles et exceptions propres à trois types de noms composés : ceux dont le premier élément est un verbe ; ceux dont le premier élément est un nom ; et ceux dont le premier élément n'est ni l'un ni l'autre. L'astérisque indique que le mot prend un sens différent selon qu'il est masculin ou féminin ; on en trouvera la définition dans le chapitre « Homonymes ».

Noms dont le premier élément est un verbe

M62

Lorsque le premier élément est un verbe, le nom composé est généralement **masculin** : *un abat-voix, un chasse-neige, un presse-purée*, etc.

Sauf

AU FÉMININ

chantefable	passe-pierre
chantepleure	passe-rose ou passerose
chausse-trape ou	perce-muraille
chausse-trappe	perce-neige (n. m. ou f.)
garde-robe	perce-pierre
lèchefrite ■	tranchefile
lèse-majesté	trique-madame
passe-crassane	virevolte
passe-fleur	volte-face

Noms dont le premier élément est un nom

M63

Lorsque le premier élément est un nom, le nom composé prend le **même genre** que ce **premier élément** : *un barrage-voûte, une machine-transfert, un bateau-mouche, une cité-jardin, un bas-bleu, une langue-de-bœuf, un bec-de-cane*, etc.

Sauf

AU MASCULIN

même si le 1er élément est féminin

bêche-de-mer (langue)	paille-en-cul
bouche-à-bouche	paille-en-queue
chèvrefeuille	photo-roman
chèvre-pied	porte-à-porte
côtes-du-rhone	taupe-grillon
face(-) à(-) face	terre-neuve
face-à-main	terre-neuvier ou
fourmi-lion ou fourmilion	terre-neuvas
fréquencemètre	terre-plein
goutte-à-goutte	tête-à-queue
joue-à-joue	tête-à-tête
manœuvre-balai	tête-de-clou (n. m. ou f.)
marchepied	tête de moineau
massepain ■	tête-de-nègre*
ondemètre	

AU FÉMININ

même si le 1er élément est masculin

flanc-garde	pot-bouille
montbéliarde	radarastronomie
montgolfière	sabretache
mont-joie	sangsue
montmorency	sérumalbumine
montmorillonite	stock-option

Noms dont le premier élément n'est ni un verbe ni un nom

Lorsque le premier élément appartient à une nature autre que les verbes ou les noms, le nom composé prend le genre du **dernier élément** : *un bon-chrétien, une grand-chambre, un sauf-conduit, une plus-value, une antichambre, un superordre*, etc.

Le premier élément est un préfixe

AU FÉMININ

même si le 2ᵉ élément est masculin

angiosperme	mi-carême
antigang (n. m. ou f.)	monotype ou
autochrome	Monotype* (n. m. ou f.)
automobile	multirisque
gymnosperme	papamobile
locomobile	

*Noms féminins se terminant par **-pétale** : voir le tableau G1*

AU MASCULIN

même si le 2ᵉ élément est féminin

antifriction	monocorde
antifumée	monomère
antimite(s)	monoplace* (n. m. ou f.)
antiride(s)	monorime
antirouille	monosyllabe
antistatique	multicoque
antithermique	multinorme
autoalarme	multisalles
autoradio	multivoie
bactériostatique	octosyllabe
bilame	parachute
bivalve	parafoudre
décasyllabe	paragrêle
dissyllabe	parapente
dodécasyllabe	parapluie
hendécasyllabe	paravalanche
heptasyllabe	pentacorde
hexacorde	polysyllabe
interclasse	quadrisyllabe
interfrange	rectiligne
interligne*	semi-remorque*
magnétocassette	stilligoutte
méthylorange	tétracorde
micro-ondes*	tétrasyllabe
minicassette*	transpalette
monocoque	trisyllabe

*Noms masculins se terminant par **-branche, -coque, -corde, -corne, -dyne, -forme, -place, -sphère, -statique** : voir le tableau G1*

Le premier élément est un adjectif

 Sauf

AU FÉMININ

même si le 2ᵉ élément est masculin

deux(-) chevaux
haute-contre (n. m. ou f.)
quatre chevaux
quatre-quatre*
six-chevaux
six(-) cylindres

Sauf

AU MASCULIN

même si le 2ᵉ élément est féminin

demi-queue
deux étoiles
deux-pièces
deux-roues
double-crème
grand-croix*
haute-forme
mille(-)feuille*
mille-pattes
mille(-)raies

quatre-épices (n. m. ou f.)
quatre(-) étoiles
quatre-feuilles
quatre-heures
rose-croix*
rouge-gorge
rouge-queue
sainte-maure
trois(-) étoiles

Le premier élément est un adverbe

Sauf

AU FÉMININ

même si le 2ᵉ élément est masculin

non-stop*

Sauf

AU MASCULIN

même si le 2ᵉ élément est féminin

arrière-main* (n. m. ou f.)

Le premier élément est une préposition

Sauf

AU FÉMININ

même si le 2ᵉ élément est masculin

après-midi (n. m. ou f.)
avant-midi (n. m. ou f.)
sans-fil*

Sauf

AU MASCULIN

même si le dernier élément est féminin

après-guerre (n. m. ou f.)
avant-guerre (n. m. ou f.)
avant-main* (n. m. ou f.)
contre-la-montre
en-tête
entrecuisse
entre-deux-guerres
    (n. m. ou f.)
entrefenêtre
entregent
entrejambe
entre-ligne
hors-cote

hors-d'œuvre
hors-la-loi
hors-ligne
hors-piste(s)
outremer
sans-culotte
sans-façon
sans(-)faute
sous-main
sous-œuvre
sous-verge
sur(-) mesure
sur(-)place ou sur place

Autres cas

Les noms formés de deux (ou trois) ono-matopées, apocopes ou syllabes répétées sont généralement du **masculin** : *le cha-cha-cha, un méli-mélo, un tam-tam*, etc.

AU FÉMININ

agit-prop
teuf-teuf (n. m. ou f.)
tsé-tsé

Genre des mots simples : voir le chapitre « Genre et nombre»

*L*es locutions et expressions

Il sera toujours impossible de recenser toutes les expressions ou tournures élégantes qui rendent notre langue riche et étoffée, car si le corpus de mots peut être considéré comme relativement fini, les combinaisons qu'on peut en faire s'avèrent quant à elles limitées par notre seule imagination. Nous vous présentons dans ce chapitre une sélection de locutions et d'expressions, telles qu'inscrites dans nos ouvrages de référence, qui nous ont semblé intéressantes soit pour le nombre de leur complément (dans *panier à salade* et *panier de crabes*, par exemple), soit parce qu'elles pouvaient rappeler des mots composés (*fer à cheval* ou *pomme de terre*), soit parce que leur orthographe pouvait surprendre (comme *erre d'aller* ou *lods et ventes*).

Notre but n'est pas ici de constituer un relevé exhaustif de toutes les locutions reconnues et expressions consacrées, mais bien de présenter à nos lecteurs des exemples de constructions et d'accords qui leur permettront de constituer eux-mêmes des groupes de mots respectant les précédents acceptés officiellement dans la langue. Par exemple, lorsqu'à la rubrique *affaire* on lit *agent d'affaires*, *chargé d'affaires*, *déjeuner d'affaires*, *homme d'affaires* et *lettre d'affaires*, on suppose aisément que *voyage d'affaires* suivra la même tendance. Nous avons signalé aussi souvent que possible les règles formelles déjà énoncées par les grammairiens (dans les cas du complément de *nid* ou de *colonie*, entre autres), mais le plus souvent on ne peut que se baser sur des exemples semblables pour déterminer le nombre d'un complément qui porte à confusion.

Orthographier correctement les expressions et locutions françaises peut sembler à prime abord un véritable tonneau des Danaïdes, qu'on enverrait par acquit de conscience au diable Vauvert. Pour vous tirer d'affaire, pourquoi ne pas avaler en guise d'entrée en matière une rasade de liqueur de framboise ou de jus de légumes ? Vous répéterez ensuite à l'envi, de but en blanc, en toutes lettres et à tout propos, ces groupes de mots magiques dont vous saurez sans délai tirer parti.

Si souvent on peut se fier au bon sens pour trancher entre le singulier et le pluriel (on écrit *un fruit à noyau* et *un fruit à pépins*, parce qu'il y a dans un fruit un seul noyau mais plusieurs pépins), il arrive parfois que l'intuition nous induise en erreur ou que deux raisonnements logiques nous semblent également pertinents (la différence entre *état de fait* et *état de choses* est en effet plutôt minime). Les divergences entre les ouvrages consultés sont fréquentes… et nous n'en avons utilisé que trois ! De plus, dans certains cas, on peut même laisser à celui qui écrit certaines licences d'interprétation. Quant au pluriel de ces expressions, on le formera, à moins d'indications contraires et chaque fois que le sens le permet, en ne faisant varier que le premier élément (*des chars d'assaut*, *des feux d'artifice*, etc.).

Certaines locutions vous surprendront ou vous sembleront peut-être superflues ; nous vous proposons alors d'en chercher la définition dans un dictionnaire : vous y apprendrez par exemple qu'un *gant de Notre-Dame* est en fait une fleur, ou qu'un *livre d'heures* désigne un recueil de prières. Les caractères gras feront ressortir le début d'une liste d'expressions nécessitant le pluriel, ou permettant deux formes. Lorsque le sens conditionne l'emploi du singulier ou du pluriel, un astérisque renverra au chapitre « Homonymes ». Les corrélats suggéreront également des retours au chapitre « Mots composés », quand on pourra comparer les expressions à d'autres mots avec trait d'union, ou compléter les listes par des parallèles déjà effectués.

Plan du chapitre

EXPRESSIONS REGROUPÉES AUTOUR D'UN ÉLÉMENT COMMUN L2

accusation, achat, acte, action, affaire, âge, agent, aiguille, air, aisance, aller, amour, anche, ange, apparence, appel, approche, arachide, arbre, arme, arrêt, assurance, atour, attraction, aube, aucun, autre, aviation, avion, avis, avoir, bagage, bail, bain, banc, barbe, barre, bas (basse), bataille, bateau, bâtiment, bête, bien, bille, blanc (blanche), boîte, bon (bonne), bord, bouche, boule, bout, bouteille, bouton, bride, brique, brosse, brouillon, bureau, but, cahier, came, camp, canon, carnet, carreau, cas, cause, centre, cérémonie, chaîne, chair, chambre, champ, changement (changer), chanson, chant, chapeau, char, charge, chargé, chasse, chasseur, chaux, chef, chemin, cheveu, chien, chine, choc, chœur, chose, chou, clair (claire), classe, clé (clef), cloche, cochon, coco, cœur, colonie, colonne, combat, comédie, commentaire, commerce, communication, compagnie, comptabilité, compte, concasseur, concert, conciliation, concours, condition, cône, confection, conférence, confit, confiture, conflit, connaissance, conscience, conseil, conséquence, conserve, considération, console, construction, contact, continu, cor, corbeille, corde, corne, cornet, corps, côte, côté, cotte, couche, coude, couleur, coulisse, coup, cour, coureur, cours, course, couteau, couture, couvert, crayon, crémaillère, créneau, cri, crise, crochet, culture, cylindre, dame, danse, danser (danseur), dé, débit, défaut, définition, délice, demande, demeure, demi, dent, dentelle, dépôt, der, dernier (dernière), descendre (descente), dessin, détail, détecteur, détournement, devoir, diamant, difficulté, dire, disposition, doigt, domicile, donner, double, douleur, droit, dupe, dur (dure), eau, échange, échec, échelle, éclat (éclater), écoute, écrou, effet, égal, égard, énergie, enfant, enseigne, entente, entrée, entrepreneur, entreprise, entrer, épargne, épée, épingle, épreuve, erreur, ès, escalier, espèce, esprit, essai, état, étoffe, étude, éventualité, évidence, exception, excuse, expert, façon, faire, fait, fée, femme, fenêtre, fer, fête, feu, feuille, fil, filet, fille, film, fin, finance, flamme, flanc, flèche, fleur, flot, foi, fonction, fond, fonds, force, forme, fort (forte), fosse, foulon, frais, franc, frein, fruit, fuite, fumée, fuseau, gage, gamme, gant, garçon, garde, gaz, genre, gens, geste, gibier, glace, godet, grâce, grain, grand (grande), grandeur, grappe, gré, groseillier, groupe, guerre, guichet, habit, haut (haute), hélice, herbe, heure, homme, honneur, hôtel, huile, image, impact, influence, information, injection, instance, instruction, instrument, intérêt, intérieur, jambe, jet, jeu, joint, jouer, joueur, jour, journal, juge, jugement, jupon, juste, justice, lacet, laisser, lame, lampe, lancette, langue, laurier, légume, lettre, levé (levée), levier, liaison, liberté, lieu, ligne, liste,

lit, livre, loi, loisir, long, longueur, loup, lumière, lune, machine, mâchoire, maille, main, maison, maître, malice, manche, manière, manœuvre, marc, marchand, marché, marée, marque, masse, matière, mauvais (mauvaise), ménage, merveille, mesure, métier, mettre, meuble, mine, mise, mode, moineau, moment, monnaie, mont, monter, mort (morte), mot, moteur, motif, moule, moulin, moyen, mur, nature, navire, négociation, nerf, nid, niveau, noblesse, noce, noix, nom, note, noyau, nuage, objet, obstacle, œuvre, office, oignon, oiseau, ombre, onde, ongle, onglet, opération, opinion, option, or, orange, ordre, oreille, orgue, ouvrage, paillette, pain, pair, palier, palme, panier, papa, papier, papillon, parc, parenthèse, parler, parole, part, parti, partie, pas, passage, passe, pâte, patin, patte, payer, pêche (pêcher), peine, pendant, perdre, perdu (perdue), personne, perte, petit, peu, photo, piano, pièce, pied, pierre, pigeon, pilote, piston, place, plafond, plan, planche, plat (plate), plein (pleine), pleuvoir, plomb, plume, plus, poche, poignée, poil, poing, point, pointe, poisson, pomme, pompe, porte, porter, pot, poudre, poule, poupée, poussière, pouvoir, préférence, préjudice, prendre, présence, presse, pression, prêt (prête), preuve, prière, prime, primeur, principe, prise, prix, profit, propos, provision, puits, qualité, quartier, question, raisin, raison, rallonge, rame, rang, rapport, réaction, rebours, recette, recherche, refend, référence, réflexion, regard, regret, rein, relation, relief, rencontre, rendre, renseignement, réparation, reproche, réserve, ressort, ressource, retour, rire, risque, robe, roche, rond, rose, roue, roulement, roulette, route, ruban, ruine, sac, sachet, salle, saut, scie, science, seau, sens, sensation, série, serpent, service, situation, ski, société, soie, soin, solution, son, sorte, sou, souffrance, soupe, souvenir, spectacle, sphère, spirale, sport, suite, sujet, sûr (sûre), système, tabac, table, taille, tailler (tailleur), tambour, tapisserie, taux, témoin, temps, teneur (tenue), tenir, terme, terrain, terrasse, terre, test, têt, tête, théâtre, tir, tiré (tirer), tiroir, tissu, toile, toilette, tomber, tort, touche, tour, tous (tout, toute, toutes), train, trait, transe, transfert, transport, travailler, travaux, trio, trombone, trouble, troupe, tube, unité, valeur, venir, vent, vente, verdure, verre, vert, vertu, vice, vidange, vif, vipère, vis, vitesse, voie, voile, voiture, vol (vole), voter, voûte, voyage, vue

32x

232x

Locutions débutant par une préposition

Ce premier tableau présente des locutions divisées selon leur préposition initiale, et subdivisées selon que le ou les mots qui suivent cette préposition sont au singulier, au pluriel, ou l'un ou l'autre au choix. Leur forme est figée, c'est-à-dire qu'elles ne varieront jamais, quel que soit le contexte dans lequel on les emploie. On trouvera d'une part des locutions adverbiales, qui viennent généralement compléter un verbe (*y aller à fond de train*, *répondre de but en blanc*, *agir en désespoir de cause*, etc.), et d'autre part des locutions prépositives, qui s'ajoutent à un nom pour former un groupe nominal (*à réaction*, par exemple, dans *moteur à réaction*, *avion à réaction*, ou *en pied*, dans *portrait en pied*, *statue en pied*). Des précisions quant au sens introduites par « i. e. » et des exemples d'utilisation ont parfois été inscrits entre parenthèses.

À

à aucun prix	à double entente	à mesure
à blanc	à double fond	à moitié chemin
à bon compte	à double tour	à option
à bon droit	à double tranchant	à part
à bon marché	à enquerre	à part entière
à bonne école	à étanche	à pas de loup
à bonne enseigne	à flanc de	à perpète ou à perpette
à bout	à fleur de	à perte
à bout de nerfs	à flot*	à perte de vue
à bout portant	à foison	à pied
à bride abattue	à fond	à pied d'œuvre
à carreau	à fond de train	à pied sec
(se garder, se tenir)	à force de	à plaisir
à chaux et à ciment	à froid	à plat
à chaux et à sable	à grand spectacle	à plomb
à compte d'auteur	à hue et à dia	à plus forte raison
à condition	à jet continu	à poil
à cœur	à jour	à point nommé
à cœur joie	à la bonne franquette	à preuve
à cor et à cri	à la coule	à profit
à corps perdu	à la dérobée	à profusion
à coup sûr	à la flan	à réaction
à court de	à l'entour de	à rebours
à couvert	à l'envi	à regret
à crédit	à l'étouffée	à répétition
à cru	à l'étourdie	à rude école
à découvert	à l'étuvée	à rude épreuve
à demeure	à l'infini	à tombeau ouvert
à demi	à l'instar de	à tort et à travers
à dessein de	à l'insu de	à tort ou à raison
à destination	à livre ouvert	à tour de
à discrétion	à loisir	à tour de rôle
à disposition	à longueur de	à tout(e) berzingue
à distance	à main	à tout bout de champ
à domicile	à main armée	à toute allure

À ⟹

à toute barbe
à toute bitture ou biture
à toute bride
à toute épreuve
à toute éventualité
à toute extrémité
à toute force
à toute heure
à toute vapeur
à toute vitesse
à toute volée
à tout hasard
à tout prix
à tout propos
à verse
à vil prix
à voile et à vapeur
à vol d'oiseau

à **ailettes** (écrou, vis)
à bâtons rompus
à belles dents
à bras raccourcis
à carreaux (étoffe, papier)
à coups redoublés
à crampons (pneu, soulier)
à croupetons
à damiers (abusivement)
à éclipses (phare)

à **facettes** (personne)
à flots*
à fronces (jupe)
à gages
à grandes guides
à grands cris
à grands frais
à grands pas
à grands traits
à guichets fermés
à joints vifs
à liteaux (nappe)
à mots couverts
à pas menus
à pastilles (tissu)
à petits pas
à pieds joints
à pleins bras
à pleins gaz
à reculons
à reflets
à skis (aller, descente)
à tâtons
à tiroirs (roman, pièce)
à torrents (pleuvoir)
à tous égards
à toutes jambes
à travers champs

à **clef(s)** ou à **clé(s)**
à coup(s) de
à couteau(x) tiré(s)
à fonds perdu(s)
à genou(x)
à heure(s) fixe(s)
à main(s) nue(s)
à peu de chose(s) près
à pierre(s) perdue(s)
à plate(s) couture(s)
à pleine(s) main(s)
à plein(s) tube(s)
à poignée(s)
à ras bord(s)
à risque(s)
à seule(s) fin(s) de
à souche(s) (cahier, carnet)
à telle(s) enseigne(s) que
à tout coup ou à tous coups
à tout crin ou à tous crins
à toute(s) pompe(s)
à tout moment
  ou à tous moments
à tout venant
  ou à tous venants

Voir à, tableau M41

Après

après coup
après mûre réflexion

Voir après, tableau M41

Au, aux

au bas mot
au bon souvenir de
au clair
au cœur de
au comptant
au contact de
au cordeau
au coup par coup
au débotté ou au débotter
au déboulé
au détail
au diable vauvert
  ou Vauvert
au dire de
au doigt et à l'œil
au fait
au flan
au gré de
au jour le jour
au jugé ou au juger
au juste

au lieu et place de
au long de
au marc le franc
au moyen de
au niveau de
au pair
au passage
au petit pied
au pied de la lettre
au pied du mur
au pied levé
au poil
au préjudice de
au premier regard
au prix de
au profit de
au rang de
au rebours de
au rebut
au regard de
au regret de

au retour de
au risque de

aux bons soins de
aux cent coups
aux confins de
aux crochets de
aux gages de
aux leviers de commande
aux petits soins
aux trousses de

au(x) côté(s) de
au(x) son(s) de

Voir au, tableau M41

Au-dessus

au-dessus, à l'abri
    de tout soupçon

Avant

avant dire droit
avant toute chose   *Voir **avant**, tableau M41*

Avec

avec difficulté	avec intérêt	avec **armes et bagages**
avec effraction	avec juste raison	
avec énergie	avec méthode	avec **délice(s)**
avec fruit (i. e. profit)	avec peine	avec perte(s) et fracas
avec insistance	avec raison	
avec instance	avec recherche	

Contre

contre toute apparence

contre **vent(s) et marée(s)**   *Voir **contre**, tableau M41*

De, d'

d'action	de malheur	de taille
d'approche	de marque	de temps à autre
d'arrêt	de masse	de toute beauté
d'autre part	de mauvaise grâce	de toute éternité
de bonne grâce	de mise	de toute évidence
de bouche à oreille	d'enfer	de toute façon
de but en blanc	de niveau	de toute manière
de choc	de pair	de toute urgence
de commande	de part en part	de tout genre
de commerce	de part et d'autre	de tout repos
de compagnie	de passage	de trait
de compte à demi	de pied en cap	de transition
de concert	de pied ferme	de traviole
de conséquence	de plein droit	d'exception
de conserve	de plein fouet	d'humeur à
de convention (langue)	de poche	d'instinct
de couleur	de poupée	d'institution
de court	de préférence	d'office
de fantaisie	de première main	d'ores et déjà
de faveur	de principe	d'origine inconnue
de fil en aiguille	de propos délibéré	
de fond	d'équerre	de **toutes pièces**
de fond en comble	de rebut	
de force	de règle	de **tout côté**
de fortune	de rencontre	ou de **tous côtés**
de front	de réserve	de toute(s) espèce(s)
d'égal à égal	de seconde main	de tout poil
de la tête aux pieds	de série	ou de tous poils
d'élite	de son cru	de tout temps
de longue main	de source sûre	ou de tous temps
de main de maître	de surcroît	de toute(s) part(s)
de main en main	de sûreté	

En

en aucune manière	en bonne part	en cascade
en bataille	en boule	en cause
en bonne disposition	en broussaille	en chaleur
en bonne et due forme	en butte	en champ clos

▥➡

En ⅢⅢ➡

en chemin
en chien de fusil
en chœur
en circuit fermé
en clair
en cœur
en colimaçon
en compte avec
en condition
en conséquence
en conserve
en considération de
en contemplation
en continu
en contraste avec
en costume
en coulisse
en cours
en cours de route
en damier (tissu)
en danse
en débat
en défaut
en déplacement
en dernière ressource
en dernier lieu
en dernier ressort
en désespoir de cause
en détachement
en détail
en devoir de
en difficulté
en double aveugle
en droit de
en eau trouble
en échange
en émoi
en encorbellement (voûte)
en épi
en espalier
en étoile
en éventail
en évidence
en exercice
en faction
en faisceau
en fait de
en fer à cheval
en fête
en feu
en filigrane
en fin de compte
en flagrant délit
en flèche

en fonction de
en force
en forme de
en fourchette
en friche
en fuseau
en garde
en grande pompe
en haut lieu
en herbe
en jeu
en joue
en liaison
en lice
en lieu et place
en lieu sûr
en ligne
en ligne de compte
en main (avoir, tenir)
en manchette
en marmelade
en masse
en matière de
en mauvaise part
en mesure de
en mouvement
en nature
en palier (vol)
en parallèle
en parent pauvre
en pays de connaissance
en pensée
en perspective
en perte de vitesse
en phase
en photo
en pied (portrait, statue)
en place
en plein vent
en poche
en pointe
en prière
en principe
en pure perte
en qualité de
en quantité
en quantité industrielle
en quelque sorte
en question
en quinconce
en rang d'oignons
en rapport
en récompense
en regard de

en règle
en règle générale
en relief
en réparation
en réserve
en retour
en rond
en roue libre
en ruine
en rupture de
en salade
en série
en situation
en souffrance
en sous(-) main
en souvenir de
en spirale
en sueur
en sursaut
en temps et lieu
en tire-bouchon
en titre
en tort
en tout bien tout honneur
en tout cas
en toute hâte
en toute liberté
en toute saison
en tout état de cause
en transe
en un tour de main
en vase clos
en vedette

en **bonnes mains**
en bons termes
en cendres
en couches
en d'autres termes
en éclats (voler)
en espèces (payer)
en flammes
en fonds (être)
en haillons
en justes noces
en lambeaux
en larmes
en loques
en mains sûres
en mauvais termes
en miettes
en morceaux
en ondes
en paroles

En ⅢⅢ➡

en **pièces**
en pièces détachées
en pleurs
en pointes de diamant
en rafales
en sanglots
en touffes
en tous sens
en toutes lettres
en tronçons
   (arbre, colonne)

en **chiffre(s) rond(s)**
en cinq sec(s)*
en goguette(s)
en lacet(s)
en main(s) propre(s)
en plein(s) champ(s)
en relation(s) (être, rester)
en toute(s) saison(s)
en tout genre
   ou en tous genres
en tout lieu
   ou en tous lieux

en **tout point**
   ou en **tous points**
en tout temps
   ou en tous temps
en zigzag(s)

Voir en, tableau M41

Entre

entre chien et loup
entre cuir et chair
entre le zist et le zest

entre **autres**
entre autres considérations
entre guillemets
entre parenthèses

Voir entre, tableau M41

Hors

hors d'affaire
hors de combat
hors de mesure
hors de pair ou hors pair

hors de question
hors d'usage
hors rang
hors série

hors **taxes**

*Voir hors, tableaux M41
   et 61*

Par

par acquit de conscience
par considération pour
par contraste avec
par défaut
par définition
par effraction
par égard
par erreur
par insinuation
par intérêt
par malheur
par nature
par ordre de préférence
par parenthèse
par principe

par provision
par raccroc
par rapport à
par réaction
par rencontre
par surcroît
par terre
par tête de pipe
par voie et par chemin

par **endroits**
par étapes
par instants
par intervalles
par moments

par **monts** et par **vaux**
par paliers
par paraboles
par personnes interposées
par places
par rafales
par relations
par saccades
par sauts et par bonds

par **poignée(s)**

Voir par, tableau M41

Pour

jour pour jour
mot pour mot
pour plus de sûreté

pour raison de santé
pour sûr

avoir pour **conséquence(s)**
avoir pour objet(s)

Voir pour, tableau M41

Sans

sans appel
sans arrêt
sans autre forme de procès
sans blague
sans bourse délier
sans commentaire
sans condition (se rendre)
sans conséquence
sans contradiction
sans couleur
sans coup férir

sans couture (vêtement)
sans crainte
sans défaillance
sans défense
sans déguisement
sans délai
sans détour
sans difficulté
sans distinction
sans domicile
sans domicile fixe

sans douleur
sans doute
sans éclat
sans effort
sans égard pour
sans encombre
sans escale
sans exagération
sans exception
sans fard
sans feu ni lieu

ⅢⅢ➡

Sans ⇒

sans foi ni loi	sans regret	sans **paroles** (histoire)
sans frère ni sœur	sans remède	sans phrases (i. e. détour)
sans fruit (i. e. profit)	sans rémission	sans plus de façons
sans inquiétude	sans réserve	sans préjugés
sans instruction (personne)	sans restriction	sans principes (personne)
sans intérêt (histoire, etc.)	sans retard	sans scrupules (i. e. par intérêt)
sans intermédiaire	sans réticence	sans témoins
sans interruption	sans retour	
sans malice	sans rival	sans **apprêt(s)***
sans mélange	sans scrupule (i. e. pudeur)	sans borne(s)
sans ménagement	sans second, e	sans cause(s)*
sans mot dire	sans solution de continuité	sans cérémonie(s)
sans motif	sans sou ni maille	sans charme(s)*
sans objet	sans suite	sans connaissance(s)*
sans obstacle (agir)	sans tambour ni trompette	sans défaut(s)
sans opinion	sans trop de peine	sans exemple(s)*
sans ornement		sans façon(s)
sans peine	sans **ambages**	sans faute(s)*
sans peur et sans reproche	sans amis	sans fioriture(s)
sans plus de cérémonie	sans armes (armée)	sans frein(s)*
sans poignée (sac)	sans aucuns frais	sans laisser de trace(s)
sans portefeuille (ministre)	sans biens (né)	sans nuage(s)*
sans précédent	sans enfants (ménage)	sans passion(s)*
sans préjudice de	sans épines (plante)	sans prétention(s)
sans proportion	sans fenêtres (maison)	sans preuve(s)
sans provision (chèque)	sans instructions	sans reproche(s)
sans raison	(i. e. directives)	sans ressource(s)*
sans réaction	sans limites	sans soin(s)*
sans recherche (se vêtir)	sans manières	sans souci(s)
sans regard	sans nuances	*Voir **sans**, tableau M41*

Sauf

sauf erreur
sauf erreur ou omission

Selon

selon toute apparence

Sous

sous bénéfice d'inventaire	sous peine de	sous **toute(s) réserve(s)***
sous clé ou sous clef	sous presse	
sous condition	sous pression	
sous couleur de	sous réserve	
sous écrou	sous réserve d'erreur	
sous main	sous seing privé (acte)	*Voir **sous**, tableau M41*

Sur

sur mesure
sur parole
sur pied (être, mettre)

*Voir **sur**, tableau M41*

Expressions regroupées autour d'un élément commun

Voici des expressions qui diffèrent de celles du tableau précédent, en ce que les locutions formées d'une préposition et d'un nom (*d'attraction*, par exemple) ne sont pas nécessairement figées, et s'écrivent tantôt au singulier, tantôt au pluriel, selon le nom auquel elles se joignent (on écrit *centre d'attraction*, mais *parc d'attractions*). Différentes expressions ont été relevées quand elles pouvaient être comparées à d'autres expressions semblables, dont l'élément commun ou son complément avaient soit le même nombre, soit un nombre différent; quelques autres locutions dignes d'intérêt ont parfois été ajoutées aux listes, à des fins de comparaison. On lira d'abord les expressions où le mot étudié est singulier (*hors d'affaire*), celles où il est pluriel (*homme d'affaires*), celles où le singulier et le pluriel sont acceptés (*toute(s) affaire(s) cessante(s)*), puis les expressions où le complément du mot étudié est singulier (*affaire d'honneur*), pluriel, et enfin singulier ou pluriel.

Accusation	chef d'accusation mise en accusation	**Âge**	classe d'âge groupe d'âge haut Moyen Âge
Achat	pouvoir d'achat		limite d'âge retour d'âge
	centre d'**achat(s)**		
		Agent	agent de change agent de liaison
Acte	acte de dernière volonté acte sous seing privé		
			agent d'**affaires** agent d'assurances
Action	champ d'action film d'action		agent de renseignements
	homme d'action promesse d'action	**Aiguille**	de fil en aiguille travaux d'aiguille
	unité d'action		
		Air	air de fête air de grandeur
Affaire	avoir affaire ou à faire avec		
	hors d'affaire tirer d'affaire		*Voir **air**, tableau M61*
		Aisance	fosse d'**aisances**
	agent d'**affaires** chargé d'affaires		
	déjeuner, dîner d'affaires		lieux d'**aisance(s)**
	femme, homme d'affaires	**Alcool**	*Voir L3*
	lettre d'affaires	**Aller**	aller à **patins** ou en **patins**
	toute(s) **affaire(s)** cessante(s)		aller à skis ou en skis
			*Voir **aller**, tableau M61*
	affaire d'honneur affaire d'opinion affaire en instance		

Amour

lacs d'amour
puits d'amour
    (i. e. pâtisserie)

Voir amour,
    tableau M25

Anche

instrument à anche

trio d'**anches**

Ange

cheveu d'ange
lit d'ange
nid d'ange ou nidange

Apparence

contre toute apparence
selon toute apparence

Appel

cour d'appel
sans appel

Approche

détecteur d'approche
lunette d'approche
travaux d'approche

Arachide

beurre d'arachide
huile d'arachide

Arbre

arbre à fruit
arbre à huile
arbre à pain
arbre de Judée
arbre d'ornement
arbre en fleur (pl. arbres
    en fleur(s))
arbre taillé en boule

arbre à **cames**

Voir arbre,
    tableau M25

Arme

avec **armes** et **bagages**
cotte d'armes
fait d'armes
fléau d'armes
frère d'armes
gens d'armes
hache d'armes
héraut d'armes
homme d'armes
maître d'armes
masse d'armes
passe d'armes
place d'armes
prévôt d'armes

Arme ▪▪➡

prise d'**armes**
salle d'armes
sans armes (armée)
suspension d'armes
veillée d'armes

système d'**arme(s)**

arme à feu
arme de poing
arme de trait

Arrêt

chien d'arrêt
mandat d'arrêt
sans arrêt

Assurance

agent d'**assurances**
compagnie d'assurances

assurance au tiers

assurance tous **risques**

Voir assurance,
    tableau M25

Atour

dame d'atour
fille d'atour

Attraction

centre d'attraction

parc d'**attractions**

Aube

navire à **aubes**
roue à aubes

Aucun

à aucun prix

sans **aucuns** frais

Autre

d'autre part
de temps à autre
sans autre forme
    de procès

autres temps,
    autres mœurs
en d'autres termes
entre autres
entre autres
    considérations

Aviation

aviation de
    renseignement
aviation de transport

Avion

avion à réaction

avion à **hélices**
avion à moteurs

Avis

avis de recherche
avis d'expert
avis d'opéré

Avoir

avoir affaire
    ou à faire avec
avoir bon fonds
avoir connaissance de
avoir cours
avoir en main
avoir force de loi
avoir intérêt à (ou de)
avoir l'heur de
avoir lieu
avoir maille à partir
avoir pour objet
avoir prise sur
avoir rapport à
avoir regret de
avoir souvenir de
avoir toute liberté de

avoir pour
    conséquence(s)

Bagage

plier bagage

avec **armes** et **bagages**

Bail

bail à complant
bail à convenant
bail à domaine
    congéable
bail à ferme

Bain

sels de bain

salle de **bain(s)**

bain de langue
bain de soleil
bain de vapeur

*Voir **bain**, tableau M61*

Banc

banc d'essai
banc d'œuvre

banc à **broches**

Barbe

barbe à l'impériale
barbe à papa
barbe en bataille
barbe en broussaille

*Voir **barbe**,*
    tableau M61

Barre

or en barre

barres de spa

code à **barres**
jeu de barres

Bas, basse

au bas mot
faire main basse sur

*Voir **bas**, tableaux M32*
    et 61

Bataille

barbe en bataille
champ de bataille
stationnement en bataille

Bateau

bateau à **rames**
bateau à voiles

*Voir **bateau**,*
    tableau M25

Bâtiment

entrepreneur de
    ou en **bâtiment(s)**
peintre en bâtiment(s)

Bête

bête à bon Dieu
bête comme chou
bête de trait

Beurre

Voir L3

Bien

en tout bien tout honneur
homme de bien

corps et **biens**
né sans biens

Bille

crayon à bille
stylo à bille

roulement à **billes**

Blanc, blanche

à blanc
blanc de blanc
de but en blanc
faire chou blanc
montrer patte blanche

Bois

Voir **bois**, *tableau M61*

Boîte

boîte à malice
boîte à ouvrage
boîte de conserve

boîte à **onglets**
boîte de couleurs
boîte de vitesses

boîte à **surprise(s)**

Bon, bonne

à bon compte
à bon droit
à bon marché
à bonne école
à bonne enseigne
à la bonne franquette
au bon souvenir de
avoir bon fonds
bête à bon Dieu
bon chic, bon genre
de bonne compagnie
de bonne grâce
en bonne disposition
en bonne part
faire bonne chère

aux **bons** soins de
en bonnes mains
en bons termes
homme à bonnes
    fortunes

bon à nib
bon à tirer

Voir **bon**, *tableau M32*

Bord

journal de bord

à ras **bord(s)**

Bouche

de bouche à oreille
écuyer de bouche

bouche d'égout
bouche en cœur

Voir **bouche**,
    tableau M37

Boule

être en boule
nerfs en boule

Bout

à bout portant
venir à bout

économie de **bouts**
    de **chandelle(s)**

à tout bout de champ
bout de chou

à bout de **nerfs**

Bouteille

if à **bouteilles**
mettre en bouteilles
mise en bouteilles

Bouton

bouton à fleur
bouton de culotte
    (i. e. fromage)

Voir **bouton**,
    tableau M25

Bride

à bride abattue
à toute bride
tenir en bride

Brique

mur en brique

maison de **brique(s)**
maison en brique(s)
mur de brique(s)

Brosse

brosse à **dents**
brosse à habits

Brouillon

papier de brouillon

cahier de **brouillon(s)**

Bureau

bureau à cylindre
bureau de location
bureau de placement
bureau de poste
bureau de réservation

bureau de
    renseignements

bureau d'**étude(s)**

But

de but en blanc
gardien de but
tir au but

Cahier	cahier à spirale	**Chaîne**	chaîne à péage
	cahier de **textes**		chaîne à **godets**
	cahier à **souche(s)**	**Chair**	chair à canon
	cahier de brouillon(s)		chair à saucisse
Came	doigt de came	**Chambre**	chambre à air
	arbre à **cames**		chambre à **bulles**
Camp	aide de camp	**Champ**	à tout bout de champ
	lit de camp		en champ clos
	maréchal de camp		à travers **champs**
	meistre ou		sonnerie aux champs
	mestre de camp		en plein(s) **champ(s)**
Canon	chair à canon		champ d'action
	poudre à canon		champ de bataille
Carnet	carnet de **notes**		champ de manœuvre
			champ de Mars
	carnet à **souche(s)**		champ d'épandage
Carreau	se garder à carreau		champ de tir
	se tenir à carreau		champ d'honneur
	étoffe à **carreaux**		champ de **courses**
	papier à carreaux	**Changement, changer**	changement de décor
Cas	cas de conscience		changer de couleur
	cas d'espèce		changer d'opinion
Cause	en cause		changer de **main(s)***
	(être, mettre, etc.)	**Chanson**	chanson à message
	en connaissance		chanson de geste
	de cause	**Chant**	pierre de chant
	en désespoir de cause		pierre sur chant
	enrichissement		tour de chant
	sans cause	**Chapeau**	chapeau de roue (pl.
	en tout état de cause		chapeaux de roue(s))
	sans **cause(s)***		chapeau à **plumes**
Centre	centre d'attraction		chapeau à rubans
	centre d'**essais**	**Char**	char à voile
	centre d'**achat(s)**		char d'assaut
	Voir **centre**,		char à **bancs**
	tableau M25	**Charge**	entrée en charge
Cérémonie	sans plus de cérémonie		femme de charge
	sans **cérémonie(s)**		prendre en charge
			témoin à charge

Chargé

chargé de mission

chargé d'**affaires**
chargé de lauriers
chargé de recherches

Chasse

chasse à, au …
    (en parlant d'animaux :
    chasse au lion, etc.)
chasse à courre
chasse au mari
chasse d'eau

chasse aux **papillons**
chasse aux volants

Voir **chasse**, *tableau M37*

Chasseur

chasseur de **têtes**
chasseur d'images

Chaux

à chaux et à ciment
à chaux et à sable
eau de chaux
lait de chaux

Chef

chef d'accusation
chef de chœur
chef de corps
chef de file
chef de gare
chef d'État

chef d'**escadron(s)***

Voir **chef**, *tableaux
    M25 et 61*

Chemin

à moitié chemin
par voie et par chemin
voleur de grand chemin

chemin de fer
chemin de ronde

chemin en **lacet(s)**
chemin en zigzag(s)

Cheval

Voir **cheval**, *tableaux
    M25 et 61*

Cheveu

cheveux en broussaille
virage en épingle
    à cheveux

Voir **cheveu**,
    tableau M61

Chien

chien d'arrêt
en chien de fusil

Voir **chien**, *tableau M25*

Chine

crêpe de Chine
encre de Chine
vente à la chine

Choc

état de choc
onde de choc
troupe de choc

Chœur

chef de chœur
en chœur
enfant de chœur

Chose

avant toute chose
peu de chose

état de **choses**

à peu de **chose(s)** près

Chou

bête comme chou
bout de chou
faire chou blanc
feuille de chou

pâte à **choux**

soupe au(x) **chou(x)**

Voir **chou**, *tableau M25*

Clair, e

en clair
fine de claire
tirer au clair

Classe

conscience de classe
salle de classe

Clé ou clef

sous clé ou sous clef

à **clé(s)** ou à **clef(s)**

clé, clef à molette
clé, clef de voûte

clé(s), **clef(s)** en main

clé, clef à **mâchoires**

Cloche

cloche à fromage
cloche à melon
cloche à plongeur

Cochon
cochon d'eau
cochon de mer
cochon d'Inde

Coco
lait de coco
noix de coco

Cœur
au cœur de
bois de cœur
bouche en cœur

*Voir **cœur**, tableau M61*

Colonie
colonie de …
(en parlant d'animaux,
d'hommes : colonie
d'**artistes**, de **castors**)

Colonne
colonne en faisceau
colonne en fuseau

colonne en **tronçons**

Combat
hors de combat
sport de combat

Comédie
comédie de situation
comédie d'intrigue

comédie de **caractères**

*Voir **comédie**,
tableau M25*

Commentaire
sans commentaire

pas de **commentaires**

Commerce
effet de commerce
fonds de commerce
voyageur de commerce

Communication
porte de communication
voie de communication

Compagnie
compagnie d'**assurances**
compagnie de … (en par-
lant d'animaux : com-
pagnie de pintades)

Compote
Voir L3

Comptabilité
comptabilité à,
en partie double

comptabilité **matières**

Compte
à bon compte
de compte à demi
en compte avec
en fin de compte
entrer en ligne de compte
rendre compte de
teneur de compte
tenir compte de
tout compte fait

règlement de **compte(s)**

à compte d'auteur
compte à rebours
compte de dépôt
compte d'épargne

compte de **chèques**
compte par échelettes

*Voir **compte**,
tableau M37*

Concasseur
concasseur à **mâchoires**
concasseur à marteaux

Concentré
Voir L3

Concert
danseur de concert

salle de **concert(s)**

Conciliation
comité de conciliation
préliminaire
de conciliation

Concours
concours de danse

concours
de **circonstances**

Condition
acheter à condition
en condition
gens de condition
mise en condition
se rendre sans condition
sous condition

Cône
cône de déjection
cône de révolution
cône d'ombre

Confection
magasin de confection
vêtement de confection

Conférence
maître de **conférences**
salle de conférences

Confit
confit en dévotion
confit en malice

Voir L3

Confiture
mettre en confiture

pot de **confiture(s)**

Voir L3

Conflit
conflit de **générations**
conflit d'intérêts

Connaissance
avoir connaissance de
en pays de connaissance
faire connaissance
perdre connaissance

sans **connaissance(s)***

Conscience
cas de conscience
liberté de conscience
objecteur de conscience
par acquit de conscience

Conseil
conseil d'administration

conseil de
    prud'hommes

Conséquence
de conséquence
en conséquence
par voie de conséquence
sans conséquence
tirer à conséquence
voie de conséquence

avoir pour
    conséquence(s)

Conserve
boîte de conserve
de conserve
en conserve

Voir L3

Considération
digne de considération
en considération de
par considération pour
prendre en considération

entre autres
    considérations

Console
console d'orgue

console de **jeux** vidéo

Construction
construction en dur

construction à **joints vifs**

Contact
au contact de
point de contact
prendre contact avec
prise de contact
verre de contact

Continu
à jet continu
en continu

Coq
Voir tableau M61

Cor
cor à piston
cor de basset
cor de chasse

Corbeille
corbeille à ouvrage
corbeille à pain
corbeille à papier

Corde
homme de sac et de corde
semelle, tapis de corde

instrument à **cordes**
trio à cordes

corde à linge

corde à **nœuds**

Corne
bête à **cornes**
ouvrage à cornes
vipère à cornes

corne d'abondance
corne de brume
corne de cerf
cornes de gazelle

corne à **chaussure(s)**

Cornet
cornet à **dés**
cornet à pistons

Corps
à corps perdu
chef de corps
contrainte par corps
corps à corps
garde du corps

▪▪▶

Corps ⟫➡	corps et **biens**	**Coulisse**	en coulisse
			pied à coulisse
	corps d'armée		regard en coulisse
	corps de garde		trombone à coulisse
	corps de métier		
	(pl. corps de métiers)	**Coup**	à coup sûr
			après coup
	corps de **troupe(s)**		au coup par coup
			coup sur coup
	Voir corps,		sans coup férir
	* tableau M25*		tout à coup
			tout d'un coup
Côte	côte à côte		
			à **coups** redoublés
	céleri à **côtes**		
	étoffe à côtes		à **coup(s)** de
	plat de côtes		à tout coup
	ou plates côtes		ou à tous coups
Côté	au(x) **côté(s)** de		*Voir coup, tableau M61*
	de tout côté		
	ou de tous côtés	**Cour**	cour d'appel
Cotte	cotte d'**armes**		cour d'**assises**
	cotte de mailles		
		Coureur	coureur de fond
Couche	femme en **couches**		
	retour de couches		coureur de **jupons**
			coureur de(s) bois
Coude	coude à coude		
	huile de coude	**Cours**	avoir cours
			en cours
Couleur	changer de couleur		en cours de route
	crayon de couleur		
	(pl. crayons de	**Course**	cheval de course
	couleur(s))		
	de couleur		champ de **courses**
	en couleur		écurie de courses
	haut(e) en couleur		
	sans couleur		garçon de **course(s)**
	sous couleur de		
	télévision en couleur		course de fond
	tube de couleur		course de plat
			course en sac
	boîte de **couleurs**		
	marchand de couleurs		course à **obstacles**
	rêver en couleurs		course par étapes
	film, photo en **couleur(s)**	**Couteau**	en lame de couteau
	couleur (de) muraille		à **couteau(x)** tiré(s)
	couleurs en tube		
			couteau à palette
Coulis	*Voir L3*		

Couture	vêtement sans couture	**Dame**	aller à dame
			gant de Notre-Dame
	à plate(s) **couture(s)**		
			jeu de **dames**
Couvert	être à couvert		
	mettre à couvert		*Voir **dame**,*
			tableau M61
	à mots **couverts**		
		Danse	concert de danse
Crayon	crayon à bille		concours de danse
	crayon de couleur (pl.		entrer en danse
	crayons de couleur(s))		salle de danse
	crayon à **sourcils**	**Danser,**	danseur de concert
		danseur	danser en rond
	*Voir **crayon**,*		
	tableau M25		danser à **claquettes**
Crémaillère	direction à crémaillère	**Dé**	cornet à **dés**
	parité à crémaillère		coup de dés
	meuble à **crémaillères**	**Débit**	débit de tabac
Crème	*Voir L3*		débit de **boissons**
Créneau	monter au créneau		
		Défaut	être en défaut
	tour à **créneaux**		faire défaut
			mettre en défaut
Cri	à cor et à cri		par défaut
			prendre en défaut
	à grands **cris**		
			sans **défaut(s)**
	cri de douleur		
	cri d'honneur	**Définition**	par définition
	pousser des cris d'orfraie		télévision à haute
			définition
Crise	crise de **nerfs**		
	crise de rhumatismes	**Délice**	lieu de **délices**
	crise d'étouffements		
			avec **délice(s)**
Crochet	clou à crochet		
	effort au crochet	**Demande**	demande en distraction
			demande en intervention
	aux **crochets** de		
		Demeure	à demeure
Culture	culture de masse		mise en demeure
	culture en espalier		
		Demi	à demi
	culture en **terrasses**		de compte à demi
Cylindre	bureau à cylindre		*Voir **demi**,*
			tableau M32
	moulin à **cylindres**		
		Dent	à belles **dents**
	*Voir **cylindre**,*		brosse à dents
	tableau M25		rage de dents

Dentelle

métier à dentelle

guerre en **dentelles**

dentelle au lacet
dentelle de papier

dentelle au(x) **fuseau(x)**

Dépôt

dépôt à terme
dépôt à vue

Der

dix de der

der des **der(s)**

Dernier, dernière

acte de dernière volonté
en dernière ressource
en dernier lieu
en dernier ressort

Descendre, descente

descendre en **flammes**
descente à skis

Dessin

carton à dessin
papier à dessin
planche à dessin
table à dessin

tissu à **dessins**

dessin à main levée
dessin au trait

Détail

au détail
en détail (raconter)
prix de détail
revue de détail

Détecteur

détecteur d'approche

détecteur d'**ondes**

Détournement

détournement de mineur

détournement de **fonds**
détournement de valeurs

Devoir

en devoir de
homme, femme
   de devoir

Diamant

en pointes de diamant
poudre de diamant

Difficulté

avec difficulté
en difficulté
sans difficulté

Dire

avant dire droit
ne dire mot
sans mot dire

à dire d'**experts**

Disposition

à disposition (être)
en bonne disposition

Doigt

doigt de came
doigts de fée

Domicile

à domicile
élection de domicile
sans domicile
sans domicile fixe

Donner

donner à fond
donner en mille
donner lieu à
donner matière à
donner signe de vie
donner suite à

Double

à double entente (phrase)
à double fond (valise)
à double tour (fermer)
à double tranchant
comptabilité à,
   en partie double
en double aveugle

*Voir **double**, tableau M32*

Douleur

cri de douleur
sans douleur

lit de **douleur(s)**

Droit

à bon droit
avant dire droit
de plein droit
en droit de
trouble de droit
voie de droit

droit de cité
droit de parole
droit de préférence
droit de présence
droit de regard
droit de suite
droit de visite

Dupe

jeu de **dupes**
marché de dupes

Dur, e

dur, e à cuire
dur de dur
dur d'oreille

Eau

chanvre d'eau
chasse d'eau
coche d'eau
cochon d'eau
en eau trouble (pêcher)
flèche d'eau
jeu d'eau
lune d'eau
marée de morte-eau
marin d'eau douce
melon d'eau
moulin à eau
pot à eau
poule d'eau
puce d'eau
râle d'eau
ruban d'eau
salle d'eau
serpent d'eau
souci d'eau
ver d'eau
voie d'eau

ville d'**eau(x)**

*Voir L3, tableaux M25
   et 61*

Eau-de-vie

Voir L3

Échange

en échange
monnaie d'échange
valeur d'échange

Échec

constat d'échec
faire échec

jeu d'**échecs**

Échelle

échelles du Levant

échelle de **valeurs**

Éclat, éclater

sans éclat

en **éclats** (voler)

Éclat, éclater ▪▶

éclat de rire

éclater en **sanglots**

Écoute

point d'écoute
poste d'écoute

table d'**écoute(s)**

Écrou

levée d'écrou
mise sous écrou

écrou à **ailettes**
écrou à oreilles

Effet

mettre à effet
prendre effet

pension d'**effets**

effet de commerce
effet en cascade

Égal

d'égal à égal
sans égal
   (inv. au masculin ; au
   féminin, sans égale,
   pl. sans égales ; mais
   sans rival, inv. en
   genre et en nombre)

Égard

eu égard à
par égard
sans égard pour

à tous **égards**
manque d'égards
plein d'égards

Énergie

avec énergie
regain d'énergie

Enfant

jardinière d'**enfants**
sans enfants (ménage)

Enseigne

à bonne enseigne

à telle(s) **enseigne(s)** que

Entente

à double entente (phrase)
terrain d'entente

Entrée

entrée en charge
entrée en matière

entrée en **fonctions**

Entrepreneur	entrepreneur de vidange	Espèce	cas d'espèce
	entrepreneur de, en **bâtiment(s)**		payer en **espèces**
			de toute **espèce(s)**
Entreprise	esprit d'entreprise	Esprit	jeu d'esprit
	jeu d'entreprise		liberté d'esprit
			mot d'esprit
	entreprise de **services**		trait d'esprit
	entreprise de transports		
			esprit d'entreprise
Entrer	entrer en danse		esprit de suite
	entrer en jeu		esprit de système
	entrer en liaison		
	entrer en lice	Essai	banc d'essai
	entrer en ligne de compte		coup d'essai
	entrer en matière		pilote d'essai
	entrer en transe		tube à essai
	entrer en **fonction(s)**		centre d'**essais**
			frein d'essais
Épargne	caisse d'épargne		
	compte d'épargne	Essence	*Voir L3*
	gravure en taille d'épargne	État	chef d'État
			coup d'État
	Voir épargne, tableau M25		faire état de
			grâce d'état
Épée	gens d'épée		homme d'État
	noblesse d'épée		raison d'État
	roman de cape et d'épée		
			en tout état de cause
Épingle	monter en épingle		état de choc
	virage en épingle à cheveux		état de fait
			état de grâce
Épreuve	à rude épreuve		
	à toute épreuve		état de **choses**
	jeu d'**épreuves**		*Voir état, tableau M25*
Erreur	par erreur	Étoffe	étoffe à **carreaux**
	sauf erreur		étoffe à côtes
	sauf erreur ou omission		étoffe à fleurs
	signal d'erreur		étoffe à ramages
	sous réserve d'erreur		étoffe à rayures
		Étude	liste d'étude
	liste d'**erreurs**		maître d'étude
Ès	docteur ès **sciences**		
	ès qualités		cercle d'**études**
			mission d'études
Escalier	escalier en colimaçon		
	escalier en hélice		bureau d'**étude(s)**
	escalier en limaçon		salle d'étude(s)
	escalier en spirale		voyage d'étude(s)

Ⅲ➡

Étude ➟
étude de marché
étude d'impact

Éventualité
parer à toute éventualité
prêt à toute éventualité

Évidence
de toute évidence
mettre en évidence

Exception
d'exception
sans exception
tribunal d'exception

Excuse
faire excuse
mot d'excuse

Expert
avis d'expert

à dire d'**experts**

Voir **expert**,
   tableau M25

Extrait
Voir L3

Façon
de toute façon
ouvrier à façon
travailler à façon

ne pas faire de **façons**
sans plus de façons

sans **façon(s)**

Faire
faire allusion à
faire bonne chère
faire charlemagne
faire chou blanc
faire connaissance
faire défaut
faire diversion
faire échec à
faire état de
faire excuse
faire flèche de tout bois
faire fonction de
faire fond sur
faire grâce
faire honneur à
faire illusion
faire irruption
faire litière de
faire long feu
faire main basse sur
faire mine de
faire mystère de

Faire ➟
faire obstacle à
faire œuvre pie
faire office de
faire patte de velours
faire pendant
   ou se faire pendant
   (pl. les tableaux font
   pendants, mais se font
   pendant)
faire pièce à
faire pression sur
faire preuve de
faire prime
faire provision de
faire recette
faire reproche
faire sensation
faire tort à
faire trop d'honneur
ne pas faire de quartier
se faire du mouron

faire force de **rames**
faire force de voiles
ne pas faire de façons

Fait ➟
au fait (aller, être,
   mettre, venir)
en fait de
état de fait
situation de fait
tout compte fait
toute réflexion faite
trouble de fait
voie de fait

fait à cœur
fait de guerre

fait d'**armes**

Voir **fait**, *tableau M25*

Fée
doigts de fée

conte de **fées**

Femme
femme au foyer
femme de charge
femme de couleur
femme de devoir
femme de ménage
femme de peine
femme de petite vertu
femme d'intérieur

➟

Femme ⇒

femme d'**affaires**
femme de lettres
femme en couches

Voir **femme**, *tableau*
     M25

Fenêtre

fenêtre à guillotine

fenêtre à **croisillons**
fenêtre à meneaux

Fer

chemin de fer
fil de fer
pied de fer
se battre à fer émoulu

fer à cheval
fer à friser
fer de lance

Fête

air de fête
en fête
jour de fête

Feu

arme à feu
coup de feu
en feu
faire long feu
jeter, lancer feu
     et flammes
mise à feu
ni feu ni lieu
pot à feu
sans feu ni lieu
tout feu, tout flamme

feux de la rampe
plan de feux
pleins feux sur

feu d'artifice
feu de Bengale
feu de cheminée
feu de joie
feu d'enfer
feu de paille
feu Saint-Elme

Feuille

feuille de chou
feuille de présence
feuille de route

Fil

de fil en aiguille
fil à plomb
fil de fer

Voir **fil**, *tableau M61*

Filet

coup de filet
travailler sans filet

filet à **papillons**
filet à provisions

Fille

fille d'atour
fille d'honneur

Film

film d'action
film d'épouvante

film à **sensations**

film d'**aventure(s)**
film en couleur(s)

Fin

en fin de compte

à seule(s) **fin(s)** de

Finance

gens de finance
moyennant finance
terme de finance

loi de **finances**

Flamme

retour de flamme
tout feu, tout flamme

en **flammes**
jeter, lancer feu
     et flammes

Flanc

à flanc de
tirer au flanc

Flèche

en flèche
     (être, monter, etc.)
faire flèche de tout bois

Fleur

à fleur de
bouton à fleur
en fleur (même espèce :
     cerisier en fleur ; mais
     des arbres en fleur(s))

en **fleurs** (espèces
     diverses : prairie
     en fleurs)
étoffe à fleurs
grappe de fleurs ⇒

Fleur ⟫

imprimé à **fleurs**
pot de fleurs
vase de fleurs

eau de **fleur(s)** d'oranger

fleurs en **pot(s)**

Voir fleur, tableau M61

Flot

être, mettre à flot

à **flots**
   (i. e. abondamment)

Foi

n'avoir ni foi ni loi
sans foi ni loi

Fonction

en fonction de
faire fonction de
rester, être en fonction

entrée en **fonctions**

entrer en **fonction(s)**

Fond*

à double fond (valise)
à fond
coureur de fond
course de fond
de fond
de fond en comble
donner à fond
faire fond sur
fin fond des bois
lame de fond
toile de fond

à fond de train
fond de tiroir
   (pl. fonds de tiroirs)

Fonds*

avoir bon fonds
mise de fonds

détournement de fonds
être en fonds

à fonds **perdu(s)**

fonds de commerce
fonds de probité
fonds de roulement
fonds de terre

Force

avoir force de loi
en force

Force ⟫

épreuve de force
jambe de force
ligne de force
tour de force

force de dissuasion

faire force de **rames**
faire force de voiles

Forme

en bonne et due forme
en forme de
sans autre forme
   de procès
vice de forme

Fort, e

à plus forte raison
se porter fort

Fosse

fosse aux **lions**
fosse d'aisances

Foulon

moulin à foulon
terre à foulon

Frais

à **grands** frais
sans aucuns frais
se mettre en frais

Franc

au marc le franc
franc de port

Voir franc,
   tableau M32

Frein

coup de frein
tambour de frein

sans **frein(s)***

frein à main
frein à tambour

frein à **mâchoires**
frein d'essais

frein à **disque(s)**

Fruit

arbre à fruit
avec fruit (i. e. profit)
sans fruit (i. e. profit)

conserve de **fruits**
gelée de fruits
salade de fruits

⟫

Fruit ⟹
eau-de-vie de **fruit(s)**
jus de fruit(s)
sirop de fruit(s)

fruit à noyau
fruits de mer

fruit à **pépins**

Fuite
délit de fuite
point de fuite

Fumée
nuage de fumée
rond de fumée

Fuseau
colonne en fuseau
jambe en fuseau

dentelle au(x) **fuseau(x)**

Gage
mise en gage
prêter sur gage
prêt sur gage

à **gages** (tueur)
aux gages de
prendre à gages
prêteur sur gages

Gamme
bas de gamme
haut de gamme

Gant
gant de Notre-Dame
gant de toilette

Garçon
garçon de recette

garçon de **course(s)**

Garde
corps de garde
en garde
mise en garde

*Voir **garde**, tableaux
M37 et 61*

Gaz
têt à gaz

à **pleins** gaz

Gelée
Voir L3

Genre
bon chic, bon genre
de tout genre

en tout **genre**
    ou en tous **genres**

Gens
gens de condition
gens de finance
gens d'Église
gens de guerre
gens de loi
gens de mer
gens d'épée
gens de pied
gens de robe

gens d'**armes**
gens de lettres

Geste
chanson de geste

parler par **gestes**

Gibier
gibier à poil

gibier à **plume(s)**

Glace
patin à glace
saints de glace
seau à glace

moule à **glaces**

Godet
chaîne à **godets**
roue à godets

Grâce
an de grâce
coup de grâce
crier grâce
de bonne grâce
de mauvaise grâce
état de grâce
faire grâce
recours en grâce
rentrer en grâce
terme de grâce
trouver grâce

action de **grâce(s)**
rendre grâce(s)

Grain
poulet de grain
veiller au grain

café, poivre en **grains**

alcool, eau-de-vie
    de **grain(s)**

Grand, e	à grand spectacle (film, pièce, revue) en grande pompe voleur de grand chemin	Haut, e ⇒	haut, e en couleur haut Moyen Âge télévision à haute définition
	à **grandes** guides à grands cris à grands frais à grands pas à grands traits		*Voir **haut**, tableaux M32 et 61*
		Hélice	escalier en hélice
	*Voir **grand**, tableau M32*		avion à **hélices**
Grandeur	air de grandeur en vraie grandeur ordre de grandeur	Herbe	en herbe jus d'**herbes**
Grappe	grappe de cytise, de glycine grappe de raisin		*Voir **herbe**, tableau M61*
	grappe de **fleurs** de lilas, de groseilles	Heure	à toute heure livre d'**heures**
Gré	au gré de prendre en gré savoir gré		à **heure(s)** fixe(s)
Groseillier	groseillier à maquereau	Homme	homme d'action homme de bien homme de confiance homme de couleur homme de devoir homme d'Église homme de loi homme de main homme de mérite homme de parole homme de peine homme de qualité homme de robe homme de sac et de corde homme de science homme d'État homme de troupe homme d'intérieur
	groseillier à **grappes**		
Groupe	groupe d'âge groupe de pression		
	groupe à **risque(s)**		
Guerre	crime de guerre fait de guerre gens de guerre ruse de guerre		
Guichet	scie à guichet		
	à **guichets** fermés		homme à **bonnes** **fortunes** homme à toutes mains homme d'affaires homme d'armes homme de lettres
Habit	prise d'habit		
	brosse à **habits**		
Haut, e	en haut lieu en haut relief haut de gamme		*Voir **homme**, tableau M25*

Honneur
affaire d'honneur
baroud d'honneur
champ d'honneur
cri d'honneur
dame d'honneur
dette d'honneur
en tout bien tout honneur
faire honneur à
faire trop d'honneur
fille d'honneur
garde d'honneur
parole d'honneur
tableau d'honneur

point(s) d'**honneur(s)***

Hôtel
maître d'hôtel
rat d'hôtel

*Voir **hôtel**, tableau M25*

Huile
arbre à huile
mer d'huile
moulin à huile

huile de coude
huile de poignet

Voir L3

Image
chasseur d'**images**
reporteur d'images

Impact
angle d'impact
étude d'impact

Influence
sphère d'influence
trafic d'influence

Information
journal d'information
réunion d'information
voyage d'information

bulletin d'**informations**

Injection
moteur à injection
pompe d'injection

Instance
affaire en instance
avec instance
disjonction d'instance
juge d'instance

Instruction
juge d'instruction
sans instruction
   (i. e. éducation)

sans **instructions**
   (i. e. directives)

Instrument
instrument à anche
instrument à percussion
instrument de torture

instrument à **cordes**

Intérêt
avec intérêt
avoir intérêt à, de
mariage d'intérêt
par intérêt (agir)
prêt à intérêt
sans intérêt (histoire, etc.)
taux d'intérêt

conflit d'**intérêts**

Intérieur
homme, femme
   d'intérieur

décorateur d'**intérieurs**

Jambe
rond de jambe

à toutes **jambes**
jeu de jambes

jambe de force
jambe en fuseau

Jet
à jet continu
douche en jet

Jeu
en jeu
entrer en jeu
mise en jeu
terrain de jeu
vieux jeu

console de **jeux** vidéo

maison de **jeu(x)**
salle de jeu(x)*

jeu d'adresse
jeu d'eau
jeu de flûte
jeu de lumière
jeu d'entreprise

➡

Jeu ⟹	jeu de piste	Jugement	jugement avant dire droit
	jeu de puce		jugement de valeur
	jeu de scène		jugement sans appel
	jeu de société		
	jeu d'esprit	Jupon	trousseur de **jupons**
	jeu de **barres**		coureur de **jupon(s)**
	jeu d'échecs		
	jeu de dames	Jus	*Voir L3*
	jeu de dupes	Juste	au juste
	jeu de jambes		avec juste raison
	jeu de mots		comme de juste
	jeu d'épreuves		
			en **justes** noces
	jeu d'**écriture(s)**		
	jeu de main(s)	Justice	lit de justice
	jeu d'orgue(s)		palais de justice
	Voir jeu, tableau M25	Lacet	dentelle au lacet
Joint	à **joints** vifs		chemin, route en **lacet(s)**
	(construction)		
	à pieds joints (saut)	Laisser	laisser en plan
Jouer	jouer à main chaude		sans laisser de **trace(s)**
	jouer à pigeon vole		
			Voir laisser,
	jouer **cartes** sur table		*tableau M37*
Joueur	joueur d'un instrument	Lait	*Voir L3*
	de musique : d'orgue,		
	de cornemuse, etc.	Lame	en lame de couteau
			lame de fond
	joueur d'un jeu : de		
	dames, d'**échecs**, etc.	Lampe	lampe à arc
			lampe de poche
Jour	à jour		
	au jour le jour	Lancette	ogive à lancette
	jour pour jour		
			gothique à **lancettes**
	jour de fête		
	jour de souffrance	Langue	bain de langue
	(en droit)		
			laboratoire de **langue(s)**
	Voir jour, tableau M61		
			langue à ton
Journal	journal de bord		langue de convention
	journal de mode		langue de moineau
	journal d'information		
	journal d'opinion		*Voir langue,*
			tableau M61
Juge	juge d'instance		
	juge d'instruction		
	Voir juge, tableau M25		

Laurier

chargé, couvert
de **lauriers**

couronne de **laurier(s)**

*Voir **laurier**,*
   tableau M25

Légume

conserve de **légumes**
essence de légumes
moulin à légumes
soupe aux légumes
terrine de légumes

Lettre

rester lettre morte

en toutes **lettres**
femme de lettres
gens de lettres
homme de lettres
papier à lettres

lettre de cachet
lettre de marque
lettre de recommandation
lettre d'intention

lettres de créance
lettres de noblesse
lettres de récréance

lettre d'**affaires**
lettre de félicitations

lettre de **condoléance(s)**
lettre de
   remerciement(s)*

*Voir **lettre**, tableau M25*

Levé, e

au pied levé
dessin à main levée
voter à main levée
voter par assis et levé

levée d'écrou
levée d'option

levée de **boucliers**

Levier

levier à main

être aux **leviers**
   de commande

Liaison

agent de liaison
entrer en liaison

Liberté

avoir toute liberté de
en toute liberté

liberté d'association
liberté de conscience
liberté de langage
liberté de manœuvre
liberté de presse
liberté d'esprit
liberté d'expression
liberté d'opinion

liberté d'**allures**

Lieu

au lieu et place de
avoir lieu
donner lieu à
en dernier lieu
en haut lieu
en lieu et place
en lieu sûr
en temps et lieu
ni feu ni lieu
sans feu ni lieu
tenir lieu de

en tout **lieu**
   ou en tous **lieux**

lieu de prière
lieu de rencontre

lieu de **délices**

lieux d'**aisance(s)**

*Voir **lieu**, tableau M25*

Ligne

en ligne
pilote de ligne

entrer en ligne de compte
ligne de convergence
ligne de démarcation
ligne de force
ligne de tir
ligne en dérangement

Liqueur

Voir L3

Liste	liste de proscription	**Longueur**	à longueur de journée, de temps
	liste d'**erreurs**		longueur d'onde
	liste des **errata**		
		Loup	à pas de loup
Lit	lit d'ange		entre chien et loup
	lit de camp		
	lit de justice		*Voir loup, tableau M25*
	lit à **colonnes**	**Lumière**	jeu de lumière
	lit de roses		son et lumière
	lit de **douleur(s)**	**Lune**	lune d'eau
	lit de plume(s)		lune de miel
	lit de sangle(s)		
		Machine	machine à transfert
	Voir lit, tableaux M25 et 61		
			machine à **sous**
Livre	à livre ouvert		
		Mâchoire	clé à **mâchoires**
	teneur de **livres**		concasseur à mâchoires
	tenue de livres		frein à mâchoires
	livre de fond	**Maille**	avoir maille à partir
	livre de passe		sans sou ni maille
	livre de raison		
	livre d'étude		cotte de **mailles**
	livre de **prières**	**Main**	à main
	livre d'heures		à main armée
			à main nue
	Voir livre, tableau M25		avoir en main
			clé(s), clef(s) en main
Loi	avoir force de loi		coup de main
	gens de loi		de longue main
	homme de loi		de main de maître
	n'avoir ni foi ni loi		de main en main
	projet de loi		de première main
	sans foi ni loi		de seconde main
			dessin à main levée
	loi de **finances**		en main
			en sous(-) main
Loisir	à loisir		en un tour de main
	tout à loisir		faire main basse sur
			frein à main
	parc de **loisirs**		grenade à main
			homme de main
Long	au long de		jouer à main chaude
	faire long feu		levier à main
	fourrure à long poil		main à main
			ne pas y aller
	Voir long, tableau M32		de main morte
			poignée de main
			(pl. poignées
			de main(s))

ⅢⅢ➡

Main ⇒

preuve en main
sac à main
serrement de main
voter à main levée

en bonnes **mains**
en mains sûres
homme à toutes mains

à **main(s)** nue(s)
à pleine(s) main(s)
changer de main(s)*
en main(s) propre(s)
jeu de main(s)
prendre en main(s)

de main de maître

Voir **main**, *tableau M25*

Maison

maison de passe
maison de poupée

maison de **brique(s)**
maison de jeu(x)
maison en brique(s)

Voir **maison**,
    tableau M25

Maître

bien sans maître
de main de maître

maître de chapelle
maître d'étude
maître d'hôtel
maître d'œuvre

maître d'**armes**
maître de conférences
maître de forges

Voir **maître**, *tableaux*
    M25, 53 et 61

Malice

boîte à malice
confit en malice
ne pas entendre malice
sans malice

sac à **malice(s)**

Manche

manche à air (n. f.)
manche à gigot (n. m.)

Manière

de toute manière
en aucune manière

sans **manières**

Manœuvre

champ de manœuvre
liberté de manœuvre
marge de manœuvre

être en **manœuvres**

Marc

alcool de marc
au marc le franc
eau-de-vie de marc

Marchand

marchand de marée
marchand de poisson
marchand de soupe
marchand de tabac

marchand de **couleurs**
marchand de modes
marchand de primeurs

marchand de **vin(s)***

Marché

à bon marché
étude de marché
salle de marché

marché à option
marché à prime
marché à terme

marché de **dupes**

Voir **marché**,
    tableau M25

Marée

marchand de marée

contre vent(s)
    et **marée(s)**

Marmelade

Voir L3

Marque

image de marque
lettre de marque

Masse

communication
    de masse
culture de masse
en masse
plan de masse

Matière	donner matière à en matière de entrée, entrer en matière	Mettre ⟿	mettre pied à terre mettre sur pied se mettre au vert se mettre en ménage se mettre martel en tête
	comptabilité **matières**		
	matière à discussion		mettre en **bouteilles** mettre en flammes mettre en gerbes mettre en pièces se mettre en frais
	matières de vidange		
Mauvais, e	de mauvaise grâce en mauvaise part		se mettre en **rang(s)**
	en mauvais **termes**		*Voir* **mise**
Ménage	femme de ménage se mettre en ménage	Meuble	meuble en écoinçon
Mer	*Voir* **mer**, *tableau M61*		meuble à **crémaillères**
Merveille	pomme de merveille	Mine	faire mine de ne pas payer de mine
	monts et **merveilles**		dragueur de **mines**
Mesure	costume sur mesure en mesure de hors de mesure unité de mesure	Mise	mise à feu mise à jour mise à pied mise au pas
Métier	métier à dentelle métier à tapisserie		mise de fonds mise en accusation mise en boîte
Mettre	mettre à effet mettre à flot mettre à pied mettre à profit mettre à sac mettre au ban de mettre au fait mettre empêchement à mettre en cause mettre en confiture mettre en coupe réglée mettre en défaut mettre en évidence mettre en jeu mettre en joue mettre en œuvre mettre en perce mettre en place mettre en rapport mettre en relief mettre en sac mettre en valeur mettre obstacle à		mise en botte mise en condition mise en demeure mise en gage mise en garde mise en jeu mise en route mise en sac mise en scène mise en train mise sous écrou mise en **facteurs** mise en ondes mise en plis mise au(x) **point(s)*** mise en page(s) *Voir* **mettre**

Mode

défilé de mode
journal de mode

magasin de **modes**
marchand de modes

Moineau

langue de moineau
tête de moineau

Moment

par **moments**

à tout **moment**
   ou à tous **moments**
de moment(s)
   en moment(s)

Monnaie

en monnaie de singe
monnaie d'échange

Mont

monts et merveilles
par monts et par vaux

*Voir **mont**, tableau M25*

Monter

monter au créneau
monter en épingle
monter en graine

Mort, e

marée de morte-eau
ne pas y aller
   de main morte
rester lettre morte

*Voir **mort**, tableau M32*

Mot

au bas mot
mot pour mot
ne dire mot
ne pas souffler mot
sans mot dire

à **mots** couverts (parler)
jeu de mots
se payer de mots

mot d'esprit
mot d'excuse
mot d'ordre

*Voir **mot**, tableau M25*

Moteur

scie à chaîne et à moteur
véhicule à moteur

avion à **moteurs**

Moteur ⟹

moteur à explosion
moteur à injection
moteur à réaction
moteur en étoile

Motif

sans motif

tissu à **motifs**

Moule

moule à brioche
moule à charlotte
moule à gaufre
moule à manqué
moule à pisé
moule à soufflé
moule à tarte

moule à **glaces**

Moulin

moulin à café
moulin à eau
moulin à foulon
moulin à huile
moulin à poivre
moulin à scie

moulin à **cylindres**
moulin à légumes
moulin à paroles
moulin à prières

Moyen

au moyen de
haut Moyen Âge
trouver moyen de

moyen de fortune
moyen de pression

*Voir **moyen**,
   tableau M32*

Mur

mur de refend
mur en brique

mur de **brique(s)**

*Voir **mur**, tableau M25*

Nature

don en nature
en nature
par nature
payer en nature

Navire	navire d'escorte	**Noce** ⭢	nuit de **noces**
	navire à **aubes**		voyage de noces
	Voir navire, tableau M25		être de **noce(s)**
Négociation	être en négociation	**Nœud**	corde à **nœuds**
			sac de nœuds
	table de **négociations**	**Noix**	noix de coco
	voie de négociations		noix de galle
Nerf	manquer de nerf	**Nom**	nom à charnière
			nom à particule
	à bout de **nerfs**		
	boule de nerfs		nom à **rallonge(s)**
	crise de nerfs		nom à tiroir(s)
	paquet de nerfs		
		Note	prendre en note
	nerf de bœuf		prendre note
	nerfs en boule		
			carnet de **notes**
Nid	nid à poussière		
	nid d'ange ou nidange	**Noyau**	fruit à noyau
	nid de … (en parlant		
	d'oiseaux : nid		crème de **noyau(x)**
	de coucou)		eau de noyau(x)
	nid d'hirondelle		liqueur de noyau(x)
	(i. e. mets asiatique)		
		Nuage	nuage de fumée
	nid de … (en parlant		nuage de poussière
	d'animaux, au		
	figuré : nid de **rats,**	**Objet**	sans objet
	nid de **bandits)**		
			avoir pour **objet(s)**
	Voir nid, tableau M61		
		Obstacle	agir sans obstacle
Niveau	au niveau de		faire obstacle à
	courbe de niveau		mettre obstacle à
	de niveau		
	passage à niveau		course à **obstacles**
	niveau de salaire	**Œuvre**	à pied d'œuvre (être)
	niveau de vie		banc d'œuvre
			bois d'œuvre
Noblesse	noblesse d'épée		faire œuvre pie
	noblesse de robe		maître d'œuvre
	noblesse d'office		metteur, mettre,
			mise en œuvre
Noce	festin de noce		
	repas de noce		dame d'**œuvres**
	robe de noce		
			Voir œuvre,
	en justes **noces**		*tableau M61*
	en secondes noces		
		Office	d'office
			faire office de
			noblesse d'office

Oignon

pelure d'oignon

en rang d'**oignons**

Oiseau

à vol d'oiseau
pain d'oiseau (i. e. plante)

oiseau de malheur

Ombre

cône d'ombre
terre d'ombre

théâtre d'**ombres**

Onde

longueur d'onde

détecteur d'**ondes**
metteur, mise en ondes
train d'ondes

Ongle

lime à **ongles**
vernis à ongles

Onglet

assemblage à onglet
ou en onglet

boîte à **onglets**

Opération

salle d'opération
table d'opération

théâtre d'**opérations**
extérieur

Opinion

affaire d'opinion
changer d'opinion
journal d'opinion
liberté d'opinion
mouvement d'opinion
presse d'opinion
sans opinion (être)
sondage d'opinion

partage d'**opinions**

Option

levée d'option
marché à option

Or

or en barre
or en feuille

*Voir **or**, tableau M61*

Orange

liqueur d'**orange(s)**
vin d'orange(s)

Ordre

ordre de grandeur
ordre du jour
par ordre de préférence

dans le même ordre
d'**idées**

Oreille

boucle d'oreille (pl.
boucles d'oreille(s))
de bouche à oreille
dur d'oreille
pendant d'oreille (pl.
pendants d'oreilles)

bonnet à **oreilles**
écrou à oreilles
tout yeux, tout oreilles

tintement d'**oreille(s)**

Orgue

console d'orgue
point d'orgue
souffleur d'orgue

facteur d'**orgues**

buffet d'**orgue(s)**
jeu d'orgue(s)
tribune d'orgue(s)
tuyau d'orgue(s)

Ouvrage

boîte à ouvrage
corbeille à ouvrage
panier à ouvrage
sac à ouvrage
table à ouvrage

ouvrage de référence

ouvrage à **cornes**

Paillette

robe à **paillettes**
savon en paillettes

Pain

pain de fantaisie
pain d'oiseau (i. e. plante)

pain aux **raisins**

pain d'**épice(s)**

Pair

au pair
de pair
duc et pair
hors de pair ou hors pair

Les locutions et expressions

Palier	en palier (vol, voler)	**Part**	à part
			à part entière
	par **paliers**		autre part
			d'autre part
Palme	huile de palme		de part en part
	vin de palme		de part et d'autre
			en bonne part
Panier	panier à ouvrage		en mauvaise part
	panier à salade		nulle part
			quelque part
	panier à **provisions**		tiré à part
	panier de crabes		
			de toute(s) **part(s)**
Papa	barbe à papa		
	fils à papa	**Parti**	prendre parti
			tirer parti de
Papier	corbeille à papier		
	dentelle de papier	**Partie**	comptabilité à,
	pâte à papier		en partie double
			prendre à partie
	papier à dessin		
	papier de brouillon	**Pas**	mise au pas
	papier de chiffon		
	papier de soie		à **grands** pas
			à pas menus
	papier à **carreaux**		à petits pas
	papier à lettres		
			*Voir **pas**, tableau M61*
	*Voir **papier**,*		
	tableau M25	**Passage**	au passage
			de passage
Papillon	vis à papillon		
			passage à niveau
	chasse aux **papillons**		
	filet à papillons	**Passe**	livre de passe
			maison de passe
Parc	parc d'**attractions**		
	parc de loisirs		*Voir **passe**,*
			tableau M37
Parenthèse	par parenthèse		
		Pâte	pâte à papier
	entre **parenthèses**		pâte de verre
Parler	parler à **mots couverts**		*Voir L3*
	parler gros sous		
	parler par gestes	**Patin**	patin à glace
	parler par saccades		
			patin à **roulettes**
Parole	droit de parole		
	homme de parole	**Patte**	coup de patte
	sur parole		faire patte de velours
			montrer patte blanche
	en **paroles**		
	moulin à paroles		*Voir **patte**, tableaux*
	histoire sans paroles		*M25 et 61*

Payer

ne pas payer de mine
payer en nature

payer en **espèces**
se payer de mots

Pêche, pêcher

pêche au lancer
pêche au trait
pêcher en eau trouble

Peine

avec peine
femme, homme de peine
sans peine
sous peine de

Pendant

faire pendant (se):
   les tableaux se font
   pendant

faire pendant:
   les tableaux font
   pendants

Perdre

perdre connaissance
perdre contenance
perdre pied

Perdu, e

à corps perdu

à fonds **perdu(s)**
à pierre(s) perdue(s)

Personne

personne de marque

personne à **facettes**

personne de **ressource(s)**

Perte

à perte
en pure perte

avec **perte(s)** et fracas

à perte de vue
en perte de vitesse

Petit

au petit pied

à **petits** pas
aux petits soins (être)

Voir petit, tableau M32

Peu

peu de chose

à peu de **chose(s)** près

Photo

en photo
prendre en photo

Voir photo, tableau M7

Piano

piano à queue

piano à **bretelles**

Voir piano,
   tableau M25

Pièce

faire pièce à

de toutes **pièces**
en pièces (mettre, tailler)
en pièces détachées

Pied

à pied
à pied d'œuvre
à pied sec
au petit pied
au pied de la lettre
au pied du mur
au pied levé
bon pied bon œil
coup de pied
de pied en cap
de pied ferme
en pied
être sur pied
gens de pied
lâcher pied
mettre à pied
mettre pied à terre
mettre sur pied
mise à pied
perdre pied
prendre pied
statue en pied
sur pied
valet de pied

à **pieds** joints (saut)
aux pieds de quelqu'un
de la tête aux pieds
fouler aux pieds

coup de pied de
   réparation (en sport)
pied à coulisse

Voir pied, tableaux M25
   et 61

Pierre

pierre d'autel
pierre de chant
pierre de taille
pierre de touche
pierre sur chant

à **pierre(s)** perdue(s)
tailleur de pierre(s)

Pigeon

jouer à pigeon vole
tir au pigeon

Pilote

pilote de ligne
pilote d'essai

Piston

cor à piston

cornet à **pistons**
trombone à pistons

Place

au lieu et place de
en lieu et place
en place
mettre, mise en place
voiture de place

par **places**

Plafond

plafond à rosace

plafond à **caissons**
plafond à poutres
plafond à solives

Plan

plan de masse
plan en relief

plan de **feux**

Voir **plan**, *tableau M25*

Planche

planche à dessin
planche à voile

planche à **billets**
planche à roulettes

Plat, e

à plat
course de plat

à **plate(s)** couture(s)

Voir **plat**, *tableau M32*

Plein, e

de plein droit
de plein fouet
en plein cintre
en plein vent

Plein, e ⟿

à **pleins** bras
à pleins gaz
pleins feux sur

à **pleine(s)** main(s)
à plein(s) tube(s)

Voir **plein**, *tableau M32*

Pleuvoir

pleuvoir à verse

pleuvoir à **seaux**
pleuvoir à torrents

Plomb

à plomb
fil à plomb

Plume

chapeau à **plumes**
serpent à plumes

gibier à **plume(s)**
lit de plume(s)

Plus

à plus forte raison
pour plus de sûreté
sans plus de cérémonie

sans plus de **façons**

Poche

argent de poche
de poche
en poche
lampe de poche

Poignée

sac sans poignée

sac à **poignées**

à **poignée(s)**
par poignée(s)

Poil

à poil
au poil
fourrure, tissu à long
   poil, à poil ras
gibier à poil

de tout **poil**
   ou de tous **poils**
touffe de poil(s)

Voir **poil**, *tableau M61*

Poing

arme de poing
coup de poing*

Point	à point nommé
	metteur au point
	
	en tout **point**
	   ou en tous **points**
	mise au(x) point(s)*
	
	point de contact
	point d'écoute
	point de feston
	point de fuite
	point de mire
	point de repère
	point de vue
	point d'inflexion
	point d'intersection
	point d'orgue
	
	point(s) **d'honneur(s)***
	
	*Voir **point**, tableau M25*
		Porte ⇒	porte à tambour
			porte de communication
			
			*Voir **porte**, tableaux
			   M37 et 61*

Pointe	en pointe chaussons à **pointes**	**Porter**	porter préjudice se porter fort porter aux **nues**

Poisson	marchand de poisson
	
	conserve de **poisson(s)**
	
	*Voir **poisson**,
	   tableau M25*
		Pot	poule au pot
			
			fleurs en **pot(s)**
			
			pot de **fleurs**
			
			pot de **confiture(s)**
			
			*Voir **pot**, tableaux M25
			   et 61*

Pomme	eau-de-vie de **pommes** jus de **pomme(s)** pomme de merveille pomme de pin pomme de reinette pomme de terre	**Poudre**	poudre à canon poudre de diamant
		Poule	poule au pot poule d'eau
		Poupée	de poupée jardin, maison de poupée
		Poussière	nid à poussière nuage de poussière réduire en poussière sac à poussière tomber en poussière
Pompe	en grande pompe à toute(s) **pompe(s)** pompe à chapelet pompe d'injection	**Pouvoir**	abus de pouvoir excès de pouvoir avoir pleins **pouvoirs** fondé, e de **pouvoir(s)**

Porte	enfonceur de **porte(s)**
	   ouverte(s)
	opération porte(s)
	   ouverte(s)
		Préférence	de préférence
			droit de préférence
			par ordre de préférence

		Préjudice	au préjudice de porter préjudice sans préjudice de
		Prendre	prendre à partie prendre à témoin prendre contact avec prendre d'assaut prendre effet

⇒

Prendre ➠	prendre en charge	Prière ➠	livre de **prières**
	prendre en considération		moulin à prières
	prendre en défaut		
	prendre en gré	Prime	faire prime
	prendre en note		marché à prime
	prendre en photo		
	prendre note	Primeur	vin (de) primeur
	prendre parti		
	prendre pied		marchand de **primeurs**
	prendre possession		
	prendre racine	Principe	accord de principe
	prendre sans vert		de principe
	prendre soin de		en principe
			par principe
	prendre à **gages**		question de principe
	prendre en **main(s)**		déclaration de **principes**
			sans principes (personne)
Présence	droit de présence		
	feuille de présence	Prise	prise de contact
	jeton de présence		prise d'habit
Presse	agence de presse		prise d'**armes**
	conférence de presse		
	dossier de presse		prise de **vue(s)***
	liberté de presse		
	sous presse	Prix	à aucun prix
	presse à sensation		à tout prix
	presse d'opinion		au prix de
			à vil prix
Pression	faire pression sur		
	groupe de pression		prix de détail
	moyen de pression		prix de référence
	sous pression		prix de revient
Prêt, e	prêt à intérêt		prix hors **taxes**
	prêt, e à toute éventualité		
	prêt sur gage	Profit	au profit de
	prêt sur garantie		être à profit
			mettre à profit
Preuve	à preuve		tirer profit de
	faire preuve de		
		Propos	à tout propos
	sans **preuve(s)**		de propos délibéré
	preuve en main	Provision	chèque sans provision
			faire provision de
	preuve par **témoins**		par provision
Prière	en prière (être)		filet à **provisions**
	lieu de prière		panier à provisions
	tapis de prière		sac à provisions

Puits	puits d'amour (i. e. pâtisserie) puits de science	**Rapport**	avoir rapport à en rapport avec mettre en rapport par rapport à
Qualité	en qualité de homme de qualité ès **qualités**	**Réaction**	amplificateur à réaction avion à réaction moteur à réaction par réaction sans réaction (être)
Quartier	demander quartier ne pas faire de quartier *Voir **quartier**, tableau M25*	**Rebours**	à rebours au rebours de compte à rebours
Question	en question hors de question	**Recette**	faire recette garçon de recette
Raisin	grappe de raisin jus de raisin mi-figue, mi-raisin alcool de **raisins** pain aux raisins	**Recherche**	avec recherche (se vêtir) avis de recherche sans recherche (se vêtir) chargé, e de **recherches**
	raisin de renard (i. e. plante) raisin d'ours (i. e. arbuste)	**Refend**	bois de refend mur de refend
Raison	à plus forte raison à raison de à tort ou à raison avec juste raison avec raison comme de raison livre de raison mariage de raison ni rime ni raison non sans raison plus que de raison sans raison	**Référence**	ouvrage de référence prix de référence système de référence
		Réflexion	après mûre réflexion toute réflexion faite
		Regard	au premier regard au regard de droit de regard en regard de sans regard (yeux)
	pour raison de santé raison de plus raison d'État	**Regret**	à regret au regret de (être) avoir regret de sans regret
Rallonge	table à **rallonges** nom à **rallonge(s)**		être rongé de **regrets**
Rame	bateau à **rames** faire force de rames	**Rein**	coup de **reins** tour de **rein(s)**
Rang	au rang de hors rang se mettre en **rang(s)**		

Relation	par **relations**	**Ressource**	en dernière ressource
	en **relation**(s) (être, rester)		personne de **ressource**(s) sans ressource(s)*
Relief	en bas(-)relief en haut relief en relief mettre en relief plan en relief	**Retour**	au retour de en retour sans retour
			retour d'âge retour de flamme
Rencontre	amour de rencontre de rencontre lieu de rencontre par rencontre		retour de **couches**
		Rire	rire en cascade
Rendre	rendre compte de rendre gloire rendre témoignage à		rire par **saccades**
		Risque	au risque de
	rendre **grâce**(s)		assurance tous **risques**
Renseignement	aviation de renseignement		à **risque**(s) (groupe, etc.)
	agent de **renseignements** bureau de renseignements service de renseignements	**Robe**	gens de robe homme de robe noblesse de robe
			robe à crinoline robe de chambre robe de noce
Réparation	coup de pied de réparation (en sport) demander réparation en réparation obtenir réparation		en robe **des champs** robe à paillettes robe à paniers
			Voir robe, tableau M25
Reproche	faire reproche sans peur et sans reproche soit dit sans reproche	**Roche**	coq de roche cristal de roche eau de roche
			Voir roche, tableau M25
	sans **reproche**(s)	**Rond**	danser en rond tourner en rond
Réserve	de réserve en réserve équipe de réserve sans réserve (se dévouer, etc.) sous réserve		en chiffre(s) **rond**(s)
			Voir rond, tableau M61
	sous toute(s) **réserve**(s)	**Rose**	bois de rose eau de rose
Ressort	ressort à boudin		huile de **roses** lit de roses pot aux roses
	ressort à **lames**		➡

Rose ⇒

essence de **rose(s)**

rose de Noël
rose d'Inde

rose des **vents**

rose de(s) **sable(s)**

*Voir **rose**, tableau M25*

Roue

chapeau de roue
  (pl. chapeaux
  de roue(s))
en roue libre
vielle à roue

roue à rochet

roue à **aubes**
roue à augets
roue à godets

Roulement

roulement à **billes**

roulement de **tambour(s)**

Roulette

patin à **roulettes**
planche à roulettes

Route

en cours de route
feuille de route
mise en route
pas de route
tenue de route

route en étoile

route en **lacet(s)**
route en zigzag(s)

Ruban

scie à ruban

chapeau à **rubans**

Ruine

en ruine
menacer ruine

tomber en **ruine(s)**

Sac

course en sac
homme de sac et de corde
mettre, mise à sac
mettre, mise en sac

Sac ⇒

sac à main
sac à ouvrage
sac à poussière
sac à vin
sac sans poignée

sac à **poignées**
sac à provisions
sac d'embrouilles
sac de nœuds

sac à **malice(s)**

Sachet

potage en sachet

thé en **sachets**

Salade

Voir L3

Salle

salle d'attente
salle d'audience
salle d'eau
salle de bal
salle de classe
salle de danse
salle de marché
salle de projection
salle de séjour
salle d'opération

salle d'**armes**
salle de conférences

salle de **bain(s)**
salle de concert(s)
salle de jeu(x)*
salle de spectacle(s)
salle d'étude(s)
salle de vente
  ou des ventes

Saut

saut en rouleau

saut à **pieds joints**
saut de haies
saut en skis

saut à **ski(s)**
saut en ciseau(x)

Scie

bran de scie
moulin à scie

Scie ▪▶	scie à chaîne et à moteur scie à dosseret scie à guichet scie à panneau scie à ruban	**Ski**	aller au ski école de ski aller à **skis**, en **skis** descente à skis saut en skis
Science	homme de science puits de science docteur ès **sciences**	**Société**	saut à **ski(s)** société d'économie mixte société en commandite
Seau	seau à charbon seau à glace seau à **vif(s)**		société de **services** *Voir société,* *tableau M25*
Sens	sens dessus dessous sens devant derrière en **tous** sens	**Soie**	papier de soie ver à soie balai de **soies**
Sensation	faire sensation presse à sensation film à **sensations**		*Voir soie, tableau M61*
Série	hors série production en série tête de série solde de fins de **séries**	**Soin**	prendre soin de aux bons **soins** de aux petits soins sans **soin(s)***
Serpent	serpent d'eau serpent de mer serpent à **lunettes** serpent à plumes serpent à **sonnette(s)**	**Solution**	solution de continuité solution de fortune
		Son	son et lumière au(x) **son(s)** de

Service	offre de service
	
	entreprise de **services**
	société de services
	
	service de
	    renseignements
		Sorte	en quelque sorte
			devant un nom singulier:
			    toute sorte de bonheur
			
			devant un nom pluriel:
			    toute(s) **sorte(s)**
			    de choses
			comme complément de
			    nom: des gens de
			    toute(s) sorte(s)

Sirop	*Voir L3*		
Situation	comédie de situation en situation théâtre de situation situation de conflit situation de fait	**Sou**	sans sou ni maille machine à **sous** parler gros sous

Souffrance	en souffrance jour de souffrance (en droit)	**Table**	table à dessin table à ouvrage table de mortalité table de toilette table d'hôte table d'opération
Soupe	soupe au lait soupe au(x) **chou(x)** *Voir L3*		table à **rallonges** table de constantes table de négociations
Souvenir	au bon souvenir de avoir souvenir de en souvenir de		table d'**écoute(s)**
Spectacle	à grand spectacle salle de **spectacle(s)**	**Taille**	d'estoc et de taille (frapper) de taille pierre de taille

Sphère	sphère d'influence
	
	sphère d'**attribution(s)**
	  (au pl. en parlant de
	  pouvoirs)
			taille d'épargne
			*Voir **taille**, tableau M37*

		Tailler, tailleur	tailler en **pièces**
Spirale	cahier à spirale en spirale escalier en spirale		tailleur de **pierre(s)**
		Tambour	frein à tambour porte à tambour sans tambour ni trompette
Sport	sport de combat sport d'équipe		
Suite	donner suite à droit de suite esprit de suite sans suite tout de suite		roulement de **tambour(s)** *Voir **tambour**, tableau M25*
Sujet	sujet à discussion sujet d'élite	**Tapisserie**	tapisserie de verdure tapisserie à **verdures**
Sûr, e	à coup sûr bien sûr de source sûre en lieu sûr pour sûr	**Taux**	taux d'escompte taux d'intérêt
		Témoin	prendre à témoin
	en mains **sûres**		preuve par **témoins** sans témoins
Système	système de référence système d'**arme(s)**	**Temps**	de temps à autre en temps et lieu

Tabac	débit de tabac
	marchand de tabac
			autres temps,
			  autres mœurs
			
			de **tout** temps
			  ou de **tous** temps

Teneur	teneur de compte tenue de route
	teneur, tenue de **livres**
Tenir	se tenir à carreau tenir compte de tenir en bride tenir lieu de
Tenue	*Voir **teneur***
Terme	achat à terme dépôt à terme marché à terme vente à terme
	en bons, en mauvais **termes** en d'autres termes
	terme de finance terme de grâce
Terrain	terrain de jeu terrain d'entente terrain de sport
Terrasse	toit en terrasse
	culture en **terrasses**
Terre	fonds de terre mettre pied à terre par terre pomme de terre ver de terre
	terre à foulon terre d'ombre terre en friche
	*Voir **terre**, tableaux M25 et 61*
Terrine	*Voir L3*
Test	test de performance
	test d'**aptitude(s)**
Têt	têt à gaz têt à rôtir

Tête	de la tête aux pieds se mettre martel en tête
	chasseur de **têtes**
	par tête de pipe tête de moineau tête de série
	tête à **claques**
	*Voir **tête**, tableaux M25 et 61*
Théâtre	théâtre de boulevard théâtre de situation
	théâtre d'**ombres** théâtre d'opérations extérieur
Tir	champ de tir ligne de tir pas de tir
	*Voir **tir**, tableau M61*
Tiré, tirer	tiré à part tirer à conséquence tirer au cul tirer au flanc tirer avantage de tirer d'affaire tirer en longueur tirer parti de tirer profit
	tirer à **boulets rouges**
	à couteau(x) **tiré(s)**
	*Voir **tiré**, **tirer**, tableau M61*
Tiroir	fond de tiroir (pl. fonds de tiroirs)
	à **tiroirs** (roman, pièce)
	nom à **tiroir(s)**
Tissu	tissu à long poil tissu en damier

⫸

Tissu ➠

tissu à **damiers**
   (abusivement)
tissu à dessins
tissu à motifs
tissu à pastilles

Toile

toile d'araignée
toile de fond

Toilette

cabinet de toilette
eau de toilette
gant de toilette
table de toilette

Tomber

tomber à verse
tomber dans le lacs*
tomber en disgrâce
tomber en poussière
tomber en quenouille

tomber à **seaux**
tomber des nues

tomber en **ruine(s)**

Tort

à tort et à travers
à tort ou à raison
en tort
faire tort à

Touche

pierre de touche

téléphone à **touches**

Tour

à tour de rôle
en un tour de main
tour de chant
tour de force
tour de lancement
tour de phrase

tour à **créneaux**

tour de **rein(s)**

*Voir **tour**, tableau M25*

**Tous, tout,
toute, toutes**

à tout(e) berzingue
à tout bout de champ
à toute allure
à toute barbe
à toute bitture ou biture
à toute bride
à toute épreuve
à toute éventualité
à toute extrémité
à toute force
à toute heure

**Tous, tout, toute,
toutes** ➠

à toute vapeur
à toute vitesse
à toute volée
à tout hasard
à tout prix
à tout propos
avant toute chose
avoir toute liberté de
contre toute apparence
de toute beauté
de toute éternité
de toute évidence
de toute façon
de toute manière
de toute urgence
de tout genre
de tout repos
de tout soupçon
   (à l'abri, au-dessus)
en tout bien tout honneur
en tout cas
en toute hâte
en toute liberté
en tout état de cause
faire flèche de tout bois
parer à toute éventualité
selon toute apparence
tout compte fait
toute réflexion faite
tout feu, tout flamme
tout son content
tout yeux, tout oreilles

assurance **tous risques**
à tous égards
à toutes jambes
de toutes pièces
en tous sens
en toutes lettres
homme à toutes mains
toutes voiles dehors

à **tout** coup
   ou à **tous** coups
à tout crin ou à tous crins
à toute(s) pompe(s)
à tout moment
   ou à tous moments
à tout venant
   ou à tous venants*
de tout côté
   ou de tous côtés
de toute(s) espèce(s)
de toute(s) part(s)

➠

Tous, tout, toute, toutes ▪▶

de **tout** poil
   ou de **tous** poils
de tout temps
   ou de tous temps
en toute(s) saison(s)
en tout genre
   ou en tous genres
en tout lieu
   ou en tous lieux
en tout point
   ou en tous points
en tout temps
   ou en tous temps
pour toute(s) raison(s)
sous toute(s) réserve(s)
toute(s) affaire(s)
   cessante(s)
toute(s) proportion(s)
   gardée(s)
toute(s) sorte(s):
   voir **sorte**

Voir **tout***, tableaux M32*
   et 61

Train

à fond de train
mise en train

train d'enfer
train de vie

train d'**engrenages**
train d'ondes

Trait

animal, bête,
   cheval de trait
arme de trait
dessin au trait
pêche au trait

à grands **traits**

Transe

être en transe

être pris de **transes**

entrer en **transe(s)**

Transfert

dépenses de transfert
machine à transfert

Transport

aviation de transport

entreprise de **transports**

Travailler

travailler à façon
travailler sans filet

Travaux

travaux d'aiguille
travaux d'approche
travaux de rénovation

Trio

trio à **cordes**
trio d'anches

Trombone

trombone à coulisse

trombone à **pistons**

Trouble

trouble de droit
trouble de fait

Troupe

homme de troupe

corps de **troupe(s)**

Tube

tube à essai
tube de couleur

Unité

unité d'action
unité de mesure
unité de valeur

unité de **vue(s)**

Valeur

jugement de valeur
mettre en valeur
unité de valeur

détournement de **valeurs**
échelle de valeurs

Velouté

Voir L3

Venir

venir à bout
venir au fait

Vent

en plein vent

contre **vent(s)**
   et marée(s)

Vente

lods et **ventes**

salle de **vente**
   ou des **ventes**

vente à la chine
vente à réméré
vente à tempérament
vente à terme

Ver	*Voir **ver**, tableaux M25 et 61*	**Voile**	à voile et à vapeur char à voile planche à voile vol à voile
Verdure	écran de verdure tapis de verdure tapisserie de verdure		
			bateau à **voiles** faire force de voiles toutes voiles dehors
	tapisserie à **verdures**		
Verre	fibre de verre œil de verre pâte de verre	**Voiture**	voiture de place voiture de première main voiture de série
Vert	prendre sans vert se mettre au vert		*Voir **voiture**, tableau M25*
	*Voir **vert**, tableaux M32 et 61*	**Vol, vole**	à vol d'oiseau jouer à pigeon vole vol avec effraction vol à voile vol en palier vol sans escale
Vertu	dragon de vertu femme de petite vertu		
Vice	vice de conformation vice de forme		
		Voter	voter à main levée voter par assis et levé
Vidange	entrepreneur de vidange matières de vidange	**Voûte**	voûte en encorbellement voûte en éventail voûte en plein cintre
Vif	à joints **vifs** donation entre vifs		
	seau à **vif(s)**	**Voyage**	voyage d'information
Vin	*Voir L3 ; **vin**, tableau M61*		voyage de **noces**
Vipère	langue de vipère		voyage d'**étude(s)**
	nœud de **vipères**	**Vue**	à perte de vue dépôt à vue garde à vue point de vue servitude de vue
Vis	vis à papillon		
	vis à **ailettes**		
Vitesse	à toute vitesse en perte de vitesse indicateur de vitesse		échange de **vues** hauteur de vues
	boîte de **vitesses**		prise de **vue(s)*** unité de vue(s)
Voie	voie d'eau voie de communication voie de conséquence voie de droit voie de fait		
	voie de **négociations**		

Expressions désignant des aliments

Généralement, on écrit au singulier le complément des noms désignant des boissons, des liquides, et au pluriel celui des noms représentant des aliments « solides » ; pour s'en rappeler, on peut penser qu'il est possible d'obtenir un verre de jus à partir d'une seule orange, mais que plusieurs oranges seront nécessaires pour préparer un pot de marmelade. Par exemple, il est recommandé de mettre au singulier le complément des boissons et liquides suivants : *alcool*, *crème*, *eau*, *eau-de-vie*, *essence*, *extrait*, *huile*, *jus*, *lait*, *liqueur* et *sirop* ; on choisira le pluriel pour le complément de ces aliments « solides » : *compote*, *confiture*, *marmelade*, *pâte* et *salade* ; cependant, *coulis*, *soupe* et *velouté* ont un complément au pluriel, bien que ce soient tous des liquides, alors que le complément de *confit* et de *terrine* est au singulier, même s'ils désignent des aliments « solides ». On remarque de plus que les compléments *fruits* et *légumes* sont toujours pluriels, sauf dans *eau-de-vie*, *jus* et *sirop de fruit*. Les divergences et les exceptions rencontrées dans nos ouvrages de référence sont toutefois nombreuses ; nous vous présentons dans ce tableau tous les exemples que nous avons pu relever, en indiquant dans la mesure du possible par la mention « etc. » la forme que devraient prendre les expressions construites à partir du même mot.

	AU SINGULIER	AU PLURIEL	AU SINGULIER OU AU PLURIEL
Alcool	de marc de prune de vin etc.	de raisins	de grain(s)
Beurre	d'arachide	d'écrevisses	
Compote		de poires de pommes etc.	
Concentré			de tomate(s)
Confit	de canard d'oie etc.		
Confiture		de groseilles d'oranges etc.	de fraise(s) de framboise(s)
Conserve	de gibier de viande	de fruits de légumes	de poisson(s)
Coulis		d'écrevisses de framboises de tomates etc.	

	AU SINGULIER	AU PLURIEL	AU SINGULIER OU AU PLURIEL
Crème	de banane etc.	d'asperges de volailles	de noyau(x)
Eau	de chaux de lavande de roche de rose de source etc.		de fleur(s) d'oranger de noyau(x)
Eau-de-vie	de fraise de framboise de fruit de marc de vin etc.	de pommes de prunes	de grain(s)
Essence	de café de gibier de lavande de violette etc.	de légumes	de rose(s)
Extrait	de café de lavande de viande de violette etc.		
Gelée		de fruits	de coing(s) de framboise(s) de groseille(s) de pomme(s)
Huile	d'arachide de noix de palme d'olive etc.	de roses	
Jus	de raisin de tomate d'orange etc.	de légumes d'herbes	de carotte(s) de chaussette(s) de fruit(s) de pomme(s)
Lait	de chaux de coco de poule etc.		d'amande(s)
Liqueur	de framboise etc.	d'oranges	de noyau(x)

	AU SINGULIER	AU PLURIEL	AU SINGULIER OU AU PLURIEL
Marmelade		de pommes d'oranges etc.	
Pâte	à guimauve	à choux à tartes d'amandes de coings de fruits etc.	
Salade	de chicorée de laitue	de betteraves de fruits d'endives de tomates d'oranges etc.	de pissenlit(s)
Sirop	de groseille etc.	d'amandes	de framboise(s) de fruit(s)
Soupe		aux légumes etc.	au(x) chou(x)
Terrine	de canard de lapin de poisson etc.	de légumes	
Velouté		d'asperges de tomates etc.	
Vin	de liqueur de palme de primeur	de cerneaux de myrtilles de pêches	de palus ou des palus d'orange(s)

Autres expressions au nombre remarquable

Voici diverses expressions qui n'ont pas toutes pu être mises en parallèle avec d'autres semblables, et pour lesquelles on hésite parfois entre le singulier et le pluriel avant d'écrire le complément.

AU SINGULIER L4

aller à dame
arbre, plante d'ornement
assemblage à onglet ou en onglet
bal en costume
billet de faveur
bon chic, bon genre
bottes à genouillère
bouche d'égout
bouillon de culture
caméra à tourelle
camp de concentration
côtelette à manche
dation en paiement
débouchoir à ventouse
déclarer forfait
douche en jet
dragon de vertu
enregistreur de vol
en rupture de stock

être comme cul et chemise
excès de pouvoir
exploit d'huissier
fabricant de drap
faire allusion à
faire diversion
faire flèche de tout bois
faute d'impression
fermeture à glissière
foire d'empoigne
fort en thème
lunette d'approche
marin d'eau douce
mener une vie de bâton de chaise
mettre empêchement à
mettre en coupe réglée
mode d'emploi
modulation de fréquence
montre à savonnette

montrer patte blanche
ni rime ni raison
or en feuille
prêter à équivoque
quart de finale
règle à calcul
relation d'équivalence
rendre témoignage à
roman de cape et d'épée
rompre en visière à, avec
rouleau à pâtisserie
saints de glace
se battre à fer émoulu
sous bénéfice d'inventaire
sujet, matière à discussion
tiroir à secret
tomber en quenouille
vitesse de croisière

AU PLURIEL L5

appel d'offres
autres temps, autres mœurs
balai de soies
calcaire à entroques
chaise à porteurs
chanter pouilles
cosse de haricots, de fèves, de pois
danser à claquettes
défilé aux flambeaux
docteur ès sciences
donation entre vifs
dragueur de mines
embrayage à cônes

escargot de vignes
fiche à gonds
grille d'horaires
imprimé à fleurs
jouer cartes sur table
mangé aux mites, aux vers
mécanisme à galets
ombre à paupières
orfèvrerie en nielles
panier de crabes
parler gros sous
pâté de maisons
piège à rats

plante sans épines
rouge à lèvres
sac d'embrouilles
sclérose en plaques
se perdre en conjectures
seringue à instillations
tambourin à sonnailles
tête à claques
tirer à boulets rouges
train d'engrenages
vivre d'expédients

AU SINGULIER OU AU PLURIEL L6

conversations de couloir(s)
corne à chaussure(s)
doré sur tranche(s)
dynamique de(s) groupe(s)

en chiffre(s) rond(s)
enquête par turbe(s)
frein à disque(s)
partir en couille(s)

reconnaissance de dette(s)
sans laisser de trace(s)
sphère d'attribution(s) (pluriel
   dans le sens de pouvoirs)

Les locutions et expressions

Expressions pouvant ressembler à des mots composés

On se rappellera sans doute de la section des « Mots composés » où les mots à plus de deux éléments réunis par un trait d'union ont été mis en parallèle avec des expressions sans trait d'union ayant au moins un élément en commun avec eux (voir tableaux M59, 60 et 61). On trouve cependant d'autres expressions similaires, qui ne peuvent pas être comparées à des mots avec trait d'union en particulier, mais qui font quand même penser à des mots composés, parce qu'ils sont indissociables pour désigner une réalité particulière (une *lune de miel*, par exemple, n'a aucun lien sémantique avec le satellite de la Terre, et représente un concept en soi). Voici quelques-unes de ces expressions, dont le sens a été indiqué dans les cas les plus surprenants.

aide de camp
à la va comme je te pousse
arbre à pain
baleine à bosse (mégaptère)
bête à bon Dieu
caca d'oie (couleur)
clair de lune

cristal de roche
démon de midi
désespoir des peintres (plante)
fer à cheval
langue de bois
mouton de pré salé
nègre en chemise (dessert)

nerf de bœuf
peau de chagrin
pigeon d'argile
poil de chameau
pomme de terre
puits d'amour (pâtisserie)

Expressions à l'orthographe remarquable

Ces quelques expressions ont été regroupées ici, soit parce que leur orthographe était digne d'intérêt, soit parce que leur formulation même s'avérait remarquable ou inusitée.

aller de pair
au diable vauvert ou Vauvert
avis d'opéré
avoir l'heur de
baroud d'honneur
bon à nib
bran de scie
brandon de discorde
brou de noix
capacité d'emport
construction en dur
cor de basset
dépendeur d'andouilles
de pied en cap
donner en mille

droit de cité
duc et pair
entrer en lice
erre d'aller
être bique et bouc
exhausteur de goût
faire bonne chère
faire charlemagne
fine de claire
frapper d'estoc et de taille
fromage à la pie
héraut d'armes
jusques à quand
lacs d'amour
l'échapper belle

lods et ventes
meistre ou mestre de camp
mettre au ban de
mettre en perce
nib de nib
noix de galle
par acquit de conscience
par monts et par vaux
pêche au lancer
pierre de chant, sur chant
pousser des cris d'orfraie
sans bourse délier
savoir gré
se faire du mouron
se mettre martel en tête

sens devant derrière
sens dessus dessous
tir au jeter

tir au jugé ou au juger
tomber dans le lacs*
tout son content

vin de cerneaux
vin en perce
voter par assis et levé

Expressions contenant un nom propre

Ces expressions ont été classées selon l'ordre alphabétique du nom propre qu'elles contiennent.

Achille (tendon d')
Adam (pomme d')
Addison (maladie bronzée d')
Alençon (point d')
Alzheimer (maladie d')
Arlequin (manteau d')
Augias (écuries d')
Avogadro (nombre d')
Babel (tour de)
Babinski (signe de)
Barbarie (figuier, orgue de)
Basedow (maladie de)
Beaufort (échelle de)
Bengale (feu de)
Bénioff (plan de)
Biermer (maladie de)
Binet-Simon (test, échelle)
Bordet-Wassermann (réaction de)
Bouillaud (maladie de)
Bradel (reliure à la)
Bruxelles (chou de)
Bunsen (bec)
Capoue (délices de)
Chine (crêpe, encre de)
Cologne (eau de)
Corti (organe de)
Coué (méthode)
Cushing (syndrome de)
Cythère (pomme de)
Denver (sabot de)
Dieu (bête à bon)
Doppler (effet)
Dow Jones (indice)
Épinal (image d')
Eustache (trompe d')
Fallope (trompe de)
Gênes (pain de)

Golgi (appareil de)
Hansen (bacille de)
Havers (canaux de)
Hodgkin (maladie de)
Holter (méthode de)
Inde (cochon, coq, marron, rose d')
Jarnac (coup de)
Javel (eau de)
Joule (effet)
Jouy (toile de)
Judée (arbre de)
Kahler (maladie de)
Kaposi (sarcome, syndrome de)
Karman (méthode)
Klinefelter (syndrome de)
Koch (bacille de)
Kondratiev (cycle de)
Korsakoff (syndrome de)
Kwashiorkor (syndrome de)
Lambert (projection)
Levallois (technique)
Levant (échelles du)
Lynch (loi de)
Lyon (rosette de)
Mach (nombre de)
Malte (fièvre de)
Manon (gâteau à la)
Marans (race de)
Mars (champ de)
McBurney (point de)
Meckel (diverticule de)
Möbius (ruban, bande de)
Morand (ergot de)
Müller (canaux de)
Nicolaier (bacille de)
Nicolas-Favre (maladie de)
Nikkei (indice)

Noël (rose de)
Notre-Dame (gant de)
Paget (maladie
    cutanéo-muqueuse de)
Pan (flûte de)
Parkinson (maladie de)
Polichinelle (secret de)
Pott (mal de)
Purkinje (cellule de)
Pyrrhus (victoire à la)
Quincke (œdème de)
Raynaud (syndrome de)
Recklinghausen (maladie de)
Renard (série de)
Richter (échelle de)
Rolando (scissure de)
sainte Catherine ou
Sainte-Catherine (coiffer)
Saint-Elme (feu)
Saint-Guy (danse de)
Saint-Jacques (lis, coquille)
Saint-Jean (herbe de)
San José (pou de)
Sedlitz (sel de)
Seltz (eau de)
Sienne (terre de)
Staline (orgues de)
Tantale (supplice de)
Turc (tête de)
Turner (syndrome de)
Tyndall (effet)
Vater (ampoule de)
Vénus (peigne de)
Vierge (doigt de la)
Wirsung (canal de)
Yersin (bacille de)

Les mots étrangers

Le français a de tout temps emprunté des mots à d'autres langues, et continue d'ailleurs à le faire aujourd'hui. Ces échanges ont souvent lieu dans des domaines spécifiques, et il est intéressant de constater, par exemple, que grâce à la prépondérance de la musique en Italie, ou au rôle de la navigation dans l'histoire des Pays-Bas, des termes d'origine italienne ou néerlandaise apparaissent en français dans le vocabulaire musical ou maritime. Si d'une part la trace d'une souche étrangère s'avère parfois imperceptible – comme dans *bourrique* ou *rosse*, qui viennent respectivement de l'espagnol et de l'allemand –, et si d'autre part on est habitué aux influences grecques et latines, d'autres mots appartenant pourtant au vocabulaire français nous font parfois nous demander quelle langue nous sommes en train de manier…

En effet, le chapitre qui suit vous réservera sans aucun doute de nombreuses surprises ; tous les mots que vous y trouverez sont acceptés dans au moins un des dictionnaires consultés, et appartiennent donc à la langue française, aussi renversant que cela puisse parfois paraître. Nous n'avons d'ailleurs retenu que les mots à consonance étrangère, dont l'orthographe ne répond pas aux normes habituelles du français, en omettant des mots comme *sieste* ou *bougie,* qui ne détonnent nullement dans la langue de Molière malgré leur origine espagnole ou algérienne.

Ce chapitre vise principalement deux objectifs : d'abord, d'un point de vue culturel, il présente la source linguistique de certains mots dont l'origine nous est parfois obscure, et souligne la présence de tous les emprunts qui servent à tisser le canevas du français contemporain ; ensuite, d'un point de vue orthographique, il tente de répondre à la question suivante : « Le mot a-t-il été ou non francisé ? » Pour ce faire, trois aspects ont été analysés, dans trois sections distinctes : la forme plurielle (tableaux É1 à 61), les mots composés – par conséquent, l'emploi du trait d'union et la forme plurielle – (tableaux É62 à 86), et les accents (tableaux É87 à 109).

Devant la pléthore de mots étrangers entrés mutatis mutandis en français, certains se feront hara-kiri, d'autres entreprendront une djihad contre les diktats de cette intelligentsia de linguistes aux ambitions de globe-trotters ; d'autres encore entreverront pour la survie du français des scenarii apocalyptiques ou une weltanschauung ponctuée d'avatars. En attendant cette lingua franca qui saura un jour réunir les aficionados de la culture universelle, pourquoi ne pas se montrer smart envers ces mots qu'on repousse allegro, et tenter de leur réserver des happy ends en criant eurêka ou alléluia ?

Les mots se retrouvent groupés selon leur langue d'origine, à moins que le nombre limité de mots pour certaines langues ne rende plus pertinente une association de diverses origines. Cette classification permettra de découvrir des constantes orthographiques (l'emploi fréquent des doubles consonnes en italien, dans *aggiornamento, capriccio* ou *confetti*, par exemple), ou des liens sémantiques intéressants (les termes relatifs aux arts martiaux en japonais, ou à des religions en hébreu ou en sanskrit). Lorsque les mots présentent plusieurs origines successives, ils ont généralement été identifiés par leur source la plus ancienne mentionnée dans nos ouvrages de référence. Certains termes peuvent se retrouver dans deux langues en même temps, lorsque chaque origine correspond à un sens différent (par exemple, le *gui*, plante, vient du latin, alors que le *gui*, terme de marine, dérive du néerlandais). Souvent, un seul mot par famille a été retenu pour simplifier les listes (on lira alors « + dér. »), sauf dans certains cas, où nous avons voulu souligner toutes les formes dérivées de la même racine et entrées dans la langue.

Vu l'impressionnant lexique emprunté à l'anglais et son déplorable cortège d'anglicismes, nous avons distingué ces derniers des autres mots d'origine anglaise en leur ajoutant la mention *(A)*. Nous avons qualifié d'anglicismes les mots identifiés comme tels dans au moins un des dictionnaires, ceux qui ont fait l'objet d'une recommandation officielle « plus française », et les termes possédant déjà un équivalent français. Lorsque les dictionnaires ne font mention ni du pluriel ni de l'invariabilité, nous avons soit proposé la forme plurielle la plus logique, en tenant compte du sens et des cas similaires, soit préconisé l'invariabilité lorsque seul l'usage du singulier nous a semblé pertinent ; de tels mots sont suivis d'un triangle. Enfin, les mots qui nous semblent étrangers parce qu'ils dérivent du nom d'une personne ou d'une région sans en être la reproduction exacte ont été identifiés par l'origine « noms propres » ; on retrouvera par exemple dans cette catégorie le *bégonia*, du nom de l'intendant Bégon, ou le *torr*, du nom propre Torricelli. Notez que les dérivés de noms propres ayant une « consonance » tout à fait française (*cornélien*, de Corneille, ou *sénégalais*, du Sénégal) n'ont pas été retenus, pas plus que les noms propres devenus noms communs (*chantilly* ou *havane*), qui pour leur part figurent déjà dans le chapitre « Genre et nombre ».

Par ailleurs, les difficultés orthographiques présentes dans les mots étrangers, ainsi que la question du genre des noms, sont traitées comme pour les autres mots dans les chapitres précédents. Les termes suivis d'un astérisque ne sont plus d'origine française ou ont un pluriel différent selon le sens qu'ils revêtent ; *canner*, par exemple, est un anglicisme au sens de « mettre en conserve », mais non au sens de « garnir de jonc, s'en aller ». Ces mots se trouvent définis dans le chapitre « Homonymes ».

Plan du chapitre

LE PLURIEL

Langues africaines É1
Allemand É2 et 3
Anglais É4 à 10
Arabe É11 à 13
Chinois É14
Corse É15
Créole (caraïbe) É16
Écossais É17
Espagnol É18 et 19
Esquimau É20
Grec É21 à 23
Hébreu É24 et 25
Hindi (sanskrit) É26
Hongrois É27
Langues indiennes É28
Irlandais É29
Italien É30 à 34
Japonais É35 et 36
Latin É37 à 41
Malais É42
Néerlandais É43
Norvégien É44
Persan É45
Polonais É46
Polynésien (malgache) É47
Portugais É48
Russe É49 et 50
Langues scandinaves É51
Slave É52
Suédois É53
Tamoul É54
Tibétain É55
Tupi É56
Turc É57
Vietnamien É58
Autres langues É59
Dérivés de noms propres É60
et 61

LES MOTS COMPOSÉS

Anglais É62 à 77
trait d'union ; séparés ; soudés ; trait d'union ou séparés ; trait d'union ou soudés ; trait d'union, séparés ou soudés
Italien É78
trait d'union ; séparés ; soudés
Latin É79 à 81
trait d'union ; séparés ; soudés
Autres origines É82 à 86
trait d'union ; séparés ; soudés ; apostrophe

LES ACCENTS

Mots en -a, -is, -um, -us É87 et 88
Accent aigu É89 à 97
langues africaines, anglais, arabe, espagnol, grec, italien, latin, autres langues, dérivés de noms propres
Accent grave É98
grec, autres langues
Accent circonflexe É99
Tréma É100
allemand, arabe, japonais, russe, autres langues
Au choix É101 à 109
é ou e ; é (e) ou æ ; é ou œ ; é ou autres lettres ; é ou è, é ou ê ; à, è, ù ou a, e, u ; â, ô, û ou a, o, u ; ë, ï, ö, ü ou e, i, o, u ; ä, ï, ö ou autres lettres ; plusieurs accents possibles

Les mots étrangers

Les mots étrangers

La grande majorité des mots étrangers est variable et on forme leur pluriel en ajoutant simplement un *s* au mot singulier : *un feldwebel, des feldwebels* ; *un gavial, des gavials*, etc. Dans d'autres cas, cependant, il faut leur faire suivre les règles grammaticales de leur langue d'origine ; par exemple, ajouter *-er* en allemand : *un lied, des lieder* ; ou ajouter *-es* en anglais : *un bush, des bushes*. Quelques-uns conservent la même forme au singulier comme au pluriel, parce qu'ils se terminent par *s*, *x* ou *z* (*un* ou *des alcarazas, un* ou *des fez*).

On trouve encore des mots carrément invariables (*des gopura, des satisfecit*), ou toujours pluriels (*des llanos, des impedimenta*). Quelques autres sont tantôt variables, tantôt invariables, selon leur nature : *des kimonos* (comme nom), mais *des manches kimono* (comme adjectif). Enfin, les dictionnaires permettent plusieurs possibilités pour certains mots, ou ne s'entendent pas quant à leur variabilité, en tout temps ou pour une catégorie grammaticale donnée ; c'est le cas, par exemple, de plusieurs lettres grecques (*alpha, epsilon, iota*, etc.) qui sont des noms variables ou invariables, et de nombreux termes de musique italiens (*crescendo, diminuendo, largo*, etc.) qui sont des adverbes invariables ou des noms variables ou invariables.

Cette section analysera, langue par langue, la formation du pluriel des mots étrangers, en présentant successivement les mots variables, les invariables, puis les cas particuliers, selon les spécifications décrites précédemment. Les verbes ont été identifiés par la mention «(v.)», et classés par commodité avec les mots qui prennent un *s* au pluriel, pour signifier que leur forme varie dans la conjugaison. La lettre *(A)* distingue les anglicismes des autres mots d'origine anglaise, et l'astérisque renvoie au chapitre « Homonymes » dans les cas où l'origine, la mention « anglicisme » ou la variabilité est conditionnée par le sens.

Langues africaines

VARIABLES

awalé ou walé
bambara
bamboula
cob ou kob
cola ou kola
impala
iroko
karité

mafé
marimba
naira
néré
niébé
okapi
okoumé

ouabaïne
ouguiya
ouolof ou wolof
peuhl, e ou peul, e
sanza
sipo
souahéli, e ou swahili, e

suricate ou surikate
tara
tchapalo
tchitola
yohimbehe
yohimbine
zoulou, e

Attention !

Variables comme noms, variables ou invariables
comme adjectifs
rastafari ou rasta
vaudou, e

Invariables
khoin ou khoisan ▲
kwashiorkor ▲

Allemand

VARIABLES **É2**

alpenstock
baeckeofe ou bäkeofe
ballast
bichof, bischof ou
bishop
blitzkrieg
bock
boxer
bretzel
bunker
burgrave
cantor
capo ou kapo
cathepsine
chabraque
   ou schabraque
chlinguer
   ou schlinguer (v.)
chnoque, schnock
   ou schnoque
chnouf, schnouf
   ou schnouff
clamp
clinfoc
dasein ▲
diktat
doberman
ecdysone
feldspath
feldwebel

fifrelin
flysch
foehn, fœhn ou föhn
frichti
führer
fusel
gauleiter
gewurtztraminer ou
gewurztraminer
glockenspiel
graben
guelte
hamster
hand(-)ball
hinterland
hornblende
horst
hydrant ou hydrante
immelmann
junker
kaïnite
kaiser
kammerspiel
képi
kieselguhr ou kieselgur
kirsch
klippe
kobold
kommandantur
konzern

kouglof
krach
kraft
kreutzer ou kreuzer
kummel
landgrave
landsgemeinde
landsturm
landtag
landwehr
loden
loustic
lumpenprolétariat
margrave ou margravine
mark, Mark
   ou Deutsche Mark
minnesinger
mispickel
monazite
muesli ou musli
murmel
nixe
oflag
panzer
parabellum
pechblende
pinscher
pipéronal
plansichter
presspahn

putsch
quetsche
realpolitik ou réalpolitik
rhingrave
riesling
rifler (v.)
rœntgen ou röntgen
saxhorn
schappe
scheider (v.) + dér.
schelling ou schilling
schlague
schlamm
schlich
schlitter (v.) + dér.
schnauzer
schnorchel ou schnorkel
schproum
schupo
singspiel
spalter
spath
spiegel
sprechgesang
staffer (v.) + dér.
stalag
statthalter
strudel
stuka
symbionte

⓿➡

syncytium	trolle	velche ou welche	wienerli
tabun	trommel	vermout ou vermouth	wolfram
talweg ou thalweg	turne	wassingue	zinc
teckel	urane	weltanschauung ▲	zinguer (v.)
thaler	valkyrie ou walkyrie	wergeld	zwieback

É3

	Pluriel
pfennig	pfennigs, pfennige
Land	Länder
lied	lieds, lieder

Forme inchangée

aurochs	quartz
blitz	ranz
blockhaus	rollmops
edelweiss ou édelweiss	S. S.
ersatz	schlass
fritz	schnaps
gneiss	schuss
heimatlos	speiss
jass ou yass	tournus
kronprinz	trias
lœss	vasistas
praxis	witz

Variables ou invariables

groschen
leitmotiv
   (pl. leitmotiv(e))
rœsti ou rösti

Invariables

kitch ou kitsch	niobium ▲
Mach (nombre de)	reichsmark
minnesang (n. m. s.)	yiddish
minnesänger	

Anglais

VARIABLES É4

abstract (A)	beatnik (A)	bobtail	bradykinine
ace (A)	beefsteak ou bifteck (A)	boggie ou bogie	brandy
aérobic (A)	behaviorisme,	boghead (A)	break (A)
airedale	béhaviorisme ou	boghei, boguet ou buggy	breakfast (A)
artefact ou artéfact (A)	behaviourisme + dér. (A)	bogue	brick
aspartam ou aspartame	benji	book (A)	bridge (A)
attorney	bermuda	boom (A) ou boum	briefer (v.) (A) + dér.
backgammon	bickford	boomer (A) ou boumeur	broker (A)
bacon	bill	boomerang	brook (A)
badge (A)	bit (A)	booster (A)	bug (A)
badminton (A)	black (A)	bop ou be-bop	building (A)
ballast	blackbouler (v.) + dér.	borough	bulb ou bulbe
banjo	blazer	boulder (A)	bulge
barbecue	blister + dér. (A)	bouledogue	bull (A)
barn	blizzard	bowling	bulldog (A)
barrel	block	boxe	bulldozer (A)
basket	bloom (A)	boy	
bazooka	bluff	boycott (A) ou	
beagle	bob ou bobsleigh	boycottage (A) + dér.	

⫸

bun (A)
burger (A)
byte
cab
caddie ou caddy
cafeteria ou cafétéria
cake
calf
caméra
camping
canner* (A)
canoë
canter
car
caravaning (A)
cargo
carrick
cartoon (A)
cashmere (A)
    ou cachemire
casing
casting (A)
catgut
cellular ▲
cent*
challenge + dér. (A)
chambray
charter (A)
chelem ou schelem
chip* (A)
chiropracteur (A)
chiropractie ou
chiropraxie
chisel
choke ou choke-bore (A)
chopper* (A)
cibiste (A)
cladogramme
claim (A)
clam
clap (A)
claymore
clearance (A)
    ou clairance
clearing (A)
clinker (A)
clip (A)
clipper
clown
club (A)
cluster
coaltar (A)
cob
cocker

cockney
cockpit
cocktail
cocooning (A)
coke + dér.
colcrete
colley
combo
compost
computer (A) ou
computeur
concertina
condominium
consumérisme + dér. (A)
contact (A)
contacter (v.) (A)
container (A)
    ou conteneur
containériser (v.) (A) ou
conteneuriser
convent
convict
cookie (A)
coordinateur, trice (A) ou
coordonnateur, trice
coroner
cottage
court
crack
cracker (A)
cracking (A)
crasher (se) (v.) (A)
crawl + dér.
crib
cricket
crooner (A)
crown
cruiser (A)
curling
custom (A)
cutter (A)
daiquiri ou daïquiri
damper (A)
dancing
dandy
dealer (A) ou dealeur
deb (A)
debater (A) ou débatteur
déboguer (v.)
débriefer (v.) + dér. (A)
déodorant, e (A)
derrick (A)
designer (A)
desk (A)

digest (A)
digit (A)
digitaliser (v.) + dér. (A)
dinghie ou dinghy (A)
discount + dér. (A)
dispatching + dér. (A)
dixie ou dixieland
dock + dér.
dominion
dope (A) + dér.
drag (A)
dragline (A)
dragster (A)
dreadnought
dressing ou
dressing-room (A)
dribble + dér. (A)
drift + dér. (A)
drill* (A)
drink (A)
drive ▲ + dér. (A)
drop ou drop-goal (A)
droper ou
dropper (v.) (A)
drugstore (A)
drummer (A)
dumper (A)
dumping (A)
duplicate
dyke
ecsta ou ecstasy ▲
elfe
enduro
engineering (A)
esquire
establishment (A)
esterlin
estoppel
factoring (A)
fading (A)
fairway (A)
fan (A)
fanzine (A)
faxer (v.) (A)
feeder (A)
feeling (A)
filler (A)
fixe (A)
fixing (A)
flasher (v.) + dér. (A)
flat (A)
flint ou flint-glass
flipper (A)
flop

flutter (A)
foil
folk (A)
folklore
football + dér.
forcing (A)
formater (v.) + dér.
foxé, e
franchising (A)
freak (A)
freezer (A)
fuel (A)
full (A) ▲
funboard ou fun (A)
gadget + dér.
gag
gang
gangster + dér.
gap (A)
getter (A)
gimmick (A)
gin
girl
glamour (A)
goal (A)
gombo
gospel (A)
grader (A)
granny
green (A)
grill ou grill-room
grip (A)
grizzli ou grizzly
grog
groom
groupie
guiderope
gunite + dér.
haddock
hall
halloween ou
Halloween (A)
hamburger (A)
handicap + dér.
happening (A)
hardware ou hard (A)
harmonica
hereford
highlander
hippie ou hippy (A)
hit (A)
hockey
holding (A)
home (A)

➠

homeland
honing
hooligan ou
houligan + dér.
hovercraft (A)
hoverport (A)
hunter (A)
hurdler (A)
hurricane (A)
hydrofoil (A)
icefield (A)
impeachment (A)
incoterm
inlay (A)
input (A)
insert (A)
insight (A)
intension (A)
interlock (A)
interview (A)
isospin
jack (A)
jacket (A)
jackpot (A)
jamboree
jean(s) (A)
jenny
jerk (A) + dér.
jerrican, jerricane ou
jerrycan (A)
jersey
jet* (A)
jigger (A)
jingle (A)
job (A)
jockey
jogging + dér. (A)
joker
jumbo (A)
jumping (A)
junkie ou junk (A)
kart (A)
karting (A)
keepsake
ketch
ketchup
kick (A)
kid (A)
kidnapping (A)
kilt
kipper
kit (A)
kitchenette (A)
kiwi
klystron

koala
label (A)
labéliser ou
labelliser (v.) (A)
lad
lambswool (A)
lapping (A)
lasting
leader + dér. (A)
leasing (A)
lidar
lift + dér. (A)
lifting + dér. (A)
limerick
liner (A)
linkage (A)
linoléum
linter (A)
listing (A)
living ou
living-room (A)
loader (A)
lob (A)
lobbying
    ou lobbysme (A)
lobbyiste (A)
loft (A)
look + dér. (A)
looping (A)
looser ou loser (A)
lord
lougre
lump
luncher (v.)
lyric (A)
magazine
mailing (A)
malt
mamie, mammy ou mamy
manager (A) ou
manageur, euse + dér.
mandrill
mangrove
mappe + dér.
marina (A)
marine*
marketing (A)
marshal (A)
marshmallow (A)
mascara (A)
maser ▲
mastère
mastiff
mat*
matcher (v.)

maul (A)
medium ou médium
meeting
merchandising (A)
midship
mildiou
mile + dér.
mixage + dér. (A)
mixer ou mixeur (A)
mohair
moleskine
monitor
monitoring (A)
motel (A)
motopaver ou
motopaveur
motorgrader (A)
motorship (A)
mound ou burial-mound
muffin
muntjac
musical*
must (A)
mustang
napalm
navel
neck
newsmagazine (A)
    ou news
nominé, e (A)
novéliser ou
novelliser (v.) + dér. (A)
nubuck
nursage ou nursing (A)
nurse
offsettiste
onlay (A)
optimaliser ou
optimiser (v.) + dér. (A)
oriel
outlaw (A)
output (A)
outrigger (A)
outsider (A)
overdose (A)
overdrive (A)
oxer
oxford
pacemaker (A)
pack (A)
package + dér. (A)
paddock
pager ou pageur (A)
paging (A)
panel (A)

panélisé, e ou
panéliste (A)
par* (A)
parking (A)
patchwork (A)
pattern (A)
pecan ou pécan (A)
pedigree
peeling (A)
pellet (A)
pemmican
penthouse (A)
peppermint
    ou pippermint (A)
performatif, ive
permafrost (A)
permalloy
pétrel
pickpocket (A)
pidgin
pitchpin
pixel
planning (A)
plum ou plum-pouding,
plum-pudding
pointer* ou pointeur
poker
polo
pomelo ou pomélo
poney
pongé ou pongée
pool (A)
porridge
porter
positonium ou
positronium ▲
poster* (A)
poteur ou putter (A)
potorou
pouding ou pudding
practice (A)
pressing (A)
prion
prompteur (A)
propfan (A)
prospect (A)
pub
puddler (v.) + dér.
puffin
pull ou pull-over (A)
pulsar
pulsé (A)
punch
punkette (A)
putter ou poteur (A) ➡

Les mots étrangers

putting ou putt (A)
puzzle
quaker, eresse
quark
quartet ou quartette
quasar
quick ▲
quintet
racer (A)
rack (A)
racket + dér. (A)
raft ou rafting
raid
raider (A)
rallye
rami
rand
randomiser (v.) + dér. (A)
ranger
raout
rap (A)
rapeur, euse ou
rappeur, euse (A)
rating (A)
relax ou relaxe (A)
relooker (v.) (A)
rem
remake (A)
reporter (A) ou
reporteur*
reprint (A)
résorcine ou résorcinol
retriever (A)
revival (A)
revolver ou révolver
révolvériser (v.)
rewriter ou
rewriteur + dér. (A)
rhumb ou rumb
riff
rifle
rift
ring
ripper (A) ou rippeur
riser (A)
roadster
rob ou robre
rocker (A)
    ou rockeur, euse
rocket ou roquette
roller (A)
rom* ▲
romsteak, romsteck
    ou rumsteck
rookerie ou roquerie (A)

rooter (A)
rosbif ou roast-beef
rotary (A)
rotor
rough (A)
round
rowing (A)
runabout (A)
rye (A)
saloon (A)
sanatorium
sanderling
scalp + dér.
scanner (A) ou
scanneur + dér.
scat (A)
schelem ou chelem
schooner
scone
sconse, skons, skuns
    ou skunks
scoop (A)
scooter + dér. (A)
score (A)
scotcher (v.) (A)
scout, e
scraper (A) ou scrapeur
scratcher (v.) (A)
script (A)
scrub (A)
scrubber (A)
scull (A)
seersucker (A)
self (A)
senseur (A)
serial (A)
set (A)
setter
shaker (A)
shampoing ou
shampooing
shed (A)
shérif
shilling
shimmy (A)
shingle (A)
shipchandler (A)
shirting (A)
shit (A) ▲
shoot + dér. (A)
shoping ou shopping (A)
short
show (A)
showroom (A)
shunt + dér. (A)

silt (A)
single (A)
sir
skate + dér. (A)
skeet (A)
skif ou skiff + dér. (A)
skin ou skinhead
skip (A)
skipper (A)
slang
sleeping (A)
slice + dér. (A)
slip (A)
slogan
slow
smasher (v.) (A)
smog (A)
smok
smoking
smolt (A)
snifer ou sniffer (v.) (A)
soda
software (A)
solicitor (A)
sonar
spardeck
speaker (A) ou
speakerine (A)
speed ▲ + dér. (A)
spi ou spinnaker
spider
spin
spiritual
spleen
spoiler (A)
sponsor + dér. (A)
spoule
sprat
spray (A)
springer
sprinkler (A)
sprint + dér. (A)
square
squat (A)
squatter
    ou squattériser (v.) (A)
squatter ou squatteur (A)
squeeze + dér. (A)
squire
staff (A)
stagflation (A)
stand
standardiser (v.) (A)
standing (A)
star (A)

starking
starter (A)
stayer (A)
steak (A)
steamer (A)
steeple (A)
stencil
steppage
stepper (A) ou steppeur
stew
steward
stick (A)
sticker (A)
stilton
stock + dér.
stoker (A)
stout
stresser (v.) + dér. (A)
stretching (A)
string (A)
stripage
stripper + dér. (A)
stylo ou stylographe
sunlight (A)
supporter* (A) ou
supporteur, trice
surbooking + dér. (A)
surf
suspense* (A)
swap (A)
sweat (A)
sweater (A)
sweepstake
swing (A)
swinguer (v.)
tabloïd(e) (A)
tacle + dér. (A)
tag (A)
tandem
tank
tanker (A)
tan(-)sad (A)
tarmac
tarmacadam
T. A. T. ou tat ▲
team (A)
teaser (A)
tee (A)
tender
test (A)
thane
thriller (A)
ticket
tickson
tilbury

tilt (A)
timing (A)
toast
toaster (A) ou toasteur
toffee (A)
ton*
tong
tonic (A)
top
torysme
township (A)
tract
trader (A) ou tradeur
training (A)
tram
tramp (A)
tramping (A)
tramway
traveling ou travelling
traveller (A)
trek ou trekking (A)
trenail ou trénail
trench ou trench-coat (A)

trend (A)
trial (A)
tric ou trick
trickster
trimaran (A)
trimmer (A)
trip (A)
trolley
trotting (A)
truc ou truck
trust
trustee (A)
truster (v.)
tub
tumbling (A)
tuner (A)
tunnel
turf
turnep(s)
tweed
tweeter (A)
twist + dér.
ufologie (A)

upériser (v.) + dér.
uppercut
upwelling (A)
vamp + dér.
van
velvet (A)
verdict
vintage (A)
volapuk ou volapük
volley ou
volley-ball + dér.
voucher (A)
wading (A)
wagon
wargame (A)
warning (A)
warrant + dér.
wasp
welter (A)
western
wharf
whig
whipcord (A)

whippet
whist
white ▲ ou
white-spirit (A)
winchester
wishbone (A)
wombat
woofer (A)
yachting
yack ou yak
yankee
yard
yawl
yearling (A)
yuppie (A)
zapper (v.) + dér. (A)
zipper (v.) (A)
zonage
zoning (A)
zoom + dér. (A)

-ies É5	Pluriel	**-es**	Pluriel
baby (A)	babys, babies	blush (A)	blushs, blushes
body (A)	bodys, bodies	brunch (A)	brunchs, brunches
buggy	buggys, buggies	bush (A)	bushes (L)
cherry	cherrys, cherries	clash (A)	clashs, clashes
cosy (A) ou cosy-corner	cosys, cosies	coach (A)	coachs, coaches
ferry (A)	ferrys, ferries	crash (A)	crashs, crashes
gentry	gentrys, gentries (ou inv.)	flash (A)	flashs, flashes
hobby (A)	hobbys, hobbies	flush (A)	flushs, flushes
husky (A)	huskys, huskies	lunch	lunchs, lunches
junkie ou junky (A)	junkies	match	matchs, matches
lady	ladys, ladies	miss	miss, misses
lavatory	lavatorys, lavatories	ranch	ranchs, ranches
lobby (A)	lobbys, lobbies	rash	rashs, rashes
lorry (A)	lorrys, lorries	rush* (A)	rushs, rushes
nursery (A)	nurserys, nurseries	scotch*	scotchs, scotches
penalty ou pénalty (A)	penaltys, pénaltys, penalties	sketch	sketchs, sketches
		smash (A)	smashs, smashes
penny*	**pence**, pennies	speech (A)	speechs, speeches
sammy	sammies	winch (A)	winchs, winches
sherry (A)	sherrys, sherries		
sulky	sulkys, sulkies		
tommy	tommys, tommies		
tory	torys, tories		
wallaby	wallabys, wallabies		
whisky	whiskys, whiskies		
yeomanry	yeomanries ▲		

Tous les mots anglais en **-ch** ou en **-sh**
peuvent faire leur pluriel en **-s** ou bien en
-es, à l'exception de *catch* ▲, *ketch*,
patch ▲, *pitch* ▲, *scottish* ▲, *squash* ▲,
stretch et *trench*, qui, eux, doivent prendre
un **s** au pluriel.
Finish, *punch* et *scratch* peuvent prendre
un s ou demeurer invariables. *Cash* ▲ est
quant à lui plutôt inusité au pluriel.

Autres formes

	Pluriel
dispersal	dispersaux
managérial, e (A)	managériaux, ales
mémorial (A)	mémoriaux
supernova	supernovæ
terminal (A)	terminaux

*Pluriel des mots se terminant par **-man** ou **-woman** :
voir le tableau É73*

Forme inchangée É6

bizness ou business (A)
blues
boss (A)
box
bus
campus
chips*
cops (A)
cross
doris
express
fax (A)
fox
glass (A)
hammerless (A)
jazz
lias

mess
news (A)
quadruplex
quiz (A)
reflex ou réflex*
remix (A)
reps
schlass
skons, skuns, skunks
    ou sconse (var.)
stress (A)
tennis
topless (A)
trolleybus
tubeless (A)
wax (A)

Invariables É7

asa
ASIC
auburn
barefoot ▲
because ou bicause (A)
bye
C. B. (A) ▲
C. D. ou CD (A)
cheap (A)
clean (A)
cobol ▲
coloured ▲
cool (A)
country (A)
decca ▲
dogger ▲
flood (A)
foot ▲
gift ▲
groggy (A)
hello (A)
in (A)
indoor (A)
jazzy

kerma ▲
krypton ▲
let (A)
light (A)
lisp ▲
live (A)
loran ▲
off (A)
out (A)
pep (A) ▲
Regency
reverse
    ou autoreverse (A)
    (var. ou inv.)
revolving ou
révolving (A)
scoured (A) ▲
sexy (A)
S. F. (science-fiction) (A)
shocking (A)
smart (A)
snif ou sniff + dér.
sterling

Toujours pluriels É8

Masculin

comics (A)
doldrums
drums (A)
links (A)
pence
pickles (A)
rushes (A) ou rushs (A)*
smocks (A)

Féminin

dreadlocks
leggings (A) ou leggins (A)
royalties (A)

Attention !

boots, n. m. ou f. pl.

Variables comme noms, invariables comme adjectifs É9

baby (A)
beat (A)
compound (A)
design (A)
disco (A)
flirt
golden
laser
net* (A)
open (A)

Pal*
pop ou pop music (A)
reggae
rock (A)
scratch (A)
sport
sport(s)wear (A)
spot (A)
stop
water(-)proof   ⟹

Notez que **relax*** (A), quelle que soit sa nature, ne change pas de forme, mais qu'on peut également l'écrire *relaxe** et le faire varier lorsqu'il est adjectif.

Cas particuliers ÉI0

Mot	Variable	Invariable	Variable ou invariable
bang		interj.	n. m.
cantilever	n. m.		adj.
dry (A)		adj.	n. m.
finish (A)			n. m.
funk (A)			n. m., adj.
funky (A)		adj.	n. m.
gaba			n. m.
gentry			n. f. (pl. gentrys, gentries)
hot (A)		adj.	n. m.
item (A)			n. m.
navicert			n. m.
offset (A)		adj., n. f.	n. m.
punch*			n. m.
punk (A)	n.		adj.
record	n. m.		adj.
soul (A)		adj.	n. m. ou f.
standard	n. m.		adj.
stol (A)			n. m.
underground (A)		adj.	n. m.

On trouve aussi :

knicker (n. m.)	ou	knickers (n. m. pl.)
media (n. m. inv.)	ou	média (n. m.)
select (adj. : f. s. select, f. et m. pl. select(s))	ou	sélect, e (adj.)
snob (n. ou adj. : f. s. snob, n. pl. snobs, adj. f. et m. pl. snob(s))		
water (n. m.)	ou	waters (n. m. ou n. m. pl.) (A)

Arabe

VARIABLES ÉII

acheb	ayatollah	caïd	charia ou sharia
achoura	babouche	califat ou khalifat	chebec, chébec ou
adrar	baobab	calife ou khalife	chebek
alcazar	baraka	caoua ou kawa	chéchia
alguazil	·baroud	casbah	cheik, cheikh ou scheik
almanach	benjoin ▲	cétérac ou cétérach	chergui
aman	boukha	chadouf	chérif
arac, arak ou arack	brick	chah ou schah	chiite, chi'ite ou shiite
arbi	cadi	chamsin ou khamsin	chott

Les mots étrangers

chouia, chouïa ou
chouya
colcotar
dahabieh
dahir
daïra
daman
darbouka ou derbouka
diffa
dirham
djebel ou djébel
djellaba
djihad ou jihad
djinn
douar
doum
éfrit
émir
émirati, e
fellah
foggara
fondouk
gandoura
goule
goum
hach ou hasch
hachich, hachisch,
    haschisch ou haschich
haïk
hamada
hammam
harem
harissa
harki, e
hasard
hodjatoleslam
imam
intifada ▲

iwan
jaseran ou jaseron
julep
kabyle
kali
kandjar
keffieh ou kéfié
ketmie
kharidjisme
khat ou qat
khôl, kohol ou koheul
kief ou kif
koubba
krak
kroumir
litham ou litsam
lokoum ou loukoum
looch
loofa ou luffa
madrasa ou medersa
maghrébin, e
    ou magrébin, e
maghzen ou makhzen
mahaleb
mahdi
mahdisme
mamelouk ou mameluk
mastaba
méchoui
mechta
médina
méharée
mellah
mihrab
minbar
mollah, mulla ou mullah
moucharabié ou
moucharabieh

moujingue
moukère ou mouquère
mozarabe
mudéjar, e
mufti ou muphti
nadir
nafé
natron ou natrum
nebka ou nebkha
nénuphar
noria
nouba
ouléma ou uléma
pachto ou pachtou
parsi, e
qasida
qibla
quirat
rabab ou rebab
racahout
ramadan
ramdam
razzia
réalgar
rebec
reg
rezzou
rial
rob
rock
roumi, e
safari
sahel
sahraoui, e
sakieh ou sakièh
salat
salep
samara

saroual ou sarouel
sebka ou sebkha
seghia, séghia, seguia ou
séguia
sidi
simoun
sloughi
smala ou smalah
sofa
sophora
soufi, e
soufisme
souk
sourate ou surate
sultan
sumac
sunna
sunnisme
tabor
taboulé
tagine ou tajine
talibé
talisman
tarbouch ou tarbouche
tassili
tell
toubib
turbith
tuthie ou tutie
wali
wilaya ou willaya
zakat
zaouïa ou zawiya
zellige
zénith
zéro
zérumbet
zob

É12

ben*
erg
fedaï ou fedayin
ksar
méhari
moudjahid

oued
santal

targui, e
    ou touareg, ègue

Pluriel	Forme inchangée
beni	alcarazas
ergs, areg	borax
fedayin(e), fedayins	burnous
ksars, ksour	chermès ou kermès
méharis, méhara	clebs
moudjahidines, moudjahidin(e)	couscous
	maravédis
oueds, ouadi	matras
santals, sauf dans « poudre des trois santaux »	merguez
	raïs
touareg ou touaregs, ègues	

Cas particuliers   É13

Mot	Invariable	Variable ou invariable
fatma		n. f.
fellag(h)a		n. m. ou pl. de fellag
hadith		n. m.
hadji ou hadj		n. m.
raï	adj.	n. m.

Invariables

bésef ou bézef
djamaa ou djemaa
fissa
hadj ou hadjdj

halal ou hallal
Mouloud ou Mulud
ribat

Toujours pluriel

gour(s)

On trouve aussi : *salamalec* (n. m.) ou *salamalecs* (n. m. pl.)

Chinois   É14

VARIABLES

chantoung, shantoung
   ou shantung
dao ou tao
dazibao
gan
ginseng
hakka

jingxi
kaoliang
kaolin
kumquat
letchi, litchi ou lychee
longane
min

pacfung ou packfung
poussah
putonghua
rickshaw
sampan ou sampang
shiatsu
taekwondo

thé
wu
xiang
youyou
yuan

Attention !

li, n. m. ou n. m. inv.

Invariables

pinyin ▲
taiji ou t'ai-ki ▲

yang ▲
yin ▲

Corse   É15

VARIABLES

broccio, brocciu ou bruccio
voceratrice ou vocératrice

Attention !

vocero
   ou vocéro

Pluriel
voceros, vocéros ou voceri

Créole (caraïbe)   É16

VARIABLES

béké
blaff
gaïac
gaïacol
hocco
kamichi
marigot
papaye
pécari
ratafia

simaruba
tafia
tinamou
tonca ou tonka
vesou
yassa
yucca
zombi ou zombie
zoreille

Les mots étrangers

Écossais

VARIABLES

filibeg ou philibeg
grouse
laird

loch
plaid*

Attention !

Forme inchangée

haggis

Espagnol

VARIABLES É18

adobe	copal	hidalgo	pronunciamiento
aficionado	cordoba	huerta	puma
aguardiente	corozo	jalap	puna
alcade	corral	jota	puntillero
arroyo	corregidor ou	ladino	quebracho ou québracho
asiento	corrégidor	lempira	rancho
audiencia	corrida	liquidambar	rancio
aviso	cuadrilla	macho	rastaquouère ou rasta
axolotl	cuadro	major	requeté
ayuntamiento	cuesta	mambo	ria
azulejo	cueva	manzanilla	roccella ou rocelle
balsa	desperado ou despérado	mariachi	rodéo
bandera	don (fém. doña)	marihuana ou marijuana	romancero
banderille	don ou dom	marrane	rumba
banderillero ou	douro	matador	sabir
bandérilléro	eldorado	maté	saladero
barracuda	embargo	médianoche	salpicon
boldo	encomienda	mesa ou mésa	salsa
boléro	espada	mirador	sangria
boliviano	estancia	mollé	seguidilla ou séguedille
brasero ou braséro	faena	muleta ou muléta	señorita
cachucha	fandango	navaja	sierra
cacique	fantasia	nopal	sombrero ou sombréro
caïman	feria ou féria	novillada	tango
calo	fiesta	novillero ou novilléro	tchatche
camarilla	flamenco, ca	novillo	teocali, teocalli ou
canasta	fuero	ola	téocalli
cañon ou canyon	ganaderia ou ganadéria	paella ou paëlla	tequila ou téquila
cascara	ganga	pampa	tiento
caudillo	gaspacho	pampero ou pampéro	tilde
centavo	gaucho	panatela ou panatella	toréador
charabia	gouape	pasionaria ou	torero ou toréro
chicano	gringo	passionaria	torpédo
chicle ou chiclé	guanaco	pastilla	tortilla
chile ou chili	guanine	patio	turista
chistera ou chistéra	guano	peseta	zapateado ou zapatéado
chorizo	guérilla	peso	zarzuela
cigarillo	guérillero ou guérilléro	picador	zircon
coca	habanera	pistolero ou pistoléro	zirconium
condor	hacienda	placer	
conga	hamac	poncho	
contra	hermandad	posada	

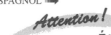

É19 | Pluriel

	Pluriel
bolivar	bolivars, bolivares
colon*	colones
conquistador	conquistadors, conquistadores
péon	péons, péones
quetzal*	quetzals, quetzales
réal*	réaux, reales
soleá	soleares

Toujours pluriels

Masculin
llanos
taconeos

Féminin
Cortes ou cortès
palmas
tapas

Forme inchangée
alkermès   ninas
londrès   sassafras
mérinos

Invariable
olé ou ollé

Variable comme nom, invariable comme adjectif
indigo

On trouve aussi :

gamba (n. f.)   ou   gambas (n. f. pl.)
maraca (n. f.)   ou   maracas (n. m. pl.)

Esquimau | É20

VARIABLES

anorak   nunatak
esquimau, aude*   oumiak
igloo ou iglou   parka
kayak

Invariable   *Variables ou invariables*
inuktitut ▲   eskimo
                                inuit

Grec

VARIABLES É21

adiante ou adiantum
ægagropile
   ou égagropile
ægosome ou égosome
æthuse ou éthuse
ageratum ou agérate
anthyllide ou anthyllis
arnica
arum
aspidistra
blastula
bothriocéphale
boulê
caléidoscope
   ou kaléidoscope
calomel

centrophylle
   ou kentrophylle
chéilite
chéiroptère
   ou chiroptère
chélate
chélateur
chélicérate
chélidoine
chéloïde
chélonien
chiasma
chitine
chlamyde
chloasma
chlorophytum

chondrichtyen
chondriome
chondriosome
choreute
choroïde
chrisme
chrysalide
chthonien, enne ou
chtonien, enne
chyle
chyme
clade
clephte ou klephte
clepsydre
clone
cnémide

cœlacanthe
cœlentéré
cœliaque
cœlomate
cœlome
cœlostat
coma
conchyliculture
corybante
corymbe
coryphée
coryza
cothurne
cténaire ou cténophore
cynocéphale
cynodrome

⇒

cynorhodon ou
cynorrhodon
cyon
daphné
diachylon ou diachylum
diploé
dithyrambe
drachme
dyne
dytique
ecchymose
ecclésia
écoumène ou œkoumène
ecthyma
eczéma
électrum
élytre
enthalpie
enthymème
éparchie
épectase
éphore
épiphane
épistémé, épistémè ou
épistémê
éréthisme
éreuthophobie,
éreutophobie ou
    érythrophobie
erg
escarre ou eschare
eschatologie
evzone
feta ou féta
flegmon ou phlegmon
fléole ou phléole
géaster
gypaète
hamadryade
hellène + dér.
hendiadyin
herméneutique
himation
hydatide
hydne
hydrargyre
hydraule
hymen
hyménium
hyponomeute
    ou yponomeute
hyposcenium
hysope

ichneumon
ichor
ischémie
isochore
isochrone ou
isochronique
ixode
koinè
kymographie
labdanum ou ladanum
lanthanide
lavra ou laure
lemme
lichen
litharge
logomachie
lycanthrope
lychnide
lycoperdon
lyrique
lysimaque
masséter
méconium
mégathérium
melæna, mélæna
    ou méléna
mélampyre
melia ou mélia
ményanthe
mérycisme
misanthrope
mnémotechnie + dér.
mnésique
moly
molysmologie
mydriase
myocastor ou
myopotame
myrmécophile
myrobalan ou
myrobolan
myrosine
myroxyle ou myroxylon
myrtacée
myrte
mythe
myxœdème
néphélion
noologique
nymphéa
odéon
œdème
œdicnème

œnanthe
œnothera ou œnothère
oïdium
onchocercose
onychophore
ophiure ou ophiuride
orichalque
orphie
oryctérope
ouzo
oxymore ou oxymoron
oxyton
pæan ou péan
palicare, palikare,
    pallicare ou pallikare
palladium
pandémonium
panégyrique
panthéon
paranoïa
paronyque
paroxyton
pélargonium
pentathlon
périthèce
pérityphlite
phalère
phanère
phanie
pharaon
phasme
phénakisticope ou
phénakistiscope
phloème
phlogistique
phlyctène
pholade
pholiote
phormion ou phormium
phréatique
phrénique
phrénologie
phrygane
phtiriase
phtisie
phylactère
phylarque
phyllade
phylloxera ou
phylloxéra
physostigma
pita
pithiatisme

plathelminthe
pléthore
pœcile
pœcilotherme ou
poïkilotherme
poïkilothermie
poliorcétique
proparoxyton
propylée
protomé
protonéma
prytane
prytanée
psaltérion
psyché
ptéranodon
ptéridophyte
ptose ou ptôse
ptyaline
ptyalisme
rapsode ou rhapsode
rapsodie ou rhapsodie
retsina
rhabdomancie
rhamnacée
rhétorique
rhexistasie
rhyton
sacoléva ou sacolève
scare
schistosome
scholiaste ou scoliaste
sciène
sirtaki
smegma
solen
soma
sophrologie
souvlaki
spart ou sparte
sphaigne
sphénisque
sphincter
sphinge
splanchnique
squirre ou squirrhe
sthène
stochastique
stœchiométrie
stomoxe
strophante
strychnée
strychnine

styptique
sycophante
symposium
synéchie
syngnathe
synode
synœcisme
syrrhapte
tachina ou tachine
taricheute
tephrosia ou téphrosie
thalasso
thalle

thaumaturge
thénar
thériaque
théridion ou theridium
thermidor
thète
thlaspi
thuya
thyade ou thyiade
thylacine
thyrse
tréma
tréphone

trichoma ou trichome
trigle
trochanter
trochisque
tryptophane
tympanon
typha
typhon
uraète
vélani
xanthélasma
xipho ou xiphophore
xyste

zéphyr
zétète
zeugma ou zeugme
zodiaque
zoé
zoécie
zoo
zygnéma
zygoma
zygote
zymase
zython ou zythum

Attention !

É22

	Pluriel
chlamydia	chlamydias, chlamydiæ
coré, corê ou korê	corés, corês, korês, korai
hippeus	hippeis
ostracon	ostraca
podion	podia
taxon ou taxum	taxons, taxa

Invariables

dzêta
eurêka
hélium ▲
Kyrie
nu*

pi*
rho ou rhô
tau
thallium ▲
xénon ▲

Remarquez que, ***dzêta*** (mais non *zêta*), ***nu****, ***pi****, ***rho*** (ou *rhô*) et ***tau*** sont les seules lettres de l'alphabet grec qu'aucune de nos sources ne considère comme variables.

Forme inchangée

aedes ou aédès
æpyornis ou épyornis
agrostis
agrotis
anthrax
anthyllis
apax ou hapax
archéoptéryx
atlas
basileus
benthos
botrytis
byssus
catharsis
catholicos
catoblépas
climax
clitoris
cochylis ou conchylis
coréopsis

couros ou kouros
cynips
dinophysis
dinornis
donax
elæis, élæis ou éléis
épicanthus
épulis
ethos
hamadryas
hamamélis
hélix
hendiadis ou hendiadys
hermès
herpès
hydramnios
hystérésis
ibéris
ibis
ichthus

ichtyornis
iléus
iris
iritis
isatis
lexis
liparis
logos
lychnis
mégalopolis
myosis
myosotis
naos
narthex
népenthès
néréis
nystagmus
oaristys
onyx
onyxis

ophrys
opopanax
orchis
oryx
pancréas
papas
paraphimosis
pathos
pécoptéris
pelagos
pemphigus
pharynx
phimosis
phlox
picris
pityriasis
proglottis
pronaos
propolis
psoas

⇒⇒➡

Les mots étrangers

psoriasis
ptosis ou ptôsis
sandix ou sandyx
sardonyx
saros
satyriasis
scolex
seps
sialis
spalax
spéos
sphex
sphinx
spondias
strophantus
strychnos
sycosis
temenos

tétanos
thalamus
thanatos
tholos
thorax
thrips
thrombus
thymus
tragus
tricératops
trichiasis
trichomonas
trionyx
trismus
tylenchus
uræus
xérus

Variable comme nom, invariable comme adjectif É23

hypothénar

Variables ou invariables en tout temps

alpha
digamma
epsilon
êta
gamma
iota
kappa
khi
ksi ou xi
mu*

oméga
omicron
phi
psi
sampi
sigma
thêta
upsilon
zêta

En plus d'être des noms variables ou invariables, **bêta**, **delta** et **lambda** sont aussi des adjectifs invariables.

Hébreu

VARIABLES É24

alléluia
ashkénaze
caraïte, karaïte
　ou qaraïte
chva ou schwa
éden
éphod
golem
hittite

hosanna
kaddish
kibboutznik
kippa
massorah ou massore
massorète
melchite ou melkite
menora
nabi

pharisien, enne
rabbi
sabbat ou shabbat
sabra
sanhédrin
schéol ou shéol
schibboleth ▲
schofar
séfarade

séraphin
shekel ou shékel
taled, tal(l)eth, tal(l)ith
targum
thora ou torah
yod
ziggourat

Attention !

É25

	Pluriel
ashkenazi	ashkenazim
goï ou goy	goys, goïm, goyim
hassid	hassidim
kibboutz	kibboutz, kibboutzim
midrash	midrashim
sefardi	sefardim
yeshiva	yeshivot

Invariables

amen
cacher, cachère, cascher,
casher, cawcher, kascher,
　ou kasher
Hanoukka
Kippour,
　Yom Kippour (L)
　ou Yom Kippur

Knesset
Pessah
Pourim
raca
Talmud

Variable ou invariable
aleph

Toujours pluriel
tefillin, tephillim, téphillim ou tephillin

Hindi (sanskrit)

VARIABLES

apsara(s)
asana
ashram
atman
avatar
bandana
bégum
bengali
bodhisattva
bouddha
brahmane
brahmi
brahmine
bungalow
chutney
coolie
darshan
devanagari ou nagari
dharma
djaïn, e, djaïna
    ou jaïn, e
djaïnisme, jaïnisme
    ou jinisme
gaur
gavial
gayal
gourou ou guru
gymkhana
hinayana
hindi
houka
kamala
karma ou karman
kathakali
khmer, ère
mahara(d)ja ou
mahara(d)jah
maharané ou maharani
mahatma
mahayana
mandala
mantra
maya
mudra
nabab
naja
nansouk ou nanzouk
nirvana
ourdou, e ou urdu
pali

panca ou panka
pandit
prakrit ou prâkrit
radja, radjah, raja ou
rajah
rani
sahib
saktisme
sanscrit, e ou sanskrit, e
shama
sikh, e
sikhara
sitar
soutra, sutra ou sûtra
stoupa, stupa ou stûpa
svastika ou swastika
tabla
tamil ou tamoul, e
tandoori ou tandouri
torana
tussah ou tussau
tussor ou tussore
vanda
véda
védique
védisme
yoga
yogi
zénana

Forme inchangée
chintz

Variables ou invariables
jaïna
linga ou lingam

Invariables
jataka
sati
vaisya
vedika
vihara
vimana
vina

Toujours pluriel
tantra

Hongrois

VARIABLES

cymbalum ou czimbalum
fillér
forint
goulache, goulasch ou
goulash
haïdouc, haïdouk ou
heiduque

magyar, e
paprika
schako ou shako
tokaj ou tokay
tsigane ou tzigane

Langues indiennes

VARIABLES

aymara
catalpa
chinook
guarani
hévéa
hickory
inca ou incasique
inti
jojoba
katchina
kinkajou
maracuja
maskinongé
maya
mescal ou mezcal
mita
nahua
nahuatl
nandou
nazca
ondatra
opossum
ouananiche

ouaouaron
ouistiti
pékan
pembina ou pimbina
peyotl
potlatch
pulque ou pulqué
quechua ou quichua
quetzal*
quinoa
quinquina
quipo, quipou ou quipu
quiscale
sachem
squaw
tipi
toboggan
tomahawk ou tomawak
totem
tupi
ulluque
wapiti
wigwam

Irlandais

VARIABLES

cairn
drumlin
pibrock

whiskey
whisky

Les mots étrangers

Italien

VARIABLES **É30**

aggiornamento
agio
alto
appoggiature ou
appogiature
aria
arioso
banco
brio
calcarone
camorra
cappuccino ou cappucino
capriccio
chipolata
cicérone
coda
concertino
concerto
confetti
continuo
contralto
coppa
corridor
corso
dilettante
diva
divertimento
drogman
duce
duetto
esquif

farniente
fiasco
furia
furioso
gabbro
ghetto
glissando
grappa
group
imbroglio
influenza
intermezzo
janissaire
jettatore
jettatura
lamento
libeccio
libero ou libéro
loggia
loto
macaroni
maestria
maestro
maffia ou mafia
marasquin
mascarade
mataf
mercanti
messer
mezzanine
mezzo

minestrone
modénature
mortadelle
mozzarella ou mozzarelle
nervi
neutrino
nonciature
ocarina
omerta
oratorio
ostinato
pancetta
paroli
pecorino ou pécorino
pergola
piazza
piccolo ou picolo
pizza
pizzeria ou pizzéria
polenta
portor
pouzzolane
provolone
reversi(s)
ricotta
rif, riffe ou riffle
risotto
ristrette ou ristretto
rondo
ruffian ou rufian
salami

salto
sfumato
sirocco ou siroco
smalt
solfatare
soprane ou soprano
sorgho ou sorgo
stance
strasse
tarot(s)
ténor
ténorino
tercet
terramare
terzetto
teston
tombola
tombolo
tortellini
trattoria
trémolo
trio
tuf
turco
vendetta
vibrato
volute
zani ou zanni
zucchette ou zuchette

É31

	Pluriel
bersaglier	bersagliers, bersaglieri
bravo*	bravos, bravi
canzone	canzones, canzoni
carbonaro	carbonaros, carbonari
condottiere	condottieres, condottieri
gruppetto	gruppettos, gruppetti
impresario ou imprésario	imprésarios, impresarii
lazzarone	lazzarones, lazzaroni
libretto	librettos, libretti
maf(f)ioso	maf(f)iosi
monsignor ou monsignore	monsignors, monsignori
nuraghe	nuraghes, nuraghi
partita	partitas, partite

	Pluriel
pianissimo (n. m.)	pianissimos, pianissimi
pizzicato	pizzicatos, pizzicati
pupazzo	pupazzos, pupazzi
putto	puttos, putti
ricercare	ricercari
scenario ou scénario	scénarios, scenarii, scénarii
solo	solos, soli
soprano	sopranos, soprani
tempo	tempos, tempi
toccata	toccatas, toccate
trullo	trullos, trulli
zingaro	zingaros, zingari

ITALIEN ⟶

Invariables É32

assai	pianoforte
basta ou baste	ou piano-forte (var.)
bravissimo	piu
ciao ou tchao	prestissimo
dito	presto
dolce	quattrocento ▲
dolcissimo	rinforzando
espressivo	ritardando
forte	scherzando
franco	sforzando
gracioso ou grazioso	smorzando
maestoso	sostenuto
millefiori	ten ou tenuto
molto	

Toujours masculins pluriels

arditi	macchiaioli
fontanili	tifosi
lapilli(s)	

Forme inchangée

express
rossolis
salsifis

Variables comme noms (et adjectifs, dans certains cas), mais invariables comme adverbes É33

adagio	cantabile (aussi adj.)
agitato	incognito
allegretto ou allégretto	pianissimo
allegro ou allégro	piano
amoroso	rubato (aussi adj.)
andante	scherzo
andantino	staccato
animato	tempera
appassionato, a (aussi adj.)	vivace

Notez que **opéra** et **sépia** sont variables comme noms mais invariables comme adjectifs.

Cas particuliers É34

Mot	Invariable	Variable ou invariable	Mot	Invariable	Variable ou invariable
cannelloni		n. m.	lazzi		n. m.
concetti		n. m.	legato	adv.	n. m.
crescendo	adv.	n. m.	lento	adv.	n. m.
decrescendo	adv.	n. m.	paparazzi		n. m.
diminuendo	adv.	n. m.	pietà		n. f.
fortissimo	adv.	n. m.	ravioli		n. m.
gnocchi		n. m.	ripieno		n. m.
graffiti		n. m.	scampi		n. m.
larghetto	adv.	n. m.	spaghetti		n. m.
largo	adv.	n. m.	tagliatelle		n. f.
lasagne		n. f.	tutti		n. m.

On rencontre également :

accelerando (adv., n. m. ou n. m. inv.)	ou	accélérando (n. m.)
moderato (adv., n. m. ou n. m. inv.)	ou	modérato (n. m.)

Les mots étrangers

Japonais

aïkido	haïku	koto	seppuku
aïnou	ikebana	kyu	shamisen
aucuba	ippon	kyudo	shinto ou shintoïsme
bakufu	joruri	makémono ou makimono	shogoun ou shogun
biwa	judo	meiji	sodoku
bonsaï	judogi	mikado	sumo
bunraku	judoka	monogatari	sumotori
bushido	kabuki	mousmé	surimi
dan	kakemono ou kakémono	moxa	sushi
dojo	kami	netsuke	tatami
fugu	kamikaze	nunchaku	tempura
futon	karaté	obi	tofu
gagaku	karatéka	origami	tsuba
geisha ou ghesha	kata	rônin	tsūnami
ginkgo	kendo	saké	yakitori
haïkaï	kondo	sashimi	yen

 É36

Cas particuliers

Mot	Variable	Invariable	Variable ou invariable
daïmio ou daimyo			n. m.
go			n. m.
kaki		adj.	n. m.
kimono	n. m.	adj.	
nô			n. m.
sen			n. m.
zen	n. m.	adj.	

Invariables

jomon ▲	Nikkei (indice)
kana	satori
kanji	torii

On rencontre également :

atémi (n. m.) ou atemi (n. m. inv.)
samouraï (n. m.) ou samurai (n. m. inv.)
yakusa ou yakuza (n. m.)
   (n. m. ou n. m. inv.)

Latin

accessit	auditorium	castoréum	comma
aérium	aula	castrum	compendium
æschne	aura	casuarina	compluvium
affidavit	bénédicité	centumvir	comput
agenda	boni	cep ou sep	conjungo
album	cæcum	ciborium	consortium
aléa	calcanéum	coagulum	continuum
aquarium	caldarium	cobæa, cobéa ou cobée	cotonéaster
arboretum	cambium	cochléaire ou cochléaria	crematorium ou
asplénium	candela ou candéla	colostrum	crématorium
atrium	canna	columbarium	critérium

crithme ou crithmum
cruor
cryptomeria
curriculum
débet
décemvir
défet
déficit
delirium ou délirium
diluvium
dinothérium
distinguo
dracæna, dracena ou
dracéna
drosera ou droséra
duodénum
duramen
duumvir
éphédra
épithélium
épitomé
extremum
factotum
factum
fanum
farrago
fascia
fatum
flagelle ou flagellum
folio
forum
fovéa
frater
frigidarium
funérarium
gastrula
géranium
gerbera ou gerbéra
germen
gluten
gnète ou gnetum
gramen
gui
hast
homo
hortensia
host ou ost
hygroma
illuvium
imago
imperium
impétigo
impluvium
infundibulum
insula

intérim
intertrigo
introït
ixia
jéjunum
junior
labarum
labium
lactarium
lagotriche
lantana ou lantanier
laudanum
lemniscate
liber
libido
livedo ou livédo
lombago ou lumbago
lumen
lycaon
lycope
macula
magister
magistère
magnum
maïa
major
manubrium
martyrium
mater
médiator
medium ou médium
mémento
mémo
mémorandum
méphitique
méphitisme
mercaptan
millenium ou millénium
mimosa
molluscum
monilia
monstera
moratorium
morula
mucor
muscari
muséum
mycélium
nepeta ou népète
neurula
nihilisme
nonidi
nuncupation
occiput
oléum

omnium
opium
oppidum
pallidum
pallium
papaver
pater*
pecten
pedum ou pédum
penicillium ou
pénicillium
pensum
péplum
pica
pilum
pittosporum
placebo ou placébo
placenta
placet
plaid*
plasmodium
plenum ou plénum
podium
pollen
pomerium, pomérium ou
pomœrium
populéum
præsidium ou présidium
préciput
premium ou prémium
préventorium
primidi
proscenium
prurigo
prurit
psyllium
punctum
purpura
quadrivium
quartidi
quatuor
quidam
quindécemvir ou
quindécimvir
quintidi
quiproquo
quorum
quota
radula
ratio
ratiocineur, euse + dér.
recto
rectum
referendum ou
référendum

réflexe
réquisit
réticulum
rumen
sacrum
sagum
scalpel
scirpe
scrotum
sébum
sédon ou sedum
senior ou sénior
septemvir
septum
serapeum
seringa ou seringat
serratule
sérum
sesbania ou sesbanie
sesterce
sextidi
sinciput
sium
solarium
solidago ou solidage
spécimen
speculum ou spéculum
spermaceti
sphagnale
spirifer
squale
squatina ou squatine
stegomya ou stégomyie
sternum
stertor
stramonium
   ou stramoine
stratum
stridor
suber
substrat
substratum
summum
sylphide
tacet
tænia ou ténia
taxodium
tepidarium ou tépidarium
terebellum ou térébellum
térébinthe
terrarium
test ou têt*
thuriféraire
tibia
tigridia ou tigridie

tollé
transit
triclinium
triforium
triumvir
trivium
truste
ultimatum

unciné, e
unguéal, e
uvula ou uvule
vacuum
van
vaniteux, euse
vélar
velarium ou vélarium

velum ou vélum
verso
vertigo
vexille
virago
visa
vitiligo
vivarium

volve
volvoce ou volvox
vomer
zingibéracée
zizania ou zizanie
zona
zygopétale ou
zygopetalum

É38   *Attention !*

	Pluriel
acinus	acinus, acini
coccus	coccus, cocci
desideratum	desiderata, désidératas
emporium	emporiums, emporia
erratum	errata
gens*	gentes
latifundium	latifundia
locus	locus, loci
maximum	maximums, maxima
minimum	minimums, minima
nævus	nævus, nævi
nova	novæ
oculus	oculus, oculi
optimum	optimums, optima
pagus	pagi
quantum	quanta
scutum	scutums, scuta
serratus ou serrate	serrati ou serrates
stimulus	stimulus, stimuli
tumulus	tumulus, tumuli

Toujours pluriels
Masculin
impedimenta
lapsi
us
varia

Féminin
fécès ou fèces
ides

Invariables É39

confer
confiteor
dextrorsum
dixit
ego
exequatur
fiat
gent (au singulier
   seulement)
ibid.
ibidem
idem
illico
infra
inri ou I. N. R. I.
lanthane ▲
libera
magnificat
minium ▲
nota ou nota bene
olim
onc, oncques ou onques
ordo
passim
Pater*
primo
prorata

quarto
Quasimodo
quater
quinto
recta
requiem
salve ou salvé
satisfecit
secundo
sempervivum
senestrorsum ou
   sénestrorsum
septimo
sexto
sic
subito
ter
tertio
ultimo
valga (fém. de valgus)
vanadium ▲
vara (fém. de varus)
variorum
veniat
via
vulgo

Forme inchangée É40

angélus ou Angélus	fucus	oxalis	storax ou styrax
aspergès	fundus	palmarès	stratus
argus	furax	palus	strix
aureus	gens	panaris	syllabus
axis	gradus	panax	syphilis
bonus	gratis	pedibus	tabes ou tabès
cactus	habitus	pelvis	talus
cannabis	humérus	perfringens	tamaris ou tamarix
carolus	humus	phallus	terminus
chamærops ou	ictus	phtirius	thesaurus ou thésaurus
chamérops	impatiens	plexus	tonus
cirrus	index	princeps	tophus
cis	lagothrix	processus	tractus
codex	lapsus	prolapsus	triceps
consensus	latex	pronucléus	trustis
corpus	limès ou limes	prospectus	unguis
cortex	lotus	protococcus	urus
cossus	lupus	prunus	utérus
crocus	lux	pubis	valgus
cubitus	médius	quadriceps	varus
cumulus	minus	quitus	vermis
cunnilinctus ou	mirabilis	raptus	versus
cunnilingus	mordicus	rébus	vertex
cursus	motus	recès ou recez	vidimus
décubitus	mucus	rictus	virus
détritus	murex	risorius	vitellus
élæis ou éléis	nauplius	saccharomyces	volubilis
eudémis	nimbus	sanctus	volvox ou volvoce
exprès	nucleus ou nucléus	silex	volvulus
favus	omnibus	sinus	vortex
ficus	opus	sirex	
fœtus	orémus	smilax	
fructus	ovibos	splénius	

Variable comme nom, invariable comme adjectif

réséda

Notez que ***vivat*** peut être un nom variable ou une interjection.

Cas particuliers É4I

Mot	Variable	Invariable	Variable ou invariable	Mot	Variable	Invariable	Variable ou invariable
addenda			n. m.	duplicata			n. m.
ana			n. m.	errata			n. m. ou n. m. pl.
candida			n. m.	exeat			n. m.
celebret			n. m.	exit		v.	n. m.
claustra			n. m.	extra		adj., adv.	n. m.
cogito			n. m.	hic			n. m.
décorum			n. m. ou n. m. s.				

Mot	Variable	Invariable	Variable ou invariable
imprimatur			n. m.
incipit			n. m.
intestat	n.		adj.
item		adv.	n. m.
super		adj.	n. m.
triplicata			n. m.
ultra			n. , adj.

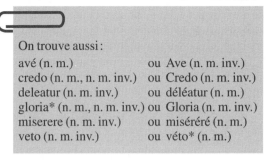

On trouve aussi :

avé (n. m.)	ou Ave (n. m. inv.)
credo (n. m., n. m. inv.)	ou Credo (n. m. inv.)
deleatur (n. m. inv.)	ou déléatur (n. m.)
gloria* (n. m., n. m. inv.)	ou Gloria (n. m. inv.)
miserere (n. m. inv.)	ou miséréré (n. m.)
veto (n. m. inv.)	ou véto* (n. m.)

Malais   É42

VARIABLES

babiroussa	négondo ou negundo
batik	pantoum
calambac ou calambour	ramboutan
calao	ringgit
casoar	rotang
cebuano	sagou
dugong	sarong
durian ou durion	siamang
gecko	tacca
ikat	tael
kapok	tombac
karbau ou kérabau	trépang ou tripang
linsang	tupaïa ou tupaja
lori	

Attention !

Pluriel

tagalog ou tagal   tagals

Forme inchangée

cacatoès ou kakatoès   pandanus
criss ou kriss   upas

Variable ou invariable

paddy

Néerlandais   É43

VARIABLES

afrikaander, afrikander ou	malström
afrikaner	moere, moëre ou moère
apartheid	orin
bitter	polder
brick ou brique	provo
colza	rixdale
ghilde, gilde ou guilde	roof ou rouf
gribiche	saur
gui	sloop
gulden	stadhouder ou
jonkheer	stathouder
kot	steinbock
kraal	veld ou veldt
lest	wagage
loch	watergang
lof + dér.	yacht
mælström, malstrom ou	yole

Attention !

Forme inchangée

afrikaans ou afrikans   loris
blocus   sauris

Variable ou invariable

stock(-)fisch

Norvégien

VARIABLES

christiania
field ou fjeld
fiord ou fjord
iceberg
inselberg
kraken

krill
lemming
slalom
stakning
stawug
stem ou stemm

Persan

VARIABLES

afghani
baloutchi
bazar + dér.
bédégar
chah, schah ou shah
chilom ou shilom
cipaye
houri
kan ou khan + dér.
khédive + dér.
mazdéisme
musc

narghilé, narghileh ou
narguilé
nizeré
padicha, padischa,
padichah ou padischah
pahlavi ou pehlvi
péri
pyjama
serdab
sirdar
tchador
turkmène

Polonais

VARIABLES

ataman ou hetman
chapska ou schapska
mazurka
polack ou polaque
uhlan
zloty

Attention !

Forme inchangée
rémiz

Variable comme nom, variable ou invariable comme adjectif
polka

Polynésien (malgache)

VARIABLES

canaque ou kanak, e
filanzane
filao
indri
kava ou kawa

maki
mana
niaouli
paréo
raphia

ravenala
tamouré
tanrec ou tenrec
taro
tiaré

ukulélé
vahiné

Portugais

VARIABLES

alastrim
barranco
bichlamar
caldeira ou caldera
campo
candomblé
carbonado
cobra
commando
cornac
cougouar ou couguar
cruzado

cruzeiro
dom ou don
escudo
fado
favela
fazenda
jangada
lambada
macumba
mangoustan
matchiche
piassava

prao
samba
secco
selva ou selve
seringuero ou séringuéro

serra
sertão
teck ou tek
véranda

comprador

Pluriel
compradors, compradores

Russe

VARIABLES É49

apparatchik
archine
artel
balalaïka
barzoï
bélouga ou béluga
blini(s)
bolchevik ou
bolchevique + dér.
borchtch, bortch ou
bortsch
boyard
briska
byline
chachlik
chapka
datcha
douma
glasnost ▲
gopak ou hopak

goulag
hourra ou hurrah
intelligentsia ou
intelligentzia
iourte ou yourte
isba
kacha ou kache
kalachnikov
kalmouk, e
knout
kolinski
kolkhoz ou kolkhoze
komsomol, e
kopeck
koulak
koulibiac
kreml ou kremlin
mammouth
matriochka
mazout

menchevik
merzlota
mir
moujik
nagaïka ou nahaïka
nomenklatura
oukase ou ukase
perestroïka ou
pérestroïka ▲
podzol
pogrom ou pogrome
pope
raspoutitsa
refuznik
rouble
saïga
samizdat
samovar
sévruga
soviet

sovkhoz ou sovkhoze
spoutnik
sterlet
taïga
tchérémisse
tchernozem ou
tchernoziom
téléga ou télègue
tokamak
toundra
troïka
tsar, tzar ou czar
tsarévitch ou tzarévitch
tsarine ou tzarine
verste
vogoul ou vogoule
zemstvo

É50

tchervonets

Pluriel
tchervonets, tchervontsy

Invariables
gosplan ▲
popov
raskol ▲

Forme inchangée
kvas ou kwas
starets ou stariets

Variables ou invariables
pirojki (n. m. ou n. m. pl.)
zakouski
   (n. m. ou n. m. pl.)

Langues scandinaves   É51

VARIABLES

drakkar	rohart	taud ou taude	vibor ou vibord
gorfou	smorrebrod	varech	viking

Attention !

	Pluriel	*Invariable*	*Forme inchangée*
markka	markkaa	hafnium ▲	inlandsis
ombudsman	ombudsmans, ombudsmen		vindas

Slave   É52

VARIABLES

guzla	rédowa
hospodar	voïévodat ou voïvodat
ouvala	voïévode ou voïvode
poljé	voïévodie ou voïvodie

Suédois   É53

VARIABLES

Attention !

akvavit ou aquavit	
angstroem ou angström	
desman	*Invariable*
harfang	tungstène ▲
öre	
tjäle	
troll	

Tamoul   É54

VARIABLES

banian	jaque
cauri(s)	paria
copra ou coprah	patchouli
jacquier ou jaquier	vétiver

Tibétain   É55

VARIABLES

Attention !

chorten	
yeti ou yéti	*Invariable*
zébu	tanka

Tupi   É56

VARIABLES

ara	maringouin
caatinga	pian
cabiai	piranha ou piraya
cajou	saï
coati	saïmiri
copahu	sajou
eyra	saki
ipéca ou ipécacuana	sapajou
jabiru	tamandua
jaborandi	tangara
jaguar	unau
manioc	urubu
margay	

Turc   É57

VARIABLES

aga ou agha	falzar
baïram, bayram ou beïram	giaour
	halva
bakchich	kazakh, e
baklava	kebab ou kébab
bey	khan + dér.
caïque	kilim
chaouch	mahonne
chibouk ou chibouque	minaret
colback	moussaka
dey	muezzin
efendi, éfendi ou effendi	ouïghour ou ouïgour
eyalet	ouzbek ou uzbek

Les mots étrangers

pacha	scaferlati	türbe, turbé ou turbeh	*Attention !*
pachalik	spahi	vilayet	
pilaf	talpack	vizir	
quasi*	tarama	yaourt, yoghourt	*Forme inchangée*
raïa, raya ou rayia	tcharchaf	ou yogourt	koumis ou koumys
raki	toungouse ou toungouze	yatagan	reis

Vietnamien
É58

VARIABLES

congaï ou congaye	nem	*Invariable*
dông	ray ▲	Têt*

Autres langues
É59

VARIABLES

baile	makila
bogomile	malayalam
canara ou kannara	mounda ou munda
caracul ou karakul	nélombo ou nelumbo
carpatique ou karpatique	panda
chaman ou shaman	panjabi
churinga	pilipino
coufique ou kufique	pipa
eider	pschent
grivna	quelea
gurdwara	riel
kangourou	rupiah
kéfir ou képhir	sauna
khalkha	soja ou soya
koudourrou	télougou ou telugu
kurde	thaï, e
kuru	thug
lek	zend (fém. zende)
mahratte, marathe	zydeco
ou marathi	

Attention !

	Pluriel
bagad	bagads, bagadou
gadjo	gadjé
leu	lei
lev	leva

Invariables

gopura	Shabouot ▲
monoï	Soukhot ▲
raga	Tabaski ▲
rom*	

Forme inchangée   *Variable ou invariable*

csardas ou czardas	won
litas	
négus	
nothofagus	

Dérivés de noms propres

VARIABLES É60

araucaria	buddleia	çivaïsme ou sivaïsme	fuchsine
asclépiade ou asclépias	camélia ou camellia	+ dér.	gardénia
bauhinia ou bauhinie	carpaccio	crosne	gaultheria ou gaulthérie
bégonia	catleya ou cattleya	dahlia	jussie, jussiée ou
boscop ou boskoop	chèche	devon ou dévon	jussieua
boson		freesia ou frésia	kassite

Ⅲ➡

kémalisme
kentia
kerria ou kerrie
kiesérite ou kiésérite
kimbanguisme
kimberlite
kirghiz, e
lakiste
lamarckisme
landolphia
leghorn
leishmania ou
leishmanie + dér.
lovelace
luddisme + dér.
lyddite
lyncher (v.) + dér.
macab ou macchab
maccarthysme ou
maccartisme
macchabée
macfarlane
magnolia ou magnolier
mahométan, e
mahonia
maïolique ou majolique
malékisme ou malikisme

malpighie
marchantia ou
marchantie
méléagrine
mirmidon ou myrmidon
mithracisme, mithraïsme
    ou mithriacisme
montgolfière
mozabite ou mzabite
mutazilite
nietzschéen, enne
odyssée
œrstite
oponce ou opuntia
orphéon
parian
pasteurella + dér.
pattinsonage
paulownia
phrygien, enne
poinsettia
psylle
puccinia ou puccinie
puseyisme ▲
pythagoricien, enne
pythie + dér.
pythonisse

qatari, e
quassia ou quassier
rafflesia ou rafflésie
rauwolfia
rickettsie + dér.
riemannien, enne
rudbeckia ou rudbeckie
sabbathien, enne
saïte
santiag
saphisme
sarracenia ou sarracénie
sarrancolin ou sérancolin
sarrussophone
scythe ou scythique
séquoia
shérardisation
smithsonite
smurf + dér.
spartakisme + dér.
stakhanovisme + dér.
stendhalien, enne
surah
sybarite + dér.
sylvinite
tanagra
taylorisation + dér.

tillandsia ou tillandsie
tokharien, enne
torr
tradescantia
trotskisme ou
trotskysme + dér.
tyndallisation
vishnouisme
volt
wahhabisme + dér.
washingtonia
wellingtonia
wormien
würmien, enne
ximenia ou ximénie
ypérite
ypréau
ysopet ou isopet
ytterbine
yttria
yttrialite
zanzi
zinjanthrope
zinnia
zoïle
zwinglianisme + dér.

 ÉGI

Forme inchangée

asclépias ou asclépiade
hypocras
jacobus
jaconas

rhésus ou Rhésus
semtex
tupinambis

On trouve :
listeria (n. f. inv.) ou listéria (n. f.)

Variable comme nom, invariable comme adjectif
fuchsia

Invariables

berkélium ▲
lawrencium ▲
malinké ▲
mendélévium ▲
neptunium ▲
nobélium ▲
palladium ▲
polonium ▲
prométhéum ▲
prométhium ▲

rhénium ▲
ruthénium ▲
salmonella
samarium ▲
scandium ▲
thorium ▲
thulium ▲
ytterbium ▲
yttrium ▲

Noms propres devenus noms communs variables :
voir les tableaux N7 à 13

Autres mots ayant une forme plurielle particulière :
voir le chapitre « Genre et nombre »

Prononciation de certains mots : voir les chapitres
«Terminaisons» et «Confusions orthographiques»

Les mots composés

Si les mots composés d'origine française sont souvent la cause de bien des maux, il en va de même pour les mots composés d'origine étrangère. Ils ont été classés avec les locutions étrangères selon la méthodologie du chapitre « Mots composés ». Les grandes divisions ne sont toutefois plus fondées sur la nature du premier élément mais sur la langue d'origine des mots : l'anglais, l'italien, le latin et les autres origines. Les anglicismes sont identifiés par la mention «(A)» et l'astérisque indique que le pluriel du mot ou la présence du trait d'union dépend du sens. On pourra porter une attention particulière aux mots ayant deux orthographes : leur pluriel ne prend pas nécessairement la même forme.

Anglais

Trait d'union

VARIABLES É62	Pluriel	É64	Pluriel
ampli-tuner (A)	amplis-tuners	airedale-terrier	**airedale**-terriers
attaché-case (A)	attachés-cases	arrow-root (A)	arrow-roots
canoë-kayak	canoës-kayaks	baby-boom ou	baby-booms ou
chow-chow	chows-chows	baby-boum (A)	baby-boums
disque-jockey	disques-jockeys	baby-sitter (A)	baby-sitters
	mais disc-jockeys	baby-sitting (A)	baby-sittings
fan-club (A)	fans-clubs	baby-test (A)	baby-tests
science-fiction (A)	sciences-fictions	back-office (A)	back-offices
sexe-symbole	sexes-symboles	ball-trap (A)	ball-traps
	mais sex-symbols	bank-note (A)	bank-notes
surprise-partie	surprises-parties	basket-ball ou basket	basket-balls
	mais surprise-partys	bay-window	bay-windows
talkie-walkie (A)	talkies-walkies	ou bow-window (A)	ou bow-windows
walkie-talkie (A)	walkies-talkies	be-bop ou bop	be-bops
É63		best-seller (A)	best-sellers
		black-rot (A)	black-rots
gentleman-farmer (A)	gentle**mans,** gentle**men** -farmers	blue-jean(s)	blue-jeans
		boogie-woogie	boogie-woogies
gentleman-rider (A)	gentlemans, gentlemen -riders	bow-string (A)	bow-strings
		box-calf ou box	box-calfs (L) ou box
reporter-cameraman (A) ou reporter-caméraman	reporters-cameramans, cameramen	box-office (A)	box-offices
		boxer-short (A)	boxer-shorts
		boy-scout	boy-scouts
station-service	stations-**service(s)**	brain-trust (A)	brain-trusts
train-ferry (A)	trains-ferr**ys** ou trains-ferr**ies**	bulb-keel (A)	bulb-keels
		bull-terrier	bull-terriers
		burial-mound ou mound (A)	burial-mounds
photo-finish (A)	photos-**finish**	cabin-cruiser (A)	cabin-cruisers
flash-back (A)	**flash(s)-back** ou **flashes-back**		

ANGLAIS,
VARIABLES ➡

	Pluriel		Pluriel
cake-walk	**cake**-walks	ice-boat (A)	**ice**-boats
call-girl (A)	call-girls	ice-cream (A)	ice-creams
camping-car (A)	camping-cars	irish-terrier	irish-terriers
cash-flow (A)	cash-flows	jam-session (A)	jam-sessions
cat-boat (A)	cat-boats	jazz-band	jazz-bands
check-list (A)	check-lists	jazz-rock	jazz-rocks
cheese-cake (A)	cheese-cakes	jet-society	jet-socie**ties**
chewing-gum (A)	chewing-gums	jet-stream (A)	jet-streams
choke-bore ou choke (A)	choke-bores	jumbo-jet (A)	jumbo-jets
close-combat (A)	close-combats	living-room	living-rooms
club-house (A)	club-houses	ou living (A)	
cold-cream (A)	cold-creams	lofing-match (A)	lofing-match**es**
corn-picker (A)	corn-pickers	match-play (A)	match-plays
corn-sheller (A)	corn-shellers	medecine-ball ou	medecine-balls ou
cosy-corner ou cosy (A)	cosy-corners	médicine-ball (A)	médicine-balls
cover-girl (A)	cover-girls	melting-pot (A)	melting-pots
cow-boy	cow-boys	milk-bar (A)	milk-bars
cut-back (A)	cut-backs	milk-shake (A)	milk-shakes
dead-heat	dead-heats	motor-home (A)	motor-homes
disc-jockey (A)	disc-jockeys	mule-jenny	mule-jennys
	mais disques-jockeys	music-hall	music-halls
		night-club (A)	night-clubs
dog-cart (A)	dog-carts	one-step (A)	one-steps
dressing-room	dressing-rooms	pale-ale	pale-ales
ou dressing (A)		passing-shot (A)	passing-shots
drop-goal ou drop (A)	drop-goals	peep-show (A)	peep-shows
duffel-coat ou	duffel-coats ou	pillow-lava (A)	pillow-lavas
duffle-coat	duffle-coats	piper-cub	piper-cubs
eye-liner (A)	eye-liners	pipi-room (A)	pipi-rooms
fast-food (A)	fast-foods	play-boy (A)	play-boys
ferry-boat (A)	ferry-boats	plum-cake	plum-cakes
fish-eye (A)	fish-eyes	plum-pouding ou	plum-poudings ou
flock-book (A)	flock-books	plum-pudding	plum-puddings
fox-hound	fox-hounds	press-book (A)	press-books
fox-terrier ou fox	fox-terriers	pull-over ou pull (A)	pull-overs
free-lance (A)	free-lances (nom)	punching-ball	punching-balls
free-martin	free-martins	ripple-mark (A)	ripple-marks
free-shop (A)	free-shops	roast-beef ou rosbif	roast-beefs
fuel-oil (A)	fuel-oils	rocking-chair (A)	rocking-chairs
full-contact (A)	full-contacts	scotch-terrier ou	scotch-terriers ou
gin-rami ou	gin-ramis ou	scottish-terrier	scottish-terriers
gin-rummy	gin-rummys	scout-car (A)	scout-cars
globe-trotter (A)	globe-trotters	script-girl (A) ou scripte	script-girls
goal-average (A)	goal-averages	sea-line (A)	sea-lines
grill-room ou grill (A)	grill-rooms	self-control (A)	self-controls
half-track (A)	half-tracks	self-government (A)	self-governments
hard-top (A)	hard-tops	self-inductance (A)	self-inductances
herd-book (A)	herd-books	self-induction (A)	self-inductions
hit-parade (A)	hit-parades	self-service (A)	self-services
home-trainer (A)	home-trainers	sex-appeal (A)	sex-appeals
horse-ball (A)	horse-balls	sex-ratio (A)	sex-ratios
horse-guard	horse-guards	sex-shop (A)	sex-shops
house-boat (A)	house-boats		

Les mots étrangers

ANGLAIS,
VARIABLES ⟹

	Pluriel		Pluriel
sex-symbol (A)	**sex**-symbols **mais** sexes-symboles	tennis-elbow (A)	**tennis**-elbows
		tie-break (A)	tie-breaks
short-track (A)	short-tracks	time-sharing (A)	time-sharings
side-car (A)	side-cars	tour-opérateur (A)	tour-opérateurs
ski-bob (A)	ski-bobs	trade-union	trade-unions
skye-terrier	skye-terriers	trade-unionisme	trade-unionismes
sleeping-car ou sleeping (A)	sleeping-cars	trade-unioniste	trade-unionistes
		trench-coat	trench-coats
snack-bar ou snack (A)	snack-bars	twin-set (A)	twin-sets
snow-boot (A)	snow-boots	vanity-case (A)	vanity-cases
soft-drink (A)	soft-drinks	volley-ball ou volley	volley-balls
sparring-partner (A)	sparring-partners	water-ballast	water-ballasts
speed-sail (A)	speed-sails	water-closet(s)	water-closets (L)
star-system ou star-système (A)	star-systems (L)	ou waters, W. -C. (A)	
		water-polo	water-polos
starting-block (A)	starting-blocks	week-end (A)	week-ends
starting-gate (A)	starting-gates	yacht-club	yacht-clubs
steeple-chase ou steeple (A)	steeple-chases	yorkshire-terrier ou yorkshire (A)	yorkshire-terriers

stock-car (A)	stock-cars	bull-finch (A)	bull-fin**ch(e)s**
stock-shot (A)	stock-shots	car-ferry (A)	car-ferry**s** ou car-ferr**ies**
story-board (A)	story-boards	cross-country ou cross	cross-country**s**
strip-line (A)	strip-lines		ou cross-countr**ies**
strip-poker (A)	strip-pokers	fifty-fifty* (A)	fifty-fifty**s**, fifty-fift**ies**
stud-book (A)	stud-books		ou **fifty-fifty**
surprise-party	surprise-partys **mais** surprises-parties	garden-party (A)	garden-party**s** ou garden-part**ies**
sweat-shirt (A)	sweat-shirts	mail-coach	mail-coa**ch(e)s**
sweating-system (A)	sweating-systems	self-made-man (A)	self-made-**mans**
T-shirt ou tee-shirt (A)	T-shirts ou tee-shirts		ou self-made-**men**
talk-show (A)	talk-shows	test-match	test-mat**ch(e)s**
taxi-girl (A)	taxi-girls		
teddy-bear (A)	teddy-bears		

INVARIABLES

aberdeen-angus	check-up (A)	hold-up (A)	push-pull (A)
acting-out (A)	come-back (A)	in-bord (A) (L)	ray-grass (A)
after-shave (A)	corned-beef (L)	king-charles	roll on-roll off (A)
baby-beef (A)	cow-pox	knock-down (A)	show-business
baby-foot (A)	crossing-over (A)	knock-out	ou show(-)biz (A)
battle-dress (A)	crown-glass (A)	know-how (A)	sit-in (A)
black-bass (A)	drive-in (A)	K. -O. (R)	stand-by (A)
black-out	extra-dry (A)	K-way	stop-and-go (A)
break-down (A)	fair-play (A)	lemon-grass (A)	stop-over (A)
bye-bye	feed-back (A)	new-look (A)	take-off (A)
by-pass (A) ou bipasse	fox-trot	non-sens	walk-over ou W.(-) O. (A)
camping-caravaning (A) ▲	gin-fizz	non-stop (A)	W.-C.
camping-gaz ou Camping-Gaz	grasping-reflex (A)	pick-up (A)	
cd-rom (A)	hi-fi (A) high-tech (A)	play-back (A) pop-corn (A)	public-**relations** (A) ⟹

É67
Variables ou invariables

	Pluriel
flint-glass ou flint (A)	flint-**glass(es)**
juke-box (A)	juke-box(es)
ping-pong	ping-pong(s)

	Pluriel
ready-made (A)	ready-**made(s)**
white-spirit (A)	white-spirit(s)

Séparés

VARIABLES
É68
action research	actions researchs ▲
écriture script (A)	écritures scripts ▲
quinte flush (A)	quintes flushs ▲
western soja	westerns sojas ▲
western spaghetti	westerns spaghettis ▲

É69
baba cool ou baba (A)	**babas cool**
clip vidéo (A)	clips vidéo
excitation compound (A)	excitations compound
livre sterling	livres sterling
machine compound (A)	machines compound

É70
big band (A)	big **bands**
brain drain (A)	brain drains
citizen band (A)	citizen bands
fosbury flop (A)	fosbury flops
french cancan	french cancans
gin tonic	gin tonics
happy end (A)	happy ends
irish stew (A)	irish stews
land art	land arts ▲
long drink (A)	long drinks
medal play (A)	medal plays
modern dance (A)	modern dances
op art (A)	op arts
over arm stroke	over arm strokes ▲
pole position (A)	pole positions
pop art ou pop'art (A)	pop arts
pop music ou pop (A)	pop musics
prime time (A)	prime times
releasing factor (A)	releasing factors
scenic railway (A)	scenic railways
short ton (A)	short tons
soul music ou soul (A)	soul musics
space opera (A)	space operas
top niveau (A)	top niveaux
world music (A)	world musics

INVARIABLES
É71
Air Bag (A)
banana split (A)
bloody Mary (A)
boat people (A)
cash and carry (A)
has been (A)
hot money (A)
made in (A)
middle jazz (A)
modern style (A)
O. K. (A)
rhythm and blues (A)
top secret (A)
whisky coca ▲

Attention !
au pluriel

barren **grounds** (A)
happy **few** (A)
mass **media** (A)

Soudés

VARIABLES
É72
angledozer (A)	angledozers
antifading (A)	antifadings ▲
antiskating (A)	antiskatings ▲
autocoat (A)	autocoats
backgammon (A)	backgammons
background (A)	backgrounds
barmaid (A)	barmaids
biofeedback (A)	biofeedbacks ▲
blackboulage	blackboulages
bobsleigh ou bob	bobsleighs
boghead (A)	bogheads ▲
bookmaker (A)	bookmakers
bootlegger	bootleggers
borderline (A)	borderlines ▲
brainstorming (A)	brainstormings
bulldog (A)	bulldogs
bulldozer (A)	bulldozers
carpetbagger (A)	carpetbaggers

Les mots étrangers

ANGLAIS, VARIABLES ⟹	Pluriel
cheeseburger (A)	cheeseburgers
clapman (A)	clapmans
copyright	copyrights
drawback (A)	drawbacks
drugstore (A)	drugstores
fairway (A)	fairways
folksong (A)	folksongs
football	footballs
funboard (A) ou fun	funboards
guiderope	guideropes
hardware (A)	hardwares ▲
highlander	highlanders
homeland (A)	homelands
homespun (A)	homespuns
hovercraft (A)	hovercrafts
hoverport (A)	hoverports
hydrofoil (A)	hydrofoils
icefield (A)	icefields
inlay (A)	inlays
input (A)	inputs
lambswool (A)	lambswools
manifold (A)	manifolds
médiaplanning (A)	médiaplannings
midship	midships
motopaver (A) ou motopaveur	motopavers ou motopaveurs
motorgrader (A)	motorgraders
motorship (A)	motorships
newsmagazine ou news (A)	newsmagazines
openfield (A)	openfields
outlaw (A)	outlaws
output (A)	outputs
outrigger (A)	outriggers
outsider (A)	outsiders
overdose (A)	overdoses
overdrive (A)	overdrives
pacemaker (A)	pacemakers
patchwork (A)	patchworks
perchman (A)	perchmans
pickpocket (A)	pickpockets
pitchpin	pitchpins
propfan (A)	propfans
ragtime (A)	ragtimes
romsteak, romsteck ou rumsteck	romsteaks, romstecks ou rumstecks
rosbif ou roast-beef	rosbifs
sanderling	sanderlings
shipchandler (A)	shipchandlers
shorthorn (A)	shorthorns
showroom (A)	showrooms
sitcom	sitcoms

	Pluriel
skinhead ou skin	skinheads
software (A)	softwares ▲
spardeck	spardecks
sunlight (A)	sunlights
supernova	supernovæ
superstar (A)	superstars
supertanker (A)	supertankers
superwelter	superwelters
sweepstake (A)	sweepstakes
taxiway (A)	taxiways
télémarketing (A)	télémarketings
township (A)	townships
uppercut	uppercuts
upwelling (A)	upwellings
whipcord (A)	whipcords
wintergreen (A)	wintergreens ▲

É73

	Pluriel
alderman	aldermans, aldermen
barman	barmans, barmen
businessman ou biznessman (A)	businessmans, businessmen
businesswoman (A)	businesswomans, businesswomen
cameraman ou caméraman (A)	cameramans, caméramans ou cameramen
clergyman	clergymans, clergymen
crossman (A)	crossmans, crossmen
crosswoman (A)	crosswomans, crosswomen
gagman (A)	gagmans, gagmen
gentleman	gentlemans, gentlemen
jazzman (A)	jazzmans, jazzmen
policeman	policemans, policemen
recordman (A)	recordmans, recordmen
recordwoman (A)	recordwomans, recordwomen
rugbyman (A)	rugbymans, rugbymen
speakeasy	speakeasys, speakeasies
sportsman (A)	sportsmans, sportsmen
superman (A)	supermans, supermen
superwoman (A)	superwomans, superwomen
taximan	taximans, taximen
tennisman (A)	tennismans, tennismen
wattman (A)	wattmans, wattmen
yachtman ou yachtsman (A)	yacht(s)mans, yacht(s)men
yeoman	yeomans, yeomen

⟹

Tous les noms se terminant par **-man** ou **-woman** peuvent garder la forme plurielle anglaise -*men*, -*women* ou prendre la forme française -*mans*, -*womans*. Seuls **clapman** et **perchman** n'ont qu'un pluriel, *clapmans* et *perchmans*.

É74

	Pluriel
antitrust	anti**trust(s)**
autoreverse (A)	n. m. autoreverses
	adj. auto**reverse(s)**
sport(s)wear	n. m. sport(s)**wears**
	adj. sport(s)wear
walkman ou	walk**mans** ou Walk**man**
Walkman (A)	

INVARIABLES
autofocus (A)
topless (A)
trolleybus
Windsurf

Attention ! au pluriel

knickerbock**ers**
ou knicker**(s)**

Trait d'union ou séparés
É75

VARIABLES

	Pluriel
dry(-) farming (A)	dry(-) **farmings**
gold(-) point (A)	gold(-) points
hot(-) dog (A)	hot(-) dogs
irish(-) coffee (A)	irish(-) coffees
jet(-) set	jet(-) sets
joint(-) venture (A)	joint(-) ventures
mobile(-) home (A)	mobile(-) homes
negro(-) spiritual	negro(-) spirituals
soap opera ou	soap operas ou
soap-opéra (A)	soap-opéras
top model ou	top models ou
top-modèle (A)	top-modèles
whisky(-) soda	whisky(-) sodas ▲

INVARIABLES
big(-) bang (A) (L)   pidgin(-) english ▲
black(-) jack (A) ▲   pin(-) up (A)
free(-) jazz (A)   rock(-) and(-) roll
granny(-) smith (A)   ou rock'n'roll (A)
horse(-) power (A)   W.(-) O. ou walk-over (A)

Trait d'union ou soudés
É76

VARIABLES

	Pluriel
base(-)ball	base(-)**balls**
body(-)building (A)	body(-)buildings
ciné(-)shop (A)	ciné(-)shops
gas(-)oil (A)	gas(-)oils
grape(-)fruit (A)	grape(-)fruits
pipe(-)line (A)	pipe(-)lines
porte-folio ou portfolio	portfolios
sister(-)ship (A)	sister(-)ships
skate(-)board (A)	skate(-)boards
ou skate (A)	
strip(-)tease (A)	strip(-)teases
strip(-)teaseur, euse (A)	strip(-)teaseurs, euses
tan(-)sad (A)	tan(-)sads
teen(-)ager (A)	teen(-)agers
vidéo(-)clip (A)	vidéo(-)clips

INVARIABLES
auto(-)stop (L)   moto(-)cross (A) (R)
cyclo(-)cross (L)   show(-)biz (A) ou
Gore-Tex ou goretex (A)   show-business (A)
lock(-)out (A)

Attention ! au pluriel

bad(-)lands (A)

Trait d'union, séparés ou soudés   É77

VARIABLES

chris(-)craft ou
Chris-Craft (A)
compact-disc ou
Compact Disc (A)
off shore ou
offshore (A)
one-man-show ou
one man show (A)
rail-route ou

railroute

Pluriel
chris(-)**craft(s)** ou
Chris-**Craft** (A)
compact-discs ▲ ou
Compact Disc (L)
off shore ou
off**shore(s)**
one-man-show ou
one man shows
n. m. rails-routes
adj. **rail-route**
n. m. railroutes
adj. **railroute**

turn-over ou
turnover (A)
water-proof ou
waterproof
yé-yé ou
yéyé

Pluriel
turn-over ou
turnovers
n. m. water(-)proofs
adj. water(-)**proof**
yé-yé
n. m. yéyés
adj. **yéyé**

corn(-) flakes
   ou cornflakes (A)

Italien   É78

Trait d'union

VARIABLES

scala-santa

mezzo-soprano

forte-piano*

scalas-santas ▲

mezzo-sopranos

forte-piano(s)

INVARIABLES

acqua-toffana ▲
piane-piane

Séparés

VARIABLES

sedia gestatoria

prima donna

terza rima

sedias gestatorias

prima donna
   ou **prime donne**

terza(s) rima(s)
   ou **terze rime**

INVARIABLES

a capella ou a cappella
a giorno ou à giorno
à la tempera
   ou a tempera
al dente
a tempo
bel canto

mezza(-) voce
osso(-) buco

con espressione
da capo
dolce vita (L)
in petto
poco a poco
terra rossa ▲
tutti quanti (pl.)

tutti(-) frutti

Soudés

VARIABLES

quattrocentiste

piano(-)forte

quattrocentistes

pianos-**forte**
   ou **pianoforte**

INVARIABLES

millefiori

mezzo(-)tinto

Latin

Trait d'union

VARIABLES

	Pluriel
fac-similé	**fac**-similés
in-folio	in-**folio(s)**
in-octavo	in-octavo(s)
in-plano	in-plano(s)
in-quarto	in-quarto(s)
lapis-lazuli ou lapis	lapis-lazuli(s)

INVARIABLES

agnus-castus
asa-fœtida ou
assa-fœtida ▲
ex-libris
extra-muros
ex-voto
intra-muros
lacrima-christi ou
lacryma-christi

post-partum
post-scriptum
semen-contra
spina-bifida
spina-ventosa
ultra-petita (L)
uva-ursi
vade-mecum

agnus-Dei*
   ou Agnus Dei
in(-) pace

mea(-) culpa
noli(-) me(-) tangere
vice(-) versa

Séparés

VARIABLE

	Pluriel
cappa magna ou cappa	cappas magnas ▲

INVARIABLES

ab intestat	à quia	ex post	liberum veto
ab irato	Ave Maria ou Ave	ex professo	lingua franca
a contrario	casus belli	ex vivo	manu militari
ad hoc	coffea canephora	grosso modo	mater dolorosa
ad hominem	consilium fraudis	habeas corpus	minus habens ou minus
ad libitum	curriculum vitæ	hic et nunc	modus vivendi
ad litem	de cujus	honoris causa	motu proprio
ad nutum	de facto	id est	mutatis mutandis
ad patres	de jure	in absentia	nec plus ultra
ad usum delphini	delirium tremens	in abstracto	ne varietur
ad valorem	de profundis	in extenso	nota bene ou nota
affectio societatis	deus ex machina	in extremis	numerus clausus
a fortiori	de visu	in fine	opus incertum
a latere	dies iræ	in partibus	per os
alma mater	ecce homo	in situ	persona grata ou
alter ego	et cætera ou et cetera	in utero	persona non grata
a maxima	ex abrupto	in vitro	pretium doloris
a minima	ex æquo	in vivo	pro domo
a pari	ex ante	intuitu personæ	pro forma
a posteriori	ex cathedra	ipso facto	recto verso
a priori	ex nihilo	lato sensu	salve regina Ⅲ➡

Les mots étrangers

semper virens
sine die
sine qua non
stabat mater
statu quo

stricto sensu
subito presto
sui generis
tædium vitæ ▲
Te Deum

urbi et orbi
vade retro (Satana)
vernix caseosa
vox populi
vulgum pecus

Attention !
au pluriel

missi dominici

*Autres mots contenant les préfixes **ex-** ou **in-** : voir le tableau M7*

Soudés   É81

Attention !

VARIABLES

quiproquo
sempervirent, e

Pluriel
quiproquos
sempervirent(e)s

INVARIABLES

omnibus
prorata
sempervivum

paterfamilias ou
pater familias

Autres origines

Trait d'union

VARIABLES É82

aye-aye
bossa-nova
gutta-percha
ilang-ilang
   ou ylang-ylang
orang-outan(g)

bachi-bouzouk
dalaï-lama
feld-maréchal
gestalt-thérapie
hara-kiri
ma-jong ou mah-jong
môn-khmer, ère
panchen-lama
rahat-lokoum ou
rahat-loukoum
sinn-feiner

Pluriel
ayes-ayes
bossas-novas
guttas-perchas
ilangs-ilangs
ou ylangs-ylangs
orangs-outan(g)s
bachi-bouzouks
dalaï-lamas
feld-maréchaux
gestalt-thérapies ▲
hara-kiris
ma-jongs ou mah-jongs
môn-khmers, ères
panchen-lamas
rahat-lokoums ou
rahat-loukoums
sinn-feiners

INVARIABLES É83

Aïd-el-Fitr
   ou Aïd-el-Séghir
Aïd-el-Kébir
   ou Aïd-el-Adha
bar-mitsva
béni-oui-oui
dum-dum
   (balle dum-dum)
kala-azar ▲
hatha-yoga ▲
kouan-houa ▲
kung-fu

nuoc-mam ou
nuoc-mâm (L)
olla-podrida
pili-pili
poto-poto
quôc-ngu ▲
tai-chi-chuan ou
taï-chi-chuan ▲
tchin-tchin
tohu-bohu
tsé-tsé
tupi-guarani

Attention !

chiche-kebab ou
chiche-kébab

jiu-jitsu
san-benito ou
san-bénito
tam-tam

fest-noz

Pluriel
chiche(s)-kebab(s) ou
chiche(s)-kébab(s)
jiu-jitsu(s)
san-benito(s) ou
san-bénito
tam-tam(s)
fest-noz, **festou**-noz
ou **festoù**-noz ⟿

Séparés   É84

VARIABLES

	Pluriel
auto sacramental	autos sacramental(e)s
vomito negro	vomitos negros
chop suey	**chop** sueys
Deutsche Mark, Mark ou mark allemand	**Deutsche** Marks, Marks ou marks allemands
don Juan	**don(s) Juan(s)** ou **don** Juans
don Quichotte	**don(s) Quichotte(s)** ou **don** Quichottes

INVARIABLES

gnôthi seauton	Roch ha-Shana ou
Kyrie eleison	Rosh ha-Shana
olé olé	Yom Kippour,
paso doble	Yom Kippur ou Kippour (L)

taï chi ou tai-chi ▲

Soudés   É85

VARIABLES

feldwebel	feldwebels
hinterland	hinterlands
hornblende	hornblendes
iceberg	icebergs
montgolfière	montgolfières
poinsettia	poinsettias
presspahn	presspahns
sandjak	sandjaks
saxhorn	saxhorns
springbok	springboks
taekwondo	taekwondos
watergang	watergangs
wigwam	wigwams
youyou	youyous

hand(-)ball	**hand**(-)balls
privat(-)docent ou privat(-)dozent	privat(-)docents ou privat(-)dozents
soui(-)manga ou swi-manga	soui(-)mangas ou swi-mangas
yo(-)yo ou Yo-Yo	yoyos, yo-yo ou Yo-Yo
donquichottisme ou don quichottisme	donquichottismes ou don quichottismes

INVARIABLES

kif(-)kif
sou-chong (inv. L) ou souchong
stock(-)fisch (R)

Apostrophe   É86

VARIABLES

	Pluriel
chi'ite, chiite ou shiite	chi'ites, chiites ou shiites
gentleman's agreement ou gentlemen's agreement (A)	gentleman's agreements ou gentlemen's agreements
pop'art ou pop art	pop'arts ▲ ou pop arts
traveller's check, traveller's cheque ou traveller's chèque (A)	traveller's checks, traveller's cheques ou traveller's chèques

INVARIABLES

commedia dell'arte ▲	rock'n'roll (A) ou
no man's land (A)	rock(-) and(-) roll (L)
pin's (A)	t'ai-ki ou taiji ▲

Mots composés d'origine française : voir le chapitre « Mots composés »

Les accents

Les mots empruntés à des langues étrangères ne portent généralement pas d'accent, même si leur prononciation d'origine qu'ils ont conservée en demanderait normalement un selon les règles françaises : *caldera* (qui vient du portugais et que l'on écrit aussi *caldeira*) se prononce comme si le *e* portait un accent aigu, «**cal-dé-ra**» ; de même pour *baile* (du provençal), qui se prononce «**ba-i-lé**».

On hésite tout particulièrement sur les mots en *-a*, *-is*, *-um* et *-us*, puisqu'ils sont assez nombreux et que leur francisation ne suit aucune règle précise ; comparez par exemple *ikebana* et *karatéka*, *hamamélis* et *reis*, *muséum* et *arboretum*, *humérus* et *pedibus*. De plus, quelques-uns de ces mots peuvent s'écrire avec ou sans accent (on les retrouvera plus loin).

É87

-a

La majorité des mots étrangers en *-a* ne prend pas d'accent aigu : *cueva*, *seringa*, etc. On rencontre cependant :

aléa
alinéa
alléluia
aphélandra
bégonia
bélouga ou béluga
bérézina
calathéa
caméra
célesta
chéchia
choléra
cinérama ou Cinérama
cochléaria
ecclésia
eczéma + dér.
énéma
éphédra
épicéa
épithélioma
érythrasma
féra
fovéa
gardénia
guérilla
hattéria
hévéa

ichtyostéga
ipéca ou ipécacuana
karatéka
médina
méhara (pl. de méhari)
mélodica
multimédia
néopilina
nymphéa + dér.
oméga
opéra
ouléma ou uléma
pétunia
protonéma
rédowa
rémora
réséda
ségala
sépia
séquoia
sévruga
tréma
véda
véranda
xanthélasma
zénana
zygnéma

É88

-is   -um   -us

La plupart des mots étrangers se terminant par *-is*, *-um*, *-us* ont été francisés et prennent donc un accent aigu : *hystérésis*, *critérium*, *détritus*, etc. Mais les mots suivants ne prennent pas d'accent :

-is

hippeis (pl. de hippeus)
lexis
reis

-um

arboretum
desideratum
extremum
hyposcenium
imperium
parabellum
proscenium
serapeum
vade-mecum

-us

aureus
basileus
fœtus
hemigrammus
hippeus (pl. hippeis)
nævus (pl. nævi)
pedibus
plexus
processus
serratus
uræus
vitellus

*Liste complète des mots en **-is** : voir le tableau T119*

Parmi les autres mots à consonance étrangère, plusieurs ont été francisés, revêtant ainsi l'accent qui convient aux normes habituelles du français (*aérobic*, de l'anglais *aerobics* ; *boléro*, de l'espagnol *bolero*, etc.), alors que d'autres ont conservé l'accent qui caractérise leur langue d'origine (*eurêka*, du grec ; *führer*, de l'allemand, etc.). Voici des mots portant un accent aigu, grave ou circonflexe, ou encore un tréma, ainsi que des mots où il est possible d'écrire ou non l'accent. Ils ont été divisés par langue d'origine lorsque leur nombre le justifiait ; les anglicismes sont identifiés par la mention *(A)*.

Accent aigu

Langues africaines É89

awalé ou walé
karité
mafé
néré
niébé
okoumé
tsé-tsé

Anglais É90

aérobic (A)
attaché-case (A)
blistériser (A)
ciné(-)shop (A)
clip vidéo (A)
consumérisme (A)
consumériste (A)
containérisation (A)
   ou conteneurisation
containériser (A)
   ou conteneuriser
déboguer
débriefer (A)
débriefing (A)
déodorant, e (A)
managérial, e (A)
médecine-ball (A)
médiaplanning (A)
mémorial (A)
panélisé, e ou
panéliste (A)
parkérisation ou
Parkérisation (A)
pétrel
pongé ou pongée
pulsé (A)
résorcine ou résorcinol
révolvériser
shérif
télémarketing (A)
upériser
vidéo-clip (A)
yé(-)yé

Arabe É91

béni-oui-oui
bésef ou bézef
cétérac ou cétérach
chérif
éfrit
émir
émirati, e
maghrébin, e ou
magrébin, e
méchoui
méharée
méhari
mudéjar, e
nafé
nénuphar
réalgar
taboulé
talibé
zénith
zéro
zérumbet

Espagnol É92

boléro
maté
médianoche
mérinos
mollé
olé ou ollé
péon
réal
rodéo
séguedille
toréador
torpédo

Remarquez l'accent aigu sur le a dans **soleá** *(pl. soleares).*

Grec É93

archéoptéryx
caléidoscope
   ou kaléidoscope
catoblépas
chéilite
daphné
diploé
géaster
hélix
hypothénar
masséter
ményanthe
néphélion
odéon
ostéichtyens
pancréas
panthéon
protomé
psaltérion
psyché
spéos
thénar
thériaque
tréphone
tricératops
vélani
xénon
zéphyr
zoé
zoécie

Italien É94

cicérone
modénature
ténor
ténorino
trémolo

Les mots étrangers

Latin   É95

bénédicité
cotonéaster
débet
décemvir + dér.
défet
déficit + dér.
épitomé
fac-similé
impétigo
intérim + dér.
médiator

mémento
mémo
préciput + dér.
quindécemvir ou
   quindécimvir
réquisit
spécimen
stégomyie
tollé
vélar

Autres langues   É96

ashkénaze
bédégar
béké
candomblé
éden
éphod
fillér
gadjé (pl. de gadjo)
karaté
kéfir ou képhir
képi
kérabau ou karbau
khédive
makémono
   ou makimono
maskinongé
mazdéisme + dér.
mousmé
nizeré
paréo
pécari

pékan
péri
pipéronal
poljé
rémiz
saké
sanhédrin
schéol ou shéol
séfarade
tamouré
tchérémisse
thé
tiaré
trépang ou tripang
tsarévitch ou
   tzarévitch
ukulélé
vahiné
védisme + dér.
vétiver
zébu

Dérivés de noms propres   É97

asclépias ou asclépiade
bakélite ou Bakélite
bégonia
cicéro
gardénia
kémalisme
mahométan, e

malékisme ou malikisme
nietzschéen, enne
sérancolin ou sarrancolin
shérardisation
ypérite
ypréau

Accent grave   É98

Grec

enthymème
gypaète
hermès
herpès
koinè
myxœdème
népenthès
œdicnème
périthèce
phalère

phanère
phloème
phlyctène
phylactère
sciène
sthène
thète
uraète
zétète

Autres langues

alkermès
à quia
aspergès
cacatoès ou kakatoès
exprès
kermès
londrès
magistère
massorète

mastère
moukère ou mouquère
palmarès
pietà
rastaquouère ou rasta
touarègue
   (fém. de touareg)
tungstène
turkmène

Accent circonflexe   É99

bêta
boulê
dông
dzêta ou zêta
êta
eurêka
gnôthi seauton
khôl, kohol ou koheul

môn-khmer, ère
nô
quôc-ngu
rônin
têt
thêta

Tréma   É100

Allemand

führer
kaïnite

Länder (pl. de Land)
minnesänger

Arabe

Aïd-el-Fitr
 ou Aïd-el-Séghir
Aïd-el-Kébir
 ou Aïd-el-Adha
caïd

daïra
fedaï
haïk
raï
raïs

Japonais

aïkido
aïnou
bonsaï

haïkaï
haïku

Russe

balalaïka
barzoï
nagaïka ou nahaïka

saïga
taïga
troïka

Autres langues

caïman
caïque
canoë
canoë-kayak
caraïte, karaïte ou qaraïte
celluloïd ou Celluloïd
chéloïde
choroïde
dalaï-lama
djaïn, e, djaïna, jaïn, e
 ou jaïna
djaïnisme, jaïnisme
 ou jinisme
gaïac
gaïacol
goï ou goy (pl. goïm)
introït
maïa

mithraïsme
 ou mithriacisme
Möbius
 (ruban, bande de)
monoï
oïdium
öre
ouabaïne
ouïghour ou ouïgour
paranoïa
poïkilothermie
saï
saïmiri
saïte
tabloïd ou tabloïde (A)
thaï, e
tjäle
zoïle

Les mots suivants ont plus d'une orthographe ; dans certains cas, on peut choisir l'accent qu'on écrit (*é* ou *ê*, *é* ou *è*), dans d'autres on peut écrire ou non cet accent (*à* ou *a*, *é* ou *e*, *ï* ou *i*, *ô* ou *o*, par exemple), en faisant parfois subir certaines modifications au reste du mot.

  é **Ou** **e**   **é** **Ou** **e**

é	e
accélérando	accelerando (nom)
allégretto	allegretto
allégro	allegro
artéfact	artefact (A)
atémi	atemi
avé	Ave
bandérilléro	banderillero
béhaviorisme	behaviorisme ou behaviourisme
béhavioriste	behavioriste ou behaviouriste
braséro	brasero
cafétéria	cafeteria
caméraman	cameraman (A)
candéla	candela
chébec	chebec ou chebek
chiche-kébab	chiche-kebab
chiclé	chicle
chistéra	chistera
corrégidor	corregidor
crématorium	crematorium
déléatur	deleatur

é	e
délirium	delirium tremens
désidératas	desiderata
despérado	desperado
dévon	devon
diésel	diesel
djébel	djebel
droséra	drosera
édelweiss	edelweiss
féria	feria
féta	feta
ganadéria	ganaderia
gerbéra	gerbera
guérilléro	guérillero
imprésario	impresario
kakémono	kakemono
kébab	kebab
kiésérite	kiesérite
libéro	libero
listéria	listeria
livédo	livedo
média	media
médium	medium

e

é	Ou	e
mélia		melia
mésa		mesa
millénium		millenium
miséréré		miserere
modérato		moderato (nom)
muléta		muleta
novilléro		novillero
nucléus		nucleus
pampéro		pampero
pécan		pecan (A)
pécorino		pecorino
pédum		pedum
pénalty		penalty (A)
pénicillium		penicillium
pérestroïka		perestroïka
phylloxéra		phylloxera
pistoléro		pistolero
pizzéria		pizzeria
placébo		placebo
plénum		plenum
pomélo		pomelo
prémium		premium
pulqué		pulque
québracho		quebracho
réalpolitik		realpolitik
référendum		referendum
réflex		reflex
reporter-caméraman		reporter-cameraman (A)
révolver		revolver
révolving		revolving (A)
salvé		salve
san-bénito		san-benito
scénario		scenario
séghia ou séguia		seghia ou seguia
sélect, e		select
sénestrorsum		senestrorsum
sénior		senior
séringuéro		seringuero
shékel		shekel
sombréro		sombrero
spéculum		speculum
téocalli		teocalli ou teocali
téphillim		tephillim, tephillin ou tefillin
tépidarium		tepidarium
téquila		tequila
térébellum		terebellum
thésaurus		thesaurus
toréro		torero
trénail		trenail

    e

é	Ou	e
vélarium		velarium
vélum		velum
véto		veto
vocératrice		voceratrice
vocéro		vocero
yéti		yeti
zapatéado		zapateado

    œ É102

é (e)	Ou	œ
césium		cæsium
chamérops		chamærops
cobéa		cobæa ou cobée
dracéna, dracena		dracæna
égagropile		ægagropile
égosome		ægosome
éléis		elæis, élæis
épyornis		æpyornis
et cetera		et cætera
éthuse		æthuse
méléna		melæna, mélæna
péan		pæan
présidium		præsidium
ténia		tænia

    œ É103

é	Ou	œ
biocénose		biocœnose
célioscopie		cœlioscopie
cénesthésie		cœnesthésie
cénure		cœnure
écoumène		œkoumène
phénix		phœnix
pomérium ou pomerium		pomœrium

Ou autres lettres É104

 Ou è É105

Il faut changer la terminaison de ces mots lorsqu'on les écrit sans accent aigu :

agérate	ageratum
gaulthérie	gaultheria
jussiée	jussieua
kéfié	keffieh
maharané	maharani
moucharabié	moucharabieh
narghilé ou narguilé	narghileh
népète	nepeta
rafflésie	rafflesia
sarracénie	sarracenia
sédon	sedum
téphrosie	tephrosia
théridion	theridium
ximénie	ximenia
zygopétale	zygopetalum

 Ou autres lettres

Lorsqu'on écrit ces mots sans accent aigu, il faut leur faire subir des modifications orthographiques :

camélia	camellia
chéiroptère	chiroptère
débatteur	debater (A)
éfendi	effendi
frésia	freesia
labéliser	labelliser (A)
négondo	negundo
nélombo	nelumbo
novélisation	novellisation (A)
novéliser	novelliser (A)
séguedille	seguidilla
soap-opéra	soap opera (A)
souahéli, e	swahili, e
télougou	telugu
voïévodat	voïvodat
voïévode	voïvode
voïévodie	voïvodie

Attention aux modifications orthographiques lorsqu'on choisit de remplacer le **é** par un **è** :

fécès	fèces
gnétum	gnète
sacoléva	sacolève
téléga	télègue

 Ou ê

coré	corê ou korê

 à, è, û **Ou** a, e, u É106

à giorno	a giorno
à la tempera	a tempera
cortès	Cortes
festoù-noz	festou-noz
	(pl. de fest-noz)
limès	limes
sakièh	sakieh
tabès	tabes
traveller's chèque	traveller's cheque,
	traveller's check (A)

Attention aux changements à l'intérieur du mot ou dans la terminaison :

aédès	aedes
cachère	cacher, cascher, casher,
	cawcher, kascher ou
	kasher
népète	nepeta
œnothère	œnothera
recès	recez

Les mots étrangers

â, ô, û *Ou* **a, o, u**

nuoc-mâm	nuoc-mam
prâkrit	prakrit
ptôse	ptose
ptôsis	ptosis
rhô	rho
stûpa	stupa ou stoupa
sûtra	sutra ou soutra

 ë, ï, ö, ü *Ou* **e, i, o, u**

chouïa	chouia ou chouya
daïquiri	daiquiri
malström ou maelström	malstrom
paëlla	paella
polaroïd	Polaroid
volapük	volapuk

 ä, ï, ö *Ou* **autres lettres**

angström	angstroem
bäkeofe	baeckeofe
baïram ou beïram	bayram
congaï	congaye
daïmio	daimyo
föhn	foehn ou fœhn
haïdouc ou haïdouk	heiduque
maïolique	majolique
poïkilotherme	pœcilotherme
raïa	raya
röntgen	rœntgen
rösti	rœsti
samouraï	samurai
taï chi ou taï-chi-chuan	tai-chi ou tai-chi-chuan
tupaïa	tupaja
zaouïa	zawiya

Plusieurs accents possibles

moëre, moère ou moere
épistémè, épistémé ou épistémê
turbé, türbe ou turbeh

*Autres mots avec **æ** ou **œ** : voir les tableaux C162 et 174*

Parallèles entre certains de ces mots et des dérivés qui ne portent pas le même accent qu'eux : voir les tableaux A50 à 58

Autres mots s'écrivant avec ou sans accent : voir les tableaux A66 à 79

Origine de ces mots et forme plurielle : voir les tableaux É1 à 61

Les homonymes

La maîtrise des homonymes constitue un défi de taille, puisqu'elle allie l'orthographe à la sémantique. On entend généralement par homonymes (ou homophones) des mots qui se prononcent de la même façon mais qui ont un sens différent (*laid* et *lait*, par exemple). Certains s'écrivent de la même façon et ne se distinguent que par le genre (*un manche* et *une manche*), par le nombre (*un favori* et *des favoris*) ou par l'emploi du trait d'union (*un pardessus* et *par-dessus*); à la limite, on pourrait même considérer comme homonymes les différentes significations d'un même mot (par exemple, *une cellule* en tant que constituant d'un être vivant, ou en tant que local d'une prison).

Recenser tous les homonymes possibles s'avère une tâche quasi irréalisable, et il a fallu nous borner aux plus intéressants. Les formes conjuguées des verbes ne sont utilisées que dans certains cas pertinents. Notre but n'étant pas de remplacer un dictionnaire en ce qui concerne les définitions, nous n'avons décrit très sommairement que les sens les plus courants des mots. Ceux-ci sont séparés par une virgule, sauf lorsqu'un mot présente plus d'une nature; les significations relevant de chacune sont alors isolées par un point-virgule. Remarquez également le rôle que joue la virgule pour préciser la variabilité des mots: dans «n.m., adj. inv.», par exemple, la virgule indiquera que seul l'adjectif est invariable. Il ne faudra pas s'étonner de ne pas retrouver dans les catégories grammaticales énumérées la mention exacte rencontrée dans son dictionnaire: c'est que nous avons combiné les informations provenant de toutes nos sources en une formulation unique. Il est enfin important de noter que la prononciation de référence est celle des dictionnaires, et qu'on l'exprime par des syllabes à lire au son, pour éviter l'alphabet phonétique. Il se peut, notamment au Québec, que la prononciation d'usage en diffère quelque peu (par exemple, *volley* est un homonyme de *voler* chez les Québécois, mais de *volet* selon les dictionnaires).

> Jongler avec les homonymes est un art qu'on acquiert souvent avec l'envie de se passer la hart au cou. Pour écrire sans fautes, on est censé les relire sans faute, régulièrement et de façon sensée. Certains, influencés par la pub d'un pub, avaleront un foudre de moulin-à-vent pour se donner du courage; d'autres choisiront de se battre contre des moulins à vent, alors que d'autres encore attendront d'être frappés par la foudre pour se mettre à la tâche. Mais après quelques heures de lecture attentive, non sans heurts, tous se sentiront sans doute drôles comme des papions ou légers comme des papillons, et auront l'heur de se transformer en hérauts, le temps de se qualifier eux-mêmes de… héros.

Les tableaux de ce chapitre présentent des homonymes se distinguant par le trait d'union (H1), le nombre (H2), le genre (H3) et la graphie (H4). Suivent ensuite des paronymes (H5), c'est-à-dire des mots qui se prononcent presque identiquement, et des homographes allophones (H6), c'est-à-dire des mots qui ont la même orthographe mais dont la prononciation varie selon le sens. Des renvois d'un tableau à un autre subséquent sont indiqués lorsqu'un groupe de mots appartient à plus d'une de ces catégories ; par exemple, *une cache* (lieu secret) et *un cache* (élément qui sert à cacher) se distinguent certes par le genre, mais ils peuvent aussi être comparés à leurs homonymes *cash* (argent) et *kache* (plat russe) ; on les renverra donc des « homonymes se distinguant par le genre » aux « homonymes non homographes ».

Plan du chapitre

On écrit ces mots avec ou sans trait d'union, selon leur sens. Remarquez par ailleurs que l'emploi du trait d'union dans plusieurs locutions est conditionné par leur nature, par le contexte dans lequel on les emploie, plutôt que par le sens proprement dit. Certaines ont été mentionnées ici à titre d'exemples (*être face à face* et *un face(-) à(-) face*; *en tête(-) à(-) tête* et *un tête-à-tête*); d'autres se retrouvent au chapitre « Mots composés », dans les sections portant sur les mots qui débutent par un adjectif (*en bas(-) relief* et *un bas-relief*, par exemple), par un verbe (*en taille(-) douce* et *une taille-douce*), par un adverbe (*au pis aller* et *un pis-aller*), par une préposition (*un marché hors cote* et *un hors-cote*), par une onomatopée (*faire flic flac* et *un flic-flac*), ou qui se composent de trois éléments (*en porte(-) à(-) faux* et *un porte-à-faux*).

à fond	loc.: en profondeur
à-fonds	n. m. pl.: grand ménage
Agnus Dei	n. m. inv.: médaillon bénit, prière
agnus-Dei	n. m. inv.: médaillon bénit
à pic	loc.: escarpé, à propos
à-pic	n. m. ou n. m. inv.: paroi verticale
à plat	loc.: horizontalement, crevé
à(-)plat	n. m.: papier sans défaut, surface unie

à valoir à-valoir	*Voir H4*
bas de casse	n. m.: partie inférieure de la casse typographique, lettre minuscule
bas-de-casse	n. m. inv.: lettre minuscule
col bleu	loc.: ouvrier
col-bleu	n. m.: marin
cordon bleu	loc.: insigne d'honneur
cordon-bleu	n. m.: cuisinière habile
coup de poing	loc.: coup donné avec le poing
coup-de-poing	n. m.: arme
crête de coq	loc.: excroissance sur la tête du coq
crête-de-coq	n. f.: plante, tumeur
croix rouge	loc.: insigne
Croix-Rouge	n. f.: organisme international
deux points	n. m. pl.: signe de ponctuation (« les deux points »)
deux-points	n. m. ou n. m. pl.: signe de ponctuation dans le langage typographique
face à face	loc. ou n. m. inv.: en présence l'un de l'autre; débat
face-à-face	n. m. inv.: débat
fausse route (faire)	loc.: faire erreur
fausse-route	n. f.: passage des aliments dans la trachée
faux bourdon	loc.: mâle de l'abeille
faux-bourdon	n. m.: procédé d'harmonisation en musique
franc jeu (jouer)	loc.: agir loyalement
franc-jeu	n. m.: recommandé pour *fair-play*
gardes françaises	n. f. pl.: régiment
garde-française	n. m.: soldat des gardes françaises

grand duc	loc.: oiseau
grand-duc	n. m.: titre
hors d'œuvre	adj. inv. (ou hors œuvre): en architecture
hors-d'œuvre	n. m. inv.: en cuisine ou en architecture
juste milieu	loc.: mesure, équilibre, gouvernement de Louis-Philippe
juste-milieu	n. m. ou adj.: gouvernement de Louis-Philippe; se dit d'un de ses partisans
maître à danser	loc.: professeur de danse
maître-à-danser	n. m.: compas
mont Blanc	loc.: nom géographique
mont-blanc	n. m.: dessert
morte saison	loc.: où les travaux agricoles sont interrompus
morte-saison	n. f.: où l'activité économique est réduite
moulin à vent	loc.: éolienne
moulin-à-vent	n. m. inv.: vin
en nid d'abeilles	n. m. ou loc.: tissu en alvéoles; en forme de ruche
nid-d'abeilles	n. m.: broderie, tissu en alvéoles, partie d'une structure métallique en forme de ruche
en nids d'abeille	loc.: en forme de ruche
ohmmètre	n. m.: appareil
ohm-mètre	n. m.: unité de résistivité
outremer	n. m., adj. ou adj. inv.: lapis-lazuli, bleu intense
outre-mer	adv.: au-delà des mers
pardessus	n. m.: manteau
par-dessus	loc.: dans une position supérieure
pas de Calais	loc.: détroit
Pas-de-Calais	n. pr.: département français
pas de géant (à)	loc.: très vite
pas-de-géant	n. m.: appareil de gymnastique

pas de la porte	loc.: seuil
pas(-) de(-) porte	n. m. inv.: somme pour obtenir un local
pas grand-chose	loc.: presque rien, personne méritant peu de considération
pas-grand-chose	n. inv.: personne méritant peu de considération
patte d'oie	n. f.: patte de l'oie, plante
patte-d'oie	n. f.: route, rides, plante, cordage
petit déjeuner	n. m.: repas du matin
petit-déjeuner	n. m. ou v.: repas du matin; prendre ce repas
petit maître	loc.: en peinture
petit-maître	n. m. (fém. petite-maîtresse): jeune élégant
pied bot	loc.: pied mal formé
pied-bot	n.: personne au pied contrefait
pied plat	loc.: pied aplati
pied-plat	n. m.: personne grossière
pointe sèche	loc.: outil, procédé de gravure, estampe
pointe-sèche	n. f.: épreuve gravée à la pointe sèche
queue de cheval	loc.: coiffure
queue-de-cheval	n. f.: plante, coiffure, cordons nerveux
queue de rat	loc.: coiffure
queue-de-rat	n. f.: plante, coiffure, lime
qui vive	interj.: cri de sentinelle
qui-vive	interj. ou n. m. inv.: cri de sentinelle; sur ses gardes
rose thé	n. f. ou adj.: fleur; d'un jaune rosé (comme la fleur)
rose-thé	n. f.: rose d'un jaune rosé
Saint Sépulcre	loc.: sanctuaire à Jérusalem
Saint-Sépulcre	n. pr.: sanctuaire à Jérusalem, ordre pontifical
sans façon(s)	loc.: simplement
sans(-) façon	adj. inv.: peu cérémonieux
sans-façon	n. m. inv.: sans-gêne

sans fautes sans-faute	*Voir H2*
sans souci(s) sans-souci	loc. : sans aucun souci n. ou adj. inv. : personne insouciante
Six(-) Jours six-jours	loc. (« guerre des Six(-) Jours ») : guerre en 1967 n. m. pl. : épreuve cycliste
sous pression sous-pression	loc. : soumis à la pression n. f. : pression dirigée du bas vers le haut
en tête à tête tête-à-tête	loc. : seul à seul loc. ou n. m. inv. : seul à seul ; situation à deux, service à café, canapé
tête de Maure tête-de-Maure	loc. : en héraldique n. f., adj. inv. : fromage ; couleur
tête de mort tête-de-mort	loc. : squelette, emblème de mort, fromage app. : « sphinx tête-de-mort »

à tout venant tout-venant	*Voir H4*
trois points trois-points	loc. : symbole de la franc-maçonnerie adj. (« frères trois-points ou Trois points ») : francs-maçons
trois quarts trois-quarts	app. ou loc. : manteau, manche (« manteau trois quarts ») ; 75 % n. m. : violon, manteau, joueur de rugby
vert galant le Vert-Galant	loc. : homme redoutable n. pr. : Henri IV
vingt et un vingt-et-un	adj. num. : nombre n. m. inv. : jeu

Formes plurielles de ces mots et comparaisons avec d'autres mots similaires : voir le chapitre « Mots composés »

Locutions qui s'écrivent avec ou sans trait d'union selon leur nature : voir les tableaux M31, 41, 43 à 47, et 59 à 61

Homonymes distingués par le nombre

H2

Lorsqu'ils sont employés au pluriel, ou selon la forme plurielle qu'ils prennent, ces mots revêtent une signification différente.

abat abats	n. m. : pluie abondante n. m. pl. : parties accessoires des animaux
abattis	*Voir H4*
agape agapes	n. f. : repas des premiers chrétiens n. f. pl. : repas entre amis

aide aides	*Voir H3*
aïeul, e aïeux	n. (pl. aïeul(e)s) : grand-père, grand-mère n. m. pl. : ancêtres
alentour alentours	adv. : autour n. m. pl. : lieux voisins, bordures de tapisserie
amourette amourettes	n. f. : flirt n. f. pl. : moelle de veau ou d'autres viandes
annale annales	*Voir H4*
aplomb aplombs	*Voir H4*

arrêt arrêts	*Voir H4*
assise assise assises	adj. : du verbe asseoir n. f. : base n. f. pl. : cour, session

attendu
 	
attendu(s)
	adj., prép. : qu'on attend ; étant
	  donné
	n. m. ou n. m. pl. : motifs d'un
	  jugement

auxiliaire auxiliaires	n. ou adj. : qui aide n. m. pl. : machines en marine, troupes de l'armée romaine
bacchanale bacchanales	*Voir H4*
banal, e, als banal, e, aux	adj. : ordinaire adj. : qui appartient au ban

bravo
 	
bravo
	n. m. ou interj. (pl. bravos) :
	  applaudissement
	n. m. (pl. bravi ou bravos) :
	  tueur à gages

brisée brisées	*Voir H4*
broussaille broussailles	n. f. : surtout en poésie et dans « en broussaille » n. f. pl. : végétation
cantonal, e cantonales	adj. : du canton n. f. pl. : élections
cendre Cendres	*Voir H4*
changer de main changer de mains	loc. : par fatigue loc. : changer de propriétaires
châsse châsses	*Voir H5*

chausse
 	
chausses
	n. f. : filtre, chevron
	  (en héraldique)
	n. f. pl. : vêtement masculin
	  ancien

chef d'escadron
 	
chef d'escadrons
	loc. : capitaine en cavalerie,
	  commandant dans l'artillerie,
	  la gendarmerie et le train des
	  équipages
	loc. : commandant en cavalerie
	  et dans les blindés

choral choral, e	*Voir H4*

ciel
 	
ciel
	n. m. (pl. ciels) : dais au-dessus
	  d'un lit, désigne la
	  multiplicité
	n. m. (pl. cieux) : espace, Dieu,
	  a une connotation religieuse
	  ou poétique

en cinq sec
en cinq secs
	loc. : rapidement
	loc. : rapidement, en une seule
	  manche de cinq points (aux
	  cartes)

cisaille
 	
cisaille
	n. f. : rognure de métal,
	  appareil
	n. f. (généralement pluriel) :
	  gros ciseaux

ciseau
 	
ciseaux
	n. m. : outil pour le bois, le fer,
	  la pierre, saut, prise de lutte
	n. m. pl. : instrument (pour les
	  ongles, les étoffes, le papier,
	  etc.), saut en ciseau(x)

claquette claquettes	n. f. : instrument pour donner un signal n. f. pl. : danse
clique cliques	*Voir H4*
coco cocos	*Voir H3*
comestible comestibles	n. m. ou adj. : qui peut servir de nourriture à l'homme n. m. pl. : denrées alimentaires
comice comices	*Voir H3*

commun, e
 	
communs
	n. m. ou adj. : le bas peuple ;
	  quelconque
	n. m. pl. : ensemble de
	  bâtiments

conjugué conjugués	*Voir H4*
conserve conserves	n. f. : boîte d'aliments n. f. pl. : lunettes pour ménager la vue

consort	adj. m. : époux d'une reine, d'une femme puissante
consorts	n. m. pl. : personnes ayant des intérêts communs
conventuel, elle	adj. : communautaire
conventuels	n. m. pl. : franciscains
coordonné coordonnés	*Voir H4*
coordonnée coordonnées	*Voir H4*
cornette cornettes	*Voir H3*
cotillon	n. m. : farandole, jupon
cotillons	n. m. pl. : accessoires de divertissement
couverture	n. f. : toiture, enveloppe, etc.
couvertures	n. f. pl. : plumes d'oiseau
crosse crosses	*Voir H4*
cuivre	n. m. : métal
cuivres	n. m. pl. : instruments à vent en cuivre
dame dames	*Voir H4*
déblai	n. m. : action de déblayer
déblais	n. m. pl. : décombres enlevés
déboire	n. m. : arrière-goût (après avoir bu)
déboires	n. m. pl. : déceptions, échecs
décennal, e, aux	adj. : qui dure dix ans
décennales	n. f. pl. : fêtes romaines
décrétale	n. f. : lettre du pape
décrétales	n. f. pl. : recueil de lettres papales
en demi-teinte	loc. : chanter avec une sonorité adoucie
en demi-teintes	loc. : peindre avec des tons nuancés
domino	n. m. : pièce de costume, pièce du jeu de dominos
dominos	n. m. pl. : jeu

doudoune	n. f. : veste en duvet
doudounes	n. f. pl. : seins
échec	n. m. : revers
échecs	n. m. pl. : jeu
écoute	n. f. : action d'écouter, cordage en marine
écoutes	n. f. pl. : oreilles du sanglier
émail	n. m. (pl. émails) : ce qui recouvre les dents
émail	n. m. (pl. émaux) : matériau, objet d'art
enfer	n. m. : géhenne, situation pénible, bibliothèque
enfers	n. m. pl. : séjour des morts
envie envies	*Voir H4*
environ	adv. : à peu près
environs	n. m. pl. : lieux alentour
erre erres	*Voir H4*
être êtres	*Voir H4*
faste	n. m. ou adj. : apparat ; heureux
fastes	n. m. pl. : calendrier, registres
favori, ite	n. ou adj. : préféré
favoris	n. m. pl. : touffe de barbe
fédéral, e, aux	adj. : relatif à une fédération
fédéraux	n. m. pl. : soldats américains de la guerre de Sécession
feu	n. m. (pl. feux) : incendie
feu, e	adj. (pl. feu(e)s) : défunt
finance	n. f. : banque, bourse
finances	n. f. pl. : deniers publics
fine fines	*Voir H4*
à flot (être, mettre)	loc. : flotter, ne plus avoir de difficultés d'argent
à flots	loc. : abondamment

Les homonymes

force	adv.: beaucoup
force	n. f.: énergie
forces	n. f. pl.: ciseaux

| forme | n. f.: apparence, expression |
| formes | n. f. pl.: contours physiques, politesse |

| forte-piano | adv. ou n. m. inv.: nuance; passage exécuté dans cette nuance |
| forte-piano | n. m. (pl. forte-pianos): instrument |

| foudre | *Voir H3* |
| foudres | |

| foulée | n. f.: terme de course, prolongement |
| foulées | n. f. pl.: traces d'un animal sur le sol |

| frais, n. m. | *Voir H4* |
| frais, n. m. pl. | |

| frivolité | n. f.: futilité, légèreté |
| frivolités | n. f. pl.: parures |

| fumée | *Voir H4* |
| fumées | |

| garde | *Voir H3* |
| gardes | |

| garde-pêche | n. m. (pl. gardes-pêche): agent surveillant la pêche |
| garde-pêche | n. m. inv.: bateau |

| gémeau, elle | *Voir H4* |
| Gémeaux | |

| généralité | n. f.: caractère de ce qui est général |
| généralités | n. f. pl.: notions générales |

| germinal | n. m. (pl. germinals): mois du calendrier républicain |
| germinal, e, aux | adj.: relatif au germe |

| goutte | *Voir H4* |
| gouttes | |

| gouverné, e | adj.: dirigé |
| gouvernés | n. m. pl.: ensemble de ceux qui sont soumis au pouvoir politique |

| grave | *Voir H4* |
| graves | |

| grotesque | *Voir H3* |
| grotesques | |

| guide | *Voir H3* |
| guides | |

| halle | *Voir H5* |
| halles | |

| harde | *Voir H4* |
| hardes | |

| honoraire | adj.: qui a un titre honorifique |
| honoraires | n. m. pl.: rétributions |

| humanité | n. f.: ce qui est humain |
| humanités | n. f. pl.: langue et littérature grecques et latines |

| humble | adj.: effacé, modeste |
| humbles | n. m. pl.: les petites gens |

| ide | n. m.: poisson rouge |
| ides | n. f. pl.: division du calendrier romain |

| impérial, e, aux | adj.: relatif à un empereur |
| impériaux | n. m. pl.: soldats du Saint Empire romain germanique |

| information | n. f.: instruction, nouvelle, procédure juridique |
| informations | n. f. pl.: bulletin radio ou télé |

| issue | *Voir H4* |
| issues | |

| jarretière | n. f.: bande qui retient les bas |
| jarretières | n. f. pl.: tresses à l'arrière des voiles |

| jeune(-) turc, (-) turque | n.: membre d'un parti favorisant l'action |
| Jeunes(-) Turcs | n. m. pl.: révolutionnaires en 1908 |

| jonchet | *Voir H4* |
| jonchets | |

| jumelle | *Voir H4* |
| jumelles | |

lai lais	*Voir H5*
lavure	n. f. : eau de vaisselle, potage, lavage
lavures	n. f. pl. : parcelles de métaux
lettre de remerciement	loc. : pour congédier
lettre de remerciements	loc. : pour dire merci
lieu (pl. lieus) lieu (pl. lieux)	*Voir H4*
limbe	n. m. : bord d'un astre, cercle, terme d'anatomie, de botanique
limbes	n. m. pl. : état incertain, séjour des justes
lunette	n. f. : ouverture, fenêtre, vitre d'auto, jumelle
lunettes	n. f. pl. : verres dans une monture
marchand de vin	loc. : entrecôte, tenancier de bistrot
marchand de vins	loc. : négociant en vins
matériau	n. m. : matière de base servant à construire
matériaux	n. m. pl. : matières nécessaires à la construction, éléments constituant un tout
menée	n. f. : voie de cerf en fuite, congère
menées	n. f. pl. : machinations
mise au point	loc. : dans un instrument d'optique
mise aux points	loc. : en sculpture
moraille	n. f. : tenaille pour maintenir un cheval, pièce d'armure
morailles	n. f. pl. : pinces du verrier, tenailles pour un cheval
municipal municipales	*Voir H4*
mural	n. m. (pl. murals) : décor sur un mur
mural, e, aux	adj. : des murs, sur un mur

musical	n. m. (pl. musicals ; de l'anglais) : film musical
musical, e, aux	adj. : relatif à la musique
national, e, aux	adj. : relatif à une nation
nationaux	n. m. pl. : citoyens d'une nation
niveleur, euse	n. ou adj. : herse ; qui nivelle
niveleurs	n. m. pl. : républicains anglais
noce	n. f. : fête, ensemble des personnes
noces	n. f. pl. : mariage
none nones	*Voir H4*
nouvelle	n. f. ou adj. f. : avis, récit ; récente
nouvelles	n. f. pl. : renseignements, informations
nu-pied(s)	n. m. : chaussure
nu-pieds	adj. : sans chaussures
office offices	*Voir H3*
olympiade	n. f. : période de quatre ans entre les jeux
olympiades	n. f. pl. : jeux olympiques (critiqué)
orgue orgues	*Voir H3*
pâque Pâques	*Voir H5*
parage	n. m. : naissance, action de parer la viande, labour des vignes
parages	n. m. pl. : voisinage
pascal	n. m. (pl. pascals) : unité de mesure, langage informatique
pascal, e, als, aux	adj. : relatif à Pâques ou à la Pâque juive
patte pattes	*Voir H5*
penny	n. m. (pl. pennies) : pièce valant un penny
penny	n. m. (pl. pence) : monnaie valant un centième de livre

pérégrination	n. f. : voyage en pays lointain
pérégrinations	n. f. pl. : déplacements en de nombreux endroits
pipeau	*Voir H4*
pipeaux	
point d'honneur	loc. : engager sa réputation
points d'honneurs	loc. : cartes les plus hautes
poisson	*Voir H5*
Poissons	
porte-aiguille	n. m. (pl. porte-aiguille(s)) : étui de chirurgie, de couture
porte-aiguilles	n. m. inv. : étui de couture
porte-balai	n. m. inv. : pour un balai de W. -C.
porte-balai(s)	n. m. (pl. porte-balai(s)) : pour une machine électrique
porte-serviette	n. m. inv. : pour une serviette de table
porte-serviette(s)	n. m. (pl. porte-serviettes) : pour des serviettes de toilette
poste	*Voir H3*
postes	
préliminaire	n. m. ou adj. : dans « préliminaire de conciliation » ; qui précède
préliminaires	n. m. pl. : négociations
présidentiel, elle	adj. : relatif au président
présidentielles	n. f. pl. : élections à la présidence
principauté	n. f. : État indépendant, dignité, terre
principautés	n. f. pl. : chœur des anges
prise de vue	loc. : enregistrement des images en photographie
prise de vue(s)	loc. : enregistrement des images au cinéma
puissant, e	n. ou adj. : qui a du pouvoir
puissants	n. m. pl. : ceux qui ont la richesse
quetzal	n. m. (pl. quetzals) : oiseau, monnaie
quetzal	n. m. (pl. quetzales) : monnaie

quasi	adv. : presque
quasi	n. m. (du turc) : morceau de viande
ramage	n. m. : chant des oiseaux, langage, branchage, séchage d'un tissu
ramages	n. m. pl. : dessins
réal	*Voir H4*
réal, e	
régional, e	adj. : qui concerne une région
régionales	n. f. pl. : élections
règle	n. f. : instrument, loi, étiquette
règles	n. f. pl. : menstruation
réparation	n. f. : fait de réparer
réparations	n. f. pl. : dommages de guerre (1914 -18)
retombée	*Voir H4*
retombées	
réversal, e	adj. : contenant des concessions réciproques
réversales	n. f. pl. : lettres avec des concessions réciproques
rush	n. m. (pl. rushs ou rushes) : effort final, afflux d'une foule
rushs ou rushes	n. m. pl. : épreuves de tournage
salade	n. f. : casque, plante, mets
salades	n. f. pl. : mensonges, histoires
salle de jeu	loc. : salle où l'on joue
salle de jeux	loc. : au casino
sans apprêt	loc. : naturellement ; sans colle, sans empois, etc. (étoffe, par exemple)
sans apprêts	loc. : sans préparatifs (déjeuner, par exemple)
sans cause	loc. : sans raison
sans causes	loc. : sans clientèle (en parlant d'un avocat)
sans charme	loc. : existence, par exemple
sans charmes	loc. : femme, par exemple
sans connaissance	loc. : évanoui
sans connaissances	loc. : sans relations, sans savoir

sans exemple	loc.: extraordinaire
sans exemples	loc.: sans modèles (diction- naire, par exemple)
sans faute	loc.: à coup sûr
sans fautes	loc.: sans erreurs (dictée, par exemple)
sans(-) faute	n. m. inv.: prestation parfaite
sans frein	loc.: excessif
sans freins	loc.: qui ne peut freiner (voiture, par exemple)
sans nuage	loc.: en parlant du bonheur
sans nuages	loc.: en parlant du bonheur ou du ciel
sans passion	loc.: sans affectivité nuisible au jugement (juger sans passion)
sans passions	loc.: sans états affectifs et intellectuels (personne sans passions)
sans ressource	loc.: sans remède
sans ressources	loc.: sans fortune
sans soin	loc.: à l'aspect négligé
sans soins	loc.: sans traitements médicaux
saturnale	n. f.: temps de débauche
saturnales	n. f. pl.: fêtes en l'honneur de Saturne (Antiquité), temps de débauche
scotch	n. m. (pl. scotchs ou scotches): alcool
scotch ou Scotch	n. m., n. d. (pl. scotchs ou Scotch): ruban adhésif
serre serres	*Voir H4*
simple	n. ou adj.: médicament, partie de tennis; crédule, pur
simples	n. m. pl.: plantes à usage médicinal
solde soldes	*Voir H3*
sous toute réserve	loc.: sans garantie
sous toutes réserves	loc.: à la fin d'un acte de procédure

Spartiate	n.: de Sparte
spartiate(s)	n. f. ou n. f. pl.: sandale(s)
tarot tarots	*Voir H4*
toilette	n. f.: pièce de toile, vêtements, soins du corps, meuble, etc.
toilettes	n. f. pl.: cabinet d'aisances
à tout venant à tous venants	*Voir H4*
tranchée tranchées	*Voir H4*
travail	n. m. (pl. travails): appareil pour ferrer les animaux
travail	n. m. (pl. travaux): activité
tribulation	n. f.: tourment, épreuve
tribulations	n. f. pl.: aventures plus ou moins désagréables
triplé	n. m.: triple succès (en sport), course de chevaux
triplés, ées	n. pl.: les trois enfants d'une même grossesse
troche	n. f. (ou troque): mollusque
troches	n. f. pl.: excréments des cerfs
trois-huit	n. m. inv.: mesure en musique, système de travail (trois fois huit heures)
trois-huit	n. m. pl.: système de travail
vacance	n. f.: place vacante
vacances	n. f. pl.: repos, cessation des activités
valve	n. f.: partie du cœur, d'un fruit, d'une coquille, appareil
valves	n. f. pl.: tableau d'affichage
variante	n. f.: ce qui diffère
variantes	n. f. pl.: condiments variés
variété	n. f.: changement, diversité
variétés	n. f. pl.: recueils de textes, attractions variées
vertu	n. f.: force morale, propriété
vertus	n. f. pl.: chœur des anges

victuaille	n. f. : aliment (vieux)
victuailles	n. f. pl. : provisions, vivres
vidange	n. f. : action de vider, eaux usées, matière ôtée
vidanges	n. f. pl. : immondices, bouteilles vides
vidure	n. f. : ce qu'on ôte en vidant un animal
vidures	n. f. pl. : ordures enlevées en nettoyant

virginal	n. m. (pl. virginals) : instrument de musique ancien
virginal, e, aux	adj. : relatif à une vierge
visée	n. f. : action de diriger la vue
visées	n. f. pl. : ambition, but

Mots toujours pluriels : voir les tableaux N28 à 31

Mots sur le nombre desquels les dictionnaires divergent : voir le tableau N32

Homonymes distingués par le genre

H3

> Les mots suivants prennent un sens différent selon leur nature, ou, lorsque ce sont des noms, selon qu'ils sont employés au masculin ou au féminin.

accore, n. f.	*Voir H4*
accore, n. m.	
affixe	n. f. : nombre complexe
affixe	n. m. : élément incorporé à un mot
aide	n. : personne qui aide
aide	n. f. : secours
aides	n. f. pl. : impôts, terme d'équitation
aigle	n. f. : femelle de l'oiseau, terme militaire ou d'héraldique
aigle	n. m. : oiseau mâle, emblème, lutrin, papier
althæa	n. f. : plante du genre des guimauves
althæa	n. m. : plante du genre des guimauves, variété d'hibiscus
alto	n. : voix, instrumentiste
alto	n. m. ou adj. : instrument

amour	n. m. : sentiment, personnification mythologique
amours	n. f. pl. : dans le langage poétique
amours	n. m. pl. : dernières gouttes d'une bouteille de vin
anathème	n. : personne frappée d'anathème
anathème	n. m. : excommunication
antique	adj. : très vieux, de l'Antiquité
antique	n. f. : œuvre d'art antique, caractère d'imprimerie
antique	n. m. : art antique, œuvre d'art antique
aria	n. f. : air de musique
aria	n. m. : souci
arrière-main	n. f. : partie du cheval, dos de la main
arrière-main	n. m. : partie du cheval
asclépiade	n. f. (ou asclépias, n. m.) : plante
asclépiade	n. m. : vers lyrique
aune, n. f.	*Voir H4*
aune, n. m.	
auto	n. f. (abrév.) : automobile
auto	n. m. (ou auto sacramental) : théâtre espagnol

automatique	adj. : qui fonctionne seul
automatique	n. f. : science
automatique	n. m. : arme, téléphone
avant-main	n. f. : partie du cheval, de la main
avant-main	n. m. : partie du cheval
baliste	n. f. : machine de guerre
baliste	n. m. : poisson
bamboula	n. f. : noce, fête
bamboula	n. m. : tam-tam
barbe	n. f. : poils sur le menton ou le museau, ennui
barbe	n. m. ou adj. : cheval
barde	n. f. : armure, lard
barde	n. m. : poète
basket	n. f. : chaussure
basket	n. m. : sport (basket-ball), chaussure
	Voir tennis
basque	n. f. : partie de vêtement
basque	n. m. ou adj. : langue ; du pays basque
baste	interj. : marque la lassitude, l'indifférence
baste	n. f. : panier pour la vendange
baste	n. m. : as de trèfle (hombre)
beigne	n. f. : gifle
beigne	n. m. : pâtisserie
bisse, n. f.	*Voir H4*
bisse, n. m.	
bogue, n. f.	*Voir H5*
bogue, n. m.	
bohème, n. f.	*Voir H4*
bohème, n. m.	
boule	app. («col boule») : col roulé
boule	n. f. : sphère
boule	n. m. inv. (ou boulle) : meuble
boum, n. f.	*Voir H4*
boum, n. m.	

bourre, n. f.	*Voir H4*
bourre, n. m.	
brame	n. f. : acier pour fabriquer la tôle
brame	n. m. (ou bramement) : cri du cerf
braque	n. ou adj. : bizarre
braque	n. m. : chien
brick, n. f.	*Voir H4*
brick, n. m.	
brique, n. f.	
brique, n. m.	
bugle	n. f. : plante
bugle	n. m. : instrument à vent
bulle, n. f.	*Voir H4*
bulle, n. m.	
bure	n. f. : étoffe
bure	n. m. : puits
cache, n. f.	*Voir H4*
cache, n. m.	
canada	n. f. : variété de pomme
Canada	n. pr. : pays
carcel	n. f., adj. inv. («lampe Carcel» ou «lampe carcel») : lampe à l'huile
carcel	n. m. : unité de mesure, lampe à l'huile
carpe	n. f. : poisson
carpe	n. m. : os
cartouche	n. f. : munition, emballage
cartouche	n. m. : ornement, boucle ovale
casse	n. f. : action de casser, laxatif, caractère d'imprimerie, outil
casse	n. m. : cambriolage
caustique	n. f. : terme d'optique
caustique	n. m. ou adj. : corrosif, mordant
cave	adj. : creux (veine cave, par exemple)
cave	n. f. : souterrain, enjeu au poker
cave	n. m. : dupe

cellulaire	adj. : qui a rapport aux cellules, aux prisonniers
cellulaire	n. f. : régime pénitentiaire, mise en cellule
cellulaire	n. m. : prisonnier en cellule
cent, n. f.	*Voir H6*
cent, n. m.	
cérite	n. f. : silicate de cérium
cérite	n. m. (ou cérithe) : mollusque
cétose	n. f. : terme de médecine
cétose	n. m. : ose à fonction cétone
champagne	adj. inv. : couleur du champagne
champagne	n. f. : plaine, terme d'héraldique
champagne	n. m. : vin mousseux
chantilly ou Chantilly	n. f. inv. («crème chantilly» ou «crème Chantilly») : crème fouettée
chantilly	n. m. inv. : dentelle
chèvre	n. f. : mammifère, appareil de levage
chèvre	n. m. : fromage au lait de chèvre
chienlit	n. f. : masque, mascarade, désordre
chienlit	n. m. : masque de carnaval
chine	n. f. : brocante, vente de porte à porte
chine	n. m. : porcelaine de Chine, papier
chose	adj. : décontenancé
chose	n. f. : objet, affaire
chose	n. m. : ce qu'on ne nomme pas
chromo	n. f. (abrév.) : chromolithographie
chromo	n. m. (abrév.) : image lithographique, image en couleurs de mauvais goût
ciste	n. f. : construction funéraire
ciste	n. m. : arbrisseau
claque, n. f.	*Voir H4*
claque, n. m.	

classique	adj. : qui fait autorité, traditionnel
classique	n. f. : épreuve sportive
classique	n. m. : auteur, ouvrage, musique
clochard, e	n. : personne sans domicile
clochard	n. f. : pomme
cloche	n. f. : carillon, personne niaise, ensemble des clochards
cloche	n. m. : chapeau
coca	n. f. : substance extraite du coca, arbuste produisant la cocaïne
coca	n. m. : arbuste produisant la cocaïne
coca	n. m. inv., n. d. (ou coca-cola, Coca-Cola) : boisson gazeuse
coche	n. f. : entaille
coche	n. m. : voiture ancienne, chaland
cochléaire	adj. : qui se rapporte à la cochlée (oreille)
cochléaire	n. f. : plante
coco	n. ou adj. : communiste
coco	n. f. : cocaïne
coco	n. m. : fruit du cocotier, boisson, œuf, fibre
cocos	n. m. pl. : haricots blancs
coke, n. f.	*Voir H5 et 6*
coke, n. m.	
cola	n. f. (ou kola) : graine de cola, tonique, boisson
cola	n. m. (ou kola) : graine de cola, tonique, boisson, colatier
comice	n. f. : poire
comice	n. m. : assemblée, réunion (Révolution française)
comice agricole	n. m. (ou comices agricoles, n. m. pl.) : réunion de cultivateurs
comices	n. m. pl. : assemblée (Antiquité romaine), réunion (Révolution française)
compound	adj. inv. : se dit d'appareils
compound	n. f. : machine
compound	n. m. : composition isolante, mélange

contralto contralto	n. f.: chanteuse n. m.: voix, chanteur, chanteuse
contrebasse contrebasse	n. (ou contrebassiste): musicien n. f. ou adj.: instrument, musicien, tuyaux d'orgue
coracoïde coracoïde	n. f. ou adj.: apophyse de l'omoplate n. m. ou adj.: os de l'omoplate
cornette cornette cornettes	n. f.: coiffure, pavillon, chicorée n. m.: porte-étendard n. f. pl.: pâtes alimentaires
cotte, n. f. cotte, n. m.	*Voir H5*
couple couple	n. f.: deux choses de même espèce, lien n. m.: réunion de deux personnes, terme de mathématique, de physique, etc.
crème, n. f. crème, n. m.	*Voir H4*
créole créole	n. ou adj.: des Antilles n. f.: anneau d'oreille
crêpe crêpe	n. f.: galette n. m.: tissu
critique critique	n. ou adj.: juge littéraire; crucial n. f.: jugement, ensemble de ceux qui critiquent, blâme
curie, n. f. curie, n. m.	*Voir H4*
décime décime	n. f.: taxe perçue par le roi n. m.: dix centimes, majoration d'un dixième sur un impôt, taxe
délices délice	n. f. pl.: plaisir qui transporte (littéraire) n. m.: plaisir, chose délicieuse
demi-solde demi-solde	n. f.: solde réduite n. m. inv.: officier militaire

dentale, n. f. dentale, n. m.	*Voir H4*
disco, n. f. disco, n. m.	*Voir H4*
dixième dixième dixième	n. ou adj. num. ord.: 1/10 n. f.: année scolaire, intervalle en musique n. m.: impôt (XVIIIe siècle)
dope dope	n. f.: drogue n. m.: produit qui améliore une substance
doris doris	n. f.: mollusque n. m.: embarcation
doyenné doyenné	n. f.: poire n. m.: circonscription du doyen
drille, n. f. drille, n. m.	*Voir H5*
émeraude émeraude	n. f., adj. inv.: pierre précieuse; vert clair n. m., adj. inv.: couleur verte
enduro enduro	n. f.: moto n. m.: épreuve d'endurance à moto
enseigne enseigne	n. f.: tableau, marque, drapeau n. m.: militaire
épigramme épigramme	n. f.: pièce de vers, raillerie, pièce de viande n. m.: pièce de viande
escarpe escarpe	n. f.: talus n. m.: bandit
espace espace	n. f.: terme d'imprimerie, de typographie n. m.: lieu, distance
faune faune	n. f.: ensemble des animaux n. m.: divinité champêtre
faux faux	n. f.: instrument n. m., adj. ou adv.: mensonge, contrefaçon; contraire à la vérité

ferrite	n. f.: variété de fer
ferrite	n. m.: céramique magnétique
fin, n. f.	*Voir H4*
fin, n. m.	
finale, n. f.	*Voir H4*
finale, n. m.	
flasque	adj.: mollasse
flasque	n. f.: flacon plat, poire à poudre, bouteille à mercure
flasque	n. m.: flacon plat, partie d'un canon, pièce mécanique
flèche	n. f.: arme, terme de mathématique, de marine, d'architecture, de géographie, etc.
flèche	n. m.: voile en marine
foudre	n. f.: feu du ciel
foudre	n. m.: attribut de Jupiter, tonneau, capitaine, orateur
foudres	n. f. pl.: condamnation (sens figuré)
fourgue	n. f.: trafic du receleur, marchandise
fourgue	n. m.: receleur
gambette	n. f.: jambe
gambette	n. m.: oiseau
garde	n. f.: action de garder, femme qui garde un enfant ou un malade
garde	n. m.: homme qui garde, qui soigne
gardes	n. f. pl.: pièces d'une serrure
garenne	n. f.: réserve de gibier, bois
garenne	n. m.: lapin
gauche	n. f.: côté gauche, groupe politique
gauche	n. m. ou adj.: défaut technique, pied, poing gauche (sport); dévié, malhabile
géomètre	n.: spécialiste de géométrie
géomètre	n. m.: papillon
geste	n. f.: ensemble de poèmes épiques
geste	n. m.: mouvement

gîte	n. f.: lieu où s'échoue un navire, inclinaison du navire
gîte	n. m.: abri, dépôt de minerai, morceau de bœuf
gothique, n. f.	*Voir H4*
gothique, n. m.	
grand-croix	n.: personne décorée de la grand-croix
grand-croix	n. f. inv.: dignité
granule	n. f.: tache brillante
granule	n. m.: petit grain, pilule
graphique	n. f.: technique de représentation
graphique	n. m. ou adj.: dessin scientifique
greffe	n. f.: chirurgie, greffon
greffe	n. m.: bureau légal, stylet
grêle	n. f.: précipitation
grêle	n. m. ou adj.: intestin; fin, aigu
grotesque	n. m. ou adj.: genre littéraire, figures fantasques, ornements; ridicule
grotesque	n. f.: figures fantasques, ornements
grotesques	n. f. pl.: décors muraux
guide	n. f.: du mouvement féminin de scoutisme, lanière de cuir
guide	n. m.: conseiller, soldat, vade-mecum
guides	n. f. pl.: lanières de cuir
guyot	n. f.: poire
guyot	n. m.: volcan
haute-contre	n. f.: voix masculine aiguë, chanteur
haute-contre	n. m. ou adj.: chanteur à la voix aiguë
hémostatique	n. f.: ensemble des études sur l'équilibre du sang
hémostatique	n. m. ou adj.: agent coagulant; qui arrête l'hémorragie
hépatique	n. ou adj.: qui souffre du foie; qui a rapport au foie
hépatique	n. f.: plante

hollande	n. f.: toile très fine, porcelaine	leucite	n. f.: roche volcanique
hollande	n. m.: fromage, papier	leucite	n. m.: plaste (botanique)
hydromètre	n. f.: araignée d'eau	lévite	n. f.: redingote
hydromètre	n. m.: instrument	lévite	n. m.: membre de la tribu de Lévi
hymne	n.: chant religieux, dans la tradition chrétienne	lino	n. f. (abrév. de linotype): machine à composer
hymne	n. m.: chant religieux, poème à la gloire des dieux, d'une personne, de la patrie	lino	n. m. (abrév. de linoléum): revêtement de sol
imago	n. f.: terme de psychanalyse, insecte	litre	n. f.: ornement funèbre
imago	n. m.: insecte	litre	n. m.: unité de volume, contenant
interligne	n. f.: lame de métal entre les lignes en photocomposition	livre	n. f.: poids, monnaie
interligne	n. m.: espace entre deux lignes écrites	livre	n. m.: volume
inverse	n. f.: figure, fonction inverse	louche	n. f.: ustensile, outil
inverse	n. m. ou adj.: terme de math-ématique, de chimie, etc.; contraire	louche	n. m. ou adj.: précipité (chimie); suspect
isobare	n. f. ou adj.: d'égale pression, en météorologie	lucernaire	n. f.: méduse
isobare	n. m. ou adj.: se dit de noyaux avec le même nombre de masse	lucernaire	n. m.: office religieux
jaque, n. f.	Voir H4	lune	n. f.: satellite de la Terre
jaque, n. m.		lune	n. m.: poisson
jarre, n. f.	Voir H4	lyrique, n.	Voir H4
jarre, n. m.		lyrique, n. f.	
java	n. f.: danse	magnéto	n. f. (abrév.): génératrice, dynamo
java	n. m.: tissu de pagne	magnéto	n. m. (abrév.): magnétophone
jonquille	n. f., adj. inv.: fleur; couleur de cette fleur	major	n. f.: entreprise parmi les plus grandes
jonquille	n. m.: couleur secondaire (blanc et jaune)	major	n. m. ou adj.: officier supérieur
kola	Voir cola	manche	n. f.: partie de vêtement, d'un jeu, tuyau, bras de mer
laque, n. f.	Voir H4	manche	n. m. ou adj.: partie d'un outil, d'un instrument, os; maladroit
laque, n. m.		manganite	n. f.: hydroxyde de manganèse cristallisé
légume	n. f.: personnage	manganite	n. m.: sel dérivant de MnO_2, oxyde double
légume	n. m.: plante potagère, gousse, malade à l'état végétatif	manille	n. f.: jeu de cartes, anneau, étrier
		manille	n. m.: cigare

manœuvre	n. f.: opération, maniement, moyen
manœuvre	n. m.: travailleur manuel
manque	n. f. ou adj. («à la manque»): mauvais, raté
manque	n. m.: carence, maille omise, faute
marine	n. f.: art de la navigation, peinture
marine	n. m., adj. ou adj. inv.: de la Marine américaine ou anglaise (de l'anglais); couleur
matricule	n. f. ou adj.: registre
matricule	n. m.: numéro d'inscription
mauve	n. f.: plante
mauve	n. m. ou adj.: couleur (violet pâle)
maya, n.	*Voir H4*
maya, n. f.	
mémoire	n. f.: faculté de se rappeler, support informatique
mémoire	n. m.: écrit sommaire
merci	n. f.: grâce, pitié
merci	n. m.: remerciement
micro	n. f. (abrév.): micro-informatique
micro	n. m. (abrév.): micro-ordinateur, microphone
micro-onde	n. f.: onde électromagnétique
micro-ondes	n. m. inv.: four à micro-ondes
mille-feuille	n. f. (ou millefeuille): plante
mille-feuille	n. m. (ou millefeuille): gâteau
minicassette	n. f. (ou Minicassette, n. d.): cassette de petit format
minicassette	n. m.: magnétophone
mi-temps, n. f. inv.	*Voir H4*
mi-temps, n. m. inv.	
mode	n. f.: manière d'agir, de s'habiller
mode	n. m.: méthode, terme de musique, de statistique, de grammaire

môle, n. f.	*Voir H5*
môle, n. m.	
mollasse, n.	*Voir H4*
mollasse, n. f.	
mono	adj. inv.: disque, électrophone, etc.
mono	n. (abrév.): moniteur
mono	n. f. (abrév.): monophonie
mono	n. m. (abrév.): monoski
monoplace	n. ou adj.: véhicule à une place
monoplace	n. f.: auto de compétition à une place
monotype	n. f., n. d. (ou Monotype): machine à composer (imprimerie)
monotype	n. m.: procédé de peinture, de gravure, yacht
morne	n. f.: anneau, frette
morne	n. m. ou adj.: colline; sombre
moufle	n. f.: gant, assemblage de poulies, four
moufle	n. m.: vase de terre, assemblage de poulies, four
moule	n. f.: mollusque, personne maladroite
moule	n. m.: forme, matrice, modèle
mousse	adj.: émoussé
mousse	n. f.: écume, dessert, produit, plante
mousse	n. m.: marin
musette	n. f.: instrument, gavotte, sac, musaraigne
musette	n. m.: musique des orchestres musettes, bal
napoléon	n. f.: cerise
napoléon	n. m.: pièce d'or
nasique	n. f.: serpent
nasique	n. m.: singe, serpent
neume	n. f.: groupe de notes, mélodie vocalisée
neume	n. m.: signe (plain-chant)

nielle	n. f. : plante, maladie des céréales
nielle	n. m. : incrustation
nocturne	adj. : qui a lieu pendant la nuit
nocturne	n. f. : réunion, magasin ouvert en soirée
nocturne	n. m. : pièce de musique, office religieux, oiseau, tableau
Noël	n. f. ou m. : fête de Noël, époque de Noël
noël	n. m. : chant, cantique de Noël, cadeau
nonpareille	n. f. ou adj. : ruban, oiseau, œillet ; inégalable
nonpareille	n. m. : oiseau, œillet
non-stop	n. f. inv. ou adj. inv. : descente à skis ; continu, sans escale
non-stop	n. m. ou f. inv. : processus ininterrompu
ocre	n. f. : argile, colorant minéral, couleur fabriquée avec de l'ocre
ocre	n. m., adj. inv. : couleur brun-jaune ; brun-rouge
œuvre	n. f. : travail, production littéraire et artistique, organisation de charité
œuvre	n. m. : ensemble des productions d'un artiste, terme d'alchimie
office	n. f. : pièce pour préparer le service de la table
office	n. m. : fonction, agence, service public, lit, pièce pour le service de la table
offices	n. m. pl. : services
offset	n. f. inv. ou adj. inv. : machine ou papier à offset
offset	n. m. ou n. m. inv. : procédé d'impression
ombre, n. f.	Voir H4
ombre, n. m.	
onagre	n. f. : plante
onagre	n. m. : mammifère, machine de guerre

oolithe	n. f. (ou oolite) : concrétion sphérique, calcaire, formation de grains
oolithe	n. m. (ou oolite) : calcaire à oolithes, formation de grains
orange	n. f. : fruit
orange	n. m., adj. inv. : couleur de l'orange
ordonnance	n. f. : organisation, prescription, loi, domestique militaire
ordonnance	n. m. : domestique militaire
orge	n. f. : céréale
orge	n. m. : dans les expressions « orge mondé », « orge perlé »
orgue	n. m. : instrument à vent
orgues	n. f. pl. : un instrument unique (style emphatique)
orgues	n. m. pl. : terme de géologie
outre	n. f. : récipient
outre	prép. ou adv. : en plus de, de plus
ouvrage	n. f. : « la belle ouvrage » (par plaisanterie)
ouvrage	n. m. : travail, entreprise, écrit
page	n. f. : feuille de papier, passage littéraire
page	n. m. : jeune noble, lit (ou pageot, pajot)
paillasse	n. f. : sac de paille, plan de travail, prostituée
paillasse	n. m. : clown
palme	n. f. : feuille de palmier, ornement, nageoire
palme	n. m. : mesure (un travers de main)
pandore	n. f. : instrument de musique
pandore	n. m. : gendarme
pantomime	n. f. : pièce mimée, manège ridicule
pantomime	n. m. : celui qui joue la pantomime

parallèle	n. f. : droite, tranchée militaire, montage électrique
parallèle	n. m. ou adj. : comparaison, cercle qui mesure la latitude

Pâques, n. f. pl.	*Voir H5*
Pâques, n. m.	

part, n. f.	*Voir H4*
part, n. m.	

passe	n. f. : terme de sport, endroit, mouvement, etc.
passe	n. m. (abrév.) : passe-partout

pendule	n. f. : horloge
pendule	n. m. : masse suspendue par un fil

période	n. f. : époque, phase, durée, phrase
période	n. m. : degrés par lesquels passe une chose

perse, n.	*Voir H4*
perse, n. f.	

physique	n. f. : science
physique	n. m. ou adj. : aspect extérieur ; réel, charnel

pilulaire	n. f. : fougère
pilulaire	n. m. ou adj. : instrument pour administrer les pilules ; relatif aux pilules

pique, n. f.	*Voir H4*
pique, n. m.	

plastique, n. f.	*Voir H4*
plastique, n. m.	

platine	n. f. : pièce plate (disques, imprimerie, arme)
platine	n. m., adj. inv. : métal ; sa couleur

pleurite	n. f. : pleurésie (maladie)
pleurite	n. m. : partie d'un insecte

plume	n. f. : sur la peau des oiseaux
plume	n. m. (ou plumard) : lit

pneumatique	n. f. : pneumatologie, chimie
pneumatique	n. m. ou adj. : missive, pneu ; relatif au gaz, à l'air

poche	n. f. : partie de vêtement, louche
poche	n. m. parfois invariable : livre de poche

poêle, n. f.	*Voir H4*
poêle, n. m.	

politique	n. ou adj. : personne qui gouverne ; ce qui est politique
politique	n. f. : art, manière de gouverner la société

ponte	n. f. : action de pondre, quantité d'œufs
ponte	n. m. : celui qui joue contre le banquier, personne puissante

poste	n. f. : courrier, distance, relais
poste	n. m. : local, charge, groupe de soldats
postes	n. f. pl. : ornement rappelant des vagues

pourpre	adj. : rouge foncé
pourpre	n. f. : matière colorante, étoffe, dignité, couleur
pourpre	n. m. : couleur, mollusque, pigment de la rétine

pousse, n. f.	*Voir H4*
pousse, n. m. inv.	

prétexte	n. f., adj. ou adj. f. : toge
prétexte	n. m. : raison apparente

primaire	n. f. : élection
primaire	n. m. ou adj. : enseignement, secteur économique, ère géologique ; premier, etc.

psylle	n. f. : cigale
psylle	n. m. : charmeur de serpents, cigale

puce	n. f. : insecte
puce	n. m. inv. ou adj. inv. : brun-rouge

pupille	n. : orphelin en tutelle
pupille	n. f. : partie de l'œil

quadrille	n. f.: troupe de cavaliers, de toreros
quadrille	n. m.: troupe de cavaliers, danseurs de ballet, danse (pron. **ka-driy**)
quatre-quatre	n. f. inv.: automobile
quatre-quatre	n. m. inv.: mesure à quatre temps, automobile
queux, n. f.	*Voir H4*
queux, n. m.	
quintefeuille	n. f.: plante, pièce héraldique
quintefeuille	n. m.: rosace
rade, n. f.	*Voir H4*
rade, n. m.	
radio, n. f.	*Voir H4*
radio, n. m.	
réciproque	n. f. ou adj.: fonction en mathématique, action inverse, terme de logique; mutuel
réciproque	n. m.: terme de grammaire
réclame	n. f. ou app.: article de journal, publicité; promotionnel
réclame	n. m.: cri pour rappeler un oiseau
régale, n. f.	*Voir H4*
régale, n. m.	
réglisse	n. f.: plante, son jus, sa racine
réglisse	n. m.: racine de la plante
relâche	n. f.: action de relâcher, lieu d'escale, interruption dans le travail, au théâtre
relâche	n. m.: interruption dans le travail, au théâtre
rencontre	n. f.: hasard, combat
rencontre	n. m.: terme d'héraldique
rhingrave	n. f.: haut-de-chausses
rhingrave	n. m.: titre
rhodite	n. f.: alliage
rhodite	n. m.: insecte

rocaille	n. f., adj. inv.: tendance des arts décoratifs, pierraille, ouvrage ornemental
rocaille	n. m.: style rocaille
romance, n. f.	*Voir H4*
romance, n. m.	
rose	n. f.: fleur
rose	n. m. ou adj.: couleur rose
rose-croix	n. f. inv.: confrérie
rose-croix	n. m. inv.: membre de cette confrérie, grade
sagittaire	n. f.: plante
sagittaire	n. m.: archer, signe du zodiaque, personne née sous ce signe (ou un Sagittaire)
sans-fil	n. f. inv.: télégraphie sans fil
sans-fil	n. m. inv.: radiogramme, poste téléphonique sans fil
sarcophage	n. f.: mouche
sarcophage	n. m.: cercueil, sac de couchage
sarigue	n. f.: mammifère (opossum), le sarigue femelle
sarigue	n. m.: terme générique (marsupiaux)
sati	adj. inv.: femme, veuve sati
sati	n. f. inv.: veuve suivant la coutume du sati
sati	n. m. inv.: coutume hindoue
scholie	n. f. (ou scolie): remarque faite dans l'Antiquité sur un texte
scholie	n. m. (ou scolie): remarque sur un théorème, une proposition
scolastique	n. f. ou adj.: philosophie et théologie enseignées au Moyen Âge
scolastique	n. m.: philosophe ou théologien, religieux
self	n. f. (abrév.): self-inductance (physique)
self	n. m. (abrév.): self-service, terme d'immunologie, de psychologie

selle, n. f. selle, n. m.	*Voir H4*
semi-remorque semi-remorque	n. f. : remorque de camion n. m. : ensemble formé par la remorque et le tracteur, remorque de camion
serpentaire serpentaire	n. f. : plante n. m. : oiseau
serre, n. f. serre, n. m.	*Voir H4*
simili simili	n. f. (abrév.) : similigravure n. m. : cliché, imitation, coton
solde solde soldes	n. f. : traitement des militaires, salaire n. m. : balance, vente au rabais n. m. pl. : articles mis en solde, braderie
somme somme	n. f. : résultat d'une addition, quantité, œuvre n. m. : sieste
souris souris	n. f. : rongeur, femme, gigot, dispositif en informatique n. m. : sourire
statuaire statuaire	n. ou adj. : sculpteur ; relatif aux statues n. f. : art de faire des statues, femme sculpteur
stéréo stéréo	n. f., adj. inv. (abrév.) : stéréophonie, appareil de reproduction ; stéréophonique n. m. (abrév.) : récepteur stéréophonique
symbolique symbolique	n. f. : science des symboles n. m. ou adj. : ce qui est symbolique
synopsis synopsis	n. f. : vue générale n. m. : résumé de film
teneur, euse teneur	n. : personne qui tient n. f. : contenu

tennis tennis	n. f. : chaussure n. m. : sport, chaussure, tissu
	Voir basket
tête-de-nègre tête-de-nègre	n. f. : pâtisserie, bolet bronzé n. m. inv. ou adj. inv. : couleur brun foncé ; de cette couleur
tiède tiède	n., adj. ou adv. : doux, d'une chaleur modérée n. f. : forte chaleur
tome tome	n. f. (ou tomme) : fromage n. m. : division d'un livre
tonique, n. f. tonique, n. m.	*Voir H4*
topique topique	n. f. : théorie du fonctionnement psychique n. m. ou adj. : médicament, lieu commun
torque torque	n. f. : rouleau de fil de fer, terme d'héraldique n. m. : collier
torse torse	adj. (fém. de tors) : tordue, tortueuse n. m. : buste d'une statue, poitrine
tour, n. f. tour, n. m.	*Voir H4*
transat transat	n. f. (abrév.) : course transatlantique n. m. (abrév.) : paquebot, chaise longue
trial, n. f. trial, n. m.	*Voir H4*
trochée trochée	n. f. : faisceau de bourgeons sur un tronc d'arbre n. m. : pied de deux syllabes
trolle, n. f. trolle, n. m.	*Voir H4*
trompette trompette	n. f. : instrument, coquillage, partie d'une voiture n. m. : personne qui joue de la trompette

trouble	adj. ou adv. : qui n'est pas net, d'une manière indistincte	vase	n. f. : boue
trouble	n. f. (ou troubleau, truble) : filet	vase	n. m. : récipient
trouble	n. m. : agitation	victoria	n. f. : voiture découverte, plante
turbo, n. f.	*Voir H4*	victoria	n. m. : plante
turbo, n. m.		vigil, e ou vigile	adj. : qui concerne l'état de veille
turquoise	n. f. : pierre fine	vigile	n. f. : jour précédant une fête religieuse, office
turquoise	n. m., adj. inv. : couleur de turquoise	vigile	n. m. : garde de nuit romain, policier
U. V., n. f.	*Voir H4*	voile	n. f. : toile, bateau
U. V., n. m.		voile	n. m. : étoffe, enveloppe mince
vague	n. f. : flot, phénomène subit, masse de gens	vulnéraire	n. f. : plante
vague	n. m. ou adj. : imprécision ; errant, non cultivé	vulnéraire	n. m. ou adj. : médicament sur une plaie, cordial ; qui guérit les blessures
vapeur	n. f. : gaz, brouillard		
vapeur	n. m. : navire		

Mots au genre difficile : voir le chapitre « Genre et nombre »

Homonymes non homographes

Ces mots se prononcent de la même façon, mais ont une orthographe et un sens différents. Les homonymes d'un même groupe (dont la prononciation est identique) se retrouvent à l'intérieur de ce groupe en ordre alphabétique, et les groupes eux-mêmes sont classés selon l'ordre alphabétique de leur premier élément. Ont été disposés en retrait les mots figurant dans un groupe à cause de leur prononciation mais ne respectant pas l'ordre alphabétique global (*hachette*, par exemple, apparaît à la lettre *a* comme homonyme d'*achète*) ; de toute façon, ces mots se retrouvent tous à leur place conventionnelle, accompagnés du renvoi approprié *(hachette* reviendra à la lettre *h* avec une référence à *achète*).

La prononciation est indiquée pour certains mots où l'on hésite parfois, mais il est bon de se rappeler que tous les éléments d'un groupe se disent de la même manière. Notez que toutes les formes verbales pouvant être considérées comme des homonymes n'ont pas nécessairement été indiquées (par exemple, j'*abaisse*, du verbe *abaisser*, est aussi un homonyme d'*abaisse*, n. f., et d'*abbesse* ; outre *louerez*, *louerai* est aussi un homonyme de *louré*, n. m.).

abaisse	n. f. : pâte	abbé	n. m. : prêtre
abbesse	n. f. : supérieure d'une abbaye	abée	n. f. : ouverture d'un moulin
abatis	n. m. : terrain non essouché	abbesse	*Voir **abaisse***
abattis	n. m. : terme militaire, coupe dans un bois, terrain non essouché	abée	*Voir **abbé***
abattis	n. m. pl. : abats de volaille		

abîme	n. m.: gouffre, œuvre citée à l'intérieur d'une autre
abyme	n. m.: œuvre citée à l'intérieur d'une autre
abside	n. f.: partie d'une église (pron. **ap-side**)
apside	n. f.: point de l'orbite d'une planète
abyme	*Voir **abîme***
acadien, enne	n. ou adj.: langue; d'Acadie
akkadien, enne	n. ou adj.: langue ancienne; d'Akkad
accord	n. m.: entente
accore	adj.: se dit d'une côte plongeant en mer profonde
accore	n. f.: bois de soutien d'un navire
accore	n. m.: contour d'un écueil, bois de soutien d'un navire
accort, e	adj.: gracieux
acore	n. m.: plante
accro	n. ou adj. (abrév.): toxicomane; passionné
accroc	n. m.: déchirure
accru	n. m.: rejeton produit par une racine
accru, e	adj.: plus grand
accrue	n. f.: augmentation de surface d'un terrain
accu ou accus	n. m. ou n. m. pl. (abrév.): accumulateur
acul	n. m.: fond d'un parc à huîtres
ace	n. m.: balle de tennis (pron. aussi **és**)
ès	prép.: en matière de
esse	n. f.: crochet en S, ouverture d'une table de violon
acétique	adj.: acide du vinaigre
ascétique	adj.: relatif aux ascètes
ache	n. f.: plante
H	abrév.: haschisch
hach	n. m. (ou hasch): haschisch
hache	n. f.: instrument

achète	v.: de acheter
hachette	n. f. (ou hachereau): petite hache
acné	n. f.: lésion de la peau
haquenée	n. f.: cheval
acore	*Voir **accord***
acquêt	n. m.: bien acquis par les époux
haquet	n. m.: charrette pour les tonneaux
acquis	n. m.: expérience acquise
acquis, e	adj.: obtenu
acquit	n. m.: reconnaissance de paiement; dans «par acquit de conscience»
acul	*Voir **accu***
à demi	loc.: à moitié
admis	p. p.: accepté
ad hoc	loc.: nommé spécialement
haddock	n. m.: églefin (poisson)
admis	*Voir **à demi***
ado	n. (abrév.): adolescent
ados	n. m.: talus de terre
hadaux	adj. m. (pl. de hadal): des plus grandes profondeurs océanographiques
affidé, e	n. ou adj.: confident, complice
aphidés	n. m. pl. (ou aphidiens): pucerons
agami	n. m.: oiseau
agamie	n. f.: reproduction asexuée
aggravée	n. f.: inflammation du pied d'un animal
aggraver	v.: envenimer
ah	interj., n. m.: pour accentuer, marquer la surprise, le rire
ha	interj.: pour exprimer la douleur, le rire, la surprise
aï	n. m.: mammifère (pron. **a-hi**)
ay	n. m.: champagne (pron. **a-hi**)
haï, e	p. p.: détesté

aïe ail	interj. : marque la douleur n. m. : plante
aiguillée aiguiller aiguillier	n. f. : longueur de fil v. : orienter n. m. : étui à aiguilles
ail	*Voir **aïe***

aile
  ale
  elle
	n. f. : membre d'un oiseau
	n. f. : bière
	pron. f. : 3e personne

ailé, e héler	adj. : avec des ailes v. : appeler
aime hem hème	v. : de aimer interj. : sert à appeler, raclement de la gorge n. m. : pigment d'une protéine
aine haine	n. f. : baguette pour les harengs, partie du corps n. f. : aversion
air aire ère erre erre erres ers haire hère	n. m. : mélodie, apparence, gaz n. f. : terrain, surface n. f. : époque n. f. : allure, vitesse v. : de errer n. f. pl. : traces d'un animal n. m. : légumineuse n. f. : chemise de mortification n. m. : jeune cerf, homme misérable
airer errer	v. : faire son nid v. : se tromper, rôder
ais ait	*Voir H5*
akkadien, enne	*Voir **acadien, enne***
alaise à l'aise	n. f. (ou alèse) : tissu, planche loc. : facilement, sans gêne
ale	*Voir **aile***

alène
  allène
  haleine
  halène
	n. f. (ou alêne) : poinçon
	n. m. : hydrocarbure
	n. f. : souffle
	v. : de halener

alèse	*Voir **alaise***
alevin alvin, e	n. m. : poisson adj. : qui se rapporte au ventre

alfa
  alpha
	n. m. : herbe, papier
	n. m. ou n. m. inv. : lettre
	  grecque, rayon, rythme

alicante aliquante	n. m. : vin, cépage adj. f. : terme de mathématique
allaitement halètement	n. m. : action de nourrir de son lait n. m. : respiration forte
allée	*Voir H5*
allène	*Voir **alène***
aller	*Voir H5*
allié, e hallier	n. ou adj. : uni par un traité n. m. : groupe de buissons serrés
allo halo	interj. (ou allô) : lors d'appels téléphoniques n. m. : cercle lumineux

allogène
 	
halogène
	n. ou adj. : population
	  récemment arrivée
	n. m. ou adj. : de la famille du
	  chlore, lampe

alpha	*Voir **alfa***
altère haletèrent haltère	v. : de altérer v. : de haleter n. m. : instrument de gymnastique
alvin, e	*Voir **alevin***
aman amant, e	n. m. : sauf-conduit (pron. aussi **a-mane**) n. : amoureux
amande amende	n. f. : fruit comestible n. f. : contravention
amant, e	*Voir **aman***
amen amène	n. m. inv. ou interj. : ainsi soit-il adj. : aimable

Les homonymes

amende	*Voir **amande***
amène	*Voir **amen***
amer	n. m.: liqueur, fiel, objet repère en marine
amer, ère	adj.: aigre, pénible
ami, e	n. ou adj.: personne chère
amict	n. m.: linge bénit
ammi	n. m.: plante
ammoniac	n. m.: gaz
ammoniac, aque	adj.: relatif à l'ammoniac
ammoniaque	n. f.: solution aqueuse d'ammoniac
amorti	n. m.: manière de frapper un ballon
amortie	n. f.: résultat d'un amorti
an	n. m.: année
en	adv., prép. ou pron.: dans, de cela
han	adj. inv.: qui concerne les Chinois
han	n. m., n. m. inv. ou interj.: cri sourd
anal, e	adj.: relatif à l'anus
annal, e	adj.: qui dure un an
annales	n. f. pl.: ouvrage historique
analité	n. f.: stade anal
annalité	n. f.: ce qui dure un an
analyste	n.: spécialiste en analyse
annaliste	n.: auteur d'annales
anaux	adj. m. (pl. de anal): relatifs à l'anus
annaux	adj. m. (pl. de annal): annuels
anneau	n. m.: boucle, bague
anche	n. f.: languette, tuyaux d'orgue
hanche	n. f.: bassin
ancrage	*Voir **ancrer***
ancre	n. f.: croc pour immobiliser un navire
encre	n. f.: liquide pour écrire, sépia, mycose
ancrer	v. (de même pour ancrage): immobiliser un bateau
encrer	v. (de même pour encrage): enduire d'encre
andain	n. m.: alignement de foin
andin, e	n. ou adj.: des Andes
anglais, e	n. ou adj.: de l'Angleterre
anglet	n. m.: moulure
annal, e / annales	*Voir **anal, e***
annaliste	*Voir **analyste***
annalité	*Voir **analité***
annaux / anneau	*Voir **anaux***
annone	n. f.: impôt
anone	n. f.: corossol
anomal, e	adj.: irrégulier
anomale	n. m. (ou anomala): insecte
anone	*Voir **annone***
anse	n. f.: partie en arc, baie
hanse	n. f.: association de marchands
ante	n. f.: pilier
ente	n. f.: greffon, prune, manche de pinceau
anthrax	n. m.: furoncle
entraxe	n. m.: distance entre deux axes
antre	n. m.: grotte, cavité organique
entre	prép.: au milieu de
août	n. m.: mois de l'année
hou	interj.: pour faire peur, faire honte
houe	n. f.: pioche
houx	n. m.: arbuste
ou	conj. ou n. m.: exprime une alternative
où	adv. ou pron.: marque le lieu
aphidés	*Voir **affidé, e***
apion	n. m.: insecte
happions	v.: de happer

aplomb	n. m. : stabilité
à plomb	loc. : verticalement, à pic
aplombs	n. m. pl. : position des membres du cheval

appas	n. m. pl. : attraits, charmes féminins
appât	n. m. : pâture, ce qui attire

apprêt	n. m. : enduit
après	adv. ou prép. : plus tard

apside	*Voir **abside***

ara	n. m. : perroquet
haras	n. m. : établissement pour des étalons

aracée	n. f. : plante
harasser	v. : exténuer

arc	n. m. : arme
ARC	n. m. inv. (sigle) : infection (pré-sida)

arcane	n. m. : préparation mystérieuse, secrets
arcanne	n. f. : craie rouge

archée	n. f. : portée d'un arc, principe de vie
archer	n. m. : tireur à l'arc, agent de police

are	n. m. : mesure agraire
arrhes	n. f. pl. : acompte
ars	n. m. : membre du cheval (pron. aussi **ar-se**)
art	n. m. : habileté, expression du beau
hart	n. f. : pendaison, corde

arête	n. f. : os de poisson, terme de mathématique, d'architecture, etc.
arrête	v. : de arrêter

arien, enne	n. ou adj. : partisan de l'arianisme ; d'Arius
aryen, enne	n. ou adj. : peuple de l'Antiquité, race pure (nazis)

armé	n. m. : position d'une arme
armé, e	adj. : muni d'une arme
armée	n. f. : troupe
armer	v. : pourvoir en armes

arrêt	n. m. : cessation
arrêts	n. m. pl. : sanction disciplinaire
haret	n. m. ou adj. m. : chat à l'état sauvage

arrête	*Voir **arête***

arrêté	n. m. : texte légal
arrêté, e	adj. : immuable
arrêter	v. : cesser

arrêts	*Voir **arrêt***

arrhes	*Voir **are***

arrivé, e	n. ou adj. : qui a réussi
arrivée	n. f. : action d'arriver
arriver	v. : toucher, parvenir

arrondi	n. m. : partie arrondie, manœuvre en aviation
arrondi, e	adj. : rond, terme de phonétique
arrondie	n. f. : consonne ou voyelle articulée avec les lèvres arrondies

ars	*Voir **are***
art	

aryen, enne	*Voir **arien, enne***

ascétique	*Voir **acétique***

ase	n. f. : résine
hase	n. f. : femelle du lièvre

assai	adv. : terme de musique
assaille	v. : de assaillir

assaut	n. m. : attaque
asseau	n. m. (ou assette) : marteau

assemblé	n. m. : pas de danse
assemblée	n. f. : réunion, pas de danse
assembler	v. : réunir

aster	n. m. : plante
hastaire	n. m. : soldat romain

atèle	*Voir H5*
attelle	

au, aux	art.: contraction (à le, à les)
aulx	n. m. (pl. de ail): plantes potagères
eau	n. f.: liquide
haut, e	n.m., adj. ou adv.: altitude; élevé; à un haut degré, à haute voix, etc.
ho	interj.: marque l'admiration, l'étonnement, l'indignation
ô	interj.: pour invoquer, interpeller
oh	interj.: marque la surprise
os	n. m. pl.: squelette (pron. **osse** au sing.)

aubain	n. m.: individu non naturalisé
aubin	n. m.: allure du cheval fatigué

aubère	n. m. ou adj.: cheval, couleur de sa robe
haubert	n. m.: cotte de mailles

aubin	*Voir **aubain***

aubois, e	n. ou adj.: de l'Aube
hautbois	n. m.: instrument de musique

aula	n. f.: grande salle
holà	interj. ou n. m. inv.: pour appeler
ola	n. f.: ovation

aulne	n. m.: arbre des lieux humides (pron. aussi **au-l-ne**)
aune	n. f.: mesure de longueur
aune	n. m.: arbre des lieux humides

aulx	*Voir **au, aux***

aune	*Voir **aulne***

aurifier	v.: obturer avec de l'or
horrifier	v.: remplir d'horreur

aurions	*Voir H5*

auspice	n. m. (surtout au pluriel): présage, augure
hospice	n. m.: maison d'accueil

aussière	n. f.: cordage
haussière	n. f. ou adj. f.: cordage, qui joue à la hausse en Bourse

autan	n. m.: vent chaud
autant	adv.: égalité de quantité

autel	n. m.: table pour la messe
hôtel	n. m.: établissement qui loue des chambres

auteur	n. m.: écrivain
hauteur	n. f.: dimension

à valoir	loc.: à compte
à-valoir	n. m. inv.: acompte
avaloir	n. m. (ou avaloire, n. f.): pièce de harnais

avancé, e	adj.: précoce, en avant
avancée	n. f.: saillie, terme de pêche
avancer	v.: pousser en avant

avant	n. m., adj. inv.: partie antérieure
avant	adv. ou prép.: marque l'antériorité
avent	n. m.: période avant Noël

Ave	n. m. inv.: prière
avé	n. m.: grain du chapelet
avez	v.: de avoir
haver	v.: abattre

avent	*Voir **avant***

avenu, e	adj.: qui est arrivé
avenue	n. f.: voie urbaine

avez	*Voir **Ave***

avion	n. m.: appareil de locomotion
avions	v.: de avoir

avis	n. m.: conseil
havis, havit	v.: de havir

ay	*Voir **aï***

bacante	n. f.: moustache
bacchante	n. f.: prêtresse, moustache

baccara	n. m.: jeu de cartes
baccarat	n. m.: cristal

bacchanal	n. m.: grand bruit, tapage
bacchanale	n. f.: débauche, danse tumultueuse, tableau
bacchanales	n. f. pl.: fêtes en l'honneur de Bacchus

bacchante	Voir **bacante**
bagage	n. m. : valise
baguage	n. m. : action de baguer
bah	interj. : exprime l'indifférence
bas	n. m. : vêtement, partie inférieure
bas, basse	adj. : peu élevé
bât	n. m. : harnais
baht	n. m. : monnaie thaïlandaise
bath	adj. inv. : très beau
batte	n. f. : bâton, outil, action de battre
bai, e	Voir H5
baie	
bail	n. m. : contrat
baille	n. f. : tonneau, eau
bailler	Voir H5
bain	n. m. : baignade
ben	adv. : bien (familier)
bal	n. m. : danse
bale	n. f. : céréale
balle	n. f. : franc, pelote, ballot, céréale
balle	v. : de baller
balade	n. f. : promenade
ballade	n. f. : poème
balai	n. m. : pour enlever la poussière
balais	adj. m. : « rubis balais »
ballet	n. m. : danse, activité intense
balan	n. m. (dans « être sur le balan ») : être indécis
ballant	n. m. : mouvement, terme de marine
ballant, e	adj. : qui bouge
bale	Voir **bal**
ballade	Voir **balade**
ballant, e	Voir **balan**
balle	Voir **bal**
ballet	Voir **balai**

ballote	n. f. : fleur
ballotte	n. f. : balle pour voter
ban	n. m. : dignitaire, publication
banc	n. m. : siège
bancal	n. m. : sabre
bancal, e	adj. : qui boite, instable
baptistaire	n. m. ou adj. : extrait de baptême
baptistère	n. m. : bâtiment
baptiste	n. ou adj. : partisan du baptisme
batiste	n. f. : tissu
baptistère	Voir **baptistaire**
bar	n. m. : mesure, poisson, débit de boissons
bard	n. m. : civière
barre	n. f. : pièce de bois, danse, etc.
barbu	n. m. : oiseau
barbu, e	n. ou adj. : qui a de la barbe
barbue	n. f. : poisson
bard	Voir **bar**
bardeau	n. m. : planche, mulet
bardot	n. m. : mulet
baril	n. m. : tonneau (pron. aussi **ba-ril**)
barris, barrit	v. : de barrir
barrit	n. m. (ou barrissement) : cri de l'éléphant
barye	n. f. : unité de pression
barre	Voir **bar**
barreau	n. m. : barre, ensemble des avocats
barrot	n. m. : poutrelle, baril d'anchois
barris	Voir **baril**
barrit	
barrot	Voir **barreau**
barye	Voir **baril**
bas	Voir **bah**

basilic	n. m.: lézard, aromate
basilique	n. f. ou adj.: église; «veine basilique»
bât	*Voir bah*
batée	*Voir H5*
bath	*Voir baht*
batiste	*Voir baptiste*
batte	*Voir baht*
battée	*Voir H5*
battu	n. m.: pas de danse
battu, e	n. ou adj.: vaincu, qui a reçu des coups
battue	n. f.: action de battre les bois
bau	n. m.: poutrelle
baud	n. m.: unité de rapidité
baux	n. m. (pl. de bail): contrats
beau, belle	n. m., adj. ou adv.: beauté; esthétique, agréable
bot, e	adj.: atteint d'une déformation congénitale
baume	n. m.: onguent, plante
bôme	n. f.: mât
baux	*Voir bau*
bayer	*Voir H5*
beagle	n. m.: chien (pron. comme *bigle*)
bigle	n. ou adj.: qui louche
beat	n. m., adj. inv.: terme de musique; relatif aux beatniks
bit	n. m.: unité en informatique
bite	n. f.: pénis (vulgaire)
bitte	n. f.: billot de bois, pénis (vulgaire)
beau, belle	*Voir bau*
bécard	n. m.: poisson
bécarre	n. m.: signe musical

becquée	n. f. (ou béquée): nourriture dans le bec d'un oiseau
béké	n.: créole
becqueter	v.: piquer avec son bec, manger
becter	v.: manger
béqueter	v.: piquer avec son bec
béké	*Voir becquée*
bel	n. m. ou adj. m.: unité d'intensité; beau
belle	n. f. ou adj. f.: partie qui départage; jolie
ben	*Voir bain et H6*
ben	n. m. (ou bénard): pantalon
ben	n. m.: fils (en arabe)
benne	n. f.: appareil
beni	n. m. (pl. de ben): fils (en arabe)
béni, e	p. p. ou adj. (avec l'auxiliaire avoir): favorisé (et tout ce qui n'est pas bénit)
bénit, e	p. p. ou adj. (avec l'auxiliaire être): consacré par une cérémonie rituelle
benne	*Voir ben*
béquée	*Voir becquée*
béqueter	*Voir becqueter*
bête	n. f., n. m. ou adj.: animal; ineptie; sot
bette	n. f. (ou blette): plante
beur	n. ou adj.: d'origine maghrébine
beure	n. f. ou adj. f: maghrébine
beurre	n. m.: matière grasse
beurré	n. m.: poire
beurré, e	adj.: couvert de beurre, ivre
beurrée	n. f.: tartine de beurre
beurrer	v.: recouvrir de beurre, se soûler
bey	*Voir H5*

bic	n. m., n. d. (ou Bic) : stylo
bic	n. m. (ou bicot) : indigène d'Afrique du Nord
bique	n. f. : chèvre

bif	n. m. (abrév.) : bifteck
biffe	n. f. : infanterie

bigle	*Voir* **beagle**

bile	n. f. : liquide du foie
bill	n. m. : projet de loi

bique	*Voir* **bic**

birr	n. m. : monnaie éthiopienne
Byrrh	n. m., n. d. : boisson

bis	adv., interj. ou n. m. : deuxième fois, répétition
bisse	n. f. : terme d'héraldique
bisse	n. m. : canal

bise	adj. (fém. de bis) : gris foncé
bise	n. f. : vent, baiser

biset	n. m. : pigeon
bizet	n. m. : mouton

bisse	*Voir* **bis**

bit	*Voir* **beat**
bite	
bitte	

bizet	*Voir* **biset**

blende	n. f. : minerai (pron. comme *blinde*)
blinde	n. f. : cadre, vitesse

bloc	n. m. : masse
block	n. m. : signalisation de chemin de fer
bloque	v. : de bloquer

boghei	*Voir* **H5**
boguet	

bohême	adj. : morave (de la Bohême)
bohème	n. ou adj. : non-conformiste ; marginal, artiste
bohème	n. f. : milieu des artistes
bohème	n. m. : verre

boille	n. f. (ou bouille) : récipient pour transporter le lait
boy	n. m. : serviteur, danseur de music-hall

boîte	n. f. : contenant
boitte	n. f. (ou boëte, boette, bouette) : appât

bol d'eau	loc. : bolée d'eau
boldo	n. m. : arbre

bôme	*Voir* **baume**

bon, bonne	n., adj. ou adv. : billet ; satisfaisant
bond	n. m. : saut

bonace	n. f. : calme de la mer
bonasse	adj. : bon par faiblesse

bond	*Voir* **bon**

book	n. m. (abrév.) : press-book (ensemble de documents), bookmaker
bouc	n. m. : chèvre mâle, barbiche

boom	n. m. : réclame, hausse, bombe, fête annuelle
boum	n. f. : surprise-partie
boum	n. m. ou interj. : développement, succès ; bruit

bord	n. m. : rivage, extrémité
bore	n. m. : un non-métal
bort	n. m. : diamant industriel

bordé	n. m. : planches d'un navire, galon
bordée	n. f. : distance parcourue
border	v. : longer, garnir d'un bord

bore	*Voir* **bord**
bort	

bosco	n. m. : maître de manœuvre
boscot, otte	n. ou adj. : bossu

boss	n. m. : patron
bosse	n. f. : enflure

bot, e	*Voir* **bau**

Les homonymes

bote	adj. (fém. de bot): atteinte d'une déformation congénitale
botte	n. f.: gerbe, chaussure, coup d'escrime
bouc	*Voir **book***
boucau	n. m.: entrée d'un port
boucaud	n. m. (ou boucot): crevette
bouche	n. f.: orifice
bush	n. m.: formation végétale
bouché, e	adj.: fermé
bouchée	n. f.: quantité d'aliment
boucher	n. m. ou v.: commerçant; fermer
boucot	*Voir **boucau***
boue	n. f.: terre détrempée
bous, bout	v.: de bouillir
bout	n. m.: extrémité
bouilli	n. m.: viande bouillie
bouilli, e	adj.: qui a bouilli
bouillie	n. f.: aliment assez liquide
boulaie	n. f.: terre plantée de bouleaux
boulê	n. f.: assemblée grecque
boulet	n. m.: projectile, charge
bouleau	n. m.: arbre
boulot	n. m.: travail
boulot, otte	n. ou adj.: rondelet
boulet	*Voir **boulaie***
boulot	*Voir **bouleau***
boum	*Voir **boom***
bourg	n. m.: agglomération
bourre	n. f.: amas de poils, tampon
bourre	n. m.: policier
bourré, e	adj.: comblé, ivre
bourrée	n. f.: danse, fagot
bous	*Voir **boue***
bout	
box	n. m.: stalle, compartiment, cuir de veau
boxe	n. f.: sport

boy	*Voir **boille***
brai	n. m.: résidu du pétrole
braies	n. f. pl.: pantalon
brick	n. f., n. d.: emballage
brick	n. m.: beignet, voilier
brique	n. f.: matériau, tesson, emballage
brique	n. m., adj. inv.: rougeâtre
brie	n. m.: fromage
bris	n. m.: rupture
briefer	v.: exposer brièvement
briffer	v.: manger
brique	*Voir **brick***
bris	*Voir **brie***
brise	n. f.: vent
brize	n. f.: herbe des prés
brisé	n. m.: pas de danse
brisé, e	adj.: terme d'héraldique, de cuisine, d'architecture
brisées	n. f. pl.: branches d'arbres
briser	v.: casser
brize	*Voir **brise***
brocard	n. m.: adage, raillerie, chevreuil mâle
brocart	n. m.: tissu, chevreuil mâle
brou	n. m.: enveloppe de noix
brout	n. m.: jeune pousse
bruir	v.: imbiber de vapeur
bruire	v.: murmurer
brut, e	n. m., adj. ou adv.: champagne, salaire, pétrole; par opposition à net, sans déduction
brute	n. f.: bête
bu, bus, but	v.: de boire
but	n. m.: point visé (pron. aussi **butte**)
bulb	n. m.: renflement de la quille d'un bateau
bulbe	n. m.: organe renflé, renflement de la quille d'un bateau

bull	n. m. (abrév.): bulldozer
bulle	n. f.: sceau, lettre apostolique, amulette, globe
bulle	n. m., adj. m. inv.: papier
bullé, e	adj.: avec des bulles
buller	v.: paresser
bus	*Voir **bu***
bush	*Voir **bouche***
but	n. m.: point visé (pron. aussi **bu**)
bute	v.: de buter
butte	n. f.: élévation
buté, e	adj.: entêté
butée	n. f.: pièce de support
buter	v.: assassiner, heurter
butter	v.: assassiner, entourer d'une butte
buteur	n. m.: joueur marquant des buts
butteur	n. m. (ou buttoir): charrue, outil de jardin
butoir	n. m.: outil, limite
buttoir	n. m. (ou butteur): charrue
butte	*Voir **but***
butter	*Voir **buté, e***
butteur	*Voir **buteur***
buttoir	*Voir **butoir***
Byrrh	*Voir **birr***
ça	n. m., n. m. inv. ou pron. dém.: pulsions inconscientes; cela
çà	adv. ou interj.: «çà et là»; «ah çà!»
sa	adj. poss.: fém. de son
sas	n. m.: tamis (pron. aussi comme *sasse*)
cabillaud	n. m.: morue fraîche
cabillot	n. m.: cheville
cache	n. f.: lieu secret
cache	n. m.: élément pour masquer
cash	adv. ou n. m.: comptant
kache	n. f. (ou kacha): plat russe

caddie	n. m.: chariot, poussette (n. d.); porteur au golf
caddy	n. m.: porteur au golf
cadi	n. m.: magistrat musulman
cadran	n. m.: plan, surface à aiguilles
quadrant	n. m.: quart de la circonférence d'un cercle (pron. aussi **coua-dran**)
cahier	n. m.: album, calepin
caillé	n. m.: partie du lait caillé
cailler	v.: coaguler
cahot	n. m.: rebond
chaos	n. m.: confusion générale
K.-O.	n. m., n. m. inv., adj. ou adj. inv.: knock-out, épuisé
caillé	*Voir **cahier***
cailler	
cal	n. m.: durillon
cale	n. f.: partie d'un navire, objet pour donner de l'aplomb
calambour	n. m. (ou calambac): bois
calembour	n. m.: jeu de mots
cale	*Voir **cal***
calé, e	adj.: instruit, difficile
caler	v.: abaisser, bloquer
kalé	n. inv. ou adj. inv.: gitan
calembour	*Voir **calambour***
caler	*Voir **calé, e***
calo	n. m.: argot espagnol
calot	n. m.: coiffure militaire, bille, œil
camé, e	n. ou adj.: drogué
camée	n. m.: pierre
camp	n. m.: campement
kan	n. m. (ou khan): caravansérail, abri, titre turc
quand	adv. ou conj.: à quel moment?, lorsque
campo	n. m.: savane, congé
campos	n. m.: congé

canar	n. m.: conduit d'aération
canard	n. m.: oiseau, fausse nouvelle, etc.
candida	n. m. ou n. m. inv.: levure
candidat, e	n.: postulant
cane	n. f.: femelle du canard
canne	n. f.: bambou, jambe, bâton
caner	v.: s'en aller, reculer
canné, e	adj.: garni de jonc
canner	v.: garnir un siège de jonc, s'en aller; anglicisme: mettre en boîtes de conserve
canette	n. f.: petite cane, sarcelle, bouteille de bière, bobine
cannette	n. f.: bouteille de bière, bobine
canier	n. m.: lieu où poussent les roseaux
cannier, ère	n. (ou canneur, euse): rempailleur
canna	n. m.: plante
kana	n. m. inv.: signe de l'écriture japonaise
kanat	n. m. (ou khanat): dignité du khan
canne	Voir cane
canné, e canner	Voir caner
cannette	Voir canette
cannier, ère	Voir canier
cantalou, e	n. ou adj. (ou cantalien, enne): du Cantal
cantaloup	n. m.: melon
cantique	n. m.: chant religieux
quantique	n. f. ou adj.: partie de la physique; relatif aux quanta (pron. aussi couan-tik)
canton	n. m.: région, terme d'héraldique
quanton	n. m.: objet de la physique quantique (pron. aussi couan-ton)

cap	n. m.: pointe
cape	n. f.: manteau
C. A. P. A.	n. m. inv.: certificat d'aptitude à la profession d'avocat
cappa	n. f. (ou cappa magna): vêtement liturgique
kappa	n. m. ou n. m. inv.: lettre grecque
cape	Voir cap
capésien, enne	n.: titulaire du C. A. P. E. S. (certificat)
capétien, enne	n. ou adj.: dynastie des rois de France
capital, e	n. m. ou adj.: ensemble des biens; essentiel
capitale	n. f.: siège du gouvernement, majuscule
capo	n. m. (ou kapo): détenu dans un camp nazi
capot	n. m., adj. inv.: couvercle, coup aux cartes; dans «être capot»
cappa	Voir C. A. P. A.
car	conj.: pour expliquer
car	n. m. (abrév.): autocar
carre	n. f.: tranchant d'un patin, semelle de ski
quart	n. m.: fraction
quart, e	adj.: quatrième
cari	n. m. (ou cary, carry, curry): épice, mets
carie	n. f.: maladie dentaire
carier	v.: gâter
carrier	n. m.: mineur
carre	Voir car
carré, e	n. m. ou adj.: quadrilatère; qui en a la forme, tranché
carrée	n. f.: chambre, note de musique ancienne
carrer	v.: rendre carré, s'installer
carrier	Voir carier
carry	Voir cari

carte	n. f. : feuille de carton	ceins, ceint	v. : de ceindre
kart	n. m. : auto de compétition	sain	n. m. : graisse du sanglier
quarte	adj. (fém. de quart) : quatrième, type de fièvre	sain, e	adj. : en bonne santé
quarte	n. f. : intervalle, mesure de capacité, terme de cartes	saint, e	n. ou adj. : qui appartient à la religion, d'une bonté exemplaire
		sein	n. m. : poitrine, milieu
carter	Voir H6	seing	n. m. : signature
carter	v. : présenter sur une carte	ceinte	p. p. : de ceindre
quarté	n. m. : pari mutuel (pron. aussi **couar- té**)	sainte	n. ou adj. (fém. de saint) : chrétienne béatifiée
quarter	v. : réduire par quartage	céleri	n. m. (ou cèleri) : légume
Carthage	n. pr. : ville d'Afrique	sellerie	n. f. : ensemble des selles, métier, lieu de rangement
quartage	n. m. : réduction de volume		
cartier	n. m. : vendeur de cartes	celle	pron. dém. : féminin de celui
quartier	n. m. : portion	sel	n. m. : assaisonnement
		selle	n. f. : siège, viande, excrément, escabeau
cary	Voir **cari**	selle	n. m. : race de chevaux de selle
cash	Voir **cache**	cellier	n. m. : cave pour les vins
cassie	Voir H5	sellier	n. m. : celui qui vend des selles
cassis	Voir H5 et 6	cendre	n. f. : résidu, symbole de pénitence
catarrhe	n. m. : inflammation des muqueuses	Cendres	n. f. pl. : mercredi des Cendres
cathare	n. ou adj. : albigeois (secte)	sandre	n. m. ou f. : poisson
Qatar	n. pr. : pays du Moyen-Orient	cendré, e	n. m. ou adj. : fromage ; couleur de cendre
cathédral, e	adj. : relatif à l'autorité épiscopale	cendrée	n. f. : plomb, mâchefer sur une piste, cette piste
cathédrale	adj. inv. : se dit d'un verre translucide	Cendres	Voir **cendre**
cathédrale	n. f. : église	cène	n. f. : repas de Jésus-Christ
cavée	n. f. : chemin creux	cenne	n. f. (ou cent, pron. **sèn-t**) : au Québec, unité monétaire
caver	v. : creuser, miser au jeu	saine	adj. (fém. de sain) : en bonne santé
CD	n. m. (sigle) (ou C. D.) : Compact Disc	scène	n. f. : partie du théâtre
céder	v. : abandonner	seine	n. f. (ou senne) : filet de pêche
ce	adj. dém. : ce qui est là, ce dont nous parlons	sen	n. m. ou n. m. inv. : monnaie japonaise
se	pron. pers. : 3ᵉ personne	cens	n. m. : redevance
céans	adv. : ici	sens	n. m. : signification, direction
séant	n. m. : derrière	censé, e	adj. : supposé
séant, e	adj. : décent	sensé, e	adj. : raisonnable
céder	Voir **CD**		

| censément | adv.: en apparence |
| sensément | adv.: de façon sensée |

| censeur | n. m.: magistrat |
| senseur | n. m.: capteur |

| censuel, elle | adj.: relatif au cens |
| sensuel, elle | n. ou adj.: porté vers les plaisirs des sens; propre aux sens |

cent	n. m. ou adj. num.: dix fois dix
sang	n. m.: liquide rouge
sans	prép.: marque l'absence

| cent | *Voir H6* |

centon	n. m.: pièce de vers
santon	n. m.: figurine en terre cuite
santon, e	n.: ascète, religieux musulman
sentons	v.: de sentir

central	n. m.: commutateur («central téléphonique», etc.)
central, e	adj.: au centre
centrale	n. f.: usine électrique, syndicat

cep	n. m.: pied de vigne, pièce de charrue
cèpe	n. m.: bolet
sep	n. m.: pièce de charrue

| cerce | n. f.: calibre, cercle de bois |
| cers | n. m.: vent |

cerf	n. m.: ruminant
serf	n. ou adj. (fém. serve): en état de servage, servile (pron. aussi **ser-fe**)
serre	n. f. (surtout au pluriel): griffes
serre	n. f.: endroit clos, construction à parois translucides, crête étroite, pressurage
serre	n. m.: crête étroite

| cerner | v.: entourer |
| serre-nez | n. m. inv.: instrument pour serrer le nez d'un cheval |

| cers | *Voir cerce* |

| certes | adv.: certainement |
| serte | n. f.: sertissage |

| ces | *Voir H5* |

| cession | n. f.: transmission |
| session | n. f.: période de l'année |

cet, cette	adj. dém.: sert à montrer
sept	n. m. inv. ou adj. num.: après six
set	n. m.: terme de tennis, napperons

| cétacé | n. m.: baleine, cachalot, etc. |
| sétacé, e | adj.: qui a la forme de la soie de porc |

chah	n. m. (ou schah, shah): souverain de la Perse
chas	n. m.: trou d'une aiguille
chat	n. m.: mammifère

| chaîne | n. f.: suite d'anneaux |
| chêne | n. m.: arbre |

chair	n. f.: peau
chaire	n. f.: tribune
cheire	n. f.: coulée volcanique
cher, ère	adj. ou adv.: aimé, précieux
chère	n. f.: nourriture

| champ | *Voir H6* |

| champ | n. m.: étendue de terre |
| chant | n. m.: face étroite d'un objet, chanson |

| chancel | n. m.: balustrade d'église |
| chancelle | v.: de chanceler |

| chant | *Voir champ* |

| chaos | *Voir cahot* |

| chape | n. f.: manteau, monture de pneu, enduit |
| schappe | n. m. ou f.: bourre de soie |

| char | n. m.: voiture à deux roues, bluff, blague |
| charre | n. m.: bluff, blague |

| chas | *Voir chah* |
| chat | |

| châtaigner | v.: se battre |
| châtaignier | n. m.: arbre |

chaud, e	n. m., adj. ou adv. : contraire de froid
peu me chaut (du verbe chaloir)	v. : peu m'importe
chaux	n. f. : oxyde de calcium
show	n. m. : spectacle de variétés
chauffard	n. m. : mauvais conducteur
schofar	n. m. : instrument (rituel israélite)
chaumage	n. m. (de même pour chaumer): couper le chaume
chômage	n. m. (de même pour chômer): interruption du travail
chaussé	n. m. : terme d'héraldique
chaussée	n. f. : partie de rue
chausser	v. : mettre à ses pieds
chaut chaux	*Voir* **chaud, e**
cheik	n. m. (ou scheik, cheikh): chef arabe
chèque	n. m. : écrit bancaire
cheire	*Voir* **chair**
chemineau	n. m. : vagabond
cheminot, ote	n. ou adj. : employé des chemins de fer
chêne	*Voir* **chaîne**
chèque	*Voir* **cheik**
cher, ère	*Voir* **chair**
chéri, e	n. ou adj. : aimé tendrement
cherry	n. m. : liqueur de cerise
sherry	n. m. : xérès
chérif	n. m. : prince musulman
shérif	n. m. : officier anglais, américain
chermès	n. m. : puceron
kermès	n. m. : insecte, teinture, chêne
kermesse	n. f. : fête
cherry	*Voir* **chéri, e**
cheviller	v. : fixer avec une cheville
chevillier	n. m. : partie où se trouvent les chevilles

chevrotain	n. m. : petit ruminant sans bois
chevrotin	n. m. : faon, peau de chevreau, fromage
chic	interj. : exprime le contentement
chic	n. m., adj. inv. ou inv. en genre : aisance, élégance ; élégant
chique	n. f. : quelque chose à mâcher, cocon, puce, enflure de joue
chimie	n. f. : science
shimmy	n. m. : tremblement des roues d'une auto, danse
chip chipe	*Voir H5*
chique	*Voir* **chic**
chlore	n. m. : métalloïde
clore	v. : fermer
chœur	n. m. : chorale, choral, réunion de personnes, partie d'église
cœur	n. m. : organe, poitrine, centre
cholérique	n. ou adj. : atteint du choléra
colérique	adj. : prompt à la colère
choline	n. f. : corps azoté
colline	n. f. : butte
cholique	adj. : acide cholique
colique	n. f. ou adj. : douleur ; propre au côlon
chômage chômer	*Voir* **chaumage**
choper	v. : chiper, attraper, arrêter
chopper	v. : trébucher, se tromper
chopper	*Voir H6*
choral	n. m. (pl. chorals): chant religieux
choral, e	adj. (pl. choraux, chorals): du ou d'un chœur
chorale	n. f. : groupe chantant des chœurs
corral	n. m. : enclos à bétail
choraux	adj. m. (pl. de choral): relatifs aux chœurs
coraux	n. m. (pl. de corail): animaux, squelettes calcaires

chorde	n. f.: ébauche de la colonne vertébrale
corde	n. f.: ébauche de la colonne vertébrale, ficelle
chordé	n. m.: animal
cordé, e	n. m. ou adj.: animal; en forme de coeur
cordée	n. f.: terme d'alpinisme, de pêche, mesure
corder	v.: rouler en corde
chorée	n. f.: danse de Saint-Guy (maladie)
coré	n. f. (ou korê, corê, pron. aussi **ko-rè**): statue grecque de jeune fille
Corée	n. pr.: pays asiatique
chrême	n. m.: huile bénite
crème	n. f.: matière du lait, gratin
crème	n. m., adj. inv.: café avec crème; blanc-jaune
chut	interj.: pour avoir le silence
chute	n. f.: action de tomber
ci	adv. ou pron. dém.: ici; ceci
scie	n. f.: outil
si	n. m. inv., conj. ou adv.: note, condition; tellement
sis, e	adj.: situé
six	n. ou adj. num.: après cinq (pron. **si** devant une consonne)
cil	n. m.: poil
scille	n. f.: plante
sil	n. m.: argile ocreuse
cilice	n. m.: vêtement en étoffe rude
silice	n. f.: oxyde de silicium, silex
cime	n. f.: extrémité supérieure
cyme	n. f.: inflorescence
cinq	n. inv. ou adj. num.: après quatre
scinque	n. m.: reptile
cire	n. f.: substance grasse
cirre	n. m. (ou cirrhe): appendice, vrille
sire	n. m.: titre

cis	adj.: isomère
six	n. ou adj. num.: après cinq (pron. **sisse** sauf devant une consonne)
cistre	n. m.: instrument à cordes pincées
sistre	n. m.: instrument avec des coques de fruits
cité	n. f.: ville
citer	v.: assigner, indiquer
cithare	n. f.: lyre antique, instrument sans manche
sitar	n. m.: instrument indien
clac	interj.: exprime un bruit sec
claque	n. f.: gifle, applaudissement, caoutchouc
claque	n. m. ou adj.: chapeau, maison de tolérance
clair	n. m. ou adv.: clarté; clairement
clair, e	adj.: éclatant, peu dense
claire	n. f.: huître, bassin à huîtres
clerc	n. m.: membre du clergé, lettré, employé d'un notaire
claque	*Voir **clac***
clause	n. f.: disposition d'un acte
close	adj. (fém. de clos): fermée
clerc	*Voir **clair***
clic	interj.: exprime un bruit sec
clic	n. m. (ou click): consonne dans certaines langues africaines
clique	n. f.: groupe, bande
cliques	n. f. pl.: dans «ses cliques et ses claques»
clip	n. m.: bijou (ou clips), court-métrage, agrafe chirurgicale
klippe	n. f.: terme de géologie
clique cliques	*Voir **clic***
clore	*Voir **chlore***
clos	n. m.: terrain cultivé
clos, e	adj.: fermé, achevé

close	Voir **clause**
Clovis	n. pr. : nom de rois
clovisse	n. f. : coquillage
cob	n. m. : cheval, antilope d'Afrique
kob	n. m. : antilope d'Afrique
cœur	Voir **chœur**
coi , coite	adj. : tranquille
quoi	pron. rel. et interr. : sert à désigner, à interroger
coin	n. m. : angle, parcelle
coing	n. m. : fruit
khoin	n. m. (ou khoisan) : langue africaine
coke	Voir H5 et 6
cokerie	n. f. : où l'on traite le coke
coquerie	n. f. : cuisine
col	n. m. : partie de vêtement
colle	n. f. : glu, question, retenue à l'école
colée	Voir H5
colérique	Voir **cholérique**
colique	Voir **cholique**
colle	Voir **col**
coller	Voir H5
collet	
colley	
colline	Voir **choline**
collocation	n. f. : classement, terme de logique, de linguistique
colocation	n. f. : location commune
colon	Voir H6
colon	n. m. : fermier, pionnier, colonel
côlon	n. m. : intestin
colon	n. m. : monnaie costaricienne, salvadorienne
colonne	n. f. : pilier

coma	n. m. : perte de conscience
comma	n. m. : intervalle musical (pron. aussi **com-ma**)
comandant	n. m. : qui donne un mandat
commandant	n. m. : officier militaire
comma	Voir **coma**
command	n. m. (« déclaration de command ») : terme de droit
comment	n. m. inv. ou adv. : manière
commandant	Voir **comandant**
commande	n. f. : ordre, direction
commende	n. f. : administration d'un bénéfice ecclésiastique
comment	Voir **command**
commercial, e	n. m. ou adj. : ensemble des services commerciaux ; de commerce
commerciale	n. f. : auto pour transporter des marchandises
communal, e	adj. : qui appartient à une commune
communale	n. f. : école communale
composé	n. m. : ensemble, terme de mathématique
composé, e	adj. : formé de plusieurs éléments
composée	n. f. : terme de mathémathique, plante
composer	v. : arranger, créer
comptage	n. m. : action de compter
contage	n. m. : contagion
comptant	n. m., adj. m. ou adv. : payé sur l'heure, en argent
content, e	n. m. ou adj. : dans « avoir son content » ; joyeux
compte	n. m. : calcul
comte	n. m. : titre de noblesse
conte	n. m. : récit
compter	v. : calculer
comté	n. m. : fromage, circonscription
conter	v. : narrer

compteur	n. m. ou adj. m. : appareil ; « boulier compteur »
conteur, euse	n. : qui narre

comte	*Voir* **compte**

comté	*Voir* **compter**

condo	n. m. (abrév.) : condominium
kondo	n. m. : partie d'un monastère bouddhique

confirmand, e	n. : qui va recevoir la confirmation
confirmant	n. m. : qui donne le sacrement de la confirmation

conjugué, e	adj. : joint
conjuguée	n. f. : algue
conjuguer	v. : joindre, réciter
conjugués	n. m. pl. : points conjugués

consol	n. m. : procédé de navigation
console	n. f. : moulure, table, instrument de musique

contage	*Voir* **comptage**

conte	*Voir* **compte**

content, e	*Voir* **comptant**

conter	*Voir* **compter**

conteur, euse	*Voir* **compteur**

contrechamp	n. m. : prise de vues
contre-chant	n. m. (ou contrechant) : contrepoint

contrefaire	v. : imiter
contre-fer	n. m. ou n. m. inv. : pièce métallique

cool	n. m. inv., adj. inv. ou interj. : jazz ; calme
coule	n. f. : ample manteau

coolie	n. m. : travailleur chinois
coulis	adj. m. : se dit d'un vent
coulis	n. m. : purée de fruits, mortier liquide

coordonné, e	adj. : organisé avec, assorti
coordonnée	n. f. : terme de mathématique, de géographie
coordonnées	n. f. pl. : indications
coordonnés	n. m. pl. : éléments assortis

coq	*Voir* **H5**
coque	

coquerie	*Voir* **cokerie**

coquillard	n. m. : œil, voleur
coquillart	n. m. : calcaire

coquiller	v. : former des boursouflures
coquillier, ère	n. m., adj. : collection ; avec des coquilles fossiles

cor	n. m. : durillon, instrument de musique
corps	n. m. : organisme humain

coraux	*Voir* **choraux**

corde	*Voir* **chorde**

cordé, e	*Voir* **chordé**
corder	

coré	*Voir* **chorée**
corê	
Corée	

corné, e	adj. : dur comme de la corne
cornée	n. f. : partie de l'œil
corner	v. : claironner, plier

cornu, e	adj. : qui a des cornes, biscornu
cornue	n. f. : récipient

coronaire	n. f. ou adj. : vaisseau sanguin, en couronne
coroner	n. m. : officier de police

corps	*Voir* **cor**

corral	*Voir* **choral**

costaud	n. ou adj. (costaud(e) au fém. sing., costaud(es) au fém. plur.) : robuste
costaux	adj. m. (pl. de costal) : relatifs aux côtes

cote	*Voir H5*
coteau	n. m.: colline
koto	n. m.: instrument de musique
cotte	*Voir H5*
cou	n. m.: partie du corps
coup	n. m.: choc
coût	n. m.: prix
cou-de-pied	n. m.: partie du pied
coup de pied	loc.: coup donné avec le pied
coule	*Voir cool*
coulé, e	n. m. ou adj.: liaison, pas de danse, coup au billard; se dit d'une nage
coulée	n. f.: masse en fusion, flot, déplacement
couler	v.: s'écouler, filer
coulis	*Voir coolie*
coup	*Voir cou*
coup bas	loc.: procédé déloyal
koubba	n. f.: monument
coup de pied	*Voir cou-de-pied*
coupé, e	n. m. ou adj.: voiture, terme d'héraldique, danse; tranché
coupée	n. f.: ouverture dans un navire
cour	n. f.: patio, tribunal, résidence d'un souverain
courre	v.: poursuivre à la chasse
cours	n. m.: cours d'eau, enseignement, taux, suite
court, e	adj. ou adv.: bref
court	n. m.: terrain de tennis
courroux	n. m.: colère
kuru	n. m.: encéphalite
cours	*Voir cour*
court, e	
coût	*Voir cou*

crac	interj.: bruit
crack	n. m.: poulain préféré, champion, cocaïne
craque	n. f.: mensonge
krach	n. m.: effondrement boursier, financier (pron. comme *crac*)
krak	n. m.: ensemble fortifié
craie	n. f.: calcaire, bâton pour écrire
crêt	n. m.: escarpement
craque	*Voir crac*
credo	n. m. ou n. m. inv.: ensemble de principes
Credo	n. m. inv.: prière
crème	*Voir chrême*
crêt	*Voir craie*
cri	n. m.: son perçant
cric	n. m.: appareil (pron. aussi comme *crique*)
cric	interj.: bruit sec
cric	n. m.: appareil (pron. aussi comme *cri*)
crique	n. f.: petite baie
criss	n. m.: poignard malais
crisse	v.: de crisser
kriss	n. m.: poignard malais
crois, croit	v.: de croire
croîs, croît	v.: de croître
croît	n. m.: accroissement de troupeau
croix	n. f.: gibet, ornement
croisé	n. m.: participant à une croisade, tissu
croisé, e	adj.: disposé en croix
croisée	n. f.: croisement
croit	*Voir crois*
croît	
croix	
cross	n. m.: course à pied
crosse	n. f.: bâton, revolver, violon
crosses	n. f. pl. (dans «chercher des crosses»): chercher querelle
croup	n. m.: maladie
croupe	n. f.: derrière

Les homonymes

cru	n. m.: vin, invention
cru	p. p.: de croire
crû	p. p. (crue, crus, crues): de croître
cru, e	adj. ou adv.: non cuit
crue	n. f.: montée
crus, crut	v.: de croire
crûs, crût	v.: de croître

cuir	n. m.: peau, faute de langage
cuire	v.: opérer la cuisson

cuisseau	n. m.: cuisse du veau dépecé, cuissard d'armure
cuissot	n. m.: cuisse de gros gibier (chevreuil, sanglier, etc.), cuissard d'armure

curé	n. m.: prêtre
curée	n. f.: bête donnée aux chiens, lutte
curer	v.: nettoyer

curie	n. f.: ensemble administratif à Rome
curie	n. m.: unité de mesure
curry	n. m. (ou cari, cary, carry): épice, mets

cyan	n. m., adj. inv.: bleu-vert
sciant	p. prés.: qui coupe, étonne
sciant, e	adj.: ennuyeux

cycle	n. m.: suite, véhicule
sicle	n. m.: poids et monnaie anciens

cygne	n. m.: oiseau
signe	n. m.: indice, marque, annonce, symbole

cyme	*Voir cime*

cyon	n. m.: chien sauvage
scion	n. m.: jeune pousse, objet de pêche
scions	v.: de scier

dais	*Voir H5*

que dal	loc. (ou que dalle): rien
dalle	n. f.: plaque de plancher, gosier

dam	n. m.: châtiment (pron. aussi comme *dans*)
dame	n. f., interj.: femme; pour insister
dames	n. f. pl.: jeu

dam	n. m.: châtiment (pron. aussi comme *dame*)
dans	prép.: à l'intérieur
dent	n. f.: dentition, découpure

danse	n. f.: action de danser, correction
dense	adj.: abondant

date	n. f.: jour, moment
datte	n. f.: fruit

davantage	adv.: plus
d'avantage	n. m.: de profit

dé	*Voir H5*

déca	n. m. (abrév.): décaféiné
decca	n. m.: système de radionavigation

décèle	v.: de déceler (découvrir)
descelle	v.: de desceller (ôter le sceau)
desselle	v.: de desseller (ôter la selle)

décèlement	n. m.: fait de déceler
descellement	n. m.: action de briser le sceau

décente	adj. (fém. de décent): bienséante
descente	n. f.: action de descendre

décile	*Voir H5*

décrépi, e	p. p.: qui a perdu son crépi
décrépit, e	adj.: affaibli par l'âge

défait, e	adj.: épuisé
défet	n. m.: feuille superflue

défend, défends	v.: de défendre
défens	n. m. (ou défends): défense

déférer	v.: citer, décerner
déferrer	v.: ôter le fer, les ferrures

défet	*Voir défait, e*

dégoûter	v.: inspirer du dégoût
dégoutter	v.: couler goutte à goutte
délacer	v.: défaire le lacet
délasser	v.: enlever la fatigue
délégant, e	n.: qui désigne un délégué
déléguant	p. prés.: qui mandate
demi	n. m.: moitié, bière, vin, joueur, métis
demi, e	adj. ou adv.: qui est la moitié d'un tout
demie	n. f.: moitié, demi-bouteille, demi-heure
dengue	n. f.: maladie virale (pron. comme *dingue*)
dingue	n. ou adj.: fou
dense	*Voir danse*
dent	*Voir dam*
dental, e	adj.: dentaire
dentale	n. f.: terme de linguistique
dentale	n. m.: mollusque
denté, e	adj.: avec ou en forme de dents
dentée	n. f.: coup de dent donné à la bête
dépend, dépends	v.: de dépendre
dépens	n. m. pl.: frais
dérivé	n. m.: substance, mot, ensemble mathématique
dérivé, e	adj.: d'une dérivation
dérivée	n. f.: dérivée d'une fonction
des	*Voir H5*
dès	
descelle	*Voir décèle*
descellement	*Voir décèlement*
desceller	v.: ôter le sceau
desseller	v.: ôter la selle
descente	*Voir décente*
désile	*Voir H5*

dessein	n. m.: idée précise
dessin	n. m.: motif, croquis
desselle	*Voir décèle*
desseller	*Voir desceller*
dessers, dessert	v.: de desservir
dessert	n. m.: mets sucré
dessin	*Voir dessein*
détoner	v.: exploser
détonner	v.: s'écarter du ton, choquer
développé	n. m.: mouvement (haltère), chorégraphie
développée	n. f.: terme de mathématique
développer	v.: dérouler, cultiver
dey	*Voir H5*
diagnostic	n. m.: identification, jugement
diagnostique	adj.: qui permet de distinguer une maladie
différant	p. prés.: qui diffère
différend	n. m.: désaccord
différent, e	adj.: dissemblable, plusieurs
différenciateur, trice	n. m. ou adj.: dispositif technique; qui différencie
différentiateur	n. m.: organe de calcul
différenciation	n. f.: transformation, distinction
différentiation	n. f.: obtenir la différentielle (en mathématique)
différencier	v.: distinguer, calculer la différentielle
différentier	v.: calculer la différentielle
différend	*Voir différant*
différent, e	
différentiateur	*Voir différenciateur, trice*
différentiation	*Voir différenciation*
différentiel	n. m.: engrenage, écart en pourcentage
différentiel, elle	adj.: fondé sur les différences
différentielle	n. f.: fonction linéaire

différentier	*Voir **différencier***
digest	n. m. : résumé, publication des résumés (pron. aussi **daïl-gest**)
digeste	adj. : facile à digérer
digeste	n. m. : recueil de droit
digital, e	adj. : numérique, relatif aux doigts
digitale	n. f. : plante
din	n. m. inv. (sigle) : échelle de sensibilité
dîne	v. : de dîner
dyne	n. f. unité de mesure de force
dingue	*Voir **dengue***
discal, e	adj. : relatif à un disque
discale	n. f. : déchet, champignon
discaux	adj. m. (pl. de discal) : relatifs à un disque
disco	n. f. (abrév.) : discothèque, style de musique
disco	n. m., adj. inv. (abrév.) : style de musique
distille	v. : de distiller
distyle	adj. : à deux colonnes
dit, e	n. m. ou adj. : genre littéraire ; surnommé
dix	n. ou adj. num. : après neuf (pron. **di** devant une consonne)
djinn	n. m. : bon génie ou démon
gin	n. m. : eau-de-vie
jean	n. m. (ou jeans) : pantalon en denim
do	n. m. inv. : note de musique
dos	n. m. : face postérieure, dossier
D. O. C.	n. m. (sigle) (ou doc) : disque optique compact
doc	n. f. (abrév.) : documentation
dock	n. m. : bassin
doigt	n. m. : extrémité de la main
dois	v. : de devoir
doit	n. m. : passif

dom	n. m. : titre religieux, noble portugais ou espagnol
don	n. m. : action de donner, bienfait, talent, titre religieux, noble portugais ou espagnol
donc	conj. : par conséquent (pron. **don** ou **donk**)
dont	pron. rel. : d'où
donné	n. m. : immédiatement présenté à l'esprit
donné, e	adj. : déterminé
donnée	n. f. : idée fondamentale
dont	*Voir **dom***
doré, e	n. m. ou adj. : poisson, dorure ; couleur d'or
dorée	n. f. : saint-pierre (poisson)
dos	*Voir **do***
dot	n. f. : biens qu'une femme apporte en se mariant
dote	v. : de doter
drag	n. m. : course, mail-coach
drague	n. f. : filet, construction flottante, mine, recherche d'aventures
draille	n. f. : anneau, chemin pour les troupeaux
dry	n. m., n. m. inv. ou adj. inv. : cocktail ; sec
drège	n. f. : filet de pêche, peigne de fer
dreige	n. f. : filet de pêche
drill	*Voir H5 et 6*
drille	*Voir H5*
dry	*Voir **draille***
du	art. m. s. : contraction (de le)
dû	n. m., adj. ou p. p. (due, dus, dues) : que l'on doit
duaux	adj. m. (pl. de dual) : avec deux unités en interaction
duo	n. m. : pour deux voix, échange

dur	n. m.: ce qui est dur, eau-de-vie, matériau dur
dur, e	n., adj. ou adv.: qui est dur, résistant, sec
dure	n. f.: par terre
durion durions	*Voir H5*
dyne	*Voir din*
eau	*Voir au, aux*
échappé	n. m.: mouvement de danse
échappé, e	n.: évadé
échappée	n. f.: sortie, terme d'architecture, de peinture, de sport
échapper	v.: laisser tomber
écho	n. m.: réflexion du son, bruit
écot	n. m.: quote-part
éclair	n. m., adj. inv. ou app.: foudre, éclat, gâteau; très rapide
éclaire	n. f.: plante
écot	*Voir écho*
éduque	v.: de éduquer
heiduque	n. m. (ou haïdouk): domestique, soldat hongrois
effort	n. m.: activité de mobilisation
éphore	n. m.: magistrat de Sparte
effrite	v.: de effriter
éfrit	n. m.: génie malfaisant (pron. comme *effrite*)
égailler (s')	v.: se disperser (pron. **é-ga-yé** ou **é-gué-yé**)
égayer	v.: rendre gai, s'amuser (pron. **é-guè-yé** ou **é-gué-yé**)
égaux	n. m. (pl. de égal): hommes égaux
ego	n. m. inv.: sujet conscient, pensant
égayer	*Voir égailler (s')*
église	n. f.: édifice
Église	n. f.: société, communauté chrétienne

ego	*Voir égaux*
eh	*Voir H5*
élan	n. m.: mouvement, cerf
éland	n. m.: antilope africaine
elle	*Voir aile*
embu, e	n. m. ou adj.: aspect terne d'une peinture
embue	v.: de embuer
éminence grise	loc.: conseiller dans l'ombre
Éminence grise	loc.: le Père Joseph (conseiller de Richelieu)
empereur	n. m.: chef souverain
Empereur	n. m.: Napoléon 1er et III
empirer	v.: devenir pire
empyrée	n. m.: ciel
en	*Voir an*
encor	adv.: encore en poésie
encore	adv.: marque la persistance
encrage	*Voir ancrer*
encre	*Voir ancre*
encrer	*Voir ancrer*
ente	*Voir ante*
enté, e	adj.: divisé horizontalement
enter	v.: greffer
hanté, e	adj.: visité par des esprits
hanter	v.: obséder
entraxe	*Voir anthrax*
entre	*Voir antre*
entre tant de	loc.: parmi tant de
entre-temps	adv.: dans un intervalle de temps
entretemps	n. m. (ou entre-temps): intervalle entre deux actions
enveloppé	n. m.: rotation du corps
enveloppée	n. f.: courbe plane
envelopper	v.: emballer

à l'envi	loc.: à qui mieux mieux, en lutte avec
envie	n. f.: jalousie, tache cutanée
envies	n. f. pl.: pellicule autour des ongles
épair	n. m.: qualité du papier
épeire	n. f.: araignée
épar	n. m. (ou épart): poutre
épars, e	adj.: en désordre
épaulé	n. m.: terme d'haltérophilie
épaulé, e	adj.: qui comporte une épaulette (en parlant d'un vêtement)
épaulée	n. f.: poussée de l'épaule
épeire	*Voir **épair***
éphore	*Voir **effort***
épicer	v.: assaisonner
épisser	v.: assembler deux cordages
erbue	n. f. (ou herbue): terre à pâturage
herbu, e	adj.: couvert d'herbe
ère	*Voir **air***
erre	
errer	*Voir **airer***
erres	*Voir **air***
ers	
erse	adj.: d'Écosse
erse	n. f.: anneau de cordage
herse	n. f.: instrument agricole ou d'éclairage, grille, épure
es	*Voir H5*
ès	*Voir **ace***
escarre	n. f.: pièce en forme d'équerre, croûte sur la peau
eschare	n. f.: croûte sur la peau
esquarre	n. f.: pièce en forme d'équerre
eskimo	n., adj. ou adj. inv.: inuit
esquimau	n. m., n. d. (ou Esquimau): glace enrobée
esquimau, aude	n. ou adj.: inuit

esquarre	*Voir **escarre***
Esquimau	*Voir **eskimo***
esquimau, aude	
esse	*Voir **ace***
est	*Voir H5 et 6*
est	n. m. inv. ou adj. inv.: point cardinal
este	n. m. (ou estonien): d'Estonie
et	*Voir H5*
étain	n. m.: métal blanc
éteint, e	adj.: sans éclat
étal	n. m.: table (marché, boucherie)
étale	n. m., n. f. ou adj.: moment où le niveau de la mer est stable; immobile
étale	v.: de étaler
étang	n. m.: étendue d'eau
étant	n. m.: être en tant que phénomène
étau	n. m.: appareil à mâchoires
étaux	n. m. (pl. de étal): tables (boucherie, marché)
éteint, e	*Voir **étain***
éthique	n. f. ou adj.: morale
étique	adj.: très maigre
être	n. m. ou v.: existence, individu; exister
êtres	n. m. pl.: disposition des lieux dans une maison
hêtre	n. m.: arbre
étrier	n. m.: anneau métallique
étriller	v.: frotter avec une étrille, malmener
eu, eus, eut	v.: de avoir
hue	interj.: pour diriger un cheval

euh	interj. : marque le doute
eux	pron. pers. : pluriel masculin de lui
heu	interj. : marque le doute
œufs	n. m. : pluriel de œuf

eus	*Voir eu*
eut	

eux	*Voir euh*

exaucer	v. (de même pour exaucement) : écouter, accorder
exhausser	v. (de même pour exhaussement) : rendre plus élevé

excédant, e	adj. : qui dépasse, insupportable
excédent	n. m. : surcroît

exhausser	*Voir exaucer*

exogène	adj. : qui provient de l'extérieur
hexogène	n. m. : explosif

exprès, esse	*Voir H5*
express	

fa	n. m. inv. : note de musique
fat, e	n. m. ou adj. : vaniteux

face	n. f. : visage
fasce	n. f. : en héraldique
fasse	v. : de faire

faim	n. f. : besoin de manger, désir
feint, e	adj. : fictif
fin	n. f. : terme
fin	n. m. ou adv. : le raffiné ; finement
fin, e	adj. : affiné, petit

faire	n. m. ou v. : manière ; accomplir
fer	n. m. : métal

fait, e	n. m. ou adj. : événement ; fabriqué
faix	n. m. : fardeau

faite	adj. f. : accomplie
faîte	n. m. : cime
fête	n. f. : célébration, solennité

faix	*Voir fait, e*

fan	n. : admirateur
fane	n. f. : tiges et feuilles des plantes herbacées

far	n. m. : flan breton
fard	n. m. : maquillage
fart	n. m. : produit pour farter des skis
phare	n. m. : tour, feu, mât

faraud, e	n. ou adj. : fanfaron
faro	n. m. : bière

farci, e	adj. : garni de farce
farsi	n. m. : persan

fard	*Voir far*

faro	*Voir faraud, e*

farouch	n. m. : trèfle
farouche	adj. : sauvage, violent

farsi	*Voir farci, e*

fart	*Voir far*

fasce	*Voir face*
fasse	

fat, e	*Voir fa*

faussais, faussait	v. : de fausser
fausset	n. m. : voix aiguë, cheville de bois

fausse	adj. (fém. de faux) : erronée
fosse	n. f. : cavité, trou

fausser	v. : déformer
fossé	n. m. : canal, tranchée

fausset	*Voir faussais*

fèces	n. f. pl. (ou fécès) : matières fécales (pron. aussi **fè-cès**)
fesse	n. f. : fessier

feint, e	*Voir faim*

fer	*Voir faire*

féerie	n. f. (ou féérie): enchantement (pron. aussi **fé-é-ri**)
férie	n. f.: jour interdisant le travail
ferry	n. m.: navire (pron. aussi **fé-ré** ou **fè-ri**)
fermant, e	adj.: qui peut se fermer
ferment	n. m.: germe, levure
ferrement	n. m.: objet en fer, ferrage
fermion	n. m.: particule
fermions	v.: de fermer
ferrement	*Voir ferment*
ferry	*Voir féerie*
fesse	*Voir fèces*
fête	*Voir faite*
feuil	n. m.: pellicule
feuille	n. f.: partie d'un végétal, papier
fi	interj.: marque le dégoût, le dédain, le mépris
phi	n. m. ou n. m. inv.: lettre grecque
fil	n. m.: long brin
file	n. f.: suite de choses, de personnes
filaire	*Voir H5*
filante	adj. (fém. de filant): qui coule, qui file
philanthe	n. m.: insecte
file	*Voir fil*
filé	n. m.: fil
filer	v.: décamper, tisser
fileté	n. m.: tissu
fileter	v.: tailler en filets
fileur, euse	*Voir H5*
filler	
fillér	
filon	n. m.: mine
filons	v.: de filer

filtre	n. m.: appareil pour filtrer
philtre	n. m.: boisson
fin, e	*Voir faim*
final	n. m. (ou finale): à la fin d'une symphonie, d'un opéra
final, e	adj.: à la fin, marque une fin
finale	n. f.: à la fin d'un mot, d'une compétition
fine	n. f.: eau-de-vie
fines	n. f. pl.: petits fragments
finn	n. m. (ou Finn, n. d.): voilier
fion	n. m.: dernière main
fions	v.: de se fier
fla	n. m. inv.: coup sur un tambour
flat	adj. m.: se dit du ver à soie malade
flac	interj.: onomatopée
flaque	n. f.: mare d'eau
flache	n. f.: dépression dans l'écorce, creux
flash	n. m.: scène rapide, lampe, courte nouvelle
flacheuse	adj. (fém. de flacheux): qui présente des flaches
flasheuse	n. f.: appareil à laser
flamand, e	n. ou adj.: parler néerlandais; de Flandre
flamant	n. m.: oiseau
flan	n. m.: blague, crème, disque de métal
à la flan	loc.: sans soin
au flan	loc.: par hasard
flanc	n. m.: partie du corps
flaque	*Voir flac*
flash	*Voir flache*
flasheuse	*Voir flacheuse*
flat	*Voir fla et H6*

flat	n. m.: studio (pron. comme *flatte*)
flatte	v.: de flatter
fleureter	v.: conter fleurette
flirter	v.: avoir un flirt
floche	adj.: fil légèrement tors
floche	n. f.: ganse, amas floconneux
flush	n. m.: terme de poker (pron. aussi **flœch**)
foc	n. m.: voile en marine
phoque	n. m.: mammifère
focal, e	adj.: terme d'optique, de mathématique
focale	n. f.: terme de géométrie
foi	n. f.: croyance
foie	n. m.: organe
fois	n. f.: événement
fol	adj. m. (ou fou): dément
folle	n. f. ou adj. f.: filet de pêche, aliénée, homosexuel
folio	n. m.: feuille
foliot	n. m.: balancier
folle	*Voir **fol***
fond	n. m.: le plus bas, le caractère intime («course de fond», «toile de fond»)
fonds	n. m.: sol, capital, commerce, mœurs, savoir, capacité («avoir bon fonds»)
fonts	n. m. pl.: dans «fonts baptismaux»
fondamental	n. m.: en musique, vibration la plus grave
fondamental, e	adj.: essentiel
fondamentale	n. f.: note fondamentale
fonds	*Voir **fond***
fondu	n. m.: terme de peinture, de cinéma
fondu, e	n. ou adj.: fanatique; terme de peinture, liquide, flou
fondue	n. f.: terme de cuisine

fonts	*Voir **fond***
for	n. m.: dans «for intérieur»
fors	prép.: excepté
fort	n. m.: fortification, côté fort, puissance
fort, e	adj. ou adv.: vigoureux; beaucoup
foret	n. m.: outil
forêt	n. f.: bois
formions	v.: de former
phormion	n. m.: plante
fors	*Voir **for***
fort, e	
fosse	*Voir **fausse***
fossé	*Voir **fausser***
foule	n. f.: multitude
full	n. m.: au poker
four	n. m.: partie de cuisinière, échec, appareil
fourre	n. f.: taie, couvre-livre
fourni, e	adj.: pourvu
fournil	n. m.: endroit de la boulangerie
fourre	*Voir **four***
frai	n. m.: usure de la monnaie, ponte des œufs chez les poissons
frais, fraîche	n. m. ou adj.: air frais; récent, un peu froid
frais	n. m. pl.: dépenses
fret	n. m.: cargaison, prix du transport (pron. aussi comme *frette*)
frape	n. f.: voyou
frappe	n. f.: terme de sport, d'imprimerie, choc, voyou
fratrie	n. f.: frères et sœurs d'une famille
phratrie	n. f.: subdivision d'une tribu, plusieurs clans
freak	n.: marginal
fric	n. m.: argent

freine	v.: de freiner
frêne	n. m.: arbre
fret	*Voir **frai***
fret	n. m.: cargaison, prix du transport (pron. aussi comme *frais*)
frette	n. f.: cercle métallique, terme d'héraldique, d'architecture
fréter	v.: donner ou prendre en location
fretter	v.: garnir d'une frette
frette	*Voir **fret***
fretter	*Voir **fréter***
fric	*Voir **freak***
frisé	n. m.: Allemand (péjoratif)
frisé, e	n. ou adj.: bouclé
frisée	n. f.: chicorée
frite	n. f.: pomme de terre, coup
fritte	n. f.: sable et soude mélangés
frontal	n. m.: os du front, partie du harnais, ordinateur
frontale	n. f.: terme de géométrie
frontaux	adj. m. (pl. de frontal): de ou du front
fronteau	n. m.: fronton, bijou sur le front
frotté	n. m.: dessin
frottée	n. f.: tartine, raclée
frotter	v.: effleurer
führer	n. m.: dictateur, titre de Hitler
fureur	n. f.: folie
full	*Voir **foule***
fumé, e	n. m. ou adj.: procédé de gravure; qui a été fumé
fumée	n. f.: suie, vapeur
fumées	n. f. pl.: excréments de bêtes, excitation au cerveau
fumer	v.: dégager de la fumée
fun	*Voir **H5 et 6***
fureur	*Voir **führer***

fus, fut	v.: de être
fût	n. m.: tronc d'arbre, colonne, tonneau
futé, e	n. ou adj.: rusé, intelligent
futée	n. f.: mastic
gabarier	n. m. (ou gabarrier): patron, conducteur, déchargeur
gabarier	v.: comparer, façonner selon le gabarit
gai, e	*Voir **H5***
gal	n. m.: unité de mesure
gale	n. f.: maladie de la peau
galle	n. f.: excroissance végétale
galeux, euse	n. ou adj.: atteint de la gale
galleux, euse	adj.: relatif au gallium (élément chimique)
galle	*Voir **gal***
galleux, euse	*Voir **galeux, euse***
gallo	n. ou adj. (ou gallot, gallec): dialecte français
galop	n. m.: allure du cheval
gallon	n. m.: unité de capacité
galon	n. m.: ornement, ruban gradué
galop	*Voir **gallo***
gang	n. m.: bande (pron. comme *gangue*)
gangue	n. f.: substance autour d'un minerai, enveloppe
garanti	n. m.: dont les droits sont garantis
garantie	n. f.: aval, engagement
garde national	loc.: soldat
garde nationale	loc.: milice civique (Révolution française)
gâter	v.: pourrir
gatter	v.: faire l'école buissonnière
gâtion	n. m.: enfant gâté
gâtions	v.: de gâter

gatter	*Voir* **gâter**
gaule	n. f. : perche, canne à pêche
Gaule	n. pr. : ancien nom de la France
goal	n. m. : gardien de but, but
gaur	n. m. : buffle
gord	n. m. : pêcherie
gavote	n. ou adj. (fém. de gavot) : montagnarde ; de Gap
gavotte	n. f. : danse
gay	*Voir H5*
gaz	n. m. : corps non solide
gaze	n. f. : étoffe, pansement
geai	n. m. : oiseau
jais	n. m. : pierre
jet	n. m. : action de jeter, jaillir, tige
geindre	n. m. (ou gindre) : ouvrier boulanger
geindre	v. : pleurnicher
gémeau, elle	n. ou adj. : jumeau
Gémeaux	n. m. pl. : constellation, signe du zodiaque, personne née sous ce signe (un gémeaux ou un Gémeaux)
gemmaux	n. m. (pl. de gemmail) : vitraux
gendarme	n. m. : militaire, poisson, saucisse, rocher
gens d'armes	loc. : ensemble des soldats
gendelettre	n. m. : homme, femme de lettres
gens de lettres	loc. : profession littéraire
gène	n. m. : élément du chromosome
gêne	n. f. : malaise, nuisance
général	n. m. : chef d'une armée, d'un ordre religieux, contraire de particulier
général, e	adj. : générique, habituel
générale	n. f. : répétition au théâtre, religieuse, femme d'un général
genet	n. m. : cheval
genêt	n. m. : arbrisseau

gens	*Voir H6*
gens	n. m. ou f. pl. : personnes en nombre indéterminé
gent	n. f. au singulier seulement : race, espèce (pron. aussi comme *jante*)
jan	n. m. : compartiment au trictrac
gens d'armes	*Voir* **gendarme**
gens de lettres	*Voir* **gendelettre**
gent	*Voir* **gens**
gent	n. f. au singulier seulement : race, espèce (pron. aussi comme *Jean*)
jante	n. f. : cercle autour d'une roue
germaine	n. ou adj. (fém. de germain) : de la Germanie, de la même famille
germen	n. m. : gamète
gin	*Voir* **djinn**
gindre	*Voir* **geindre**
giron	n. m. : partie du corps, écu, escalier, sein
girond, e	adj. : bien en chair
glace	n. f. : givre, crème congelée, verre
glass	n. m. : boisson
glaciaire	adj. : relatif aux glaciers
glacière	n. f. : lieu pour conserver la glace
glass	*Voir* **glace**
glissoir	n. m. : couloir d'une montagne, coulant mobile
glissoire	n. f. : où l'on glisse
gloria	n. m. : café avec de l'eau-de-vie, prière
gloria	n. m. inv. : prière
Gloria	n. m. inv. : chant d'église
goal	*Voir* **gaule**

Les homonymes

golf	n. m.: sport, terrain
golfe	n. m.: partie de mer

gon	n. m.: unité de mesure
gond	n. m.: charnière
gong	n. m.: instrument de musique (pron. aussi **gon-gue**)

gord	*Voir **gaur***

gothique	n. f. ou adj.: écriture gothique
gothique	n. m.: art gothique, langue des Goths
gotique	n. m.: langue des Goths

gour	n. m.: lac profond
gour	n. m. pl. (ou gours): buttes dans le désert
gourd, e	adj.: engourdi

goûte	v.: de goûter
goutte	n. f.: petite quantité, alcool, maladie
goutte	v.: de goutter
gouttes	n. f. pl.: médicament en gouttes

goûter	n. m.: petit repas
goûter	v.: estimer, déguster
goutter	v.: couler goutte à goutte

goûteux , euse	adj.: qui a du goût
goutteux , euse	n. ou adj.: atteint de la goutte

goutte	*Voir **goûte***

goutter	*Voir **goûter***

gouttes	*Voir **goûte***

goutteux, euse	*Voir **goûteux, euse***

grâce	n. f. ou interj.: faveur, remise de peine, don surnaturel
grasse	adj. f.: formée de graisse, dodue

graff	n. m.: composition picturale
graphe	n. m.: terme de mathématique

Gram	n. m. inv.: solution colorante
gramme	n. m.: unité de masse

granit	n. m.: matériau des marbriers, roche
granite	n. m.: roche (terme de géologie)

graphe	*Voir **graff***

grasse	*Voir **grâce***

grau	n. m.: chenal
gros, grosse	n. m., adj. ou adv.: large, fort, imposant, essentiel, en grandes quantités

grave	n. f.: terrain alluvionnaire
grave	n. m., adj. ou adv.: registre des sons graves; austère, bas, important, solennel
graves	n. f. pl.: terrains
graves	n. m.: vin blanc

gray	n. m.: unité de mesure de radiation (pron. **grè**)
grès	n. m.: roche, terre glaise, fibre de soie

grec	n. ou adj. (fém. grecque): langue; de Grèce
grecque	n. f.: scie, entaille, ornement

grès	*Voir **gray***

griffé, e	adj.: qui porte une griffe
griffer	v.: marquer un vêtement, égratigner
gryphée	n. f.: mollusque

gril	n. m.: ustensile, supplice, chantier maritime, cage thoracique (pron. aussi comme *gris*)
grill	n. m. (ou grill-room): restaurant (pron. comme *mille*)

gril	n. m.: ustensile, supplice, chantier maritime, cage thoracique (pron. aussi comme *mille*)
gris, e	n. m. ou adj.: entre le blanc et le noir

grill	*Voir **gril***

grimpée	n. f.: ascension pénible
grimper	n. m. ou v.: exercice; monter

grimpion	n. m.: individu ambitieux
grimpions	v.: de grimper

grip	n. m. : terme de golf, de tennis
grippe	n. f. : maladie, caprice
gris, e	*Voir gril*
gros, grosse	*Voir grau*
gros plan	loc. : plan montrant le visage, un objet
gros-plant	n. m. : cépage
group	n. m. : sac de poste
groupe	n. m. : ensemble
gryphée	*Voir griffé, e*
guai guais gué	*Voir H5*
guère guerre	adv. (ou guères) : pas beaucoup n. f. : lutte, combat
guet	*Voir H5*
gueule	n. f. : bouche
gueules	n. m. : couleur rouge de l'écu
gueuse	n. f. : fer fondu, bière, femme de mauvaise vie
gueuze	n. f. : bière belge
guttural, e	adj. : de la gorge
gutturale	n. f. : consonne
H	*Voir ache*
ha	*Voir ah*
hach hache	*Voir ache*
hachette	*Voir achète*
hadaux	*Voir ado*
haddock	*Voir ad hoc*
haï, e	*Voir aï*
haie	*Voir H5*
haillon	n. m. : guenille
hayon	n. m. : porte arrière d'une auto (pron. aussi **hè-yon**)

haine	*Voir aine*
haire	*Voir air*
hais hait	*Voir H5*
halage hallage	n. m. : action de tirer un bateau n. m. : droit payé pour vendre aux halles
haleine halène	*Voir alène*
haler	*Voir H5*
halètement	*Voir allaitement*
haletèrent	*Voir altère*
hallage	*Voir halage*
hallier	*Voir allié, e*
halo	*Voir allo*
halogène	*Voir allogène*
haltère	*Voir altère*
han	*Voir an*
hanche	*Voir anche*
hanse	*Voir anse*
hanté, e hanter	*Voir enté, e*
happions	*Voir apion*
haquenée	*Voir acné*
haquet	*Voir acquêt*
haranguais haranguait	v. : de haranguer
hareng guai	loc. (ou hareng guais) : hareng sans laitance
harenguet	n. m. : poisson
haras	*Voir ara*
harasser	*Voir aracée*

hard	n. m. ou adj. (ou hardware) : matériel informatique ; violent
harde	n. f. : troupeau, couples de chiens, lien
hardes	n. f. pl. : effets personnels, vêtements usagés
hareng guais harenguet	*Voir haranguais*
haret	*Voir arrêt*
hart	*Voir are*
hasch	*Voir ache*
hase	*Voir ase*
hast haste	n. m. : arme blanche n. f. (ou hâte) : broche à rôtir
hastaire	*Voir aster*
haste	*Voir hast*
haubert	*Voir aubère*
haussière	*Voir aussière*
haut, e	*Voir au, aux*
hautain hautain, e	n. m. (ou hautin) : vigne adj. : condescendant
hautbois	*Voir aubois, e*
haute	*Voir H5*
hautesse hôtesse	n. f. : titre honorifique n. f. (fém. de hôte) : personne chargée d'accueillir
hauteur	*Voir auteur*
hautin	*Voir hautain*
haver	*Voir Ave*
havis havit	*Voir avis*
hayon	*Voir haillon*
hé	*Voir H5*

heaume home ohm	n. m. : casque n. m. : chez-soi n. m. : unité de résistance
heiduque	*Voir éduque*
héler	*Voir ailé, e*
hélion hélions	n. m. : noyau d'hélium v. : de héler
hem hème	*Voir aime*
héraut héro héros	n. m. : officier médiéval, prophète n. f. (abrév.) : héroïne n. m. : demi-dieu, personnage légendaire, acteur
herbu, e	*Voir erbue*
hère	*Voir air*
héro héros	*Voir héraut*
herse	*Voir erse*
hêtre	*Voir être*
heu	*Voir euh*
heur heure heurt	n. m. : chance n. f. : unité de temps n. m. : choc
hexogène	*Voir exogène*
hi hie y	interj. : marque le rire, les pleurs n. f. : instrument adv. ou pron. : dans cet endroit-là, à cela
hile il, ils île	n. m. : cicatrice, point d'insertion d'un organe pron. pers. : pronoms de la 3e personne n. f. : terre entourée d'eau, terme de cuisine
hilote ilote	n. (de même pour hilotisme) : esclave à Sparte n. (de même pour ilotisme) : personne asservie, esclave à Sparte

ho	*Voir **au, aux***
hobby obi	n. m.: passe-temps n. f.: ceinture
hockey	*Voir H5*
hoirie houari	n. f.: héritage n. m.: gréement
holà	*Voir **aula***
hombre ombre ombre	n. m.: jeu de cartes n. f.: zone sombre, reflet, esprit, ocre n. m.: poisson
home	*Voir **heaume***
honoré, e honorée honorer	adj.: flatté n. f.: lettre v.: célébrer

hop
 	
ope
	interj.: marque un geste
	  brusque, pour faire sauter
	n. m. ou f.: ouverture dans un
	  mur

hopak opaque	n. m. (ou gopak): danse adj.: impénétrable
hoquet	*Voir H5*
horion	*Voir H5*
horrifier	*Voir **aurifier***
hors or or ores	prép.: en dehors, à l'exclusion conj. (ou ore, ores): marque la transition n. m., adj. inv.: métal précieux adv. ou conj.: désormais
hospice	*Voir **auspice***
hot	*Voir H5*
hôte	*Voir H5*
hôtel	*Voir **autel***
hôtel-Dieu Hôtel-Dieu	n. m.: hôpital de certaines villes n. m.: l'hôpital de Paris

hôtesse	*Voir **hautesse***
hotte	*Voir H5*
hou	*Voir **août***
houari	*Voir **hoirie***
houe	*Voir **août***
houille ouïe	n. f.: combustible interj. (ou ouille): exprime la douleur, la surprise
houiller, ère ouiller	n. m. ou adj.: carbonifère; relatif à la houille v.: remplir un tonneau
houillère ouillère	n. f.: mine de houille n. f. (ou ouillière, oullière): allée entre les ceps
houp houppe	interj.: signal n. f.: touffe de laine, de soie, de duvet, de cheveux
hourdis ourdi, e	n. m.: maçonnerie p. p.: tramé
houseau ouzo	n. m. (surtout au pluriel): jambière n. m.: boisson grecque
houx	*Voir **août***
hue	*Voir **eu, eus, eut***

hui
huis
huit
	adv.: aujourd'hui
	n. m.: porte
	n. inv. ou adj. num. inv: après
	  sept (pron. comme *hui* devant
	  une consonne)

hune une	n. f.: plate-forme n. f.: première page d'un journal
hunnique unique	adj.: qui concerne les Huns adj.: seul, exclusif

Huns
 	
un, une
	n. pr.: ancien peuple d'origine
	  mongole
	n. inv., adj. num., art. ou pron.:
	  chiffre 1

hure	n. f.: tête de sanglier, charcuterie
ure	n. m. (ou urus): aurochs
hutte	n. f.: abri
ut	n. m. inv.: note de musique
hyène	n. f.: mammifère
yen	n. m.: monnaie japonaise
hyphe	n. f. ou m.: filament du champignon
if	n. m.: arbre
ichthus	n. m.: monogramme grec du Christ
ictus	n. m.: manifestation morbide, battement de la mesure
icone	n. m.: symbole en informatique
icône	n. f.: image religieuse, symbole en informatique
ictus	*Voir **ichthus***
if	*Voir **hyphe***
il, ils	*Voir **hile***
île	
ilote	*Voir **hilote***
immortel, elle	n. ou adj.: dieu, déesse, académicien; qui ne finira jamais
immortelle	n. f.: plante
impair	n. m.: gaffe
impair, e	adj.: non divisible par deux
imper	n. m. (abrév.): imperméable
impérial, e	adj.: relatif à un empereur, terme de botanique
impériale	n. f.: touffe de poils, voiture, jeu de cartes
imposé	n. m.: en gymnastique
imposé, e	n. ou adj.: soumis à l'impôt; obligatoire
imposée	n. f.: en patinage

impromptu	adv. ou adj. (impromptu(e) au fém. sing., impromptus au masc. plur., impromptu(es) au fém. plur.): improvisé, au pied levé
impromptu	n. m.: pièce en littérature, en musique
inconnu, e	n. m. ou adj.: ce qui n'est pas connu
inconnue	n. f.: variable à déterminer
indican	n. m.: substance chimique
indiquant	p. prés.: qui montre, dénote
intégral, e	adj.: entier, relatif aux intégrales
intégrale	n. f.: œuvre complète, fonction mathématique
intension	n. f. (de même pour intensionnel): ensemble qui permet de définir un concept
intention	n. f. (de même pour intentionnel): projet
intercession	n. f.: prière
intersession	n. f.: temps entre deux sessions
iode	n. m.: métalloïde
yod	n. m.: consonne de l'alphabet hébreu, terme de phonétique
issu, e	adj.: qui provient, né de
issue	n. f.: sortie, solution
issues	n. f. pl.: abats, ce qui reste des moutures
jack	n. m.: fiche, pièce de machine (pron. aussi **djak**)
jacques	n. m.: niais, de la Jacquerie
jaque	n. f.: justaucorps
jaque	n. m.: fruit du ja(c)quier, justaucorps
jacket	*Voir H5*
jacques	*Voir **jack***
jacquet	*Voir H5*
jais	*Voir **geai***
jan	*Voir **gens***

jante	*Voir gent*
jaque	*Voir jack*
jaquet	*Voir H5*
jaquette	
jar	n. m. : argot du milieu, des voleurs, sable caillouteux
jard	n. m. : sable caillouteux
jarre	n. f. : récipient à eau, à huile
jarre	n. m. : poil dans la fourrure, la laine
jars	n. m. : oie mâle, poil dans la fourrure, la laine
Javel (eau de)	loc. : solution décolorante et antiseptique
javelle	n. f. : brassée de céréales, tas de sel, fagot
jean(s)	*Voir djinn*
jet	*Voir geai et H6*
jeté	n. m. : saut, terme d'haltérophilie, de tricot, de décoration
jeté, e	adj. : cinglé
jetée	n. f. : couloir, digue
jeter	n. m. ou v. : tir à courte distance ; lancer
jonchaie	n. f. (ou jonchère, joncheraie) : touffe de joncs
jonchet	n. m. : bâtonnet de bois, d'os (pour jouer)
jonchets	n. m. pl. : jeu
jonchée	n. f. : fromage, panier, grande quantité
joncher	v. : être épars
jonchet	*Voir jonchaie*
jonchets	
jongle	v. : de jongler
jungle	n. f. : formation végétale, milieu (pron. aussi comme *humble*)
joue	n. f. : partie du visage
joug	n. m. : pièce de bois, contrainte

jouée	n. f. : épaisseur de mur
jouer	v. : s'amuser
joug	*Voir joue*
juchée	n. f. : où se juchent les faisans
jucher	v. : placer très haut
jumel	adj. m. : variété de coton
jumelle	n. f. ou adj. f. : sosie, pièce semblable, lorgnette, blason ; née d'un même accouchement
jumelles	n. f. pl. : instrument d'optique
jungle	*Voir jongle*
kache	*Voir cache*
kalé	*Voir calé, e*
kan	*Voir camp*
kana	*Voir canna*
kanat	
kapo	*Voir capo*
kappa	*Voir C. A. P. A.*
kart	*Voir carte*
kermès	*Voir chermès*
kermesse	
khan	*Voir camp*
khanat	*Voir canna*
khi	n. m. ou n. m. inv. : lettre grecque
qui	pron. rel. : désigne une personne ou une chose
khoin	*Voir coin*
kiné	n. ou n. f. (abrév.) : kinési-thérapeute ; kinésithérapie
quiné, e	adj. : disposé cinq par cinq
kinési	n. (abrév.) : kinésithérapeute
kinésie	n. f. : mouvement
kit	n. m. : prêt-à-monter
quitte	adj. : exonéré

klippe	*Voir clip*
K.-O.	*Voir cahot*
kob	*Voir cob*
kondo	*Voir condo*
korê	*Voir coré*
koto	*Voir coteau*
koubba	*Voir coup bas*
krach krak	*Voir crac*
kriss	*Voir criss*
kuru	*Voir courroux*
la	art. : féminin de *le*
la	n. m. inv. : note de musique
là	adv. : indique le lieu
lacs	n. m. : nœud coulant, lien de traction («lacs d'amour»: cordons décoratifs; «tomber dans le lacs»: tomber dans le panneau)
las, lasse	adj. : fatigué
label	n. m. : signe, marque sur un produit
labelle	n. m. : pétale
lac	n. m. : étendue d'eau («être dans le lac»: échouer, n'aboutir à rien; «tomber dans le lac»: échouer, n'avoir pas de suite)
laque	n. f. : résine, peinture, vernis, bois ainsi verni, produit pour les ongles, les cheveux
laque	n. m. : objet d'art, vernis à base de sumac, bois ainsi verni
lacer lasser	v. : serrer avec un lacet v. : ennuyer
lacis	n. m. : réseau de fils, de routes, etc.
lassis	n. m. : bourre de soie, étoffe
lacs	*Voir la*

là-haut lao	adv. : au-dessus, au ciel n. m. : langue thaïe
lai, e	*Voir H5*
laîche lèche	n. f. : plante n. f. : action de flatter bassement, mince tranche
laid, e laie lais	*Voir H5*
laissées laisser	n. f. pl. : fiente v. : abandonner, confier
lait	*Voir H5*
laite let lette	n. f. (ou laitance): sperme de poisson adj. inv. : au tennis n. m. (ou letton): langue
laiton letton, on(n)e	n. m. : alliage n. ou adj. (ou lette): langue ; de Lettonie
laize lèse	n. f. : largeur d'étoffe, de papier v. : de léser
lampée lamper	n. f. : gorgée avalée d'un coup v. : boire d'un trait
lancée lancer	n. f. : élan n. m. ou v. : terme d'athlétisme, de pêche, de vénerie ; envoyer
Land lande	n. m. : État de l'Allemagne, province d'Autriche n. f. : étendue de terre
lao	*Voir là-haut*
laque	*Voir lac*
lard lare	n. m. : graisse n. m. ou adj. : dieu protecteur
las	*Voir la et H6*
las lasse	interj. : hélas adj. (fém. de las): fatiguée
lasser	*Voir lacer*

lassis	*Voir* **lacis**
laure	n. f.: monastère
lord	n. m.: titre de noblesse (pron. aussi comme *corde*)
lors	adv.: alors
laye lé	*Voir H5*
leader	n. m. ou adj.: chef, groupe au premier rang
lieder	n. m. (pl. de lied): ballades
lèche	*Voir* **laîche**
legs lei	*Voir H5*
lémur	n. m.: maki
lémure	n. m.: fantôme
les lès	*Voir H5*
lèse	*Voir* **laize**
lest	n. m.: poids, corps pesant
leste	adj.: alerte
let lette	*Voir* **laite**
letton, on(n)e	*Voir* **laiton**
leur	adj. poss. ou pron.: à eux, à elles
leurre	n. m.: piège, illusion
lev	n. m.: monnaie bulgare (pron. aussi **lèf**)
lève	n. f.: genre de tissage
levé	n. m.: action de lever, de dresser un plan, ce plan levé
levé, e	adj.: dressé, mis plus haut
levée	n. f.: digue, action de retirer, de prélever
lever	n. m. ou v.: action de sortir du lit, terme de topographie, de théâtre ; élever
lez	*Voir H5*

li	n. m.: mesure chinoise
lie	n. f.: dépôt, populace
lie, lies	v.: de lier
lis, lit	v.: de lire
lit	n. m.: meuble
lias	n. m.: couche de terrain (pron. comme *liasse*)
liasse	n. f.: amas de papiers
liber	n. m.: tissu végétal
libère	v.: de libérer
lice	n. f.: palissade, terrain, champ clos, femelle d'un chien de chasse, partie du métier à tisser
lis	n. m. (ou lys): plante
lisse	adj.: uni, poli
lisse	n. f.: partie d'un navire, d'un avion, d'une voiture, outil, partie du métier à tisser
licencié, e	n. ou adj.: titulaire d'une licence
licencier	v.: congédier
lie	*Voir* **li**
lieder	*Voir* **leader**
lies	*Voir* **li**
lieu	n. m. (pl. lieus): poisson
lieu	n. m. (pl. lieux): endroit
lieue	n. f.: mesure de distance
lion	n. m.: animal
lions	v.: de lier
lire	n. f.: unité monétaire italienne
lire	v.: déchiffrer
lyre	n. f.: instrument de musique, oiseau
lis	*Voir* **li**, **lice** *et H6*
lise	n. f.: sable mouvant
lyse	n. f.: destruction d'éléments organiques
lisez	v.: de lire
lyser	v.: détruire par lyse
lisse	*Voir* **lice**

Les homonymes

lissé, e	n. m. ou adj. : degré de cuisson ; rendu lisse
lisser	v. : polir, garnir un navire de lisses
lycée	n. m. : établissement d'enseignement
lit	*Voir **li***
liteau	n. m. : raie, tringle, carré de bois, tanière
litho	n. f. (abrév.) : lithographie, reproduction de dessin, etc.
litée	n. f. : animaux dans un même gîte
liter	v. : superposer des poissons dans des barils
litho	*Voir **liteau***
lob	n. m. : coup avec une balle, un ballon
lobe	n. m. : partie arrondie
lobé, e	adj. : divisé en lobes
lober	v. : faire un lob
loch	n. m. : appareil de mesure de vitesse (pron. **loc**), lac (pron. **loc** ou **lo[x]**)
looch	n. m. : potion (pron. **loc**)
loque	n. f. : sans énergie, chiffon, maladie de l'abeille
lods	n. m. pl. : droit de mutation
lot	n. m. : part, terrain, ensemble d'articles
looch	*Voir **loch***
loque	
lord	*Voir **laure***
lori	n. m. : perroquet
loris	n. m. : lémurien (pron. aussi comme *lisse*)
lorry	n. m. : chariot
lors	*Voir **laure***
lot	*Voir **lods***

louée	n. f. : assemblée où se louent les ouvriers agricoles
louer	v. : donner à loyer, glorifier
louerez	v. : de louer
louré	n. m. : signe de musique
lourer	v. : lier les notes
lourd, e	n. m., adj. ou adv. : poids de marchandise ; grossier
loure	n. f. : cornemuse, danse
louré	*Voir **louerez***
lourer	
luddisme	n. m. : mouvement de révolte ouvrière
ludisme	n. m. : comportement relatif au jeu
lui	pron. pers. : 3e personne
luis, luit	v. : de luire
lut	*Voir **H6***
lut	n. m. : enduit
luth	n. m. : instrument de musique
lutte	n. f. : combat, sport
luter	v. : enduire de lut
lutter	v. : rivaliser
luth	*Voir **lut***
lutte	
lutter	*Voir **luter***
lux	n. m. : unité d'éclairement
luxe	n. m. : faste
lycée	*Voir **lissé, e***
lyre	*Voir **lire***
lyric	n. m. : couplet de music-hall
lyrique	n. f. : poésie lyrique
lyrique	n. (rare au fém.) ou adj. : poète ; destiné à être chanté
lyse	*Voir **lise***
lyser	*Voir **lisez***
ma	*Voir **H5***

mac	n. m. (abrév.): maquereau, souteneur
Mach(nombre de)	loc.: unité de mesure
macque	n. f. (ou maque): masse
Macabées	n. pr. (ou Maccabées): famille de patriotes juifs
macchabée	n. m.: cadavre
Mach macque	*Voir mac*
maerl merle	n. m. (ou maërl, merl): sable n. m.: oiseau
mage	n. m. ou adj. m.: prêtre, astrologue; se dit du juge lieutenant d'un sénéchal
maje	adj. m.: se dit du juge lieutenant d'un sénéchal
magister magistère	n. m.: pédant, maître d'école n. m.: dignité, autorité, préparation pharmaceutique
mai	*Voir H5*
maïa maya maya	n. m.: crabe n. f.: apparence illusoire n. ou adj.: langue indienne; des Mayas
maiche mèche mèche	n. m.: marécage n. f.: cordon, tresse n. inv. («être de mèche», «il n'y a pas mèche»): complicité, moyen
maie	*Voir H5*
mail maille	n. m.: maillet, jeu, promenade publique n. f.: boucle de fil, tissu, anneau, monnaie, etc.
main maint, e	n. f.: partie du corps adj. ou pron.: plusieurs
mainlevée à main levée	n. f.: terme juridique loc.: en levant la main
maint, e	*Voir main*

maire mer mère	n. m.: magistrat municipal n. f.: étendue d'eau n. f.: maman
mais	*Voir H5*
maison	n. f.: habitation (pron. aussi **mè-zon**)
méson	n. m.: particule de masse
maître mètre mettre	n. m.: personne qui a l'autorité n. m.: unité de longueur v.: placer
maje	*Voir mage*
majeur, e	n. m. ou adj.: doigt, terme de musique; plus grand
majeure	n. f.: partie du syllogisme
maki maquis	n. m.: mammifère n. m.: résistance, végétation, complication, bar
mal, e	n. m., adj. ou adv.: souffrance; mauvais; incorrectement
malle	n. f.: coffre
malt Malte (fièvre de)	n. m.: orge germée loc.: brucellose
m'amie mamie	n. f.: mon amie n. f.: mon amie, vieille femme, grand-mère
mammy	n. f. (ou mamy): grand-mère, vieille femme
man mens, ment	n. m.: ver blanc v.: de mentir
manse mense	n. m. ou f.: domaine féodal n. f.: revenu ecclésiastique
mansion mention	n. f.: partie de décor n. f.: action de nommer, appréciation
mante menthe	n. f.: cape, insecte, poisson n. f.: plante, son essence
maque	*Voir mac*
maquis	*Voir maki*

marc	n. m. : mesure de masse, monnaie, résidu (pron. **mar**)
mare	n. f. : flaque
marre	adv. : en avoir assez
marchand, e	n. ou adj. : commerçant ; propre au commerce
marchant, e	adj. : qui marche
mare	*Voir* **marc**
maréchal	n. m. : officier
maréchale	n. f. : femme du maréchal
marée	n. f. : mouvement de la mer
marrer (se)	v. : s'amuser
marennes	n. f. : huître
marraine	n. f. : fém. de parrain
mari	n. m. : époux
marri, e	adj. : contrarié
Mark	n. m. (ou Deutsche Mark) : monnaie allemande
marque	n. f. : signe, sceau, trace, représailles
marocain, e	n. ou adj. : du Maroc
maroquin	n. m. : peau de reliure, portefeuille ministériel
marque	*Voir* **Mark**
marraine	*Voir* **marennes**
marre	*Voir* **marc**
marrer (se)	*Voir* **marée**
marri, e	*Voir* **mari**
marron	adj. : attrapé, refait
marron	adj. inv. : brun-rouge, refait
marron	n. m. : fruit, couleur, coup de poing, copie, jeton
marron, onne	adj. : se dit d'un esclave fugitif, d'un professionnel illégal
martyr, e	n. : le ou la suppliciée
martyre	n. m. : supplice
mas	*Voir H5*

mas	n. m. : maison de campagne (pron. aussi comme *ma*)
masse	n. f. : quantité, groupe
maso	n. ou adj. (abrév.) : masochiste
mazot	n. m. : bâtiment rural
masse	*Voir* **mas**
massé	n. m. : coup au billard
masser	v. : réunir, frotter, terme de billard
mat	n. m. (de l'anglais) : nappe en fibres de verre (pron. comme *matte*)
mat	n. m., adj. inv. : aux échecs (pron. comme *matte*)
mat, e	adj. : sans éclat, sans résonance (pron. comme *matte*)
math	n. f. pl. (ou maths) (abrév.) : mathématique(s)
matte	n. f. : mélange métallique
maté	*Voir H5*
mater	*Voir H5 et 6*
matériel, elle	n. m. ou adj. : ensemble d'objets ; corporel
matérielle	n. f. : argent pour vivre
math maths matte	*Voir* **mat**
maul	*Voir H5*
maure	n. ou adj. (ou more) : berbère
mord, mords	v. : de mordre
mors	n. m. : harnais, mâchoire d'étau, rainure
mort, e	n. ou adj. : trépas, terme, décédé
maurelle	n. f. : arbuste
morelle	adj. (fém. de moreau) : se dit d'une jument d'un noir luisant
morelle	n. f. : plante (tomate, aubergine)
maux	n. m. (pl. de mal) : afflictions, douleurs
mot	n. m. : élément de la langue
maya	*Voir* **maïa**

maye	*Voir H5*
mazot	*Voir maso*
mécano meccano	n. m. (abrév.) : mécanicien n. m., n. d. (ou Meccano) : jeu de construction
mèche	*Voir maiche*
médailler médaillier	v. : décorer d'une médaille n. m. : collection, meuble pour la ranger
media médiat, e	n. m. inv. (ou média, n. m.) : support de diffusion adj. : indirect

medium
médium
médium
	n. m. : diffusion de l'information
	n. : en termes de spiritisme
	n. m. : registre de voix, liant
	  en peinture, diffusion de
	  l'information

mêlé, e mêlée mêler	adj. : disparate n. f. : au rugby, rixe, bousculade v. : mettre ensemble
mélitte mellite	n. f. : plante n. m. : médicament à base de miel
mens	*Voir man*
mense	*Voir manse*
ment	*Voir man*
menthe	*Voir mante*
mention	*Voir mansion*
mer mère	*Voir maire*
merl merle	*Voir maerl*
méson	*Voir maison*
mess messe	n. m. : cantine militaire n. f. : célébration religieuse
métis métis, isse	n. m. : toile de coton et de lin n. ou adj. : mélangé, issu de croisement

mètre	*Voir maître*
mets	*Voir H5*
mettre	*Voir maître*
meurs, meurt mœurs	v. : de mourir n. f. pl. : habitudes (pron. aussi **meur-se**)
mi mie mie mis, e mis, mit mye	n. m. inv. : note de musique n. f. : partie du pain, amie adv. : particule de négation adj. : dressé, vêtu v. : de mettre n. f. : mollusque
micelle missel	n. f. : particule en suspension n. m. : livre liturgique

microlithique
 	
microlitique
	adj. : se dit de l'outillage
	  préhistorique, d'une roche
	  volcanique
	adj. : se dit d'une roche
	  volcanique

mie	*Voir mi*

mil
 	
mil
mil
 	
mille
mille
	adj. num. : 1000 dans une date
	  (pron. comme *mille*)
	n. m. : massue en gymnastique
	n. m. : céréale (pron. aussi
	  comme *fille*)
	n. m. : mesure
	n. m. inv. ou adj. num. : 1000,
	  nombre indéterminé

miliaire
 	
milliaire
	n. f. ou adj. : fièvre ; comme le
	  mil
	adj. : qui marque la distance
	  d'un mille romain

mille	*Voir mil*
milliaire	*Voir miliaire*
min mine	n. m. : dialecte chinois n. f. : aspect, gisement, unité de mesure, engin, graphite

mineur, e
 	
mineure
	n. m. ou adj. : qui n'a pas l'âge
	  de la majorité, ouvrier,
	  militaire, mode musical
	n. f. : proposition d'un
	  syllogisme

mir	n. m. : communauté rurale
mire	n. f. : règle graduée, action de viser
mire	v. : de mirer
mirent	v. : de mettre
myrrhe	n. f. : résine du balsamier
mirobolant, e	adj. : extraordinaire
myrobolan	n. m. (ou myrobalan) : fruit
mis, e	*Voir **mi***
missel	*Voir **micelle***
mit	*Voir **mi***
mitan	n. m. : le milieu
mi-temps	n. f. inv. : pause, partie de match
mi-temps	n. m. inv. ou adv. : travail à demi-temps
mite	n. f. : papillon
mite	v. : de miter
mîtes	v. : de mettre
mythe	n. m. : récit, utopie, image
mi-temps	*Voir **mitan***
mœurs	*Voir **meurs***
moi	n. m. inv. ou pron. pers. : personnalité de l'être humain ; 1re personne
moie	n. f. (ou moye) : couche tendre dans la pierre
mois	n. m. : un douzième de l'année
molasse	n. f. : grès tendre
mollasse	n. ou adj. : flasque, apathique
mollasse	n. f. : grès tendre
mole	*Voir H5*
môle	
molette	n. f. : roulette, fraise, partie d'un éperon
mollette	adj. (fém. de mollet) : un peu molle
mollasse	*Voir **molasse***
molle	*Voir H5*
mollet	n. m. : partie de la jambe
mollet, ette	adj. : un peu mou

mollette	*Voir **molette***
momerie	n. f. : bigoterie, mascarade, cérémonie
mômerie	n. f. : enfantillage
mon	adj. poss. : à moi
mont	n. m. : terrain élevé
moraine	n. f. : dépôt glaciaire
morène	n. f. : plante
moral, e	n. m. ou adj. : état d'esprit, caractère ; correct
morale	n. f. : éthique, science du bien et du mal
mord	*Voir **maure***
mords	
more	
morelle	*Voir **maurelle***
morène	*Voir **moraine***
mornay	n. f. : sauce
morné, e	adj. : terme d'héraldique
mort-né, e	n. ou adj. : mort en venant au monde
mors	*Voir **maure***
mort, e	
mort-né, e	*Voir **mornay***
mot	*Voir **maux***
mou	n. m., adj. ou adv. : poumon d'un animal ; tendre, faible
moud, mouds	v. : de moudre
moue	n. f. : grimace
moût	n. m. : jus de raisin, de fruits
moudra	v. : de moudre
mudra	n. f. : geste rituel en Inde
mouds	*Voir **mou***
moue	
moût	
moye	*Voir **moi***

mu	n. m. : muon (particule), lettre grecque
mu	n. m. inv. : lettre grecque
mû	p. p. (mue, mus, mues) : animé, poussé
mue	n. f. : transformation, muance, cage
mue	v. : de muer
mudra	*Voir* **moudra**
mue	*Voir* **mu**
municipal	n. m. : soldat de la garde municipale de Paris
municipal, e	adj. : de l'administration d'une commune
municipales	n. f. pl. : élections
mur	n. m. : maçonnerie, paroi, pente, obstacle
mûr, e	adj. : à maturité, posé
mûre	n. f. : fruit
murrhe	n. f. : matière irisée pour la fabrication des vases
murin (typhus)	loc. : maladie
murrhin, e	adj. : « vase murrhin » (fort estimé des Anciens)
murrhe	*Voir* **mur**
murrhin, e	*Voir* **murin**
musée	n. m. : lieu d'exposition d'objets d'art
muser	v. : flâner, fredonner
mye	*Voir* **mi**
myrobolan	*Voir* **mirobolant, e**
myrrhe	*Voir* **mir**
mystère	n. m. : chose secrète, dessert glacé (n. d.), genre théâtral
Mystère	n. m., n. d. : dessert glacé
mythe	*Voir* **mite**
NAP	adj. inv. (sigle) : élégant, distingué
nappe	n. f. : couche, linge de table
napée	n. f. : nymphe
napper	v. : recouvrir de sauce
nappe	*Voir* **NAP**
napper	*Voir* **napée**
nasaux	adj. m. (pl. de nasal) : qui appartiennent au nez
naseau	n. m. : narine de mammifère
né, e	adj. : de naissance
nez	n. m. : partie du visage
nénies	n. f. pl. : chant funèbre
nenni	adv. : non
net	n. m., adj. inv. (de l'anglais) : terme au tennis
net, nette	n. m. ou adv. : au propre ; sans tache, après déduction ; brutalement
nez	*Voir* **né, e**
ni	conj. : coordination dans les phrases négatives
nid	n. m. : construction d'animaux, d'oiseaux, etc.
nie	v. : de nier
nivaux	adj. m. (pl. de nival) : dus à la neige
niveau	n. m. : instrument, hauteur
nô	n. m. ou n. m. inv. : drame lyrique japonais
nos	adj. poss. : à nous
nom	n. m. : mot, prénom, renommée
non	n. m. inv. ou adv. : refus
nome	n. m. : division administrative en Grèce moderne, en ancienne Égypte
nomme	v. : de nommer
non	*Voir* **nom**
none	n. f. : partie du jour, de l'office monastique
nones	n. f. pl. : division du mois avant les ides
nonne	n. f. : religieuse

norois	n. m. (ou noroît): vent
norois, e	n. ou adj. (ou norrois, e): langue ancienne
nos	*Voir* ***nô***
noue	n. f.: terre grasse, pièce de charpente
noue	v.: de nouer
nous	pron. pers.: 1re personne du pluriel
novæ	n. f. (pl. de nova): étoiles
nover	v.: renouveler
nu	n. m.: corps humain dépouillé, genre artistique
nu	n. m. inv.: lettre grecque
nu, e	adj.: sans vêtements, sans végétation, etc.
nue	n. f.: nuage
nué, e	adj.: de couleurs changeantes
nuée	n. f.: nuage, multitude
nuer	v.: nuancer
nui, nuis, nuit	v.: de nuire
nuit	n. f.: obscurité, soir
numéraux	adj. m. (pl. de numéral): se dit des symboles représentant des nombres
numéro	n. m.: chiffre, nombre indiquant une place
ô	*Voir* ***au, aux***
obi	*Voir* ***hobby***
occident	n. m.: ouest
oxydant, e	n. m. ou adj.: qui oxyde
ocelot	n. m.: félin
Oslo	n. pr.: ville de Norvège
octaux	adj. m. (pl. de octal): qui ont pour base le chiffre huit
octo	préf.: huit
œufs	*Voir* ***euh***
oh	*Voir* ***au, aux***
ohm	*Voir* ***heaume***

oie	n. f.: oiseau
ouah	interj.: imite le chien qui aboie, marque la joie
oing	n. m. (ou oint): graisse à oindre
oint, e	n. ou adj.: consacré par une onction liturgique
O.K.	*Voir H5*
ola	*Voir* ***aula***
olivaie	n. f. (ou oliveraie): plantation d'oliviers
olivet	n. m.: fromage
ombre	*Voir* ***hombre***
ondé, e	adj.: en forme d'onde
ondée	n. f.: pluie
onglé, e	adj.: qui a des ongles, des serres
onglée	n. f.: engourdissement des doigts
opaque	*Voir* ***hopak***
ope	*Voir* ***hop***
or	*Voir* ***hors***
ordinand	n. m.: qui reçoit le sacrement
ordinant	n. m.: qui administre le sacrement
ore ores	*Voir* ***hors***
ormaie	n. f. (ou ormoie): plantation d'ormes
ormet	n. m. (ou ormeau, ormier): mollusque
ornais, e	n. ou adj.: de l'Orne
ornais, ornait	v.: de orner
os	*Voir* ***au, aux***
Oslo	*Voir* ***ocelot***
ou où	*Voir* ***août***
ouah	*Voir* ***oie***

ouate	n. f. : bourre, pansement
watt	n. m. : unité de puissance électrique
oubli	n. m. : lacune, manquement
oublie	n. f. : gaufre
oui	n. m. inv. ou adv. : réponse affirmative
ouïe	n. f. : audition, fente d'un poisson, d'une machine, d'un instrument de musique
ouïs, ouït	v. : de ouïr
ouïe	*Voir **houille** et H6*
ouille	*Voir **houille***
ouiller	*Voir **houiller, ère***
ouillère	*Voir **houillère***
ouïs, ouït	*Voir **oui***
ourdi, e	*Voir **hourdis***
ouzo	*Voir **houseau***
oxydant, e	*Voir **occident***
pacage	n. m. : action, lieu pour faire paître le bétail
package	n. m. (de l'anglais) : progiciel, forfait (pron. aussi **pa-kèdge** ou **pa-kadge**)
pacquage	n. m. : action de mettre le poisson en baril
paie	n. f. (ou paye) : salaire (pron. aussi comme *peille*)
pais, paît	v. : de paître
paix	n. f. : absence de guerre, quiétude
pet	n. m. : gaz intestinal
paierie	n. f. : bureau du trésorier-payeur
pairie	n. f. : titre, dignité
péri	n. ou n. f. : génie, fée dans la mythologie arabo-persane
péri, e	adj. : terme d'héraldique
paillé, e	n. m. ou adj. : fumier ; couleur de paille, avec des défauts
pailler	n. m. : meule de paille, hangar
pailler	v. : garnir, couvrir de paille

pain	n. m. : aliment, masse moulée
peins, peint	v. : de peindre
peint, e	adj. : couvert de peinture
pin	n. m. : arbre
pair	n. m. : membre de la Chambre des lords, vassal, égalité de valeur, numéro pair
pair, e	adj. : divisible par deux
paire	n. f. : ensemble de deux choses, de deux êtres
perd, perds	v. : de perdre
père	n. m. : papa, ancêtre
pers, e	adj. : d'un bleu-vert (yeux)
pairie	*Voir **paierie***
pairle	n. m. : terme d'héraldique
perle	n. f. : concrétion dans un mollusque, erreur, goutte
pais	*Voir **paie***
paisseau	n. m. : échalas
peso	n. m. : unité monétaire (pron. comme *paisseau*, **pé-so** ou **pé-zo**)
paissent	v. : de paître
pesse	n. f. : herbe
paît paix	*Voir **paie***
pal	*Voir H5*
palais	n. m. : château, paroi buccale
palet	n. m. : pierre plate, gâteau
pale	*Voir H5*
palet	*Voir **palais***
pali, e	*Voir H5*
palier	n. m. : plate-forme, pièce mécanique
pallier	v. : remédier, cacher
palis	*Voir H5*
palle	*Voir H5*
pallier	*Voir **palier***

palmaire	adj.: de la paume de la main
palmer	n. m.: instrument de précision (pron. comme *palmaire*)
palu	n. m. (abrév.): paludisme
palud	n. m. (ou palus, palude): marais
pan	n. m. ou interj.: partie de mur, basque; bruit sec
paon	n. m.: oiseau, papillon
pend, pends	v.: de pendre
pané, e	adj.: cuit avec de la chapelure
panné, e	n. ou adj.: pauvre
paneton	n. m.: panier pour pâtons
panneton	n. m.: partie de serrure
panic	n. m.: millet
panique	n. f. ou adj.: terreur; qui trouble subitement
panicule	n. f.: grappe conique
pannicule	n. m.: tissu sous-cutané
panique	*Voir **panic***
panne	n. f.: étoffe, graisse, arrêt, partie de toit
paonne	n. f.: femelle du paon (pron. comme *panne*)
panné, e	*Voir **pané, e***
panneton	*Voir **paneton***
pannicule	*Voir **panicule***
panse	n. f.: estomac des ruminants, ventre
panse	v.: de panser (soigner)
pense	v.: de penser (juger)
panser	v.: soigner
pensée	n. f.: fleur, esprit, idée
penser	n. m. ou v.: faculté, façon de penser; croire
panseur, euse	n.: infirmier
penseur, euse	n.: qui pense
pante	n. m.: individu facile à voler
pente	n. f.: inclinaison, penchant
paon	*Voir **pan***

paonne	*Voir **panne***
par	n. m. (de l'anglais): au golf
par	prép.: indique le lieu, le moyen, le temps
pare	v.: de parer
pars, part	v.: de partir
part	n. f.: partie
part	n. m.: enfant nouveau-né
parc	n. m.: jardin, enclos, bassin, garage
parque	n. f.: déesse (destinée, vie, mort)
par-ci	loc. (dans «par-ci, par-là»): par ici
parsi, e	n. ou adj.: langue iranienne, zoroastrien
pare	*Voir **par***
pare-fumée	n. m. ou n. m. inv.: dispositif pour diriger la fumée
parfumer	v.: embaumer
pari	n. m.: jeu, engagement à verser une somme
Paris	n. pr.: ville de Paris
parian	n. m.: porcelaine
pariant	p. prés.: qui gage, affirme avec vigueur
Paris	*Voir **pari***
parlé, e	n. m. ou adj.: ce qui est dit (par opposition à chanté)
parler	n. m. ou v.: langage, moyen de communication linguistique; s'exprimer
parquais, parquait	v.: de parquer
parquet	n. m.: planches, parc, magistrature
parque	*Voir **parc***
parquet	*Voir **parquais***
pars	*Voir **par***
parsi, e	*Voir **par-ci***
part	*Voir **par***

par terre	loc. : au sol
parterre	n. m. : jardin, public, salle de théâtre
parti	n. m. : groupe de personnes, solution
parti, e	adj. (ou partite) : terme d'héraldique
parti, e	adj. : absent, ivre
partie	n. f. : portion, terme de sport, de musique, de droit
passé	prép. : après
passé, e	n. m. ou adj. : temps écoulé, temps de verbe, terme de chorégraphie ; révolu, fané
passée	n. f. : trace, passage d'oiseaux (à la chasse)
pat	Voir H5
pâté	n. m. : charcuterie, tache d'encre
pâtée	n. f. : aliments des animaux, correction
pater	n. m. (abrév.) : grain du chapelet, paternel, père
pater	n. m. inv. (ou Pater) : prière
patère	n. f. : vase sacré, rosace, support à vêtements
patte	Voir H5
pattes	
paumé, e	Voir H5
paumée	
paumer	
pause	n. f. (de même pour pauser) : arrêt
pose	n. f. (de même pour poser) : mise en place, exposition
pavé, e	n. m., adj. : revêtement de voie ; couvert de pavage
pavée	n. f. : digitale
paver	v. : carreler, daller
paye	n. f. (ou paie) : salaire (pron. aussi comme paix)
peille	n. f. (surtout au pluriel) : chiffon dans la fabrication du papier

peau	n. f. : derme
pot	n. m. : récipient
peaucier	n. m. ou adj. m. : muscle attaché au derme
peaussier	n. m. ou adj. m. : qui prépare les peaux
pecan	n. m. (ou pécan) : fruit du pacanier
peccant, e	adj. : mauvais
pékan	n. m. : martre
pêche	n. f., adj. inv. : fruit, coup de poing, action de prendre des poissons ; rose pâle
pêche	v. : de pêcher
pèche	v. : de pécher
péché	n. m. : mal, état du pécheur
pécher	v. : faillir, présenter un défaut
pêcher	n. m. : arbre (pron. **pé-ché**)
pêcher	v. : prendre du poisson, aller chercher (pron. **pé-ché**)
	Voir **pécheur, eresse, pêcheur, euse, H5**
peigné	n. m. : tissu
peigné, e	n. m. ou adj. : tissu ; à l'aspect lisse
peignée	n. f. : raclée, quantité de laine sur un peigne
peigner	v. : démêler avec un peigne
peignez	v. : de peindre
peignier	n. m. : qui fabrique des peignes
peille	Voir **paye**
peine	n. f. : chagrin
pêne	n. m. : pièce de serrure
penne	n. f. : plume, aileron, partie d'une antenne
peiner	v. : attrister, se fatiguer (pron. **pé-né**)
penné, e	adj. : comme les barbes d'une plume
peins	Voir **pain**
peint, e	
peinte	adj. f. : couverte de peinture
pinte	n. f. : mesure de capacité

pékan	*Voir* **pecan**
pékin	n. m. : étoffe, le civil, mec
péquin	n. m. : le civil, mec
pélagien, enne	n. ou adj. : doctrine de Pélage (religion)
pélasgien, enne	adj. (ou pélasgique) : des Pélasges (antiquité préhellénique)
pélagique	adj. : relatif à la haute mer
pélasgique	adj. (ou pélasgien, enne) : des Pélasges (antiquité préhellénique)
pélasgien, enne	*Voir* **pélagien, enne**
pélasgique	*Voir* **pélagique**
pelletée	n. f. : quantité dans une pelle
pelté, e	adj. : terme de botanique
pellette	v. : formes du verbe pelleter
pelte	n. f. (ou pelta) : bouclier
pelté, e	*Voir* **pelletée**
peluche	n. f. : étoffe, animal en peluche (pron. aussi **pe-luche**)
pluches	n. f. pl. : épluchures
pend	*Voir* **pan**
pends	
pêne	*Voir* **peine**
penne	
penné, e	*Voir* **peiner**
pense	*Voir* **panse**
pensée	*Voir* **panser**
penser	
penseur, euse	*Voir* **panseur, euse**
pente	*Voir* **pante**
pépé	n. m. : grand-père
pépée	n. f. : jeune femme
péquin	*Voir* **pékin**

perçant, e	adj. : aigu, très vif
persan, e	n. ou adj. : langue, chat ; de Perse
perce	n. f. : outil, trou dans un instrument à vent
perse	adj. (fém. de pers) : d'un bleu-vert
perse	n. ou adj. : langue ; de l'ancienne Perse
perse	n. f. : tissu
percée	n. f. : action de rompre la défense ennemie, chemin
Persée	n. pr. : fils de Zeus, roi de Macédoine
perché, e	n. m. ou adj. : terme de chasse ; placé sur un endroit élevé
perchée	n. f. : tranchée où l'on plante les ceps de vigne
percher	v. : placer en un endroit élevé, grimper
perd	*Voir* **pair**
perds	
père	
péri, e	*Voir* **paierie**
perle	*Voir* **pairle**
pers	*Voir* **pair**
persan, e	*Voir* **perçant, e**
perse	*Voir* **perce**
Persée	*Voir* **percée**
pèse	v. : de peser
pèze	n. m. : argent
peso	*Voir* **paisseau**
pesse	*Voir* **paissent**
pet	*Voir* **paie**
peu	adv. : à peine
peuh	interj. : marque le mépris, l'indifférence
peut, peux	v. : de pouvoir
pèze	*Voir* **pèse**

phare	*Voir far*
phénix	n. m.: oiseau mythologique, personne exceptionnelle, arbre
phœnix	n. m.: arbre
phi	*Voir fi*
philanthe	*Voir filante*
philtre	*Voir filtre*
phœnix	*Voir phénix*
phone	*Voir H5*
phoque	*Voir foc*
phormion	*Voir formions*
phratrie	*Voir fratrie*
pi	n. m.: en physique nucléaire, particule fondamentale, lettre grecque
pi	n. m. inv.: lettre grecque
pie	adj. inv.: noir et blanc
pie	adj. ou adj. f.: pieuse (œuvre)
pie	n. f.: oiseau
pis	n. m. ou adv.: mamelle; plus mal
pic	n. m.: oiseau, instrument, mont, corne
pique	n. f.: arme, parole blessante
pique	n. m.: couleur noire aux cartes
pique	v.: de piquer
picage	n. m.: maladie des oiseaux
piquage	n. m.: action de piquer
pie	*Voir pi*
pied-de-roi	n. m.: règle pliante
pied-droit	n. m. (ou piédroit): partie d'une voûte
piété	n. f.: dévotion
piéter	v.: avancer en courant
pieu	n. m.: pièce de bois, de métal, lit
pieux, euse	adj.: dévot
pin	*Voir pain*

pinçon	n. m.: marque sur la peau
pinçons	v.: de pincer
pinson	n. m.: oiseau
pine	n. f.: membre viril (vulgaire)
pinne	n. f.: mollusque
pineau	n. m.: vin de liqueur charentais
pinot	n. m.: cépage français
pinne	*Voir pine*
pinot	*Voir pineau*
pinson	*Voir pinçon*
pinte	*Voir peint, e*
pipeau	n. m.: flûte, appeau
pipeaux	n. m. pl.: glu pour prendre les oiseaux
pipo	n.: polytechnicien
piquage	*Voir picage*
pique	*Voir pic*
pique-nique	n. m. (ou piquenique): repas en plein air
pycnique	n. ou adj.: aspect morphologique
pis	*Voir pi*
piton	n. m.: clou, pic
python	n. m.: serpent
placage	n. m.: revêtement, morceau ajouté, terme de rugby
plaquage	n. m.: action de plaquer une surface, abandon, terme de rugby
plaid	*Voir H6*
plaid	n. m.: assemblée judiciaire, querelle, procès
plaie	n. f.: déchirure, fléau, personne désagréable
plais, plaît	v.: de plaire
plaid	n. m.: vêtement, couverture
plaide	v.: de plaider
plaie	*Voir plaid*

plain	n. m.: haute mer, cuve pour les peaux
plain, e	adj.: terme d'héraldique, plat, uni, égal
plains, plaint	v.: de plaindre
plein	n. m., adv. ou prép.: contenu, marée haute, maximum; beaucoup
plein, e	adj.: terme d'héraldique, rempli, total, infatué, ivre
plaine	adj. (fém. de plain): unie, plate, terme d'héraldique
plaine	n. f.: étendue plate
pleine	adj. (fém. de plein): remplie, totale, infatuée
plains plaint	*Voir **plain***
plainte	n. f.: gémissement
plinthe	n. f.: moulure plate
plais plaît	*Voir **plaid***
plan	n. m.: surface plane, image, diagramme
plan, e	adj.: plat, uni
plant	n. m.: jeune plante, plantation
plaquage	*Voir **placage***
plastic	n. m.: explosif plastique
plastique	adj.: flexible, esthétique, terme d'art
plastique	n. f.: art de sculpter, type de beauté
plastique	n. m.: plastic, matière plastique
playon	n. m.: instrument pour couper des céréales
pleyon	n. m.: instrument pour couper des céréales, brin d'osier (ou plion)
plein, e	*Voir **plain***
pleine	*Voir **plaine***
pleyon	*Voir **playon***
pli	n. m.: partie repliée, lettre, ondulation
plie	n. f.: poisson

plinthe	*Voir **plainte***
plion plions	n. m. (ou pleyon): brin d'osier / v.: de plier
pluches	*Voir **peluche***
plumée	n. f.: plumaison, quantité de plumes
plumer	v.: dépouiller, éplucher
plus tôt	loc.: avant
plutôt	adv.: de préférence, assez
poêlant	p. prés.: qui fait cuire à la poêle
poilant, e	adj.: drôle, bidonnant
poêle	n. f.: ustensile de cuisine
poêle	n. m.: chauffage, cuisinière, drap mortuaire
poil	n. m.: production filiforme sur la peau, pelage
poêlée	n. f.: contenu d'une poêle
poêler	v.: passer à la poêle
poiler (se)	v.: rire aux éclats
poids	n. m.: masse, lourdeur
pois	n. m.: plante, graine, cercle
poix	n. f.: résine
pouah	interj.: marque le dégoût, le mépris
poil	*Voir **poêle***
poilant, e	*Voir **poêlant***
poiler (se)	*Voir **poêlée***
poing	n. m.: main fermée
point	adv.: pas
point	n. m.: ponctuation, terme de musique, de couture, d'imprimerie
pointer	*Voir H6*
pointer	n. m. (ou pointeur; de l'anglais): chien
pointeur, euse	n.: qui fait du pointage, qui enregistre les résultats
poiré	n. m.: boisson
poirée	n. f.: plante potagère

pois poix	*Voir* **poids**
polack polaque	n. m.: polonais n. m.: polonais, cavalier polonais
polar polard, e	n. m.: roman, film policier, obsédé par un seul sujet n. ou adj.: obsédé par un seul sujet
poli, e poly	n. m. ou adj.: éclat; lisse et brillant, cultivé n. m. (abrév.): cours polycopié
policlinique polyclinique	n. f.: clinique municipale n. f.: établissement hospitalier avec plusieurs services spécialisés
polissoir polissoire	n. m.: outil pour polir, fragment de roche n. f.: meule, brosse à chaussures, atelier
poly	*Voir* **poli, e**
polyclinique	*Voir* **policlinique**
pond, ponds pont	v.: de pondre n. m.: construction pour rejoindre deux points
ponté, e pontée ponter	adj.: qui a un ou plusieurs ponts n. f.: marchandises sur un pont v.: être ponte (au jeu), miser, munir d'un pont
pool poule	n. m.: groupe, équipe n. f.: volaille, épouse, maîtresse, terme de jeu, de sport
pop pope	n., adj. inv. (ou pop music): musique populaire; qui concerne le pop art n. m.: prêtre grec
porc pore port	n. m.: mammifère n. m.: orifice de la peau n. m.: abri pour les navires, action de porter, allure

porté porté, e portée porter	n. m.: mouvement de danse adj.: enclin, projeté (en peinture) n. f.: distance, capacité intellectuelle, petits, notation musicale n. m. ou v.: mouvement de danse; soutenir
pose	*Voir* **pause**
pot	*Voir* **peau**
poteau potto	n. m.: support n. m.: lémurien
pou pouls	n. m.: insecte n. m.: battement artériel
pouah	*Voir* **poids**
pouce pouce pousse pousse pousse	interj.: interjection enfantine au jeu n. m.: doigt, auto-stop, mesure n. f.: bourgeon, croissance, maladie du cheval, vin n. m. inv.: abréviation de pousse-pousse v.: de pousser
pouce-pied pousse-pied	n. m.: crustacé n. m. (pl. pousse-pied(s)): bateau, crustacé
poucettes poussette	n. f. pl.: menottes n. f.: voiture d'enfant, tricherie, aide en cyclisme
poucier poussier	n. m.: doigtier pour le pouce, partie d'un loquet n. m.: débris, poussière de charbon
pouf pouffe pouffe	interj. ou n. m.: exclamation; siège, dette n. f. (abrév.): pouf(f)iasse v.: de pouffer
poule	*Voir* **pool**
pouls	*Voir* **pou**
poupard, e poupart	n. m. ou adj.: enfant joufflu, poupée; poupin n. m.: crabe

Les homonymes

pousse	*Voir* **pouce**
poussée	n. f. : pression, charge, crise, croissance
pousser	v. : conduire, inciter, croître
pousse-pied	*Voir* **pouce-pied**
pousser	*Voir* **poussée**
poussette	*Voir* **poucettes**
poussier	*Voir* **poucier**
préfix, e	adj. : déterminé d'avance
préfixe	n. m. : élément en début de mot, de numéro
prémices	n. f. pl. : premiers fruits, commencement
prémisse	n. f. : proposition de syllogisme
près	adv. ou n. m. (dans « le près et le large ») : auprès de, non loin
prêt	n. m. : action de prêter, contrat
prêt, e	adj. : disposé, en état, disponible
pressé, e	n. m. ou adj. : qui a été pressé, urgent, qui a de la hâte
pressée	n. f. : masse soumise au pressoir
presser	v. : exprimer, serrer, imprimer
prêt, e	*Voir* **près**
prie	v. : de prier
pris, e	adj. : occupé, atteint, durci
prix	n. m. : valeur, récompense
prion	n. m. : particule protéique
prions	v. : de prier
privé, e	n. m. ou adj. : secteur privé, détective ; non public, intime
priver	v. : ôter, refuser
prix	*Voir* **prie**
prolog	n. m. (abrév.) : programmation en logique
prologue	n. m. : introduction
protogine	n. m. ou f. : granit
protogyne	adj. (ou protérogyne) : hermaphrodite (animal, végétal)

prou	adv. : beaucoup
proue	n. f. : avant d'un navire
prussik	n. m. : nœud en alpinisme
prussique	adj. m. : cyanhydrique
psi	n. m. ou n. m. inv. : lettre grecque
psy	n., n. inv. ou adj. inv. (abrév.) : professionnel en psychologie, en psychiatrie
pue, pues	v. : de puer
pus	n. m. : suppuration
pus, put	v. : de pouvoir
puis	adv. : après
puis	v. : de pouvoir
puits	n. m. : trou dans le sol, gouffre
puy	n. m. : montagne, société littéraire médiévale
pureau	n. m. : partie d'une ardoise, d'une tuile
purot	n. m. : fosse à purin
pus put	*Voir* **pue, pues**
puy	*Voir* **puis**
pycnique	*Voir* **pique-nique**
python	*Voir* **piton**
Qatar	*Voir* **catarrhe**
quadrant	*Voir* **cadran**
quand	*Voir* **camp**
quant à	loc. : relativement à
quanta	n. m. (pl. de quantum) : quantité en philosophie ou en physique (pron. aussi **couan-ta**)
quantique	*Voir* **cantique**
quanton	*Voir* **canton**
quart, e	*Voir* **car**
quartage	*Voir* **Carthage**

quarte	*Voir* **carte**
quarté quarter	*Voir* **carter**
quartier	*Voir* **cartier**
queue	n. f. : appendice, partie termi- nale, futaille, pierre à aiguiser
queux	n. f. : pierre à aiguiser
queux	n. m. : (dans « maître queux ») : cuisinier
qui	*Voir* **khi**
quiné, e	*Voir* **kiné**
quintaux	n. m. (pl. de quintal) : poids, unité de mesure de masse
quinto	adv. : cinquièmement (pron. aussi **couine-to**)
quintet	n. m. : quintette de jazz (pron. **kin-tèt**)
quintette	n. m. : œuvre musicale, ensemble de cinq instruments ou chanteurs, notamment en jazz (pron. **kin-tèt** ou **kuin-tèt**)
quinto	*Voir* **quintaux**
quitte	*Voir* **kit**
quoi	*Voir* **coi, coite**
quoi que	pron. rel. : quelle que soit la chose que
quoique	conj. (quoiqu' devant il(s), elle(s), on, un(e)) : encore que, bien que
ra	n. m. inv. : coup sur un tambour
ras	n. m. : plate-forme flottante, chef éthiopien
ras, e	adj. ou adv. : très court
rat	n. m. : rongeur
raz	n. m. : détroit, courant, bouleversement
racket	n. m. : extorsion d'argent
raquette	n. f. : instrument pour jouer, pour marcher dans la neige

racketteur	n. m. : malfaiteur
raquetteur, euse	n. : qui se déplace en raquettes
rad	n. m. : unité de mesure
rade	n. f. : bassin pour les navires
rade	n. m. : bistrot
radian	n. m. : unité de mesure d'angle
radiant, e	n. m. ou adj. : point du ciel ; qui rayonne
radiaux	adj. m. (pl. de radial) : qui ont rapport au radius, au rayon
radio	app. inv. : qui utilise la radio- phonie (« message radio »)
radio	n. f. (abrév.) : radiodiffusion, radiographie, poste récepteur
radio	n. m. (abrév.) : radiotélé- graphiste, radiotéléphoniste, récepteur
radié, e	adj. : rayonné
radiée	n. f. : plante
radier	n. m. ou v. : dalle ; rayer
radio	*Voir* **radiaux**
rai	*Voir* **H5**
raï	n. m. ou n. m. inv. : genre littéraire et musical arabe
rail	n. m. : voie ferrée, barre d'acier
rye	n. m. : whisky
raid	n. m. : descente, opération militaire, boursière
raide	adj. ou adv. : tendu, difficile
raider	n. m. : acheteur d'actions pour prendre le contrôle
raideur	n. f. : rigidité
raie	*Voir* **H5**
rail	*Voir* **raï**
rainette	*Voir* **H5**
raisiné	n. m. : confiture, sang
résiné, e	n. m. ou adj. : vin additionné de résine ; contenant de la résine
résiner	v. : enduire de résine
râler	v. : respirer bruyamment, grogner
raller	v. : crier (en parlant du cerf)

Les homonymes

rallie	v.: de rallier
rallye	n. m.: compétition, course, réunion
ram	n. f. inv. (sigle): mémoire vive en informatique
rame	n. f.: barre de bois, branche, papier, wagons de métro, châssis
rambour	n. m.: pommier, pomme d'août
rembourre	v.: de rembourrer
rame	*Voir **ram***
ramé, e	adj.: avec des rames, terme d'héraldique, se dit d'un cerf
ramée	n. f.: feuillage
ramer	v.: terme d'horticulture, étirer du tissu, canoter
rami	n. m.: jeu de cartes
ramie	n. f.: plante
rancard	n. m. (ou rencard): renseignement, rendez-vous
rancart	n. m.: au rebut, renseignement, rendez-vous
ranch	n. m. (ou rancho): ferme d'élevage (pron. aussi **ran-tch**)
ranche	n. f.: échelon
rand	n. m.: monnaie de l'Afrique du Sud, de la Namibie
rende	v.: de rendre
rang	n. m.: suite, classe, dignité, peuplement rural
ranz	n. m.: chanson pastorale suisse (pron. aussi **ran-ze** ou **rants**)
rend, rends	v.: de rendre
rangée	n. f.: ligne
ranger	v.: classer, garer, ordonner
ranz	*Voir **rang***
râpé	*Voir H5*
râper	
raquette	*Voir **racket***

raquetteur, euse	*Voir **racketteur***
ras, e	*Voir **ra** et H6*
rat	*Voir **ra***
rate	n. f.: organe, femelle du rat
ratte	n. f.: pomme de terre
ray	*Voir H5*
raz	*Voir **ra***
ré	*Voir H5*
réal	n. m. (pl. réaux, reales): ancienne monnaie espagnole
réal, e	n. f. ou adj. (pl. réales, réaux): galère
recel	n. m.: action de receler
recèle	v.: de receler
resselle	v.: de resseller
recéler	v. (ou receler): tenir caché, renfermer
resseller	v.: seller de nouveau
record	n. m.: performance, résultat
recors	n. m.: témoin d'un huissier (pron. aussi **ré-kor**)
recrû	n. m.: pousse après la coupe du bois
recrû	p. p. (recrue, recrus, recrues): du verbe recroître
recru, e	adj.: harassé
recrue	n. f.: nouveau soldat, membre
rectaux	adj. m. (pl. de rectal): du rectum
recto	n. m.: première page d'un feuillet
reflex	n. m. inv. ou adj. inv. (ou réflex; de l'anglais): terme de photographie
réflexe	n. m. ou adj.: réaction rapide; qui résulte d'une réflexion
régal	n. m.: mets apprécié, plaisir
régale	adj. f.: se dit d'une eau qui dissout les métaux
régale	n. f.: droit royal
régale	n. m.: instrument de musique ancien, jeu de l'orgue

régner	v. : exercer le pouvoir, dominer, exister
régnié	n. m. : vin
rein	n. m. : organe
Rhin	n. pr. : fleuve
reine	n. f. : femme d'un roi, ce qui prime
rêne	n. f. : bride
renne	n. m. : mammifère
reinette	Voir H5
relax	interj. (de l'anglais) : du calme !
relax	n. m. ou adv. (de l'anglais) : repos, fauteuil ; de manière décontractée
relax	adj. (ou relaxe ; de l'anglais) : calme, détendu
relaxe	n. f. : décision du tribunal, relaxation
relevé	n. m. : action de noter, son résultat, chorégraphie
relevé, e	adj. : épicé, noble, dirigé vers le haut
relever	v. : remettre debout, ranimer
rem	n. m. (sigle) : unité de mesure
rhème	n. m. : information dans un énoncé
rembourre	Voir rambour
remord, remords	v. : de remordre
remords	n. m. : regret
rend	Voir rang
rende	Voir rand
rends	Voir rang
rêne renne	Voir reine
renom	n. m. : réputation
renon	n. m. : résiliation d'un bail
renommé, e	adj. : célèbre, fameux
renommée	n. f. : célébrité, notoriété
renommer	v. : réélire, nommer souvent

renon	Voir renom
renouée	n. f. : plante
renouer	v. : refaire un nœud
rentré	n. m. : repli (en couture)
rentré, e	adj. : refoulé, creux
rentrée	n. f. : retour, reprise, encaissement
repaire	n. m. : refuge de bêtes, de malfaiteurs
reperd, reperds	v. : de reperdre
repère	n. m. : marque, jalon, ensemble de vecteurs
repairer	v. : être au repaire
repérer	v. : marquer de repères, trouver
reperd reperds repère	Voir repaire
repérer	Voir repairer
repic	n. m. : coup au jeu de piquet
repique	n. f. : correction sur une photographie
reposé, e	adj. : détendu
reposée	n. f. : lieu où se retire un animal
reposer	v. : poser de nouveau, être étendu
repoussé, e	n. m. ou adj. : relief obtenu par repoussage
repousser	v. : pousser de nouveau, en arrière
résidant, e	n. ou adj. : se dit de qqn qui réside dans un lieu
résident, e	n. ou adj. : qui réside ailleurs que dans son pays d'origine, diplomate, interne de médecine ; terme d'informatique
résiné, e résiner	Voir raisiné
résolu, e	adj. : déterminé
résolus, résolut	v. : de résoudre
resselle	Voir recel
resseller	Voir recéler

ressors, ressort	v. : de ressortir
ressort	n. m. : pièce mécanique, élastique, recours
retombé	n. m. : retombée après un saut de danse
retombée	n. f. : partie d'une voûte, action de retomber
retombées	n. f. pl. : conséquences
retomber	v. : rechuter, redescendre
retord, retords	v. : de retordre
retors, e	n. m. ou adj. : tissu fait de fil retors ; tordu plusieurs fois, malin
retourné	n. m. : coup au football
retourner	v. : renverser, troubler, renvoyer
rets	*Voir H5*
réveil	n. m. : passage à l'état de veille, sonnerie, réveille-matin
réveille	v. : de réveiller
revenu	n. m. : gain, salaire, réchauffage
revenue	n. f. : pousse nouvelle
révérant	p. prés. : qui respecte, honore
révérend, e	n. ou adj. : titre
rhé	*Voir H5*
rhème	*Voir rem*
Rhin	*Voir rein*
rho	n. m. inv. (ou rhô) : lettre grecque
rot	n. m. : éructation
rôt	n. m. : rôti
rhombe	n. m. : losange, instrument de musique
rhumb	n. m. (ou rumb) : mesure (aire de vent)
rhum	n. m. : eau-de-vie
rom	adj. inv. : romanichel
rom	n. f. (sigle) (de l'anglais) : mémoire en informatique
Rome	n. pr. : ville

rhumb	*Voir rhombe*
rial	n. m. : unité monétaire de l'Iran, du Yémen, d'Oman
riyal	n. m. : unité monétaire du Qatar, de l'Arabie saoudite
ridée	n. f. : filet pour attraper des alouettes
rider	v. : marquer de rides, tendre avec des ridoirs
rif	n. m. (ou riffe) : feu, bagarre, revolver
riff	n. m. : terme de jazz
riffle	n. m. (ou rif, riffe) : bagarre, revolver
rifle	n. m. : carabine (sport, chasse)
Rigollot	n. m., n. d. : cataplasme
rigolo, ote	n. ou adj. : drôle
rillons	n. m. pl. : viande de porc
rions	v. : de rire
rincée	n. f. : pluie, défaite, volée de coups
rincer	v. : laver, voler
rions	*Voir rillons*
ris	n. m. : plat délicat (veau, agneau, chevreau), partie de voile, rire
ris	n. m. pl. : plaisirs
ris, rit	v. : de rire
riz	n. m. : céréale
rit	*Voir ris et H6*
riyal	*Voir rial*
riz	*Voir ris*
rob	n. m. : extrait de suc de fruit
rob	n. m. (ou robre) : au bridge, au whist
robe	n. f. : vêtement
roc	n. m. : masse de pierre
rock	n. m., adj. inv. : oiseau, musique
roque	n. m. : terme d'échecs

rocket	n. f. : fusée de guerre, projectile
roquette	n. f. : plante, fusée de guerre, projectile
rom	*Voir* **rhum**
roman, e	n. m. ou adj. : œuvre littéraire ; relatif à la langue, à l'art romans
romand, e	n. ou adj. : relatif à la Suisse francophone
romance	n. f. : pièce poétique, chanson sentimentale
romance	n. m. : poème espagnol
romance	v. : de romancer
romand, e	*Voir* **roman, e**
Rome	*Voir* **rhum**
romps, rompt	v. : de rompre
rond, e	n. m., adj. ou adv. : cercle, argent ; circulaire, régulier
rondeau	n. m. : poème, pièce de musique, disque (technique), rouleau de bois pour les semailles
rondo	n. m. : pièce de musique (finale)
rondel	n. m. : ancienne forme de rondeau (poème)
rondelle	n. f. : disque, tranche, palet au hockey, ciseau
rondo	*Voir* **rondeau**
rooter	n. m. : défonceuse (pron. comme *routeur*)
routeur	n. m. : personne qui trie des journaux
routeur, euse	n. : personne qui détermine la route d'un navire
roque	*Voir* **roc**
roquette	*Voir* **rocket**
rosé, e	n. m. ou adj. : vin ; teinté de rose
rosée	n. f. : condensation
roser	v. : rendre rose, teindre

rossée	n. f. : correction
rosser	v. : battre
rot	*Voir* **rho** et H6
rot	n. m. : maladie des plantes (pron. comme *rote*)
rote	n. f. : tribunal ecclésiastique, instrument de musique
rôt	*Voir* **rho**
rote	*Voir* **rot**
rôti	n. m. : pièce de viande
rôti, e	adj. : cuit à feu vif
rôtie	n. f. : tranche de pain grillée
rouan	n. m. : cheval rouan
rouan, anne	adj. : au pelage parsemé de poils blancs, roux, noirs
rouant	p. prés. : qui passe à tabac
roue	n. f. : disque
roux	n. m. : farine roussie, couleur rousse
roux, rousse	n. ou adj. : qui a les cheveux roux ; orangé
roué, e	n. ou adj. : débauché, rusé, supplicié
rouer	v. : supplicier sur une roue, tabasser
roulé, e	n. m. ou adj. : gâteau ; enroulé
roulée	n. f. : raclée
rouler	v. : déplacer, voyager, duper
routeur	*Voir* **rooter**
roux	*Voir* **roue**
ru	n. m. : ruisseau
rue	n. f. : voie publique, plante
rue	v. : de ruer
ruz	n. m. : vallée dans le Jura
rubis	n. m. : pierre précieuse
rugby	n. m. : sport (pron. comme *rubis*, ou **rug-by**)

Les homonymes

ruché	n. m. : bande d'étoffe froncée
ruchée	n. f. : population d'une ruche
rucher	n. m. : lieu où se trouvent les ruches, l'ensemble des ruches
rucher	v. : plisser, terme d'agriculture
rue	*Voir **ru***
ruée	n. f. : mouvement de foule
ruer	v. : lancer avec force
rugby	*Voir **rubis***
rumb	*Voir **rhombe***
ruz	*Voir **ru***
rye	*Voir **raï***
sa	*Voir **ça***
sacquer	v. (ou saquer) : congédier, noter sévèrement
saké	n. m. : boisson japonaise
sacristi	interj. (ou sapristi) : juron
sacristie	n. f. : annexe d'une église
saie	*Voir **H5***
saignée	n. f. : ouverture d'une veine, rigole, pli du bras
saigner	v. : perdre ou tirer du sang, épuiser
saigneur	n. m. : celui qui tue les porcs en les saignant
saigneur, euse	n. ou adj. : qui saigne, qui récolte le latex
seigneur	n. m. : propriétaire féodal, maître
saillie / saillit	*Voir **H5***
sain	*Voir **ceins***
saine	*Voir **cène***
saint	*Voir **ceins***
sainte	*Voir **ceinte***
sais / sait	*Voir **H5***
saké	*Voir **sacquer***

sal	n. m. : arbre
sale	adj. : malpropre, obscène, méprisable
salle	n. f. : pièce
salé	n. m. : porc salé
salé, e	adj. : qui contient du sel, grivois, exagéré
salle	*Voir **sal***
samit	n. m. : étoffe
sammy	n. m. : soldat
sandre	*Voir **cendre***
sang / sans	*Voir **cent***
sans maudire	loc. : sans condamner
sans mot dire	loc. : en silence
santé	n. f. : bon état physiologique
sentez	v. : de sentir
santon, e	*Voir **centon***
saoul, e	adj. (ou soûl, e) : ivre
sou	n. m. : monnaie
soue	n. f. : abri à porcs
soûl	n. m. (dans « tout son soûl ») : à souhait
sous	prép. : plus bas
saoule	adj. (ou soûle ; fém. de saoul ou soûl) : ivre
soul	n. m. ou f., adj. inv. : musique noire américaine (pron. aussi comme *sol*)
saquer	*Voir **sacquer***
sas	*Voir **ça***
sas	n. m. : tamis (pron. comme *sasse* ou comme *ça*)
sasse	v. : de sasser
satire	n. f. : pièce de poésie, écrit, critique
satyre	n. m. : demi-dieu, homme cynique, papillon
satirique	n. ou adj. : enclin à la médisance
satyrique	adj. : des satyres

satyre	Voir **satire**
satyrique	Voir **satirique**
saucé, e saucer	Voir **H5**
saur saure sore sors, sort sort	adj. m.: salé et fumé v.: de saurer n. m.: groupe de sporanges v.: de sortir n. m.: hasard, destin
saurais, saurait sauret	v.: de saurer, de savoir adj.: saur (hareng)
saut sceau seau sot, sotte	n. m.: bond n. m.: cachet, empreinte n. m.: récipient n. ou adj.: idiot
sauté, e sauter	n. m. ou adj.: aliment cuit à feu vif, cuit à la poêle v.: bondir
savon savons	n. m.: produit pour le lavage v.: de savoir
savonnée savonner	n. f.: eau savonneuse v.: laver au savon, engueuler
savons	Voir **savon**
sax saxe	n. m.: saxophone n. m.: porcelaine de Saxe
sayon seillon	n. m.: casaque de paysan, de guerre n. m.: baquet pour le vin, le lait
sceau	Voir **saut**
scellé sceller seller	n. m. (souvent au pluriel): cachet de cire au sceau officiel v.: marquer d'un sceau, confirmer, fixer v.: munir d'une selle
scène	Voir **cène**
sceptique septique	n. ou adj.: incrédule adj.: qui produit l'infection
schah	Voir **chah**

schappe	Voir **chape**
scheik	Voir **cheik**
schilling shilling	n. m. (ou schelling): monnaie autrichienne n. m.: monnaie anglaise, kenyane, somalienne, tanzanienne
schofar	Voir **chauffard**
sciant, e	Voir **cyan**
scie	Voir **ci**
sciemment siamang	adv.: en connaissance de cause n. m.: singe
sciène sienne	n. f.: poisson adj. poss. ou pr. poss. (fém. de sien): à lui, à elle
scieur sieur	n. m.: ouvrier qui scie n. m.: monsieur
scille	Voir **cil**
scinque	Voir **cinq**
scion scions	Voir **cyon**
script scripte	n. m.: terme de cinéma, de finance, type d'écriture n.: auxiliaire d'un réalisateur de film, d'une émission de télé
scythe site	n. ou adj. (scythique): relatif aux Scythes n. m.: paysage, lieu
se	Voir **ce**
séant, e	Voir **céans**
seau	Voir **saut**
sèche sèche seiche	adj. (fém. de sec): aride, maigre, dure n. f.: cigarette n. f.: mollusque, oscillation de l'eau

seigneur	*Voir* **saigneur**
seillon	*Voir* **sayon**
seime sème sème	n. f. : maladie des équidés n. m. : unité de signification v. : de semer
sein	*Voir* **ceins, ceint**
seine	*Voir* **cène**
seing	*Voir* **ceins, ceint**
sel selle	*Voir* **celle**
seller	*Voir* **sceller**
sellerie	*Voir* **céleri**
sellier	*Voir* **cellier**
sème	*Voir* **seime**
semi semis	préf. : à demi n. m. : action de semer, plant, ornement
sen senne	*Voir* **cène**
sens	*Voir* **cens**
sensé, e	*Voir* **censé, e**
sensément	*Voir* **censément**
senseur	*Voir* **censeur**
sensuel, elle	*Voir* **censuel, elle**
sente sente, sentent	n. f. : sentier v. : de sentir
sentez	*Voir* **santé**
sentons	*Voir* **centon**
seoir soir	v. : convenir n. m. : déclin du jour
sep	*Voir* **cep**

sept	*Voir* **cet, cette**
septique	*Voir* **sceptique**
serein, e serin	n. m. ou adj. : fraîcheur ; pur et calme n. m., adj. inv. (parfois serine au fém.) : oiseau ; jaune clair, nigaud
séré serré, e serrer	n. m. : fromage adj. ou adv. : ajusté, concis, rigoureux ; prudemment v. : ranger, embrasser
serf	*Voir* **cerf**
serin	*Voir* **serein, e**
serment serrement	n. m. : promesse solennelle n. m. : action de serrer, fermeture
serran serrant	n. m. : poisson p. prés. : qui range, embrasse
serre	*Voir* **cerf**
serré, e	*Voir* **séré**
serre-file serre-fils	n. m. : derrière une troupe, une ligne de combat n. m. inv. : ce qui sert à connecter des fils électriques
serrement	*Voir* **serment**
serre-nez	*Voir* **cerner**
serrer	*Voir* **séré**
serte	*Voir* **certes**
ses	*Voir* **H5**
session	*Voir* **cession**
set	*Voir* **cet, cette**
sétacé, e	*Voir* **cétacé**
sèvre sèvres	v. : de sevrer n. m. : porcelaine de Sèvres
shah	*Voir* **chah**

shérif	*Voir* **chérif**
sherry	*Voir* **chéri, e**
shilling	*Voir* **schilling**
shimmy	*Voir* **chimie**
show	*Voir* **chaud, e**
si	*Voir* **ci**
siamang	*Voir* **sciemment**
sic	adv.: pour citer textuellement
sikh, e	n. ou adj.: membre d'une religion de l'Inde
sicle	*Voir* **cycle**
sienne	*Voir* **sciène**
sieur	*Voir* **scieur**
signe	*Voir* **cygne**
sikh, e	*Voir* **sic**
sil	*Voir* **cil**
silice	*Voir* **cilice**
silphe	n. m.: insecte
sylphe	n. m.: génie de l'air
silves	n. f. pl.: recueil de pièces poétiques
sylve	n. f.: forêt
simplex	n. m.: mode de transmission de données
simplexe	n. m.: terme de mathématique
si non	loc.: si c'est non
sinon	conj.: en dehors de, autrement
sire	*Voir* **cire**
sis, e	*Voir* **ci**
sistre	*Voir* **cistre**
sitar	*Voir* **cithare**

site	*Voir* **scythe**
si tôt	loc.: par opposition à si tard
sitôt	adv.: aussi rapidement, aussi vite
six	*Voir* **cis**
soc	n. m.: partie de charrue
socque	n. m.: chaussure
soi	n. m. inv. ou pron. pers.: le moi de chacun; 3e personne
soie	n. f.: étoffe, partie d'un couteau, poil
soit	conj.: étant donné, marque une alternative
soit	v.: de être
soir	*Voir* **seoir**
soit	*Voir* **soi** *et H6*
sol	*Voir H5*
sole	
somation	n. f.: terme de biologie
sommation	n. f.: injonction, opération mathématique, terme de physiologie
son	adj. poss.: qui lui appartient
son	n. m.: sensation auditive, résidu de céréales
sont	v.: de être
sonnais, sonnait	v.: de sonner
sonnet	n. m.: poème
sont	*Voir* **son**
sore	*Voir* **saur**
sors	
sort	
sot, sotte	*Voir* **saut**
sou	*Voir* **saoul, e**
soudan	n. m.: sultan
soudant, e	adj.: terme de métallurgie
soue	*Voir* **saoul, e**

Les homonymes

souffre	v. : de souffrir
soufre	n. m., adj. inv. : matière jaune ; couleur
soufre	v. : de soufrer
soul	*Voir saoule et H5*
soûl	*Voir saoul, e*
soûle	*Voir saoule*
sourde	n. f. ou adj. f. : privée de l'ouïe, insensible
sourdent	v. : de sourdre
sous	*Voir saoul, e*
spath	n. m. : minerai
spathe	n. f. : feuille, épée
spécial, e	adj. : propre à une espèce, singulier
spéciale	n. f. : huître, épreuve de rallye
spiral, e	n. m. ou adj. : ressort ; qui a une forme de spirale
spirale	n. f. : courbe, montée rapide, fil métallique
spore	n. f. : corpuscule reproducteur
sport	adj. inv. : loyal, de tenue non habillée
sport	n. m. : activité physique
statue	n. f. : ouvrage de sculpture
statue	v. : de statuer
statut	n. m. : décision juridique, situation
stipulé, e	adj. : muni de stipules
stipuler	v. : énoncer une clause
stop	n. m., app. inv. ou interj. : arrêt, commandement
stoppe	v. : de stopper
stras	n. m. (ou strass) : verre coloré
strasse	n. f. : bourre de soie
su, e	n. m. ou adj. : savoir, connaissance ; connu
sue	v. : de suer
sus	adv. : en plus (pron. aussi comme *suce*)
sus, sut	v. : de savoir

suais, suait	v. : de suer
suet	n. m. inv. : sud-est (pron. aussi comme *suette*)
subi, subis, subit	v. : de subir
subit, e	adj. : soudain
substitue	v. : de substituer
substitut	n. m. : ce qui remplace, magistrat
succin	n. m. : ambre jaune
succinct, e	adj. : concis
succion	n. f. : aspiration (pron. aussi **suk-sion**)
sucions	v. : de sucer
suce	v. : de sucer
sus	adv. : en plus (pron. aussi comme *su*)
susse	v. : de savoir
sucions	*Voir succion*
suçon	n. m. : ecchymose, sucette
suçons	v. : de sucer
sue	*Voir su, e*
suée	n. f. : transpiration
suer	v. : transpirer
suet	*Voir suais, suait*
suet	n. m. inv. : sud-est (pron. aussi comme *suais*)
suette	n. f. : maladie
suie	n. f. : noir de fumée
suis	v. : de être
suis, suit	v. : de suivre
super	adj. inv. : supérieur
super	n. m. (abrév.) : supercarburant
supère	adj. : terme de botanique
suppo	n. m. (abrév.) : suppositoire
suppôt	n. m. : complice, employé subalterne
sur	prép. : marque la position
sur, e	adj. : acide, suret
sûr, e	adj. : certain, solide

sureau suros	n. m.: arbuste n. m.: tumeur osseuse (pron. comme *sureau*)
surfait, e surfaix	adj.: trop apprécié n. m.: pièce du harnais
suros	*Voir sureau*
sus	*Voir su, e, suce et H6*
suspend, suspends suspens	v.: de suspendre n. m., adj. m.: attente; se dit d'un clerc suspendu
susse	*Voir suce*
sut	*Voir su, e*
sylphe	*Voir silphe*
sylve	*Voir silves*
tac taque taque	n. m. ou interj.: bruit sec, bruit du fer en escrime n. f.: plaque de fonte, contrecœur de cheminée v.: de taquer
tacaud tacot	n. m.: poisson n. m.: vieille voiture
tacet tassette	n. m.: silence en musique (pron. comme *tassette*) n. f.: plaque d'acier dans une armure
tachine taquine	n. m. ou f. (ou tachina, n. f.): mouche adj. (fém. de taquin): qui aime à contrarier, à taquiner
tacot	*Voir tacaud*
taie	*Voir H5*
tain teins, teint teint, e thym tin tins, tint	n. m.: amalgame derrière une glace v.: de teindre n. m. ou adj.: couleur du visage; qui a reçu une teinture n. m.: plante aromatique n. m.: pièce de bois (quille de navire) v.: de tenir
taire ter terre	v.: passer sous silence adv.: trois fois, pour la troisième fois n. f.: ensemble des hommes, planète
tais	*Voir H5*
taise thèse	v.: de taire n. f.: opinion, doctrine
tait	*Voir H5*
taler taller	v.: meurtrir en parlant des fruits, importuner v.: émettre des tiges secondaires
talion talions	n. m.: châtiment v.: de taler
talle thalle	n. f.: tige d'une plante n. m.: appareil végétatif d'une plante
taller	*Voir taler*
tan tant taon temps tend, tends	n. m.: écorce de chêne adv.: marque l'intensité, le nombre n. m.: insecte (parfois prononcé **ton** au Québec) n. m.: durée, période v.: de tendre
tanne tanne thane	n. f.: marque sur la peau, kyste v.: de tanner n. m.: titre écossais
tanné, e tannée tanner	adj.: basané, qui a subi le tannage n. f.: raclée, résidu du tan v.: préparer des peaux, harceler
tant	*Voir tan*
tante tente tente	n. f.: sœur du père ou de la mère n. f.: abri v.: de tenter
taon	*Voir tan*
tapé, e tapée taper	adj.: taché, un peu fou n. f.: grande quantité v.: frapper, boucher avec une tape

tapi, e	adj.: embusqué
tapis	n. m.: carpette, table de jeu
taque	*Voir tac*
taquine	*Voir tachine*
tarais, tarait	v.: de tarer
taret	n. m.: mollusque
taraud	n. m.: outil
taro	n. m.: plante
tarot	n. m. (ou tarots, n. m. pl.): ensemble de cartes
tard	adv., n. m. ou adj.: assez longtemps après; tardif
tare	n. f.: poids, défaut
taré	adj. m.: terme d'héraldique
taré, e	n. ou adj.: affecté d'une tare, de tares
tarer	v.: peser
taret	*Voir tarais, tarait*
taro	*Voir taraud*
tarot	
tarots	
tassette	*Voir tacet*
tau	n. m. inv.: lettre grecque, figure en héraldique, bâton
taud	n. m.: abri de toile
taux	n. m.: pourcentage, montant
tôt	adv.: de bonne heure
taulard, e	n. (ou tôlard, e): détenu
tolar	n. m.: monnaie de Slovénie
taule	n. f.: prison, chambre d'hôtel
tôle	n. f.: feuille de fer, prison, chambre d'hôtel
taulier, ère	n. (ou tôlier, ère): propriétaire, gérant d'hôtel
tôlier	n. m. ou adj. m.: ouvrier qui travaille la tôle

taure	n. f.: génisse
tore	n. m.: moulure, surface circulaire
torr	n. m.: unité de mesure
tors, e	n. m. ou adj.: action de tordre les fils; courbé
tort	n. m.: préjudice
taurides	n. m. ou f. pl.: groupe d'étoiles filantes
torride	adj.: brûlant
taux	*Voir tau*
taxi	n. m. (abrév.): auto de location, chauffeur, faussaire
taxie	n. f.: réaction d'orientation cellulaire
té	*Voir H5*
tec	n. m. inv. (sigle): unité de mesure thermique
teck	n. m. (ou tek): arbre
thèque	n. f.: terme de botanique, d'anatomie
technopole	n. f.: centre urbain favorable au développement d'industries, site pour des entreprises de haute technologie
technopôle	n. m.: site pour des entreprises de haute technologie
teck	*Voir tec*
teigne	n. f.: papillon, personne méchante, maladie
teignent	v.: de teindre
teins	*Voir tain*
teint, e	
teintant, e	adj.: qui colore
tintant	p. prés.: qui sonne
teinte	n. f. ou adj. f.: couleur; qui a reçu une teinture
tinte	v.: de tinter
teinter	v.: colorer, couvrir d'une teinte
tinter	v.: faire sonner, résonner
tek	*Voir tec*

tel, telle	adj.: pareil
tell	n. m.: colline formée par des ruines
Tell	n. pr. (Guillaume Tell): héros légendaire
temps tend tends	*Voir tan*
tente	*Voir tante*
tenu, e	n. m. ou adj.: immobilisation du ballon; obligé, entretenu
tenue	n. f.: suite, action de tenir une séance, allure
ter	*Voir taire*
terme	n. m.: limite, date, statue sans bras ni jambes, mot
thermes	n. m. pl.: bains publics
terminal terminal, e terminale	n. m.: élément final, aérogare adj.: final n. f.: dernière année du secondaire
termite thermite	n. m.: insecte n. f.: mélange utilisé en aluminothermie
terre	*Voir taire*
terre promise Terre promise	loc.: pays d'abondance loc.: la Palestine
terre sainte Terre sainte	loc.: cimetière bénit loc.: la Palestine
terrien, enne	n. ou adj.: paysan, qui habite la Terre
thériens	n. m. pl.: mammifères qui ne pondent pas d'œufs
tes	*Voir H5*
têt	*Voir H5 et 6*

Têt	n. m.: premier jour de l'année vietnamienne
tête	n. f.: partie du corps
tète	v.: de téter
tette	n. f.: bout de la mamelle des animaux
thète	n. m.: citoyen grec
tétra	n. m.: poisson d'aquarium
tétras	n. m.: coq de bruyère (pron. aussi comme *grasse*)
tette	*Voir Têt*
thalle	*Voir talle*
thane	*Voir tanne*
thé	*Voir H5*
thèque	*Voir tec*
thériens	*Voir terrien, enne*
thermes	*Voir terme*
thermite	*Voir termite*
thèse	*Voir taise*
thète	*Voir Têt*
thon ton ton	n. m.: poisson adj. poss.: à toi n. m.: voix, goût, forme
thonaire tonnerre	n. m.: filet n. m.: bruit de la foudre
thoron toron	n. m.: isotope du radon n. m.: assemblage de fils
thrace trace	n. ou adj.: de la Thrace n. f.: empreinte, petite quantité
thrène traîne	n. m.: chant funèbre n. f.: partie de vêtement, traîneau, filet, buisson
thrombine trombine	n. f.: enzyme n. f.: visage
thune tune	n. f. (ou tune): argent n. f. (ou tunage): couchis de fascines

Les homonymes

thym	*Voir **tain***
tic	n. m. : contraction musculaire, manie
tique	n. f. : parasite
ticket	*Voir H6*
ticket	n. m. : billet d'admission, invitation galante ; terme de politique américaine (pron. aussi **ti-kette**)
tiquais, tiquait	v. : de tiquer (être étonné)
tien, enne	n. m., adj. ou pron. poss. : ton bien, tes parents ; à toi
tiens, tient	v. : de tenir
tin tins tint	*Voir **tain***
tintant	*Voir **teintant, e***
tinte	*Voir **teinte***
tinter	*Voir **teinter***
tiper	v. (ou tipper) : taper sur un clavier d'enregistreuse
typer	v. : marquer d'un type
tiquais tiquait	*Voir **ticket***
tique	*Voir **tic***
tir	n. m. : action de lancer
tire	n. f. : friandise, auto, terme d'héraldique
tire	v. : de tirer
Tyr	n. pr. : ville du Liban
tirais, tirait	v. : de tirer
tiret	n. m. : trait
tirant	n. m. : cordon, tendon (viande), terme de marine, d'architecture
tyran	n. m. : despote, oiseau
tire	*Voir **tir***

tiré, e	n. m. ou adj. : gibier, imprimé, celui qui doit payer ; amaigri
tirée	n. f. : longue distance
tirer	v. : raidir, tracer, sortir
tiret	*Voir **tirais, tirait***
toc	interj. ou adj. inv. : marque un bruit ; fou
toc	n. m., adj. inv. : pièce mécanique, imitation ; faux
toque	n. f. : coiffure
toi	n. m. inv. ou pron. pers. : autrui ; 2e personne
toit	n. m. : couverture, abri
toisé	n. m. : évaluation de travaux
toiser	v. : estimer, regarder avec mépris
toit	*Voir **toi***
tokay	*Voir H6*
tokay	n. m. : vin de liqueur hongrois, vin alsacien (pron. comme *toquet*)
toquais, toquait	v. : de toquer
toquet	n. m. : bonnet
tolar tôlard, e	*Voir **taulard, e***
tôle	*Voir **taule***
tôlier	*Voir **taulier, ère***
tombaux	adj. m. (pl. de tombal) : qui appartiennent aux tombes
tombeau	n. m. : monument funéraire
tombé, e	n. m. ou adj. : fait de tomber, pas de danse, terme de lutte ; déchu
tombée	n. f. : chute
tomber	n. m. : tombée, terme de sport
tomber	v. : choir, décliner
tombeau	*Voir **tombaux***
tombée tomber	*Voir **tombé, e***

ton	*Voir* **thon** *et H6*
tonic	n. m. : soda
tonique	n. f. : note fondamentale d'une gamme
tonique	n. m. ou adj. : remède ; terme de phonétique, de musique, de physiologie
tonnerre	*Voir* **thonaire**
top	n. m. : signal, vêtement, meilleur
tope	v. : de toper
toquais toquait	*Voir* **tokay**
toque	*Voir* **toc**
toquet	*Voir* **tokay**
torché, e	adj. : peint avec vigueur, bâclé
torchée	n. f. : volée de coups
torcher	v. : essuyer, construire en torchis, bâcler
tore	*Voir* **taure**
toron	*Voir* **thoron**
torr	*Voir* **taure**
torride	*Voir* **taurides**
tors, e tort	*Voir* **taure**
tortu, e	adj. : tordu, sans franchise
tortue	n. f. : reptile, papillon, abri de guerre
tôt	*Voir* **tau**
total, e	n. m. ou adj. : somme, assemblage ; entier
totale	n. f. : hystérectomie et ovariectomie, summum
totaux	n. m. ou adj. m. (pl. de total) : sommes ; complets
toto	n. m. : pou

toue	v. : de touer
tout	n. m. : totalité
tout, e	adj., adv. ou pron. : complet ; entièrement ; toute chose
toux	n. f. : expulsion sonore d'air pulmonaire
touée	n. f. : câble, longueur de chaîne
touer	v. : remorquer
tour	n. f. : bâtiment en hauteur
tour	n. m. : pourtour, armoire sur pivot, truc
tourd	n. m. : poisson, grive
tourné, e	adj. : fait, exprimé, aigri
tournée	n. f. : voyage, raclée
tourner	v. : remuer, filmer, etc.
tournoi	n. m. : combat, concours
tournois	adj. inv. : se dit de la monnaie frappée à Tours
à tous venants	loc. : à chacun, à tout le monde
à tout venant	loc. : à toute occasion, à chacun, à tout le monde
tout-venant	n. m. inv. : houille non triée, groupe sans triage préalable
tout toux	*Voir* **toue**
trac	n. m. : peur
traque	n. f. : action de traquer le gibier
trace	*Voir* **thrace**
tracé	n. m. : graphique
tracer	v. : dessiner, ouvrir le chemin
trade-union	n. f. : syndicat ouvrier (pron. **trè-du-nyon** ou **d(o)u-nionne**)
trait d'union	n. m. : trait de liaison, intermédiaire
train	n. m. : file, convoi, allure
trin, e	adj. : divisé en trois
traîne	*Voir* **thrène**
trais, trait	v. : de traire
trait	n. m. : ligne, caractère, psaume
trait, e	adj. : transformé en fils ténus
très	adv. : fort, bien

Les homonymes

trait d'union	*Voir **trade-union***
tram	n. m. (abrév.): tramway
trame	n. f.: ensemble des fils, structure, intrigue
tramp	n. m.: cargo
trempe	n. f.: immersion, qualité de l'âme, raclée
tranché, e	n. m. ou adj.: division de l'écu; coupé, distinct
tranchée	n. f.: excavation, fossé
tranchées	n. f. pl.: contractions, coliques
trancher	v.: couper
traque	*Voir **trac***
trempe	*Voir **tramp***
trépan	n. m.: instrument de chirurgie, outil de sondage
trépang	n. m. (ou tripang): animal marin
très	*Voir **trais, trait***
triaire	n. m.: soldat romain
trière	n. f. (ou trirème): navire à trois rangs de rameurs
trièrent	v.: de trier (choisir, classer)
trillèrent	v.: de triller (orner de trilles)
trial	n. f.: moto de course
trial	n. m.: course, moto
trialle	n. f.: mollusque
tribal, e	adj.: de la tribu
triballe	n. f.: outil pour battre les peaux
tribu	n. f.: groupement de familles
tribut	n. m.: impôt, hommage
tric	n. m. (ou trick): au bridge
trique	n. f.: bâton
trière	*Voir **triaire***
trièrent	
trillèrent	
trimère	n. m. ou adj.: molécule; qui a trois parties semblables
trimmer	n. m.: engin de pêche, terme de radiotechnique (pron. comme *trimère* ou **tri-meur**)

trin, e	*Voir **train***
trip	n. m.: état hallucinatoire
tripe	n. f.: boyau d'animal, partie de cigare
tripang	n. m. (ou trépang): animal marin
tripant, e	adj.: excitant
tripe	*Voir **trip***
trique	*Voir **tric***
troc	n. m.: système économique, échange
troque	n. m. ou f. (ou troche): mollusque
troll	n. m.: lutin
trolle	n. f.: manière de chasser
trolle	n. m.: plante
trombine	*Voir **thrombine***
trop	adv.: à l'excès
trot	n. m.: allure du cheval
troque	*Voir **troc***
trot	*Voir **trop***
truc	n. m.: astuce, moyen concret, chariot, wagon à plate-forme
truck	n. m.: chariot, wagon à plate-forme
tu	pron. pers.: 2ᵉ personne
tue	v.: de tuer
tus, tut	v.: de taire
tuc	n. (sigle): emploi réservé aux jeunes, individu ainsi employé
T. U. C.	n. m. pl. (sigle): travaux d'utilité collective
tuque	n. f.: bonnet de laine
tue	*Voir **tu***
tuerions	v.: de tuer
turion	n. m.: bourgeon
tune	*Voir **thune***

tuque	*Voir* **tuc**
turbiné, e turbiner	adj.: en forme de toupie v.: travailler dur, passer à la turbine
turbo	n. f.: voiture avec un moteur turbo
turbo	n. m., adj. inv.: turbomoteur, turbocompresseur, terme d'informatique, mollusque ; relatif à un moteur
turbot	n. m.: poisson
turion	*Voir* **tuerions**
tus tut	*Voir* **tu**
tuyauté tuyauter	n. m.: ensemble de tuyaux v.: renseigner, orner de tuyaux
typer	*Voir* **tiper**
Tyr	*Voir* **tir**
tyran	*Voir* **tirant**
un	*Voir* **Huns**
une	*Voir* **hune**
unique	*Voir* **hunnique**
ure	*Voir* **hure**
usagé, e usager	adj.: usé n. m.: titulaire, qui utilise un service
ut	*Voir* **hutte**
U. V. U. V.	n. f. (sigle): unité de valeur n. m. ou n. m. pl. (sigle): rayons ultraviolets
uvée	n. f.: tunique de l'œil
vacuome	n. m.: ensemble des vacuoles d'une cellule
vacuum	n. m.: espace vide

vain, e vainc, vaincs vin vingt vins, vint	adj.: futile v.: de vaincre n. m.: boisson fermentée n. ou adj. num.: après 19 v.: de venir
vaine veine	adj. (fém. de vain): futile n. f.: vaisseau sanguin, nervure, chance
vair ver verre vers vers vert vert vert, e	n. m.: fourrure de l'écu, du petit-gris n. m.: animal, parasite n. m.: récipient, lentille, substance fragile n. m.: assemblage de mots prép.: indique la direction adv.: dans « voter vert » n. m.: couleur, fourrage, écolo- giste adj.: frais, non sec, agricole, couleur
vairé vairé, e verré, e verrée verrez	n. m.: terme d'héraldique adj.: chargé de vair adj.: saupoudré de verre n. f.: vin d'honneur v.: de voir
van vent	n. m.: panier d'osier, véhicule (pron. comme *vent*) n. m.: mouvement de l'air
vanné, e vannée vanner	adj.: fatigué n. f. (ou vannure): poussières du vannage v.: secouer le grain, harasser, garnir de vannes
vantail ventail	n. m. (ou ventail): panneau pivotant n. m. (ou ventaille, n. f.): partie du heaume par où passe l'air
vantaux ventaux venteau	n. m. (pl. de vantail): panneaux pivotants n. m. (pl. de ventail): parties du heaume par où passe l'air, panneaux pivotants n. m.: ouverture dans un soufflet
vanter venter	v.: louer v.: faire du vent

varan	n. m. : reptile
warrant	n. m. : effet de commerce (pron. comme *varan*)
vau	n. m. : pièce porteuse (terme de construction)
vaut, vaux	v. : de valoir
vaux	n. m. (pl. de val) : vallées
veau	n. m. : petit de la vache, peau, pièce porteuse (terme de construction), etc.
vos	adj. poss. : pluriel de votre
vautre	v. : de se vautrer
vôtre	n., adj. ou pron. poss. : à vous
vaux	*Voir vau*
veau	
vécés	n. m. pl. : cabinets
vesser	v. : péter
veine	*Voir vaine*
veldt	n. m. (ou veld) : steppe
velte	n. f. : instrument pour jauger les tonneaux, unité de mesure
vent	*Voir van*
ventail	*Voir vantail*
ventaille	
ventaux	*Voir vantaux*
venteau	
venter	*Voir vanter*
venu, e	n. ou adj. : arrivé
venue	n. f. : arrivée
ver	*Voir vair*
ver d'eau	loc. : larve comme appât de pêche
verre d'eau	loc. : qu'on peut boire
vergé, e	n. m. ou adj. : papier ; avec des fils saillants
verger	n. m. : terrain planté d'arbres
vérine	n. f. : bout de filin muni d'une griffe
verrine	n. f. : globe de verre, bout de filin muni d'une griffe

vermeil	n. m. : argent doré
vermeil, eille	adj. : d'un rouge vif
verni, e	n. ou adj. : chanceux, enduit de vernis
vernis	n. m. : enduit, apparence
verre	*Voir vair*
verre d'eau	*Voir ver d'eau*
verré, e	*Voir vairé*
verrée	
verrez	
verrine	*Voir vérine*
vers	*Voir vair*
versé, e	adj. : expérimenté
verser	v. : renverser, payer
verseau	n. m. : pente
Verseau	n. m. : constellation, signe du zodiaque, personne née sous ce signe (un verseau ou un Verseau)
verso	n. m. : revers
verser	*Voir versé, e*
verso	*Voir verseau*
vert, e	*Voir vair*
vertical, e	n. m. ou adj. : cercle de la sphère céleste ; droit
verticale	n. f. : position verticale
vesce	n. f. : légumineuse
vesse	n. f. : pet
vesser	*Voir vécés*
veto	n. m. inv. (ou véto) : opposition
véto	n. (abrév.) ou n. m. : vétérinaire ; opposition
veut, veux	v. : de vouloir
vœu	n. m. : souhait, promesse
vibrion	n. m. : bactérie, personne agitée
vibrions	v. : de vibrer

vice vis visse	n. m. : mal, défaut n. f. : tige métallique, machine v. : de visser, de voir
vie vis, vit vit	n. f. : existence, entrain v. : de vivre, de voir n. m. : membre viril
vièle vielle	n. f. : instrument à cordes frottées par un archet ou une roue n. f. : vièle à clavier
vigneau vignot	n. m. : mollusque, tertre dans un jardin n. m. : mollusque
vil, e ville	adj. : bas, sans valeur n. f. : agglomération
vin	*Voir* **vain, e**
vinée viner	n. f. : récolte du vin, branche à fruits v. : ajouter de l'alcool
vingt vins vint	*Voir* **vain, e**
viol viole	n. m. : violence sexuelle, transgression n. f. : instrument de musique
vire vire, virent	n. f. : partie de montagne v. : de virer, de voir
virée virer	n. f. : promenade v. : tourner, changer
virent	*Voir* **vire**
virer	*Voir* **virée**
virion virions	n. m. : partie d'un virus v. : de virer
vis	*Voir* **vice** *et* **vie**
visé visée viser	n. m. : le fait de viser avec une arme à feu n. f. : action de regarder vers un but, objectif v. : diriger, marquer d'un visa

visse	*Voir* **vice**
vit	*Voir* **vie**
vitré, e vitrer	n. m. ou adj. : partie de l'œil ; garni de vitres v. : garnir de vitres
vœu	*Voir* **veut**
voie vois, voit voix	n. f. : chemin v. : de voir n. f. : phonation, parole
voir voire	v. : percevoir adv. : et même
vois voit	*Voir* **voie**
voiturée voiturer	n. f. : contenu d'une voiture v. : transporter
voix	*Voir* **voie**
vol vole vole	n. m. : déplacement dans l'air, larcin n. f. : coup aux cartes v. : de voler
volatil, e volatile volatile	adj. : qui se vaporise, s'efface facilement adj. : qui peut voler, ailé, formé d'oiseaux n. m. : oiseau
vole	*Voir* **vol**
volé, e voler volet volley	*Voir H5*
volt volte	n. m. : unité de mesure électrique n. f. : pirouette, danse ancienne
vos	*Voir* **vau**
vôtre	*Voir* **vautre**
vous wu	pron. pers. : 2e personne du pluriel n. m. : dialecte chinois (pron. comme *vous*)

vrillé, e	adj.: muni de vrilles
vrillée	n. f.: plante
vriller	v.: se tordre, percer avec une vrille

vu	prép. (précédant un nom, un pronom): eu égard à
vu, e	n. m. ou adj.: perçu, compris
vue	n. f.: un des cinq sens, image

warrant	*Voir varan*

watt	*Voir ouate*

whiskey	n. m.: whisky irlandais
whisky	n. m.: eau-de-vie fabriquée en Écosse et aux États-Unis

wu	*Voir vous*

y	*Voir hi*

yen	*Voir hyène*

yod	*Voir iode*

youpi	interj. (ou youppie): marque la joie
yuppie	n.: jeune cadre ambitieux (pron. **you-pi**)

zest	n. m. (dans «entre le zist et le zest»): hésiter
zeste	interj. (ou zest): marque la promptitude d'une action
zeste	n. m.: écorce d'agrume, petite quantité

Zodiac	n. m., n. d.: canot en caoutchouc
zodiaque	n. m.: zone de la sphère céleste

Les paronymes sont des mots qui se prononcent presque de la même façon, et qu'il est important de distinguer à la lecture. Sauf pour les cas évidents, la prononciation correcte est indiquée entre parenthèses. Dans chaque groupe de paronymes, les mots se disant de la même façon ont été placés en ordre alphabétique. Les groupes eux-mêmes sont classés selon l'ordre alphabétique de leur premier élément. Pour faciliter la recherche, ont été disposés en retrait les mots figurant dans un groupe à cause de leur prononciation sans toutefois respecter l'ordre alphabétique global (*et*, paronyme de *ais*, apparaît à la lettre *a*, par exemple) ; ces mots se retrouvent d'ailleurs à leur place conventionnelle, accompagnés du renvoi approprié (ainsi, à la lettre *e*, on rencontrera aussi à *et* le renvoi vers *ais*).

acre	n. f. : mesure agraire (pron. comme *sacre*)
âcre	adj. : piquant
age	n. m. : pièce de la charrue (pron. comme *cage*)
âge	n. m. : temps depuis la naissance, époque
hadj	n. m. ou n. m. inv. (ou hadjdj) : pèlerinage (pron. comme *badge*)
agissent	v. : de agir
haggis	n. m. : panse de mouton farcie (pron. **a-guisse**)

agis, agit	v. : de agir
hadji	n. m. ou n. m. inv. (ou hadj) : musulman qui a fait un pèlerinage à la Mecque (pron. **ad-ji**)
ais	n. m. : planchette (pron. **è**)
ais, ait	v. : de avoir
es, est	v. : de être
haie	n. f. : clôture
hais, hait	v. : de haïr
eh	interj. : pour appeler, marquer la surprise, l'admiration (pron. **é** ou **è**)
et	conj. : liaison
hé	interj. : pour appeler, marquer le regret, la surprise
allaiter	v. : nourrir de lait
haleter	v. : être à bout de souffle
allée	n. f. : voie, passage
aller	n. m. ou v. : trajet, billet ; se rendre
haler	v. : tirer (pron. comme *aller*)
hâler	v. : bronzer
anharmonique	adj. : birapport en mathématique (pron. **a-nar-mo-nique**)
enharmonique	adj. : par quarts de ton en musique (pron. **en-nar-mo-nique**)
atèle	n. m. : singe
attelle	n. f. : éclisse
hâtelle	n. f. (ou hâtelette) : pièce rôtie (pron. comme *hâte*)
aurions	v. : de avoir (pron. **o-ryon**)
horion	n. m. : coup (pron. **o-ryon**)
orillon	n. m. : massif de maçonnerie (pron. **o-ri-yon**)

bai, e	n. m. ou adj.: cheval brun-rouge (pron. **bè**)
baie	n. f.: petit golfe, fruit, ouverture dans un mur (pron. **bè**)
bey	n. m.: souverain ottoman (pron. **bè**)
bée	n. f. ou adj. f.: ouverture; ouverte («bouche bée»)
bâiller	v.: ouvrir la bouche, être mal fermé (pron. **â** comme dans *pâte*)
bailler	v.: donner (pron. **a** comme dans *patte*)
bayer	v.: dans «bayer aux corneilles» (pron. **a** comme dans *patte*)
bailleur, eresse	n.: personne qui donne à bail (pron. **a** comme dans *patte*)
bâilleur, euse	n.: qui bâille (pron. **â** comme dans *pâte*)
basic	n. m. (sigle): langage en informatique (pron. **a** comme dans *patte*)
basique	n. m. ou adj.: qui a les propriétés d'une base; fondamental (pron. **a** comme dans *pâte*)
batée	n. f.: récipient pour les sables aurifères (pron **a** comme dans *patte*)
battée	n. f.: dormant de porte
bâté, e	adj. dans «âne bâté»: ignorant (pron. **â** comme dans *pâte*)
bâter	v.: mettre un bât
bayer	*Voir* ***bâiller***
bée	*Voir* ***bai, e***
béguine	n. f.: religieuse
biguine	n. f.: danse
besaiguë	n. f.: outil de charpentier, de vitrier
bisaiguë	n. f.: outil de charpentier, de cordonnier
bey	*Voir* ***bai, e***

biais	n. m.: oblique (pron. en une syllabe: **byè**)
billet	n. m.: papier, petit article (pron. en deux syllabes: **bi-yè**)
biguine	*Voir* ***béguine***
billet	*Voir* ***biais***
billion	n. m.: un million de millions (pron. avec le *l*: **bi-lyon**)
billon	n. m.: monnaie, ados en agriculture (pron. **bi-yon**)
bisaiguë	*Voir* ***besaiguë***
boghei	n. m.: cabriolet découvert (pron. **bo-guè**)
boguet	n. m.: cyclomoteur, cabriolet découvert (pron. **bo-guè**)
bogie	n. m.: chariot ferroviaire (pron. **bo-ji**; ou boggie, pron. **bo-ji** ou **bo-gui**)
buggy	n. m.: automobile tout terrain, cabriolet découvert (pron. **bu-gui** ou **bœ-gué**)
bogue	n. f.: enveloppe du marron, erreur en informatique
bogue	n. m.: erreur en informatique
bug	n. m.: erreur en informatique (pron. **bœg** comme dans *beurre*)
boguet	*Voir* ***boghei***
brillons	v.: de briller (pron. **bri-yon**)
brion	n. m.: partie de la coque d'un bateau (pron. **bryon**)
bug	*Voir* ***bogue***
buggy	*Voir* ***boghei***
cartilage	n. m.: tissu conjonctif
quartilage	n. m.: division en quartiles (pron. **couar-ti-lage**)
cassie	n. f. (ou cassier): arbre produisant la casse
cassis	n. m.: rigole (pron. comme *vice* ou comme *vie*)
cassis	n. m.: arbuste, fruit, liqueur (pron. comme *vice*)

causse	n. m.: plateau calcaire (pron. comme *grosse*)
cosse	n. f.: gousse, anneau de métal, paresse (pron. comme *noce*)
ces	adj. dém. (pluriel de ce, cet, cette): sert à montrer (pron. **sé**)
ses	adj. poss. (pluriel de son, sa): indique la possession (pron. **sé**)
saie	n. f.: manteau court, brosse en soies de porc (pron. **sè**)
sais, sait	v.: de savoir (pron. **sè**)
chai	n. m.: cave à vins (pron. **chè**)
chez	prép.: là où vit quelqu'un
chapka	n. f.: coiffure de fourrure à rabats
chapska	n. m. ou f. (ou schapska): coiffure des lanciers du Second Empire
chasse	n. f.: action de poursuivre
châsse	n. f.: coffre pour des reliques, monture (pron. **â** comme dans *pâte*)
châsses	n. m. ou f. pl.: yeux
chassie	n. f.: substance sur le bord des paupières (pron. comme *assis*)
châssis	n. m.: cadre
chenaux	n. m. (pl. de chenal): courants d'eau, canaux (pron. **che-no**)
chéneau	n. m.: conduit pour les eaux de pluie (pron. **ché-no**)
chêneau	n. m.: jeune chêne (pron. **chè-no**)
chez	*Voir* **chai**
chip	n. m.: pastille de silicium (pron. comme *chipe*)
chipe	v.: de chiper
chips	n. f., n. f. pl. ou adj.: pomme de terre frite (pron. **chip-s**)
choc	n. m.: heurt
choke	n. m.: starter d'automobile, partie de fusil (pron. **tchoc** ou **choc**)
cocher	n. m. ou v.: conducteur; marquer d'une coche
côcher	v.: couvrir l'oiseau femelle (pron. comme *faucher*)

coke	n. f.: cocaïne (pron. comme *rauque*)
coke	n. m.: combustible (pron. comme *coq*)
coq	n. m.: mâle de la poule
coque	n. f.: coquille
colée	n. f.: coup sur la nuque à l'adoubement
coller	v.: fixer
collet	n. m.: col, cou, piège
colley	n. m.: chien (pron. comme *collet*)
coq coque	*Voir* **coke**
cosse	*Voir* **causse**
cote	n. f.: marque, chiffre (pron. comme *vote*)
cotte	n. f.: tunique, vêtement
cotte	n. m.: poisson
côte	n. f.: os, pente, rayure (pron. comme *haute*)
coté, e	adj.: estimé, admis à la cotation boursière
côté	n. m.: flanc, face, partie
cotte	*Voir* **cote**
dais	n. m.: ouvrage au-dessus d'un autel (pron. **dè**)
dès	prép.: depuis (pron. **dè**)
dey	n. m.: chef algérois (pron. **dè**)
dé	n. m.: cube, fourreau de métal
des	art.: pluriel de un, une (pron. comme *dé*)
décile désile dessille	n. m.: valeur en statistique v.: de désiler (retirer d'un silo) v.: de dessiller (ou déciller), ouvrir les yeux (pron. **dé-cille** comme dans *fille*)
des dès	*Voir* **dais**
désile dessille	*Voir* **décile**
dey	*Voir* **dais**

Les homonymes

drill	n. m. : singe (pron. comme *fille* ou comme *mille*)
drille	n. f. : outil (pron. comme *fille*)
drille	n. m. : vagabond (pron. comme *fille*)
drill	n. m. (de l'anglais) : entraîne-ment militaire (pron. comme *mille*)
durion	n. m. (ou durian) : arbre, fruit de cet arbre (pron. **du-ryon**)
durions	v. : de durer (pron. **du-ryon**)
durillon	n. m. : cal (pron. **du-ri-yon**)
eh	*Voir* **ais**
éminence	n. f. : protubérance, titre d'un cardinal (de même pour éminent, e)
imminence	n. f. : ce qui est immédiat (de même pour imminent, e)
empâtement	n. m. : couche épaisse, engraissement
empattement	n. m. : base, mesure d'une voiture
empâter	v. : couvrir de pâte, engraisser avec de la pâtée
empatter	v. : joindre avec des pattes
empattement	*Voir* **empâtement**
empatter	*Voir* **empâter**
enharmonique	*Voir* **anharmonique**
es	*Voir* **ais**
est	*Voir* **ais** et H6
et	*Voir* **ais**
êta	n. m. ou n. m. inv. : lettre grecque (pron. **è-ta**)
état	n. m. : manière d'être
État	n. m. : entité politique
ex ante	loc. : de façon prévisionnelle (pron. **eks-an-té**)
exempter	v. : dispenser (pron. **eg-zan-té** ou **eg-zamp-té**)

exprès	adv. : volontairement (pron. **ex-prè**)
exprès	n. m., adj. inv. : envoi mentionnant «exprès» (pron. **ex-prèss**)
exprès, esse	adj. : précis, explicite (pron. **ex-prèss**)
express	n. m. ou adj. : café, train rapide (pron. **ex-prèss**)
filaire	n. f. ou adj. : ver ; transmis par un fil
fillér	n. m. : monnaie hongroise (pron. comme *filaire*)
fileur, euse	n. m. : qui file le textile
filler	n. m. : roche broyée (pron. comme *fileur*)
filasse	n. f., adj. inv. : étoupe ; blond (pron. **fi-lasse**)
fillasse	n. f. : jeune fille (pron. **fi-yasse**)
fileur, euse	*Voir* **filaire**
fillasse	*Voir* **filasse**
filler fillér	*Voir* **filaire**
flûteau flûtiau	n. m. : plantain d'eau n. m. : flûte, plantain d'eau (pron. **flu-tyo**)
fougasse	n. f. (ou fouace) : galette
fougasse	n. f. : mine
fugace	adj. : fugitif
fun	n. m. ou adj. : flotteur (ou funboard), joie ; «ils sont fun», amusants (pron. **fœn**)
fun	n. m. (dans «c'est le fun») : amusement (pron. comme *phone*)
phone	n. m. : unité de puissance sonore
gai, e	n. ou adj. : enjoué, ivre, agréable, homosexuel (pron. **gué** ou **guè**)
gay	n. m., adj. ou adj. inv. : homo-sexuel (pron. **guè**)
guai	adj. m. (ou guais) : hareng qui a frayé (pron. **guè**)
guet	n. m. : surveillance (pron. **guè**)
gué	n. m., interj. : endroit d'une rivière ; marque la joie

galope	n. f.: terme de reliure (pron. comme *écope*)
gallup	n. m.: sondage d'opinion (pron. **galœp**)
gay	*Voir gai, e*
goupil	n. m.: renard (pron. **gou-pi** ou **gou-pile**)
goupille	n. f.: broche métallique (pron. comme *fille*)
grémil	n. m.: plante (pron. comme *bile*)
grémille	n. f.: poisson (pron. comme *bille*)
guai guais gué guet	*Voir gai, e*
hadj (ou hadjdj)	*Voir age*
hadji (ou hadj)	*Voir agis, agit*
haggis	*Voir agissent*
haie hais hait	*Voir ais*
hâle	n. m.: bronzage (pron. comme *châle*)
hall	n. m.: grande salle (pron. comme *drôle*)
halle	n. f.: grande salle pour le commerce en gros (pron. comme *balle*)
halles	n. f. pl.: emplacement du marché central dans une ville (pron. comme *balle*)
haler hâler	*Voir allée*
haleter	*Voir allaiter*
hall halle halles	*Voir hâle*
hâtelle	*Voir atèle*

haussement ossements	n. m.: action de hausser n. m. pl.: os de cadavres
haute	n. f. ou adj. f.: haute classe; élevée, forte
hôte	n. m.: qui reçoit ou qui est reçu
hot	n. m., n. m. inv. ou adj. inv.: forme de jazz (pron. comme *hotte*)
hotte	n. f.: panier, cheminée
hé	*Voir ais*
hockey	n. m.: sport (pron. comme *hoquet*)
hoquet	n. m.: contraction, choc, terme de musique
O. K.	adj. inv., adv. ou interj.: d'accord (pron. **o-qué** ou **o-què**)
horion	*Voir aurions*
hot hôte hotte	*Voir haute*
imminence (imminent, e)	*Voir éminence (éminent, e)*
jacket	n. f.: terme de chirurgie dentaire (pron. comme *jaquette*)
jaquette	n. f.: veste, couverture de livre
jacquet	n. m.: jeu, écureuil (pron. **ja-què**)
jaquet	n. m.: écureuil (pron. **ja-què**)
jeune	n. ou adj.: récent, peu âgé
jeûne	n. m.: privation de nourriture
kava	n. m. (ou kawa): arbre, boisson (pron. **ka-va**)
kawa	n. m. (ou caoua): café (pron. **ka-wa**)

Les homonymes

lai	n. m. : poème médiéval (pron. **lè**)
lai, e	adj. : religieux non prêtre (pron. **lè**)
laid, e	n. ou adj. : sans beauté
laie	n. f. : femelle du sanglier, sentier de forêt, marteau du tailleur de pierres, hache, partie de l'orgue (pron. **lè**)
lais	n. m. : legs, laisse, jeune arbre (pron. **lè**)
lais	n. m. pl. : terrains à découvert près de la mer (pron. **lè**)
lait	n. m. : liquide nutritif
laye	n. f. : hache, partie de l'orgue (pron. **lè**)
legs	n. m. : héritage (pron. **lè** ou **lè-gue**)
lei	n. m. (pl. de leu) : unité monétaire roumaine (pron. **lè** ou comme *veille*)
lé	n. m. : étoffe, papier peint, chemin
les	art. : pluriel de le, la (pron. **lé**)
lès	prép. (ou lez, les) : près de (pron. **lè** ou **lé**)
ma	adj. poss. : féminin de mon (pron. **a** comme dans *patte*)
mas	n. m. : maison de campagne (pron. comme *masse* ou comme *ma*)
mât	n. m. : poteau (pron. **â** comme dans *pâte*)
mai	n. m. : cinquième mois, arbre (pron. comme *mais*)
maie	n. f. : coffre à pain, table de pressoir
mais	adv. ou conj. : pour souligner ; pour marquer une transition
maye	n. f. : auge de pierre pour l'huile
mets	n. m. : aliment
mes	adj. poss. : pluriel de mon, ma (pron. **mé**)
maronner	v. : rager, attendre
marronnier	n. m. : arbre
mas mât	*Voir* **ma**

maté mater	n. m. : houx (pron. comme *raté*)
	v. : dépolir, reluquer, dompter, terme d'échecs (pron. comme *rater*)
mâter	v. : mettre les mâts (pron. comme *gâter*)
mater	*Voir H6*
matin	n. m. ou adv. : début du jour ; de bonne heure
mâtin, e	interj., n. ou adj. : marque l'étonnement, l'admiration ; chien de garde, personne vive, grossière
matinée	n. f. : matin, spectacle en après-midi
mâtiné, e	adj. : se dit d'un chien qui n'est pas de race pure, mêlé (de)
mâtiner	v. : croiser une chienne
mature	adj. : à maturité
mâture	n. f. : mâts d'un navire
maul	n. m. : au rugby (pron. comme *drôle*)
môle	n. f. : poisson, croissance anormale du placenta (pron. comme *drôle*)
môle	n. m. : digue, embarcadère (pron. comme *drôle*)
mole	n. f. : unité de quantité de matière (pron. comme *folle*)
molle	adj. (fém. de mou, mol) : tendre, faible (pron. comme *folle*)
maye mes mets	*Voir* **mai**
miction	n. f. : action d'uriner (pron. **mik-sion**)
mixtion	n. f. : action de mélanger (pron. **miks-tion**)
mol	*Voir* **maul**
molaire	n. f. ou adj. : dent ; relatif à la mole, global
môlaire	adj. : relatif à la môle (en médecine)

mole môle molle	*Voir maul*	papillon	n. m. ou app. : insecte, nage, texte publicitaire ; dans « nœud papillon » (pron. **pa-pi-yon**)
O. K.	*Voir hockey*	papion	n. m. : singe (pron. **pa-pyon**)
orillon	*Voir aurions*	pâque Pâque pâques Pâques	*Voir pack*
ossements	*Voir haussement*		
pack	n. m. : banquise, emballage, terme de rugby (pron. **a** comme dans *patte*)	pastiche postiche	n. m. : œuvre d'imitation n. m. ou adj. : faux cheveux, barbe ; faux, rapporté
pâque	n. f. : fête juive, agneau pascal (pron. **â** comme dans *pâte*)	pat	n. m. ou adj. inv. : aux échecs (pron. comme *patte*)
Pâque	n. f. : fête juive	patte	n. f. : pied, main, habileté, languette, torchon
pâques	n. f. pl. : dans « faire ses pâques »	pattes	n. f. pl. : favoris
Pâques	n. f. pl. : fête chrétienne ; dans « faire ses Pâques » ; avec une épithète : « Pâques fleuries, closes »	pâte	n. f. : préparation consistante (pron. comme *hâte*)
Pâques	n. m. (sans article) : fête chrétienne	pauliste	n. ou adj. : missionnaire ; de São Paulo (pron. comme *gaulliste*)
paidologie	n. f. : étude de l'enfant (pron. **pè-do-logie**)	poliste	n. m. ou f. : guêpe (pron. comme *soliste*)
pédologie	n. f. : étude des sols, de l'enfant	paumé, e	n. ou adj. : misérable, égaré (pron. comme *chômé*)
pal	n. m. : pieu, outil, terme d'héraldique	paumée	n. f. : coup sur la nuque à l'adoubement (pron. comme *chômé*)
Pal	adj. inv. ou n. m. (sigle) (de l'anglais) : système de télé	paumer	v. : perdre, frapper (pron. comme *chômer*)
pale	n. f. : partie d'une rame, d'une roue, d'une hélice, vanne, linge liturgique	pommé, e	adj. : rond comme une pomme, complet (pron. comme *sommé*)
palle	n. f. : linge liturgique	pommer	v. : se former en pomme (pron. comme *sommer*)
pâle	adj. : blême (pron. comme *râle*)		
pali, e	n. m. ou adj. : langue ancienne (pron. comme *sali*)	paumier, ère	n. m. ou adj. : daim (pron. comme *baumier*)
palis	n. m. : pieu, clôture (pron. comme *sali*)	pommier	n. m. : arbre (pron. comme *sommier*)
pâli, e	p. p. : de pâlir	pêcheur, eresse pêcheur, euse	n. : en état de péché n. ou adj. : qui s'adonne à la pêche (pron. **pè-cheur**)
palle	*Voir pal*		*Voir pécher, pêcher, H4*
palot	n. m. : bêche (pron. comme *ballot*)	pédologie	*Voir paidologie*
pâlot, otte	adj. : un peu pâle		

Les homonymes

pelé, e	n. m. ou adj. : gîte à la noix, chauve
peler	v. : ôter la peau, le poil
peller	v. : pelleter la neige (pron. **pé-lé**)
pennon	n. m. : drapeau de chevalerie, ruban indiquant la direction du vent, terme de blason (pron. **pé-non**)
penon	n. m. : ruban indiquant la direction du vent, terme de blason (pron. **pe-non**)
periodique	adj. : acide contenant de l'iode (pron. **pèr-io-dique**)
périodique	n. m. ou adj. : publication ; à intervalle régulier (pron. **pé-rio-dique**)
phone	*Voir fun*
pisciforme	adj. : en forme de poisson (pron. **pis-si-forme**)
pisiforme	n. m. ou adj. : os du carpe (pron. **pi-zi-forme**)
poison	n. m. : substance dangereuse
poisson	n. m. : animal pourvu de nageoires
Poissons	n. m. pl. : constellation, signe du zodiaque, personne née sous ce signe (un poissons ou un Poissons)
poliste	*Voir pauliste*
pommier	*Voir paumier, ère*
postiche	*Voir pastiche*
préteur	n. m. : magistrat judiciaire romain
prêteur, euse	n. ou adj. : qui prête
quartilage	*Voir cartilage*
race	n. f. : groupe ethnique (pron. comme *face*)
ras	n. m. : chef éthiopien (pron. comme *grâce*)

rai	n. m. : rayon (pron. **rè**)
raie	n. f. : rayure, bande de spectre, poisson (pron. **rè**)
ray	n. m. : culture sur brûlis (pron. **rè**)
rets	n. m. : filet, piège (pron. **rè**)
ré	n. m. inv. : note de musique
rhé	n. m. : unité de fluidité
rainette	n. f. : grenouille, outil (pron. **rè-nette**)
reinette	n. f. : pomme (pron. **rè-nette**)
rénette	n. f. : outil à pointe courbée (pron. **ré-nette**)
raiponce	n. f. : campanule (pron. **rè-ponce**)
réponse	n. f. : parole, réaction
raisonné, e	adj. : calculé, rationnel (pron. **rè-zonné**)
raisonner	v. : penser (pron. **rè-zonné**)
résonner	v. : tinter, produire un son
rap	n. m. : musique rythmée
râpe	n. f. : ustensile, pédoncule, lime
râpé	n. m. : piquette, fromage, tabac
râpé, e	adj. : usagé, réduit en miettes, fichu
râper	v. : réduire en poudre, user, gratter
raper	v. (ou rapper) : jouer du rap (pron. comme *frapper*)
ras	*Voir race et H6*
raseur, euse	n. : ouvrier qui rase, personne qui ennuie
riser	n. m. : canalisation d'un puits de pétrole (pron. **ri-zère** ou **rail-zeur**)
raucher	v. : terme du langage minier (pron. comme *embaucher*)
rocher	n. m. : gâteau, pierre, os (pron. comme *clocher*)
rocher	v. : mousser (en parlant de la bière), se couvrir d'excroissances
ray ré	*Voir rai*

recréation	n. f. (de même pour recréer) : action de créer de nouveau
récréation	n. f. (de même pour récréer) : détente
reformer	v. : former de nouveau
réformer	v. : corriger, améliorer, retirer
reinette	*Voir **rainette***
rénette	
repartir	v. : partir de nouveau, répliquer (de même pour repartie : réponse rapide)
répartir	v. : partager, répliquer (de même pour répartie : réponse rapide)
réponse	*Voir **raiponce***
résonner	*Voir **raisonner***
rets	*Voir **rai***
rhé	
riser	*Voir **raseur, euse***
rocher	*Voir **raucher***
rocouer	v. : teindre avec du rocou (pron. **ro-coué**)
rocouyer	n. m. : arbre (pron. **ro-cou-yé**)
roder	v. : mettre au point, user une pièce (pron. comme *broder*)
rôder	v. : errer (pron. comme *frauder*)
saï	n. m. : singe (pron. **sa-hi** ou **sail**)
saillie	n. f. : élan, protubérance (pron. **sa-yi**)
saillis, saillit	v. : de saillir (pron. **sa-yi**)
saie	*Voir **ces***
saillie	*Voir **saï***
saillis, saillit	
sais	*Voir **ces***
sait	

saucé, e	adj. : terme de numismatique
saucée	n. f. : averse
saucer	v. : tremper dans la sauce, mouiller
saussaie	n. f. (ou saulaie) : plantation de saules (pron. **sau-sè**)
saule	n. m. : arbre (pron. comme *pôle*)
sol	n. m. : terre, solution colloïdale, monnaie péruvienne
sol	n. m. inv. : note de musique
sole	n. f. : poisson, dessous d'un sabot, terre labourée, charpente (pron. comme *sol*)
soul	n. m. ou f., adj. inv. (ou soul music) : musique noire américaine (pron. comme *soûle* ou comme *sol*)
saussaie	*Voir **saucé, e***
schapska	*Voir **chapska***
secréter	v. : traiter des peaux
sécréter	v. : produire par sécrétion
ses	*Voir **ces***
sol	*Voir **saule***
sole	
soul	
sourcilier, ère	adj. : relatif aux sourcils (pron. **sour-si-lié**)
sourciller	v. : remuer les sourcils (pron. **sour-si-yé**)
stock	n. m. : marchandises en réserve
stokes	n. m. : unité de mesure (pron. comme *boxe* ou [o] comme dans *rauque*)
tache	n. f. (de même pour tacher) : marque, souillure
tâche	n. f. (de même pour tâcher) : travail

Les homonymes

taie	n. f. : enveloppe, tache cornéenne (pron. **tè**)
tais, tait	v. : de taire (pron. **tè**)
têt	n. m. (ou test ; du latin) : récipient utilisé en chimie (pron. **tè** ou **tèt**)
té	interj. ou n. m. : marque la surprise ; objet en forme de T, règle, ferrure
tes	adj. poss. : pluriel de ton, ta (pron. **té**)
thé	n. m. ou app. inv. : arbre, feuilles, boisson, réunion ; couleur
taupé, e	n. m. ou adj. : chapeau de feutre ; se dit d'un feutre
toper	v. : accepter un défi (pron. comme *galoper*)
té	*Voir taie*
tender	n. m. : wagon après une loco-motive (pron. **ten-dèr**)
tendeur, euse	n. : personne qui tend, appareil pour tendre
tes	*Voir taie*
têt	*Voir taie et H6*
thé	*Voir taie*
tôlé, e	adj. : se dit de la neige qui a regelé (pron. comme *frôler*)
tollé	n. m. : clameur (pron. comme *affoler*)

ton	*Voir H6*
ton	n. f. : unité de masse anglo-saxonne (pron. **tœn**)
tonne	n. f. : unité de masse
toper	*Voir taupé, e*
tories	n. m. (pl. de tory) : membres d'un parti politique anglais (pron. **to-ri**)
torii	n. m. inv. : portique (pron. **to-ri-i**)
tortil	n. m. : en héraldique (pron. comme *bile*)
tortille	n. f. (ou tortillère) : allée dans un jardin (pron. comme *bille*)
varois, e	n. ou adj. : du Var (pron. **var-oua**)
varroa	n. m. : acarien (pron. **va-ro-a**)
volé, e	n. ou adj. : victime de vol, se dit d'un pas
volée	n. f. : coup sur la balle, envol, troupe, raclée
voler	v. : planer, dérober
volet	n. m. : panneau (pron. **vo-lè**)
volley	n. m. (ou volley-ball) : sport (pron. **vo-lè**)

Les mots qui suivent ont la même orthographe mais un sens différent selon la prononciation qu'on leur donne, contrairement aux homonymes, qui se prononcent de la même façon mais s'écrivent différemment. La prononciation correcte mérite donc une attention particulière : elle est indiquée entre parenthèses.

ben	adv. : bien (pron. comme *bain*)
ben	n. m. (ou bénard) : pantalon (pron. comme *benne*)
ben	n. m. (pl. beni) : fils en arabe (pron. comme *benne*)
carter	n. m. : enveloppe pour protéger un mécanisme (pron. **car-tèr**)
carter	v. : présenter sur une carte (pron. **car-té**)
cassis	n. m. : rigole (pron. comme *vice* ou comme *vie*)
cassis	n. m. : arbuste, fruit, liqueur (pron. comme *vice*)
cent	n. f. (ou cenne) : monnaie (pron. comme *cène* au Québec)
cent	n. m. (de l'anglais) : unité de monnaie aux Pays-Bas, aux États-Unis, etc. (pron. **sèn-t**)
cent	n. m. ou adj. num. : dix fois dix (pron. comme *sans*)
champ	n. m. (abrév.) : champagne (pron. comme *rampe*)
champ	n. m. : étendue de terre (pron. comme *chant*)

chopper	n. m. (de l'anglais) : outil, moto (pron. **cho-pœr**)
chopper	v. : trébucher, se tromper (pron. **cho-pé**)
coke	n. f. : cocaïne (pron. comme *rauque*)
coke	n. m. : combustible (pron. comme *coq*)
colon	n. m. : fermier, pionnier, colonel (pron. comme *boulon*)
colon	n. m. (pl. colones) : monnaie costaricienne, salvadorienne (pron. comme *colonne*)
drill	n. m. (de l'anglais) : entraînement militaire (pron. comme *mille*)
drill	n. m. : singe (pron. comme *fille* ou comme *mille*)
est	n. m. inv. : point cardinal (pron. comme *este*)
est	v. : forme du verbe être (pron. comme *haie*)
ester	n. m. : terme de chimie (pron. **ès-tèr**)
ester	v. : intenter (en justice) (pron. **ès-té**)
exprès	adv. : volontairement (pron. **ex-prè**)
exprès	n. m., adj. inv. : envoi mentionnant «exprès» (pron. **ex-prèss**)
exprès	adj. (fém. expresse) : précis, explicite (pron. **ex-prèss**)
flat	adj. m. : se dit du ver à soie malade (pron. comme *fla*)
flat	n. m. (de l'anglais) : studio (pron. comme *flatte*)
flipper	n. m. : terme de billard (pron. **fli-pœr**)
flipper	v. : déprimer (pron. **fli-pé**)

Les homonymes

fun	n. m. (dans « c'est le fun ») : amusement (pron. comme *phone*)
fun	n. m. ou adj. : flotteur (ou funboard), joie ; « ils sont fun », amusants (pron. **fœn**)
gens	n. f. (pl. gentes, pron. **gin-tès**) : groupe de familles dans l'Antiquité romaine (pron. comme *pince*, ou **gèns**)
gens	n. m. ou f. pl. : personnes en nombre indéterminé (pron. comme *Jean*)
jet	n. m. (de l'anglais) : avion à réaction (pron. **djèt**)
jet	n. m. : action de jeter (pron. **jè**)
las	adj. : fatigué (pron. comme *bas*)
las	interj. : hélas (pron. comme *lasse*)
lis	n. m. (ou lys) : plante (pron. comme *lisse*)
lis	v. : de lire (pron. comme *li*)
lut	n. m. : enduit (pron. comme *lutte*)
lut	v. : de lire (pron. comme *lu*)
mater	n. f. : mère (pron. **ma-tèr**)
mater	v. : dépolir, reluquer, dompter, terme d'échecs (pron. **ma-té**)
mil	adj. num. : 1000 dans une date (pron. comme *mille*)
mil	n. m. : massue en gymnastique (pron. comme *mille*)
mil	n. m. : céréale (pron. comme *mille* ou comme *fille*)
ouïe	interj. (ou ouille) : exprime la douleur, la surprise (pron. comme *fouille*)
ouïe	n. f. : audition, fente d'un poisson, d'une machine, d'un instrument de musique (pron. comme *oui*)
plaid	n. m. (du latin) : assemblée judiciaire, querelle, procès (pron. comme *plaie*)
plaid	n. m. (de l'écossais) : vêtement, couverture (pron. comme **plaide**)
pointer	n. m. (ou pointeur ; de l'anglais) : chien (pron. **poin-teur**)
pointer	v. : marquer d'un point, diriger, piquer (pron. **poin-té**)
poster	n. m. (de l'anglais) : affiche (pron. **pos-tèr**)
poster	v. : placer, mettre à la poste (pron. **pos-té**)
pub	n. f. (abrév.) : publicité (pron. comme *tube*)
pub	n. m. : débit de boissons (pron. **pœb**)
punch	n. m. : boisson (pron. **ponche**)
punch	n. m. ou n. m. inv. : puissance du boxeur, efficacité (pron. **pœnch**)
putter	n. m. : club pour jouer un putt (pron. **pœ-tœr**)
putter	v. : jouer un putt (pron. **pœ-té**)
ras	n. m. ou adj. : radeau ; tondu, plat, uni (pron. comme *gras*)
ras	n. m. : chef éthiopien (pron. comme *grâce*)
reporter	n. (ou reporteur ; de l'anglais) : journaliste (pron. **re-por-tère** ou **-teur**)
reporter	v. : porter plus loin (pron. **re-por-té**)
rit	n. m. (ou rite) : cérémonie, coutume (pron. comme *rite*)
rit	v. : de rire (pron. comme *ri*)
rot	n. m. : éructation (pron. comme *rho*)
rot	n. m. : maladie des plantes (pron. comme *rote*)

soit	adv. : pour affirmer (pron. **swat**)	Têt	n. m. : fête vietnamienne (pron. **tèt**)
soit	conj. ou v. : marque une alternative, une supposition ; de être (pron. comme *soie*)	têt	n. m. (ou test ; du latin) : récipient utilisé en chimie (pron. **tè** ou **tèt**)
supporter	n. m. (ou supporteur, trice ; de l'anglais) : partisan (pron. **su-por-tère** ou **-teur**)	ticket	n. m. : billet d'admission, invitation galante, terme de politique américaine (pron. **ti-kè**)
supporter	v. : recevoir le poids, subir (pron. **su-por-té**)	ticket	n. m. : terme de politique américaine (pron. **ti-kè** ou **ti-kette**)
sus	adv. : en plus (pron. comme *su* ou comme *suce*)	tokay	n. m. (ou tokaj) : vin de liqueur hongrois (pron. comme *rocaille*)
sus	v. : de savoir (pron. comme *su*)	tokay	n. m. : vin de liqueur hongrois, vin alsacien (pron. comme *toquet*)
suspense	n. f. : peine imposée à un clerc (pron. comme *dépense*)	ton	n. f. : unité de masse anglo-saxonne (pron. **tœn**)
suspense	n. m. (de l'anglais) : moment spécial d'un film, d'un spectacle (pron. **sus-pèn-se** ou **sœs-pèn-se**)	ton	n. m., adj. poss. : hauteur de la voix ; qui est à toi (pron. comme *thon*)
talus	adj. m. : se dit d'un pied bot (pron. comme *autobus*)		
talus	n. m. : pente (pron. comme *vendu*)		

Les homonymes

imprimerie   gagné ltēe

IMPRIMÉ AU CANADA